LA FOI DE MA MÈRE

vendredi nous avons ⁻15⁻ le plaisir d'avoir l'abbé Alas
avec nous il retourne demain soir il est bien
chanceux il n'a pas de malade a l'infirmerie
ici plus au moin chanceux les hommes sieur
passe tous au radio Canis repart pour la Darontée
une assemblé le soir une assemble de commissaire
ici demain je serais bien surprise si Canis
reste ici c'est l'engagement du secretaire du village
ma aujourd'hui l'oncle Lotte joseph Lacroix nous ecrit
c'est le temps que chacun qui a vue le départ de
Cecile est très impressionne et toucher de son
grand courage il nous dit qu'il veut chanter
le service anniversaire de grand pere Lacroix
dans la semaine du 14 fiev je t'envoie la
lettre que Mad D'irme nous a ecrit j'ai pensée
que t'avais moin de detail sur le lettre qu'il
ton ecrit je veut envoyer maller ma lettre par
Lotte Alex demain matin pour être sure que
tu reçoivent ma lettre en temps je ne peut
pas continuer ma lettre les homme parle
fort et cela me mêle demain je vas ecrire
a Cecile puisqu'elle ne peut pas ecrire j'espere qu'elle lui donneront ma lettre

Bonne santé bon courage a Paque
les 1er jour j'espere de t maman
R. A. Lacroix

1. Autographe de Rose-Anna Blais.

Benoît Lacroix

La foi de ma mère

Édition revue et corrigée

BELLARMIN

Données de catalogage avant publication (Canada)

Lacroix, Benoît, 1915-

    La foi de ma mère

    Comprend des réf. bibliogr. et un index.

    ISBN 2-89007-892-2

    1. Québec (Province) – Vie religieuse.
    2. Église catholique – Québec (Province) – Histoire.
    3. Foi.
    I. Titre.

BX1422.Q8L32 1999   282'.714   C99-941510-7

Dépôt légal : 4ᵉ trimestre 1999
Bibliothèque nationale du Québec
©Éditions Bellarmin, 1999

Les Éditions Bellarmin remercient le ministère du Patrimoine canadien du soutien qui leur est accordé dans le cadre du Programme d'aide au développement de l'industrie de l'édition.
Les Éditions Bellarmin remercient également le Conseil des Arts du Canada et la Société de développement des entreprises culturelles du Québec (SODEC).

IMPRIMÉ AU CANADA

Le pays sera rempli de la connaissance du Seigneur
comme la mer que comblent les eaux.

Isaïe 11,9

Dois-je m'excuser — ô culpabilité! — auprès de mes confrères et de mes consœurs qui étudient l'histoire des mentalités religieuses de proposer un essai sans notes, sans étages de références et sans bibliographie pointue? J'ai fait le choix, plus urgent me semblait-il, de donner la parole au peuple d'ici. Les citations nombreuses, attribuées à ma mère, l'incomparable Rose-Anna, et à mon père, Caïus Lacroix l'inimitable, appartiennent à une tradition orale familiale tenace et comme telle aisément amplificatrice.

Mais quelle richesse dans leurs manières de dire et de raisonner! Trois formes de discours retiendront l'attention: le discours correct et respectueux d'une femme autodidacte, le discours plus familier et souvent moqueur d'un « habitant des Hauts de Bellechasse » et notre propre discours officiellement « très français ». Mais attention! le ton de ces discours vous dira peut-être que « le rire chasse le diable! »

Ce livre de mots et de dits, je l'offre avant tout à mes neveux et nièces, à mes petits-neveux et petites-nièces, à qui j'ai le privilège de parler joyeusement de leur aïeule, Rose-Anna Blais, ma mère.

Éternelle maman!

Remerciements

Largement alimenté par la tradition orale, ce livre, commencé il y a huit ans, a bénéficié dans sa dernière étape de l'aide de plusieurs personnes.

D'abord, celle, fraternelle et bénévole, de Lucille Côté, s.s.a., actuellement présidente de Mission patrimoine religieux au Québec qui nous a accompagné dans plusieurs de nos travaux à l'Institut québécois de recherche sur la culture. D'ailleurs, le guide lexicographique en annexe montre à quel point L.C. reste sensible à tout ce qui peut mieux faire connaître le patrimoine de nos ancêtres.

Pour venir à bout de tout ce qu'un texte exige d'attention et de vérifications de tous ordres, nous avons également profité de l'aide inestimable d'une autre collaboratrice de longue date, Giselle Huot, docteure en littérature québécoise, auteure, biographe et éditrice des œuvres d'Hector de Saint-Denys Garneau (†1943) et de Lionel Groulx (†1967). Douée d'une mémoire prodigieuse, G.H. a été pour nous d'une vigilance critique impossible à contourner et d'une extrême générosité. Nous devons aussi remercier les responsables des archives de la Fabrique et de la Municipalité de Saint-Michel-de-Bellechasse, qui l'ont si bien accueillie et aidée dans ses recherches, de même que ceux des archives de la Fabrique de Saint-Raphaël qui ont répondu affablement à nos questions.

Tant d'autres ! Deux compatriotes nés en Bellechasse ont droit à une reconnaissance particulière pour avoir osé lire notre manuscrit et pour nous avoir proposé de judicieuses remarques. Merci à notre *confrère dominicain et exégète Michel Gourgues ainsi qu'au talentueux prêtre Germain Lamontagne qui fut aussi curé de Saint-Michel-de-Bellechasse. Nos remerciements vont également à Madeleine Grammond, s.s.a., bibliothécaire et bibliographe et à Martine Lefebvre, qui nous ont été d'un précieux secours.*

Enfin, nous nous en voudrions de ne pas évoquer la mémoire de trois grands pionniers de la tradition orale: Marius Barbeau (†1969), Félix-Antoine Savard (†1982) et Luc Lacourcière (†1989). Notre admiration se porte désormais vers toutes les personnes qui, à l'aube de ce nouveau millénaire, demeureront attentives à tout ce qui a trait à notre mémoire collective. Mémoire d'une inépuisable richesse!

10 juillet 1999

B.L.

Avant-propos

La Fontaine s'amuse-t-il lorsqu'il dit: «N'attendez rien de bon du peuple imitateur. Qu'il soit singe ou qu'il fasse un livre»? Et Dostoïevski qui le contredit: «Gardez le peuple, gardez son cœur. Car le peuple est porteur de Dieu.» Dès lors, est-ce un bien, est-ce un mal que nos ancêtres, venus d'Europe aux XVIIe et XVIIIe siècles, aient cru si fermement en Dieu, aux anges, au diable, aux saints, à leurs curés, à leur paroisse, dans l'amour évident du pays et des habitants? Qu'au dire de certains critiques ils aient été «noyés dans le bénitier à l'ombre des clochers»? Il reste que ce sont ces hommes et ces femmes qui nous auront permis d'abord de fonder une «nouvelle France», puis de former un nouveau peuple qui en viendra à se nommer.

Essayons de connaître de plus près les croyances de ces gens qui, majoritairement, ont vécu surtout en milieu rural jusqu'au milieu du XXe siècle. Par ailleurs, n'attendons pas de ces *habitants* d'autrefois, des pionniers, des bâtisseurs, descendants pour la plupart de familles françaises catholiques émigrées de la Normandie, du Perche et du Poitou, de larges exposés sur la foi reçue, sur la foi transmise ou sur la foi mise en cause. Nous envisageons plutôt de retracer l'histoire du sentiment religieux traditionnel, quelque chose qui touche à la fois au sensible, à la vie immédiate, à des manières reçues pour exprimer le temps, l'espace, la vie, les rites et les coutumes.

Dans ce but, et pour nous en tenir à la foi populaire plutôt qu'à la foi savante, nous nous rappellerons surtout les dits et faits de ma mère en relation avec ceux de mon père qui, lui, obéissait à une vision plus politique et plus naturelle de la vie rurale. Tous les deux demeurent de fidèles et sages témoins, chacun à leur façon, de cette religion d'héritage. Nous l'avons déjà dit dans *La Religion de mon père* :

> La religion du plus grand nombre des Canadiens français, désormais appelés les *Québécois*, se définirait avant 1960, comme une *espèce de catholicisme nord-américain* dont les formes, les croyances et le rituel ont presque tous été importés d'Europe. De Rome viennent les consignes ; la France, elle, transmet plutôt l'esprit. Cette religion provinciale aura de particulier de se continuer au Québec telle que reçue et importée, autant dans sa structure que dans ses manières extérieures, jusqu'au milieu du xxe siècle. Nous n'avons pas ici vraiment intégré la Renaissance (xve et xvie siècles), ni même la Réforme protestante (xvie siècle), ni surtout la Révolution française (xviiie siècle). Nous nous retrouvons donc avec une religion « médiévale » d'une continuité étonnante et fortement portée à cléricaliser à peu près toutes les activités et à rejeter ou à ranger tout ce qui n'est pas strictement catholique au sens ritualiste du mot.

Aussi, les propos qui suivent sont plutôt ceux d'un historien et d'un praticien de la culture populaire que ceux d'un idéologue préoccupé par les frontières entre le sacré et le profane. Nous traitons du phénomène religieux québécois tel que nous l'avons vécu, puis étudié au Centre d'études des religions populaires de Montréal et tel que nous avons pu le percevoir lors de nos recherches sur le terrain. Aujourd'hui octogénaire, j'interroge encore les souvenirs d'un passé familial rempli de richesses et d'inédits.

PREMIÈRE PARTIE

LE TEMPS

CHAPITRE 1

Le temps du salut

C'EST EN PLEIN ÉTÉ, le lundi 10 juillet 1882, que naît, à Saint-Raphaël de Bellechasse, Rose-Anna Blais — elle signe parfois Rosanna —, dernière des sept enfants de Damase Blais né le vendredi 1er janvier 1836 et mort le vendredi 12 mars 1920. Le samedi 7 septembre 1858, Damase Blais avait épousé Philomène Pilote née le mercredi 4 mai 1842 et décédée le lundi 21 septembre 1914.

Rose-Anna Blais, de souche poitevine, possède, au sens médiéval du mot, la *fierté* d'être née Blais : « Je suis une Blais, une vraie Blais de Blais, les Blais de Bellechasse, d'une seule race… » C'est-à-dire « du monde pur, sans Abénakis, des gens de fiabilité, recevants, polis, qui aiment tout le monde et le Bon Dieu ». Blais de Blais ! Pas des « fiers-pets pour une miette ». S'il faut qu'ils travaillent au bois, ici ou dans les États du Maine ou du New Hampshire pour survivre, ils partent : « C'est pour les enfants qu'on s'exile pour un temps. Des gens de cœur, quoi ! Des gens du pays aussi ! »

Canadienne française ou Canadienne, comme on dit alors, ma mère préfère nettement, à la vie sociale du rang et de la paroisse, sa petite cuisine, sa maison, sa chambre à coucher… et le silence du soir. Et, sans qu'elle s'en doute toujours, elle domine par sa générosité, sa piété et sa fidélité.

BLAIS–LACROIX

Le mardi 13 mai 1902, et très très tôt le matin selon la coutume, Rose-Anna Blais prend «pour mari et légitime époux» Caïus Lacroix, du Deuxième Rang de Saint-Raphaël, appelé la Petite Cadie, pas très loin du lac des Abénakis. Ils auront cinq enfants: Jeanne, Léopold, Alexandre, Joachim alias Benoît et Cécile.

Caïus Lacroix, né le dimanche 9 décembre 1883 à la maison paternelle, est le quatrième des six enfants d'Abraham Lacroix dit le P'tit Bram, né lui aussi à Saint-Raphaël le mercredi 2 août 1854 et décédé le vendredi 28 février 1936; il avait épousé, le vendredi 14 août 1877, *une femme de la place*, disait-on à l'époque, Alphonsine Bélanger née le dimanche 14 octobre 1860 et décédée le lundi 28 janvier 1929.

Les Blais et les Lacroix, deux univers! Si Caïus Lacroix, à ses heures, plus nombreuses que rares, plutôt imprévisible, espiègle, démonstratif, excelle surtout dans la *parlure*, elle, Rose-Anna, plus secrète, discrète, toute à sa famille, possède la façon idéale, et sans que cela soit toujours évident, de tout régir. Travailler, prier… et se taire! À la cuisine, au salon, partout dans la maison, elle règne par l'autorité de son dévouement.

Ni les Blais ni les Lacroix, pas plus au village que dans les rangs, n'ont réussi à faire l'unanimité. Les Lacroix surtout aimeraient un peu trop la chicane et les procès, tandis que les Blais ont la réputation d'être bien près de leurs sous. D'autre part, la famille Lacroix fournit les meilleurs maquignons du comté et ne se gêne pas pour faire de la politique pour le Parti libéral. Hélas pour papa, les Blais sont *bleus*, à tendance conservatrice, et lui est *rouge* à faire rougir l'enfer! À la maison, heureusement, il n'est pas permis ou plutôt il a été convenu qu'il n'est pas possible de discuter de politique.

LA RELIGION DE MA MÈRE

Cependant, autour de la religion à pratiquer, ma mère et mon père font l'unanimité. Il n'est pas normal, pensent-ils, de vivre sans religion : «C'est comme si tu voulais marcher tout seul en hiver sans balises… Tu finiras par t'écarter, par te perdre, et geler tout rond. » Si papa a ses idées sur la façon de la vivre, c'est surtout à cause de maman, profondément croyante, que la religion détient à la maison une telle autorité. Il ne fait pas de doute pour elle — pour lui aussi — que leur religion est «un vrai cadeau du Bon Dieu ».

Cette religion de ma mère est une religion de la fidélité, reçue et transmise de mère en fille à la maison, puis enseignée à l'école, et toujours prêchée à l'église. En fait, ma mère arrivera à la ferme du Troisième Rang avec son petit catéchisme appris par cœur, et son livre d'histoire sainte. Elle s'est vite abonnée à ses *Annales de la Bonne Sainte-Anne* ; elle lit régulièrement l'*Imitation de Jésus-Christ* et on ne sait trop comment ce livre est arrivé jusqu'à elle. Les enseignements de Monsieur le curé la confirment dans la conviction que cet ensemble de rites et de croyances, que ce sentiment naturel d'une présence invisible et sa dépendance instinctive face à l'inconnu sont des raisons fondamentales de vivre, d'espérer et d'aimer. «C'est mon cœur qui me fait dire qu'il faut prier le Bon Dieu, aller à l'église, écouter Monsieur le curé et faire apprendre le catéchisme aux enfants. »

LE TEMPS REÇU

Si étonnant que cela puisse paraître au premier abord, la question qui préoccupe le plus profondément ma mère, et conséquemment mon père, mais un peu moins, est celle du *temps du salut*. Un cantique d'église ne cesse de lui trotter dans la tête :

> Sans le salut, pensons-y bien,
> Tout ne nous servira de rien.

Le temps alloué à la vie ne peut servir qu'à une fin : aller au ciel et réussir son éternité. Cette obsession, nous la retrouvons dans ses lettres et dans ses propos quotidiens. Ma mère aime écrire ; elle écrit, et fort bien, des lettres de dix à quinze pages parfois, sans fautes ou presque, sans ratures. Dans les lettres qu'elle nous envoie régulièrement au pensionnat, elle révèle ce qu'il y a de plus existentiel, pour elle du moins : le temps, le temps qui passe et qui vient, « le temps qui brûle » ; le temps, support de sa foi, le temps du salut, à long terme, ainsi que le rappelle le premier chapitre du petit catéchisme de Québec, tel qu'enseigné à Saint-Raphaël au début des années 1880 :

Q. Qui vous a créé et mis au monde ?
R. C'est Dieu qui m'a créé et mis au monde.

Q. Pourquoi Dieu vous a-t-il créé et mis au monde ?
R. Dieu m'a créé pour le connaître, pour l'aimer, pour le servir et pour acquérir, par ce moyen, la vie éternelle.

Q. Que faut-il faire pour servir Dieu comme il veut être servi et pour acquérir la vie éternelle ?
R. Pour servir Dieu comme il veut être servi et pour acquérir la vie éternelle, il faut être chrétien, c'est-à-dire de la religion chrétienne et catholique.

La nature du temps

« Mes enfants, la vie éternelle ça commence avec le temps. Dans l'temps comme dans l'temps. Ah ! le temps ! c'est comme l'air, il en faut beaucoup pour vivre. Tu en manques, ou tu en as trop. Tu n'es pas capable de l'attacher. Tu ne peux pas t'en passer. Il passe, il vient, il va, il prend son temps, il est bien capricieux. » Papa aime intervenir dans ce genre de discussion entre sa Rose-Anna et ses enfants qui vont aux études. Toujours, il a son mot à dire : « Tu as beau raisonner, mon garçon, employer tes mots d'instruction, t'empêcheras jamais le temps de passer… Tu as beau regarder l'horloge, écouter l'angélus, surveiller le p'tit train, tu as beau te désâmer, tu retiendras pas l'instant qui passe ! Le temps, i' part toujours, i' arrive toujours, i' est toujours là, à l'heure. »

N'allons pas leur demander, ni à maman ni à papa, une définition stricte du temps. Mieux vaut les surprendre dans leurs propos de tous les jours : « Le temps, des fois c'est long ; des fois c'est court ; des fois ça mèche vite et je ne le vois pas passer ; des fois j'aimerais le retenir un peu; d'autres fois, le contraire. Si mon mari est au bois, que les enfants sont à l'école, que mon ménage est fait pour la journée, je m'ennuie. Toujours la même ritournelle: mangeage, ménage, dormage et priage… Tu te fatigues à la longue. Il m'arrive de rêvailler la nuit ou même durant toute la nuitée et de me décourager à penser qu'il faut toujours donner du temps au temps, autrement il n'est pas content. »

« Le temps c'est à toi et pas à toi: tu le prends, il se sauve. Tu as fini, il continue. Tu t'approches, il a déjà fui. Tu ne sais pas toujours comment il arrive, comment il va partir, parce qu'il part plus vite qu'il arrive… Un vrai sauvage! Malgré tout, c'est un sage! Encore et toujours, il faut donner du temps au temps. De toute manière, chaque chose en son temps et, aujourd'hui pour demain que ça n'aille pas, un jour sera le bout de la vie. »

Papa, qui a toujours hâte de mettre son mot, d'autant plus que maman n'a pas l'habitude des longs discours, veut s'impliquer: «Tu veux apprendre le temps? Regarde le fleuve qui suit toujours son aller. Le temps, i' faut qu'i' passe comme lui, i' faut plusieurs méchées. Apprenez, vous, les garçons, que le temps suit toujours son idée. On fafine pas avec lui, pas plus que lui peut empêcher l'été d'arriver, ni l'automne, ni l'hiver. T'as beau aller au fleuve, surveiller les marées, compter, mesurer les jours et les heures, lui, le fleuve, suit son cours. Vous avez beau raisonner, vous donnerez jamais une minute de plus au fleuve; pas plus que toé, la mère, à t'énerver tu donneras une minute de plus pour finir ton repassage. Avec le temps, c'est comme ça: n'essayez pas de le posséder. Ni surtout de lui faire la leçon. »

L'origine du temps

D'où vient le temps? demandons-nous à maman. «Il n'y a pas à en douter une seconde, le temps vient d'en haut. Comme le soleil, comme les étoiles. »

À cause de maman et de papa, nous étions dès lors certains que le temps était d'origine divine, pour ne pas dire qu'il était divin lui-même. Dieu et Dieu seul, créateur du ciel et de la terre ainsi qu'il était dit chaque dimanche à l'église Saint-Michel, a fait le temps. Lui seul a ce pouvoir. Nos théories n'y changent rien. Papa m'avertit, un jour de vive discussion : « Mon petit garçon, fais pas ton morveux, t'étais pas là quand le Bon Dieu était déjà là, lui, le premier. Tu seras mort et le temps sera pas mort et il y aura d'autres calendriers au mur. »

La division du temps

Maman ne sait rien des époques, ni des millénaires, ni de l'âge de pierre, ni de l'âge d'or, ni de l'Antiquité, ni du Moyen Âge, ni des civilisations ; ces mots n'auraient eu aucune résonance en son esprit. Le plus qu'elle sait se dit : « Dans mon temps ça se passait de même... Dans le bon vieux temps... À nos âges. » Son temps est celui des générations où tout se transmettait par tradition orale. Une génération dure environ trente ans : le temps de naître, de grandir, de se marier, d'avoir des enfants. « Tu élèves ta famille, tu installes tes enfants, une autre génération arrive... Un des plus beaux cadeaux du temps de ma vie est quand Jeanne a eu Paul-André. J'étais grand-maman pour la première fois. Comme si ma vie recommençait ! »

Y aurait-il dans le cours du temps des années plus importantes que d'autres ? Pour maman, c'est l'année de son mariage ; celle de la naissance de Jeanne, son premier enfant ; celle de sa dernière confession générale ; celle de l'entrée de son fils cadet en religion, en 1936.

Pour sa part, et sans le moindre reniement de ses réflexes religieux, papa pense davantage selon le calendrier politique de l'époque. Ses plus belles années ? Celle où sir Wilfrid Laurier est venu parler à Beaumont, celles du temps de Bourassa et de Turgeon, celle de la première élection de Taschereau alors que « les maudits Bleus » ont perdu leur élection. Il n'oublie pas pour autant l'année où « on a bâti la grange » !

La durée du temps

Ils ne connaissent peut-être pas la définition du temps, mais ils en éprouvent largement la fluidité. La durée les préoccupe, d'autant plus qu'elle appelle, dans leur esprit, *l'éternité des éternités*. « Une fois que Dieu t'a donné le temps, répète maman, il ne peut plus te l'enlever, il te l'a donné. Il doit vouloir que cela dure. Sinon pourquoi te l'aurait-il donné ? »

Loin d'être un problème, la durée, pour maman, va de soi : « Dieu t'a donné la vie et, parce que c'est lui qui te l'a donnée, elle devrait toujours durer. Autrement Dieu changerait d'idée en cours de route. Et c'est pas normal. » La mort ? Comme une mauvaise grippe dont le corps ne se relève pas tout de suite… Seule la mort éventuelle de l'autre l'effraie. Si maman ne se voit pas seule sur la terre sans son mari dont la perte signifierait, pour elle du moins, la fin réelle des temps, elle se voit mal toujours en silence sans « son Caïus qui parle tout le temps ».

Cultivateur qui, largement, vit d'un temps naturel, papa a pour son dire que Dieu y verra, que le temps durera tant que le Bon Dieu voudra : « I' connaît son affaire et tu le mèneras pas. C'est lui qui mène. Le soleil se lève quand i' veut, i' s'couche quand i' veut. Va pas le déranger, i' t'écoutera pas. On est pas des petits Josué pour faire la leçon au soleil. » Sa conviction profonde est que Dieu nous donne du temps pour nous donner le goût de l'avenir. D'où son leitmotiv : « Aujourd'hui, c'est aujourd'hui. Demain ce sera un autre temps. »

Ma mère aime associer, relier, négocier : « Le temps a toujours été le temps. Si tu regardes trop en arrière, tu finis par ne plus savoir où tu marches. Mieux vaut vivre aujourd'hui qu'hier, parce qu'aujourd'hui est plus proche de demain qu'hier. » Papa qui a toujours un fait au bec : « Avec tes hier, ton aujourd'hui et ton demain, tu me fais penser, Rose-Anna, au vieux Leblanc, pilote au long cours. Tu sais, la maison blanche au ras du fleuve. Devenu sourd, le vieux s'en est allé à la Quasimodo se confesser à la sacristie au confessionnal des sourds. *Des pâques de renard* ! La porte était entrebâillée, j'ai tout entendu. Pit Leblanc a dit à Monsieur le curé, le nez collé à la grille : "Monsieur le curé, je m'accuse d'un péché de l'Antiquité avec une femme du Moyen Âge." » « C'est peut-être qu'en se confessant le vieux Pit Leblanc se soit mêlâillé dans ses mots, c'est possible, commente maman en cherchant son sérieux… À force de jeunesser, tu finis par perdre la mémoire ! Pit Leblanc a pas dû être toujours un ange. Les bateaux, c'est pas des églises. »

Pour nos parents si peu préoccupés de nos divisions du temps en Antiquité, en Moyen Âge et en Temps modernes, la route de la vie ne peut être que linéaire : « Ce ne sont pas les gens d'instruction ni les messieurs de la ville qui vont empêcher le temps de continuer. Dieu est plus fort que tout nous autres ensemble. »

L'ÉTERNITÉ

Qu'est-ce que l'éternité ? Maman répondrait tout de suite, encore, toujours : « C'est du temps interminable. » Elle croit dur comme fer que la mort n'arrêtera pas le temps de s'éterniser. « Passé, présent ou futur, l'âme ne meurt pas. Le temps non plus. Le curé l'a dit au catéchisme et les Pères l'ont répété à la retraite paroissiale. Même si le temps bouge tout le temps, le temps s'entête à continuer. » Elle en est convaincue : l'éternité, c'est du temps issu du temps.

Elle ne voudrait surtout pas manquer le train qui la mènera au bout du bout du temps de son éternité. Des hivers longs l'obligent à garder la maison et elle est portée à jongler. Au catéchisme, elle a appris ce qu'elle fait maintenant répéter aux enfants avant leur départ pour l'école : qu'il y aura entre le temps de sa vie et le temps éternel comme deux examens d'entrée au paradis. Le petit catéchisme, dans son esprit, ne peut pas se tromper !

L'éternité, ce ne serait pas du temps comme aujourd'hui. Il n'y aura pas de nuit. Tout le monde sera heureux à cause du Bon Dieu qui suffira à tout le monde. « L'éternité ce sera du temps enfilé en un seul paquet comme un fuseau de fil. Un jour, tu auras ton fuseau, tu le posséderas pour toujours ; tu n'auras rien qu'à penser et tu ne manqueras jamais de temps.» Mais cela arrivera quand? Quand la fin du monde… dont parlent si éloquemment le catéchisme et les prédicateurs de retraite?

La fin du monde

Il appartient d'abord à papa de nous rassurer: «Comment ça finira tout ça, le sais-tu, toé, Rose-Anna? Combien de temps le monde va durer?» Elle ne répond pas. «Y en avait qui parlaient fort de la fin du monde en 1898 et le monde continue encore. Faut pas s'énerver. Le temps, c'est pas à nous. Pas plus que la vie. Tu chiales pas quand tu reçois un cadeau. Tu dis merci. Quand j'aurai fini mon règne, mon garçon prendra ma place, pis i' aura des enfants qui prendront sa place. Et ça, jusqu'à la fin. Pour le moment, on travaille. À tout dire, le temps t'échappe, i' part toujours plus vite qu'i' arrive. Tu seras morte et le temps durera encore. En tout cas, j'sais que ça prend des siècles pour faire un bel érable, ça prend toute une vie pour faire un habitant comme moé. Pour ça que j'dis merci à ma vie et à mon éternité.»

Elle, qui voudrait croire autrement, et mieux savoir, prend très au sérieux qu'à Noël l'on chante:

> Depuis plus de quatre mille ans,
> Nous le promettaient les prophètes.
> Depuis plus de quatre mille ans,
> Nous attendions cet heureux temps.

Si l'on ajoute 4000 à 1920, ça fait 5920: «Je ne sais pas où j'ai appris, et Monsieur le curé n'a jamais voulu me répondre, que le monde durerait 6000 ans. Ça veut dire que peut-être bien la fin du monde s'en vient. Vous devriez prier un peu plus, les enfants, on ne sait jamais.» Elle se souvient d'avoir entendu une fois au catéchisme, à l'église Saint-Raphaël, à l'occasion de la retraite annuelle des Dames de la paroisse, que les Juifs se convertiraient à la fin du monde, qu'ils reconnaîtraient enfin le Christ comme leur Messie qui, lui, reviendrait sur la terre. Cette hypothèse lui plaît. Papa d'ajouter malicieusement: «Pour moé, ça va être plus long que tu penses, d'à cause que, pour se convertir, plusieurs Juifs devront vendre leurs commerces. C'est pas fait encore.» Tout de suite, elle réplique: «Toi non plus, Caïus, tu n'as pas de temps à perdre, c'est le ciel ou l'enfer, Monsieur le curé l'a dit.» Il rétorque aussi vite: «Si y a pas de temps à perdre, pourquoi le curé parle-t-i' si longtemps?…»

Il est certain que papa nous apparaît beaucoup moins nerveux que maman sur l'avenir de la planète, sur l'éternité, sur la fin des temps et sur son propre destin: «J'ai pour mon dire que la vie est durable, mais qu'i' faut finir par finir à la manière d'icitte… Saint Pierre a besoin d'être là quand le Bon Dieu viendra me chercher… Tu feras dire des messes pour moé, pour que quand j'traverserai l'autre bord je naufrage point.»

Terrien, il s'intéresse plus aisément à ce que ses récoltes soient aujourd'hui aussi bonnes que celles de l'an dernier, à ce que ses pommiers fleurissent l'an prochain comme l'an passé; il est prêt à parler du passé et de l'avenir, mais sans s'exciter: «Le monde a toujours été le monde. Si tu regardes trop en arrière, tu finis par plus savoir où tu marches. Si tu regardes trop en avant, tu t'enfarges dans tes rêveries.» À Rose-Anna qu'il trouve parfois trop inquiète, il donne volontiers des avis: «Laisse le passé là où i' est. Cape sur l'avenir. Même si tu te désâmes aujourd'hui… Rose-Anna, tu sais pas l'avenir. Tu sais pas. Arrête-toé de l'inventer!» «Mais, je te le dis, c'est plus fort que moi, répond-elle, à cause que ça finira risqué. Tu ne te souviens pas, Caïus, de ce que disent nos prêtres et le petit catéchisme? Deux jugements. Un particulier, un général. Ce n'est pas drôle à penser. J'ai peur. Que m'arrivera-t-il au jugement particulier?»

Le jugement particulier

Encore le petit catéchisme:

Q. Quand se fera ce jugement particulier?
R. Le jugement particulier se fera à la mort de chacun de nous.

Q. Que deviendra notre corps après notre mort?
R. Après notre mort, notre corps retournera en terre.

Q. Et notre âme, où ira-t-elle ?

R. Notre âme paraîtra aussitôt devant Dieu pour être jugée.

Q. Sur quoi sera-t-elle jugée ?

R. Elle sera jugée sur le bien et sur le mal qu'elle aura fait.

Q. Que deviendra notre âme après le jugement particulier ?

R. Après le jugement particulier, notre âme ira en paradis ou en enfer, ou en purgatoire, selon ce qu'elle aura mérité.

Donc, aussitôt décédée, maman paraîtrait devant le «juste tribunal divin». Dieu sait déjà tout. Il a tout vu. Impossible de s'en tirer. Jugement particulier, privé, secret. Un seul juge : Dieu.

Elle se souvient du cantique. Elle se souvient plus facilement des mots que de la mélodie :

> À la mort, à la mort
> Pécheur tout finira.
> À la mort, à la mort
> Le Seigneur te jugera.

Et plus populaire encore est le cantique de toutes les retraites paroissiales :

> Sans le salut pensons-y bien,
> Tout ne nous servira de rien.

Pour bien dire, l'idée du jugement particulier la rassure quelque peu parce que «ça se passera seulement entre Dieu et moi». Ce sera confidentiel. La Sainte Vierge prendra sa part. Peut être aussi seront tout près sa famille du ciel, les saints, les saintes et les âmes du purgatoire maintenant délivrées parce qu'elle a tellement prié pour elles. «J'ai pour mon dire que si Dieu m'a donné de vivre, il devrait être capable de m'assurer mon ciel. J'aime tant la Sainte Vierge qu'elle ne devrait pas me laisser aller ailleurs… »

Le jugement dernier

Mais le second jugement, le jugement général, lui paraît terrible, indiscret surtout. Toujours à cause du même petit catéchisme de plus en plus affirmatif : «À la fin du monde tous les morts ressusciteront pour comparaître au jugement général. Les morts ressusciteront pour recevoir dans leur corps la récompense de leurs bonnes œuvres ou le châtiment de leurs péchés. »

La seule idée d'un jugement public, au grand air, avec des perspectives d'enfer et de mort éternelle lui fait terriblement peur. *Dies iræ! dies illa!* « Jour de colère que ce jour-là ! » La pensée que tout le monde va être au courant de tous les événements de sa vie, des mauvais coups comme des bons, que ses enfants, son mari, ses voisins apprendront la mauvaiseté de certains de ses désirs et de ses actes, l'humilie déjà profondément. « Ça veut dire que tout le monde saura mes péchés ? Je n'y tiens pas. » « Console-toé, a dit Caïus, t'apprendras aussi les miens. » Non, au grand jamais, elle n'a pu oublier les pages du petit catéchisme qui lui trottent dans la mémoire. Depuis son enfance, elle s'intéresse à tout ce que les prêtres disent à propos du jugement dernier.

LE TEMPS DU SALUT

Elle, si bonne, si priante, pense néanmoins qu'il lui faut à tout prix mériter son ciel. Elle multiplie les prières, les indulgences de la Bonne Mort ; elle espère voir le prêtre avant de mourir, du moins voudrait pouvoir réciter son *Acte de contrition*. Elle implore la Sainte Vierge, se consacre à saint Joseph, patron de la Bonne Mort. Elle offrirait à l'avance des messes si elle était riche, comme l'y exhorte son curé, « pour obtenir la grâce d'une bonne mort, pour expier ses fautes et pour abréger son séjour au purgatoire ». En fait, elle multiplie les petits sacrifices, toujours pour être sauvée : « Sans le salut, pensons-y bien ! » Ces mots reviennent sans cesse à sa mémoire : « Une vraie obsession, je ne peux pas m'empêcher d'y penser... »

Papa la sermonne : « C'est le Bon Dieu qui mène. Pas toé. Monsieur le curé a dit que la salvation était l'affaire d'en haut d'abord, que le Bon Dieu était toujours prêt à la secourance quand tu te donnais la peine de l'appeler. T'as beau faire semblant de tout faire seul, c'est de la fausse semblance. Comme pour les semences :

tu sèmes, mais c'est lui qui fait tiger. Sans sa servance, tu niaises. » Certitude, dirait-on, quasi naturelle : « Quand tu as tout reçu d'en haut, tu fais confiance. Autrement tu te désespères. Le temps, c'est à lui. Pas à nous autres ! »

Le temps ! En son genre unique, mais religieusement divisible. Ma mère se souvient, pour l'avoir appris au catéchisme, qu'il y a deux Testaments : l'Ancien et le Nouveau. Les deux soudés en son esprit, comme rivet à la roue de son moulin à coudre, s'expliquent « à cause qu'il n'y a qu'un seul Dieu qui règne dans les cieux », ainsi que le dit la chanson reprise si souvent durant les veillées d'hiver.

L'Ancien Testament

Il n'y a qu'un seul Dieu, il n'y a qu'une seule histoire à raconter. Adam, Ève, Noé, Abraham sont pour ma mère des contemporains. Elle a toujours goûté les récits bibliques. Non pour les avoir lus au complet — on ne lit pas la Bible — mais pour les avoir appris et souvent entendus à la petite école de Saint-Raphaël, durant le cours tant aimé d'histoire sainte.

Ces histoires, ou ces récits, qu'elle préfère de beaucoup à la récitation obligée des dix commandements de Dieu et des sept commandements de l'Église, sont celles de la côte d'Ève, du serpent, du déluge, de l'arche de Noé, de Joseph vendu par ses frères, d'Absalon suspendu par ses cheveux, de Samson trahi par Dalila et de Josué qui arrête le soleil.

Sans y penser, sans se torturer les méninges, maman est prête à dire en conversation : « Au temps de notre père Adam et au temps de notre défunte mère Ève ; au temps de Moïse, de Noé, d'Abraham et de Jacob. » Commencé en Adam et continué en notre grand-père Noé, le temps finira « dans les éternités des éternités où je n'aurai plus besoin de travailler ». Avec la finale, caractéristique des gens de sa condition : « Heureusement que nous avons des fêtes pour apprendre à nous reposer un peu. »

L'Ancien Testament est dans nos vies, nous permettant d'absorber notre lointain passé selon une dimension linéaire. Plusieurs de nos prénoms en témoignent : ma mère porte le nom adjoint de Anne ; mes grand-père et arrière-grand-père Lacroix s'appellent Abraham ; un cousin se nomme Azarias, une cousine, Judith, l'autre Esther, et moi, mon premier nom de baptême est Joachim. L'unité entre l'Ancien et le Nouveau Testaments va comme de soi.

Le Nouveau Testament

Mesure d'Église, l'Ancien et le Nouveau Testaments couvrent le champ de l'histoire « d'un bout à l'autre du temps ». Cette division sacrée du temps par siècles et millénaires nous permet d'intégrer pratiquement ce qui s'appelle tout simplement passé, présent, avenir, hier, aujourd'hui, demain.

Le temps d'aujourd'hui, ou le Nouveau Testament, correspond à l'ère de l'Incarnation. Bien entendu, mes parents ne savent rien de Denys le Petit, ni des calculs de Bède, encore moins du calendrier juif et de ceux d'autres religions, comme l'Islam. Ils savent seulement que Dieu a toujours été et qu'il sera toujours, que « Jésus est venu au monde environ quatre mille ans après la création » le jour de Noël à Bethléem et qu'il est mort à trente-trois ans pour ressusciter au bout de trois jours, à Pâques. Et, « à la fin du monde », Jésus reviendra nous voir pour juger tous les hommes. Suivra la vie éternelle avec nos corps glorifiés, une vie qui ne finira jamais, soit au ciel pour être infiniment heureux, soit en enfer pour être infiniment malheureux.

D'ici là, chacun ferait son possible avec le petit bout de temps qui lui est accordé dans l'espoir d'être sauvé, éternisé. Ce même petit bout de temps à vivre sur terre se compose d'années, de saisons, de mois, de semaines, de jours, d'heures, de secondes, d'instants.

CHAPITRE 2

Avant Noël et après Noël

L'UNITÉ TEMPORELLE par excellence à l'église, à la maison et même à la grange, reste l'année; l'année avec ses avents, ses carêmes, ses dimanches et ses fêtes, surtout Noël, le jour de l'An et le Vendredi saint. Y aurait-il de même à l'intérieur de chaque année des moments plus importants que d'autres?

LES DIMANCHES ET FÊTES D'OBLIGATION

En fait, nous constatons que, dans une seule et même année, les préférences de mes parents vont aux dimanches et fêtes, selon les vœux insistants des commandements de Dieu et de l'Église qu'ils savent par cœur «autant que leur *Acte de contrition*»:

> Les dimanches tu garderas,
> En servant Dieu dévotement.

> Les fêtes tu sanctifieras,
> Qui te sont de commandement.

> Les dimanches messes entendras,
> Et les fêtes pareillement.

Q. Que doit faire un chrétien, les fêtes et dimanches?

R. Les fêtes et dimanches, un chrétien doit s'abstenir de toute œuvre servile, du jeu, des voyages pour affaires temporelles; assister à la messe de sa paroisse, aux vêpres et aux instructions qui se font dans ces jours.

Ces dimanches et fêtes obéissent au *Calendrier ecclésiastique* qui se décline selon ce qu'on appelle au presbytère l'année ecclésiastique, savamment divisée en haut lieu en Temporal et en Sanctoral.

LE TEMPORAL

Temps privilégié de l'Église officielle, le Temporal est calculé d'après les révolutions de la Lune et du Soleil. Centré sur le mystère de Dieu Un et Trois, il est ce temps sacré liturgique, le plus ancien et le plus universellement connu, qui commence avec l'Avent et qui comporte les cycles de Noël, de Pâques et le temps après la Pentecôte. Passé les quatre semaines de l'Avent, voici Noël, un dimanche d'octave, puis l'Épiphanie le 6 janvier et, entre le 18 janvier et le 22 février, les dimanches de la Septuagésime, de la Sexagésime et de la Quinquagésime. Suivront quatre dimanches du Carême, deux dimanches de la Passion, Pâques sur lequel s'alignent beaucoup d'autres dimanches jusqu'à la Pentecôte, pour continuer de la Pentecôte à l'Avent. Autant de dimanches, autant d'obligations accumulées.

UN CALENDRIER FIDÈLE

Toujours soigneusement affiché chaque année, épinglé bien en évidence sur un mur de la cuisine, un calendrier austère nous rappelle les dates importantes, les jours de fête d'obligation, le quantième de chaque dimanche, ainsi que les jours d'abstinence où il faudra nous priver de viande. Maman sait que l'année liturgique comprend cinq périodes : le temps de l'Avent, le temps de Noël et de l'Épiphanie, le temps de la Septuagésime et du Carême, le temps de la Passion et de Pâques et, enfin, les dimanches après la Pentecôte. Il paraît que l'Avent représente les siècles qui ont précédé la naissance de Jésus-Christ ; Noël et l'Épiphanie célèbrent l'Enfant-Jésus ; la Septuagésime, préparation au Carême, prévoit déjà la Passion et Pâques. Le temps pascal est majeur : c'est la fête de la résurrection du Christ, suivie de la fête de l'Esprit saint à la Pentecôte. Les dimanches ordinaires qui suivent représentent l'Église dans son cheminement à travers les siècles.

LE TEMPS DE L'AVENT

Fin de novembre ou début de décembre, commence à l'église l'année religieuse. Monsieur le curé monte en chaire, revêtu de l'aube avec l'étole, sans chasuble ni manuterge, il ouvre son cahier de prônes : « Dimanche prochain sera le premier dimanche de l'Avent. Un mois n'est pas de trop, Mes Chers Frères, pour nous préparer aux grandes fêtes de Noël. » Des propos rigoureux sur les devoirs du jeûne et de la pénitence, mêlés à des pensées de haute voltige théologique, suivent :

> Nous commencerons, à cette date, une nouvelle année ecclésiastique. L'Église, pendant les cinquante-deux semaines qui composent l'année, fait passer sous les yeux de ses enfants, par degrés et dans un ordre magnifique, tous les mystères et les bienfaits de la Rédemption, et leur enseigne tout ce qu'ils doivent faire pour y participer et s'en appliquer les fruits.
>
> Pendant ces quatre semaines, l'Église se prépare à célébrer la naissance temporelle du Fils de Dieu. Elle rappelle la promesse d'un Rédempteur pour le genre humain et redit, dans ses prières et ses chants, les désirs et les vœux des saints de l'Ancien Testament soupirant après la venue du Messie ; elle veut que les pasteurs, comme Jean-Baptiste, exhortent le peuple à faire pénitence. Elle propose aussi à notre considération le dernier avènement de Jésus-Christ, lorsqu'il descendra du ciel pour juger les vivants et les morts.

Ces extraits de l'*Appendice au Rituel romain*, réédité en 1919 par ordre des Pères du premier concile plénier de Québec, sont-ils adaptés à l'esprit pratique de ces rudes paysans, travailleurs préoccupés de boucherie et de bûchage ? Par devoir ou par habitude, Monsieur le curé Deschênes insiste et poursuit :

Pour répondre aux désirs de cette bonne mère et nous bien préparer à la fête de Noël, nous devons méditer sur le grand bienfait de l'Incarnation du Fils de Dieu, penser à nos fins dernières, reconnaître nos misères et le besoin que nous avons de Jésus-Christ, le supplier de renaître en nous et de nous sanctifier. Faisons-nous un devoir d'assister à la messe tous les jours, si nous le pouvons ; sachons renoncer au péché et aux plaisirs mondains, et vivre, comme dit saint Paul, *avec tempérance, avec justice et avec piété*, dans l'attente de ce divin Sauveur dont la possession doit faire la joie et le bonheur des fidèles en cette vie et en l'autre.

Un temps pénitentiel

Le mot *Noël* n'est pas sitôt prononcé que les enfants trépignent. Déjà la fête ! Réaliste et soumise au calendrier d'Église, ma mère sait qu'il faudra attendre « la grâce des Fêtes ». Aussi est-elle soucieuse de modérer nos élans et nos appétits : « C'est l'Avent, les enfants, il faut faire pénitence. »

L'esprit de pénitence apparaît en premier lieu à l'église durant les cérémonies. Monsieur le curé a dû supprimer, selon la consigne, le *Gloria in excelsis Deo* et les chants trop joyeux ! Autre signe pénitentiel, il revêt, pour la messe, une chasuble violette. Pire, nous apprenons que, durant quatre semaines, il n'y aura à la maison ni boisson ni noces et le moins de sacrures possible. D'autre part, papa n'hésite pas à chanter à ses vaches, jusqu'à prétendre qu'elles l'écoutent dévotement et qu'elles chanteraient avec lui si le Bon Dieu l'avait voulu :

> Venez, divin Messie,
> Sauvez nos jours infortunés…

Maman veille et surveille. Les repas sont adaptés. « Regardez bien le calendrier, les enfants, quand il y a un poisson de travers sur le quantième, ça veut dire : maigre, jeûne, abstinence, pas de gourmanderies, des prières en plus. Il faudrait aller communier plus souvent. Le temps à se préparer pour fêter le Bon Dieu n'est jamais du temps perdu. » Même si les hommes reviennent du bois affamés, et que surgissent les terribles Quatre-Temps, jours de jeûne et d'abstinence obligatoires les mercredi, vendredi et samedi, où il faut manger maigre à tous les repas, elle ne bronche pas : « Le jeûne de l'Avent n'a jamais fait mourir nos gens. » Un peu mêlâillé avec ces affaires de jeûne et d'abstinence, papa s'étonne que l'on doive autant « s'abîmer » pour se préparer à une aussi belle fête : « Si vraiment… le p'tit Jésus est venu pour nous sauver, pourquoi faut-il souffrir autant de la faim ? »

Maman rétorque qu'il faut écouter ce que les prêtres disent en chaire : « Une fête, ça se mérite ; autrement tu ne l'apprécies pas. Pas de désir, pas de plaisir. Si tu as tout d'un coup sec, tu n'as pas de plaisir. » Elle trouve normal qu'il n'y ait à la maison ni bonbons, ni veillées, ni danse, ni buvage, ni peut-être de jeux de cartes. « Après tout, c'est le Bon Dieu qui vient vers nous, c'est pas le diable ! » Dit-elle ses mille Ave entre l'Immaculée et Noël, selon la coutume dont on parle ici et là, en vue de mériter une grâce particulière ? Nous ne l'avons jamais su.

Le dimanche rose et la fin de l'Avent

Déjà, au troisième dimanche appelé aussi le dimanche rose, Monsieur le curé revêt non plus la chasuble violette de la saison pénitentielle, mais une chasuble rose ; il y a des fleurs sur l'autel et l'orgue joue. « Noël est dans l'air ! »

Au quatrième et dernier dimanche de l'Avent, Monsieur le curé semble ému quand, solennellement en chaire, il annonce à toute la paroisse comme une grande nouvelle :

> [Tel jour] prochain est le saint Jour de Noël. Cette fête a été instituée par l'Église pour célébrer la naissance temporelle du Fils de Dieu.
>
> Le privilège que la liturgie accorde à tout prêtre de dire trois messes, ce jour-là, donne aux solennités de Noël un caractère spécial, et les rend particulièrement attrayantes et instructives pour le peuple chrétien.

Pendant qu'il explique, la seule pensée de Noël à quelques heures près nous absorbe. Maman, particulièrement intéressée à tout savoir de cette fête « à trois étages », écoute de ses deux oreilles :

La première messe, dite messe de minuit, rappelle la nuit à jamais mémorable au milieu de laquelle le Fils de Dieu naquit de la Bienheureuse Vierge Marie, et commença dans les humiliations et les souffrances de la crèche l'œuvre de notre rédemption. L'Église a conservé l'usage de célébrer cette messe pendant la nuit, afin d'évoquer d'une manière plus frappante les circonstances où s'accomplit le grand mystère que nous raconte l'Évangile de cette messe.

La deuxième messe, dite de l'aurore, nous fait souvenir que, par sa naissance dans le temps, le Fils de Dieu inaugure sur la terre le règne de la lumière et de la vérité, et que nous devons, à l'exemple des bergers dont l'Évangile de cette messe raconte l'histoire, saluer d'un cœur reconnaissant l'aurore de ce règne bienfaisant, qui n'aura point de fin, et nous empresser auprès de cette crèche, pour y adorer avec Marie et Joseph l'Enfant qui nous est donné, et pour rendre gloire à Dieu au plus haut des cieux.

À la troisième messe, dite messe du jour, l'Église nous fait lire la première page de l'Évangile selon saint Jean, afin de nous engager à méditer sur l'origine divine de Jésus, sur la puissance de ce Fils de Dieu par qui toutes choses ont été faites, et sur l'amour prodigieux de ce Verbe qui se fit chair et habita parmi nous.

Pour vous conformer aux désirs de l'Église, vous devez, en ce jour, Mes Très Chers Frères, remercier Jésus-Christ de s'être fait homme pour vous ; l'adorer, avec les bergers, comme le vrai Fils de Dieu, et vous efforcer de comprendre et de mettre en pratique les enseignements d'humilité, d'abnégation et de charité qu'il vous donne du fond de sa crèche. Nous vous exhortons aussi à assister aux trois messes, si vous le pouvez, et à faire la sainte communion.

Trois messes de suite, en vingt-quatre heures ! De quoi impressionner toute la paroisse ! Dans la tête des plus âgés, la distinction est claire : une première messe chantée en latin, une deuxième, immédiatement après avec les cantiques qu'on aime à la folie ; et la troisième, le matin, surtout fréquentée par les gens du village. Maman ne voudrait rien manquer de ce privilège inouï qui ne se répétera que le jour des Morts : « Mais quand on vit au bout d'un rang, à soixante minutes de l'église, on ne peut pas tout avoir, les enfants. On ira tous à la messe de Minuit et à la messe de l'Aurore qui suivra tout de suite après. La troisième messe, ce sera à la maison... »

LE TEMPS DE NOËL ET DE L'ÉPIPHANIE

« Mais attention ! Mes Frères, répètent nos prêtres, Noël commence le 25. Pas le 24 ! Cette fête est d'obligation et l'Église nous ordonne de jeûner la veille de cette fête. » Comment ne pas rêver de tourtières et de ragoût ? « Pas d'histoire ! » Pour tout dire, la vigile de Noël demeure la vigile la plus menacée de l'année. Et pour cause ! Comment attendre une si grande fête en se mortifiant la veille ? Comment empêcher les gens des chantiers — qui arrivent de loin et après plusieurs mois d'absence — de s'arrêter à Lévis pour un *petit coup de caribou* qui les mettra en forme avant de revoir leur femme et leurs enfants ? Bon, réaliste surtout, Monsieur le curé a tout prévu : « Il y aura des confessions toute la soirée avant la messe de Minuit. »

Noël ! Noël !

Noël ! Noël ! Fête des fêtes ! La plus belle de l'année ! À l'église, à la maison, à la grange, sur les routes, partout : *Les anges dans nos campagnes, Ça, bergers…, Nouvelle agréable* ; des sapins, des crèches, des cloches, des carrioles, des sleighs ; les réveillons, les vœux, la visite, les croquignoles, les beignets, les tourtières, les cretons, les cadeaux, les traîneaux, les raquettes, les patins, etc. Chaque mot, comme un feu d'artifice, éclate en notre imaginaire d'enfant. *Il est né, le divin Enfant…*

Noël à l'église

L'essentiel se passe à l'église. Chacun étrenne et fait de son mieux. Tout le monde est heureux, détendu, souriant. Magie de la nuit ! Magie de l'inédit ! Kermesse sacrée ! Des sapins jusque dans l'église ! À la crèche, le pseudo-bœuf, l'âne en plâtre, des moutons en carton, beaucoup de moutons même, une étoile. Monsieur le curé pleurerait s'il se laissait aller ! L'émotion est à son comble. « Noël, ça devrait durer toute l'année. » Les gens apprécient hautement cette fête qui pactise avec l'hiver, les étoiles, la famille. Noël consacre l'hiver, « Noël ne trompe pas ». D'ailleurs, la neige y est plus blanche, la lune plus belle, et les étoiles paraissent plus nombreuses que jamais.

Maman aime à la folie cette nuit où le curé se pare de ses plus beaux atours : sa plus belle chasuble, sa plus belle étole, son mani-pule de satin broché-brodé. Les enfants de chœur, avec leurs surplis frais lavés et repassés, sont impeccables, et… si bien peignés ! Les autels, surtout l'autel majeur, débordent de fleurs et de luminaires. La nappe d'autel, avec ses dorures aux franges scintillantes, brille sous la lumière des lustres tous allumés sans exception. Même le tabernacle est entouré de fils dorés.

Le moment le plus électrisant arrive. Enfin ! Ils sont unanimes à le proclamer, autant au presbytère et à la sacristie qu'au magasin général et à la maison, c'est quand Joseph Morissette, « la plus belle voix du comté », entonne à minuit pile le *Minuit, chrétiens* ! Tout le monde a la chair de poule… Plusieurs pleurent. Épuisé par les confessions, Monsieur le curé, ébranlé, cache difficilement ses émotions. Maman tient fort son chapelet contre la joue droite, laisse aller ses larmes, ouvre sa sacoche et sort son beau mouchoir blanc. Ce qui faisait dire à papa : « Elle est un peu braillarde la mère, mais sois certain, mon garçon, qu'elle lime pas pour rien. Minuit, à Noël, c'est la plus belle heure que le Bon Dieu nous a donnée. On a le droit de pleurer notre bonheur. »

Ils croient, maman surtout, papa aussi, que la chorale n'en fera jamais assez pour Noël. Il faut dire qu'à la messe de l'Aurore, la même chorale est appuyée, pour ne pas dire délogée, par un violon, une égoïne peut-être. Orchestre rural de fortune, mais c'est de bon cœur. « Quand on joue pour le Bon Dieu, proclame ma mère, c'est toujours beau ! » Mon père ne peut s'empêcher d'en rajouter : « Moé, Caïus Lacroix, des fois j'ai l'impression que le petit Jésus est né à l'église Saint-Michel pour nous autres seulement. J'ai dit cela au sacristain qui m'a répondu : "Tiens-toé tranquille, Caïus, le p'tit Jésus est partout dans toutes les paroisses où il y a la messe de Minuit ; Dieu est à tout le monde. Lui, il ne fait pas de politique." » Sur cette remarque personnalisée, la conversation s'est diluée, mais la fête a continué.

Noël à la grange

La fête gagne la grange aussi. Dès les huit heures du soir, le 24, avant de se *trimer* pour descendre au village, papa prend soin d'aller saluer ses animaux, car il ne les dérangera plus avant le lendemain matin. À minuit, paraît-il et à ce qu'il prétend, les animaux se parlent, prient même et vont jusqu'à se mettre à genoux. À Noël, sauf en cas d'extrême nécessité, les chiens ne japperont pas. Les vaches donneront plus de lait. Le bœuf sera moins ambitieux, le coq ne courra pas les poules, pas plus que les chats ne mangeront les souris.

Noël à la maison

Ces rêveries de papa alliées à celles de maman réaffirment un enthousiasme jamais éteint. Non seulement le 25 décembre s'appelle la plus belle fête de l'année, mais cette date ouvre le célèbre temps des fêtes des rangs : on se rencontre, on se visite, on chante, on danse, on s'enivre. Temps festif laïque qui a le don de remuer tous les habitants aux prises avec les intempéries de l'hiver. Il arrive que ce temps, qui devrait s'arrêter le 2 février, se poursuive jusqu'au Mardi gras inclusivement. Et Monsieur le curé n'y peut rien, ou presque.

L'Épiphanie ou les Rois

Noël et le jour de l'An passés, la plus grande fête prévue dans ce temps liturgique, et commentée à l'église par Monsieur le curé, s'appelle l'Épiphanie. Les gens traduisent : les Rois. Le temps de l'Épiphanie célèbre, d'après le rituel toujours, la visite des rois mages à Bethléem, le baptême de Jésus et le miracle de Cana. Le sermon du jour va comme de soi. Le même chaque année, en trois points ajustés à la tradition multiséculaire qui veut que les Rois mages aient apporté à la crèche trois cadeaux, de l'or, de l'encens et de la myrrhe :

Présentez à Jésus-Christ de l'or par vos aumônes, de l'encens par vos prières et de la myrrhe par la mortification de vos sens et de vos passions. Offrons-nous à lui et donnons-nous tout à lui : notre cœur, notre esprit, notre volonté, nos biens, notre santé. Présentons-lui des cœurs pleins d'amour et de ferveur, des esprits remplis de bonnes pensées et de saints désirs, et nos corps comme des hosties vivantes et agréables à ses yeux par les exercices d'une sincère pénitence. Fuyez donc, Mes Frères, les divertissements profanes, auxquels un monde ennemi de Jésus-Christ et de son Église a coutume de se livrer à l'occasion de cette solennité. Occupez-vous de votre vocation à la foi ; disposez-vous à renouveler les promesses de votre baptême et à célébrer ce jour comme celui auquel vous avez été faits chrétiens.

Ces toutes dernières paroles ne les dérangent guère ! « On dirait que nos prêtres doutent toujours de nous. » Une certaine réticence est déjà dans l'air, à cause de l'argent qui symbolise, dans l'esprit de ces habitants pauvres, et pourtant si travaillants, un manque, un absolu inaccessible. L'argent ? Suite du sermon, ou du prône :

> On fera, ce jour-là, la quête commandée dans le monde entier par Sa Sainteté le Pape Léon XIII, pour les nègres d'Afrique. Nous vous exhortons, Nos Très Chers Frères, à donner généreusement pour l'œuvre primordiale en faveur de laquelle l'Église fait aujourd'hui appel à votre charité, et qui a pour double fin de tirer de l'esclavage et de l'idolâtrie les peuplades africaines qui vivent encore dans l'ignorance des préceptes de vie apportés sur la terre par notre divin Sauveur.

Les gens de Saint-Michel sont d'accord pour donner davantage à la quête ce jour-là à cause des Africains « qui n'ont rien, qui sont loin, qui ne sont pas chrétiens ». Mais ils entendent si souvent parler d'argent en chaire qu'ils finissent par réagir, plus ou moins clandestinement selon les cas. « Péché et argent », telle serait la devise des curés à ce que prétendent certains paroissiens plus critiqueux.

Pour nous, les enfants, « la quête pour les petits nègres » n'a pas tellement d'intérêt. Ce qui nous intrigue est l'arrivée de nouveaux personnages à la crèche : trois rois, trois chameaux ! Plutôt que de la fête des Rois nous parlions à l'école de *la fête des chameaux*. Un point surtout nous fascinait : les rois étaient arrivés en retard, c'est-à-dire douze jours après Noël ! Notre sens des distances étant déjà passablement éveillé, surtout en hiver, nous en avions conclu qu'il n'était donc pas si mal d'arriver en retard à l'école, à la messe, au chapelet !... Mais Monsieur le curé insistait en chaire pour nous aider à contourner les diverses significations de l'arrivée des Rois : « Mes Chers Frères, les Rois sont en retard parce qu'ils viennent de loin, parce qu'ils se sont perdus en route... Comme ceux qui ne se sont pas confessés à Noël et qui arrivent en retard à la messe... pour ne rien donner à la quête. » Un jour, au dîner après la grand-messe de l'Épiphanie, papa finit par avouer : « J'cré ben que la fête des Rois est pas exactement une fête pour du pauvre monde comme nous autres. J'ai pour mon dire que les Rois c'est pour les vieux pays d'à cause que nous avons pas besoin de rois pour adorer l'Enfant-Jésus. Moé, j'sus roi sur ma terre et à la grange. Pas besoin de chameau étrange autour... » Scandalisée, ma mère répond : « Heureusement que tu as une reine à la maison pour t'endurer. » Le père Caïus, ratoureux, n'a rien répondu.

Catastrophique aussi la fête des Rois ! Car elle annonce la fin des veillées et, pour nous les enfants, le retour à l'école. Pour ma mère, commencera la grande solitude de l'hiver. Chaque matin de la semaine, la maison se vide littéralement ; les hommes vont au bois, les enfants à l'école. « Faut bien se résigner si on veut que la vie continue. »

SEPTUAGÉSIME

Le dimanche précédant la Septuagésime, après les petites annonces, Monsieur le curé n'y va pas par quatre chemins : « Mes Frères, le temps de danser est fini... Tous ces sautillages et déver-gondages du temps des Fêtes et même des Lundi et Mardi gras qui approchent n'annoncent rien de bon pour l'humanité. » Livre des prônes en main, il lit, sachant qu'en ville c'est maintenant le temps du Carnaval :

> Pour nous conformer aux désirs de l'Église, nous devons, pendant
> le temps du Carnaval, nous abstenir des divertissements profanes

et dangereux, pratiquer davantage l'oraison et la mortification, faire de fréquentes visites au Saint-Sacrement, afin de réparer les péchés qui se commettent en ce temps-là, et les désordres auxquels la malice du démon pousse les hommes.

La Septuagésime est le dimanche où, peut-être, sont déjà retirés de l'église crèche, moutons, chameaux, rois mages et tous les autres personnages. Petits, nous nous sentions tout à coup délaissés, comme orphelins. Par certaines remarques des adultes, nous saisissions que des temps austères étaient sur le point de s'ajouter à la dureté de l'hiver. Comme si un drame se préparait.

De la Septuagésime, soit entre le 18 janvier et le 22 février, au Samedi saint, attendu entre les 21 mars et 24 avril, l'Église supprime l'*Alleluia* dans ses offices et fait usage d'ornements de couleur violette, « afin que ces signes de tristesse éloignent les fidèles des réjouissances profanes et leur inculquent l'esprit de pénitence ». Maman sait tout cela par cœur ; elle est notre conscience vivante. Elle citerait de mémoire tout le prône si simplement on le lui demandait.

Sexagésime et Quinquagésime

Juste après la Septuagésime surviennent ce que Monsieur le curé appelle dévotement la Sexagésime et la Quinquagésime :

Pendant la semaine de la Septuagésime, l'Église nous rappelle la chute de nos premiers parents et leur juste châtiment ; durant celle de la Sexagésime, elle nous raconte le déluge décrété par Dieu pour punir les pécheurs ; puis, pendant les trois premiers jours de la semaine de la Quinquagésime, elle attire notre attention sur la vocation d'Abraham et la récompense de son obéissance et de sa foi.

Il s'agit de mesurer en semaines et en jours le temps qui précède Pâques. Ces mots savants n'émeuvent personne. Ce qui compte dans l'esprit des gens, et surtout pour Monsieur le curé, quand vient la Quinquagésime, est le Carême et ses obligations strictes !

DÉBUT DU CARÊME
LE MERCREDI DES CENDRES

Le Carême commence à l'église par la cérémonie des Cendres annoncée le dimanche précédent :

> Mercredi prochain est le *mercredi des Cendres*, ainsi appelé parce que l'on met, ce jour-là, des cendres bénites sur la tête des fidèles.
>
> Pour se conformer aux enseignements et aux exemples du Christ, l'Église a toujours engagé les fidèles à pratiquer la pénitence du cœur et la mortification de la chair, et leur en a imposé l'obligation dans ses préceptes. De nos jours, alors que s'accroît sans cesse et que domine partout la recherche passionnée des plaisirs et des biens de la terre, il faut rappeler avec instance la loi de la mortification, qui se trouve surtout contenue dans le double précepte du jeûne et de l'abstinence. Nous exhortons fortement tous les fidèles, suivant leur condition et leurs forces, à observer cette loi avec la plus grande exactitude possible.

Beau temps, mauvais temps, nous descendons au village. Nous ne parlons pas. Le cheval qui nous conduit a comme le pressentiment d'un jour tragique. Les mots *cendres, péchés, confessions, pénitence* et *jeûne* sont vite à l'ordre du jour. En chasuble et étole violettes, Monsieur le curé donne le ton de circonstance :

> Assistons à cette cérémonie avec les sentiments d'humilité qui conviennent à des pécheurs ; recevons d'un cœur soumis et repentant l'arrêt de mort qui fut porté par Dieu contre l'humanité coupable et que l'Église nous applique si justement en ce jour. Nous souvenant que la mort est certaine et que le moment en est incertain, préparons-nous à bien mourir en vivant dans l'éloignement du péché et dans la pratique de la pénitence.

Nous avançons à la balustrade. Sur notre tête, à chacun un signe de croix, Monsieur le curé impose les cendres et récite en latin, s'il vous plaît : *Memento, homo, quia pulvis es, et in pulverem reverteris.* « Souviens-toi, ô homme, que tu es poussière et que tu retourneras en poussière. »

Ces cendres proviennent des rameaux bénits l'an dernier et « pieusement » brûlés à la sacristie par le bedeau en présence du curé de la paroisse pour que le tout se déroule selon les rites.

Monsieur le curé n'en finit pas d'insister sur l'esprit... et la lettre du Carême :

> Autant que vos occupations vous le permettront, assistez tous les jours à la sainte messe afin de vous unir à l'adorable Victime de nos autels, de vous inspirer des grandes leçons du divin sacrifice et d'y puiser la grâce de travailler sérieusement à votre sanctification.
>
> Prenez garde surtout de vous laisser entraîner à la malheureuse coutume des enfants du siècle, qui se préparent au carême par des fêtes et des orgies trop souvent scandaleuses. Fuyez ces divertissements mondains, résistez courageusement aux tentations d'intempérance que le démon et ses suppôts multiplient pendant ces jours, et conduisez-vous avec la modestie et la retenue de véritables chrétiens.

Douche froide pour les noceurs qui, jusqu'à minuit, ont fêté le Mardi gras. L'atmosphère est grave. En carême, pas de mariage, à la messe du dimanche pas de *Gloria*, pas d'*Alleluia*, pas d'orgue ! Personne n'a réellement d'intérêt pour ce mercredi qui vient s'ajouter aux rigueurs de nos hivers.

Les obligations du Carême

Ah ! le Carême au fond du Troisième Rang Ouest de Saint-Michel-de-Bellechasse ! Nous ne dirons jamais assez les implications religieuses et sociales de ce temps unique en son genre. C'est non seulement le jeûne qui s'impose à tous, mais l'esprit de pénitence. Déjà, au temps de monseigneur de Saint-Vallier, il y avait dénonciation de quiconque n'obéissait pas, et même des peines civiles prévues. À la maison, personne n'y échappe.

Facilement dramatisé, le Carême à Saint-Michel possède *son* langage. *Faire son carême*, c'est jeûner, jeûner encore, toujours jeûner. On distingue le *petit carême* de l'Avent du *grand Carême* d'avant Pâques ; celui-ci, non plus de vingt-six jours ou près, mais bien de quarante jours. On dit selon les situations : *Carême entrant, Carême prenant, Carême sortant*. Si les uns parlent posément du *sacré saint temps du carême*, de la *sainte quarantaine*, d'autres plus agressifs disent : *Maudit carême !* C'est le cas de Jean Bélanger qui passe ses journées à bûcher au bois de Maska : « J'ai toute la misère du monde à jeûner comme tout le monde. » Il faut s'attendre à quelques autres expressions défavorables : *avoir une face de carême, être pâle comme une vesse de carême, casser son carême, briser son carême, se décarêmer,* ou encore *faire des promesses de carême* pour signifier une résolution manquée.

Jeûne et abstinence

Quel contraste avec Noël, le temps des Fêtes et les jours fous du Mardi gras ! À Saint-Michel, durant quarante jours, du mercredi des Cendres au Samedi saint à midi, c'est carême ! C'est-à-dire ? Tous les jours, excepté les dimanches, sont des jours de jeûne d'obligation. Tous les vendredis et samedis ainsi que le mercredi des Cendres et le mercredi des Quatre-Temps sont des jours d'abstinence à tous les repas. Les lundis, mardis, mercredis, excepté ceux mentionnés ci-dessus, et jeudis, il est permis de faire usage de viande au repas principal. Ces jours-là, les personnes non soumises à la loi du jeûne, ou légitimement empêchées de jeûner, peuvent faire gras aux trois repas. Aux jours de jeûne où l'abstinence n'est pas imposée et où, par conséquent, on peut faire gras, le repas principal peut se prendre le midi ou le soir, selon ce qui paraît être plus pratique et plus commode. La loi de l'abstinence et du jeûne cessant le Samedi saint à midi, il est donc permis ce jour-là de faire gras au dîner pris après l'angélus de midi, et au souper, qui peut être un repas complet.

La loi de l'abstinence s'applique à tous les fidèles qui ont sept ans révolus ; la loi du jeûne obligatoire à tous ceux qui ont vingt et un ans révolus et qui n'ont pas encore commencé leur soixantième année. À ces tout premiers « commandements », bien d'autres précisions s'ajoutent :

> Nous vous rappelons, Nos Très Chers Frères, que la loi de l'abstinence et du jeûne est une loi grave, qui oblige sous peine de péché mortel, tous ceux qui ne s'en trouvent pas exemptés par leur âge ou par leur état de santé. L'Église, il est vrai, peut accorder des dispenses à ceux qui ont de bonnes raisons pour ne pas pratiquer

ce précepte, mais au moins faut-il que ces raisons soient exposées, en temps opportun, au pasteur ou au directeur de conscience qui, seuls, ont autorité pour juger en pareille matière.

L'obligation du jeûne est impérative, parfois obsessive. Quoi faire ? Comment faire ? Quand le faire ? Pauvres habitants ! Le conformisme les menace. À ceux, à celles qui peuvent, c'est-à-dire qui doivent jeûner *sub gravi*, sous peine de péché, l'usage, depuis au moins 1879, est de prendre deux onces de nourriture le matin, huit onces le soir. On peut suivre cet usage, mais non toutefois y voir un précepte. Mais s'il y a impossibilité de s'y conformer à la lettre, il ne faut pas en conclure qu'on est exempté du jeûne. Ce qui est nécessaire, c'est de faire un seul repas complet ; de prendre, le matin et le soir, notablement moins de nourriture qu'on en prend ordinairement. Le minimum peut varier selon les diverses complexions.

Cette législation rigoriste est si impérieuse qu'elle se retrouve textuellement dans les diverses éditions de *La Discipline du diocèse de Québec* des années 1879, 1895 et 1937. Ici et là apparaissent néanmoins quelques adoucissements : la loi de l'abstinence, qui prohibe l'usage du lard et de la graisse comme aliment, de la viande, du jus de viande et de ce qui en dérive, permet l'usage des œufs, du lait et de ce qui en provient, comme la crème, le beurre ; elle permet aussi l'huile d'olive et les condiments tirés de la graisse.

On peut, par exemple, préparer au beurre ou à la graisse pure des omelettes, des pâtisseries. Il est permis d'apprêter au lard ou au suif (graisse du bœuf) des fèves, de la soupe, pourvu que le lard ou le suif se dissolve dans la cuisson de l'aliment. S'il reste des morceaux, il suffit de les écraser de manière à ce qu'ils se confondent avec la partie liquéfiée. On peut servir du poisson dans de la gélatine. La consigne que se donnent les gens est claire : « Si tu croques, attention ! Si tu mâches, vas-y ! » Il n'y a pas lieu d'inquiéter les jeûneurs qui, le soir des jours où le gras est permis, mangent de la soupe grasse, reste du midi.

Adaptations, exemptions, dispenses ou allégements, le fait brut demeure que, chaque dimanche au prône, Monsieur le curé revient à la charge : « Mes Frères, privez-vous. Il faut faire pénitence. » Les quelques fidèles de Saint-Michel qui jouissent d'adoucissements apportés par l'Église à la sévérité primitive de ses lois et qui bénéficient de dispenses spéciales doivent remplacer par des prières et des bonnes œuvres les mortifications compromises. Puis, il serait convenable, dans les circonstances, de donner davantage aux quêtes.

Le dimanche rose et la mi-carême

À l'église, le Carême se déroule tel que prévu : six dimanches avant Pâques, dont le dimanche de la Passion et le dimanche des Rameaux. Voici, tout à coup, que Monsieur le curé semble vouloir s'attendrir, faisant momentanément relâche en laissant tomber les austérités imposées. Comme pendant l'Avent, un dimanche rose : chasuble rose, étole rose ; l'orgue joue à la messe en ce quatrième dimanche qui commence par *Lætare*, ce qui signifie : « Réjouis-toi ».

Le jeudi précédent, c'est la mi-carême. Bonheur d'un jour. Bonheur passager. Comme tous les bonheurs. Mais, précision importante, la mi-carême appartient aux paroissiens ; elle est comme la requête populaire pour un autre assouplissement de la dure discipline. On va recueillir des bonbons aux portes et d'aucuns se mêlent d'entrer littéralement dans la danse. Les curés de Bellechasse ont beau multiplier les avertissements contre ces charivaris de mauvais goût et avertir leurs ouailles du danger de *se décarêmer* pour de bon, peine perdue !

Le carême de ma mère

Revenons à la maison. Tout est *carêmé* ! Ni piano ni violon ni accordéon ni ruine-babines ; ni jeux de cartes ni boisson ni sucrerie. Les enfants sont invités à ne pas se chicaner, à mieux obéir, à sacrifier certains desserts, à ne pas manger de pommes, à se coucher de bonne heure, à compter leurs sacrifices sur des grains de chapelet. Les jeunes amoureux doivent sélectionner leurs sorties et leurs rites.

Non, maman ne badine pas. Elle a pris un air sévère : « Voyons, les enfants, remuez-vous, soyez généreux, jeûnez ! Le Bon Dieu est mort pour nous, il faudrait en faire un peu pour lui. » Elle donne l'exemple. On la trouve plus silencieuse, plus recueillie ; elle tricote pour les voisins ; elle coud, raccommode, file, tisse sa catalogne, crochète des tapis à donner à la prochaine occasion. Elle est tellement généreuse ! Quand même, l'important reste de jeûner, de ne pas se sucrer le bec, de s'habiller en noir, de laisser de côté bagues et colliers. Papa l'admire : « Heureusement, Rose-Anna, que t'es là pour expier mes péchés ! »

Il lui faudra beaucoup d'ingéniosité pour nous apprendre à jeûner sans risquer nos santés. Comment rassurer les hommes qui travaillent si durement et qui voient leur appétit doubler, sinon tripler, au moment même où ils doivent se priver ? Maman angoisse. Papa a faim.

Maman voudrait, en plus des prières et exercices rituels, imposer l'examen de conscience. Papa croit que c'est plutôt le temps de faire davantage confiance au Bon Dieu « à cause du Christ qui nous connaît comme s'il nous avait tricotés ». « Caïus, ne biaise pas avec le Bon Dieu ! » Lui a répondu : « Jeûner, c'est jeûner. Si tu calcules trop, tu jeûnes plus, tu calcules. Dieu est pas un gérant de banque, i' compte pas nos péchés. Pourquoi l'achaler avec des examens de conscience ? »

Les jeûnes de mon père

Il est généreux, mon père, mais d'une autre manière. Aussi, dès le mercredi des Cendres au matin avant de partir pour l'église, il dépose sa pipe sur l'armoire de la cuisine et ne la reprendra que le Samedi saint, après son retour de l'église. Précisons que papa jeûne moins par privations strictes et déterminées à l'avance que par improvisations répétées. Moins de viande, moins de lard salé, pas de *petit caribou*, moins de disputes électorales, plus de douceur avec ses animaux. Il demeure qu'obligé à toutes sortes de travaux extérieurs en hiver, alors que le froid aiguise la faim, papa trouve que le carême lui pèse lourd. La suprême épreuve survient avec le temps des sucres qui coïncide presque toujours avec le carême. Même s'il a calculé qu'en matière de jeûne il convient d'y aller tranquillement, maman surveille ses allées et venues à la cabane. Elle sait trop bien que papa a combiné les raisonnements qu'il faut, à savoir que la saison des sucres est particulière. Ça se passe à la cabane, en forêt, pas à la maison ni à l'église. « Il faut ben que j'y goûte à mon sucre, à mon sirop, pour voir s'i' est bon, et que j'y goûte beaucoup pour préparer une prochaine attisée. La tire, elle, ça fond dans la bouche comme les blancs d'œufs, donc j'manque pas au jeûne. À la cabane, je décide ; à la maison, Rose-Anna, tu décides ; à l'église, c'est Monsieur le curé. Ne compliquons rien ! »

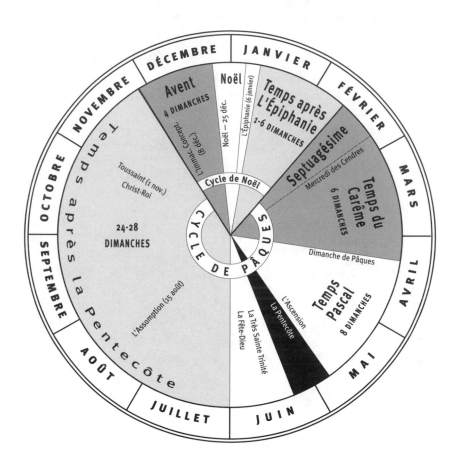

L'ANNÉE LITURGIQUE

2. Diagramme de l'Année liturgique en Cycles et Saisons.

CHAPITRE 3

Avant Pâques et après Pâques

Aʜ! ce temps d'avant Pâques! « Le carême, c'est pas pour rire! »
Ni surtout les deux dimanches de la Passion qui précèdent la
fête de Pâques :

> L'Église a consacré le temps qui précède le saint jour de Pâques au
> souvenir et à la méditation des souffrances et de la mort de Jésus-
> Christ. C'est pour cela qu'il s'appelle le temps de la Passion, et
> que l'Église voile ses croix et ses images. Dimanche prochain,
> immédiatement après l'aspersion de l'eau bénite, nous ferons la
> cérémonie de la bénédiction des rameaux.

Le Carême s'achève dans le violet, dans le noir, dans la pénitence, avec de longs offices à l'église, surtout à partir du dimanche
des Rameaux.

LE TEMPS DE LA PASSION

Premier dimanche de la Passion

Déjà, au cinquième dimanche du Carême, dit aussi premier
dimanche de la Passion, comme une prémonition du grand drame
de la mort du Christ qui se prépare, les statues et les crucifix sont
voilés de violet. Au prône, il est de plus en plus question d'expiation,
de souffrances pour nos péchés, du devoir de faire ses Pâques en sa
paroisse, ce qui inclut bien sûr confession, messe et communion :

Nous vous avertissons de nouveau que tous les fidèles doivent se confesser au moins une fois l'an, et communier pendant le temps de la communion pascale. Si vous n'avez pas encore rempli ce grave devoir, nous vous exhortons à le faire sans délai, et à y apporter des dispositions vraiment chrétiennes.

Ma mère a surtout bien entendu Monsieur le curé ajouter : « Vous devez, autant que votre santé vous le permet, augmenter vos mortifications et vos pénitences ou du moins assister assidûment aux offices de l'Église. » Elle nous avertit que « les Jours saints ne sont pas des jours comme les autres. C'est du temps pour mériter son salut. » Une gravité inusitée règne à la maison. Mon père semble habité de la même ferveur et de la même admiration que ma mère pour cet homme-Dieu qui a volontairement accepté son sort et tellement souffert à cause de nos péchés : « I' a dû nous aimer en sacré maudit pour passer à travers tout ce qu'il a enduré. Et sans y être obligé. »

Dimanche des Rameaux

Rappelons que le dimanche précédent, Monsieur le curé a parlé en fonction du dimanche des Rameaux :

Que chacun de vous ait soin d'apporter son rameau, de le tenir dévotement en main pendant la bénédiction et la procession, ainsi que pendant le chant (ou la lecture) de la passion. Cette pieuse cérémonie rappelle l'entrée triomphale de Jésus-Christ dans Jérusalem, lorsque le peuple vint au-devant de lui, tenant à la main des rameaux, ou branches de palmier ou d'olivier, en signe de joie et d'honneur. Conservez pieusement ces rameaux dans vos maisons en souvenir de la passion de Notre-Seigneur.

Pour une fois, nous devancerons la liturgie d'église par une liturgie domestique. Le samedi, veille des Rameaux et de la Sainte Semaine, nous irons au bois de Maska avec papa pour couper quelques branches de cèdre ou de sapin dans le but de les apporter le lendemain à l'église en vue de la célèbre *bénédiction des rameaux*. Ah ! le joyeux plaisir d'aller au bois et d'en revenir chargés de branchettes qui sentent si bon et qui deviendront demain nos rameaux bénits.

À l'église

Une fois à l'église, la cérémonie est magnifique ; elle entend d'abord rappeler le cortège triomphal de Jésus à Jérusalem et marquer ainsi le commencement de la Sainte Semaine. Arrivé de la sacristie, Monsieur le curé en belle chape violette s'amène à la balustrade où il bénit les rameaux, aussitôt distribués aux enfants de chœur. Chaque enfant, en recevant son rameau, le baise puis baise la main du célébrant ; la chorale chante ses *Hosanna* en latin. Comblés jusqu'à l'exaltation, observant tout du premier jubé, nous jubilons en faisant bouger allègrement de la main nos branchettes de cèdre. Commence la procession ! En tête le porte-croix, à la suite le thuriféraire et les deux acolytes, les enfants de chœur qui portent tous un rameau. Le célébrant entre deux servants de messe s'avance, il fait le tour de l'église par les allées latérales, tandis que le chœur chante des antiennes latines ; de retour à l'autel, Monsieur le curé met sa chasuble, et la messe commence. Pendant le chant de l'évangile selon saint Matthieu, dit aussi l'évangile de la Passion, rameaux en main, nous ne bougeons pas « à cause que celui qui ne bouge pas durant le récit de la Passion obtiendra la grâce de son choix ». Maman demande la santé pour tout son monde, papa un bon printemps.

À la maison

La longue cérémonie terminée, le cheval attelé au traîneau, c'est le retour à la maison. Nous sommes affamés. Heureusement, « pas de jeûnage le dimanche ». Juste avant le dîner, maman se hâte de « ramasser » les vieux rameaux bénits l'an dernier, les brûle, puis dépose les cendres dans une assiette propre pour ensuite les jeter dévotement dans le poêle. Il paraît que, lancées au vent sur la terre enneigée, ces cendres sacrées promettent d'heureuses récoltes. Quand ma mère raconte la légende qui veut qu'un vieux rameau de l'année précédente, placé entre les doigts d'un défunt ou d'une défunte dans son cercueil, redevienne vert, papa l'avertit : « Fais pas ça avec moé, parce que c'est moé qui va redevenir vert... et tu pourras le regretter. »

Aussitôt le dîner terminé, papa se rend à la grange pour y accrocher ici et là les « nouveaux rameaux bénits » pendant qu'à la maison maman place ses ramilles en chaque chambre sous les crucifix et les bénitiers. Tous croient dur comme fer que les rameaux bénits nous protègent contre le feu, contre le tonnerre, et qu'en plus ils attirent des bénédictions spéciales sur la maison et les bâtiments. Jeanne, ma sœur aînée, particulièrement douée pour l'artisanat, profite des congés de la Semaine sainte pour convertir des palmes, achetées au magasin, en croix et en couronnes d'épines, ce qui lui mérite toutes sortes de compliments inédits. « Chacun ses talents, et rien n'est trop beau pour faire plaisir au Bon Dieu qui va souffrir pour nos péchés. » Telle est la croyance générale.

Jeudi saint

Jeudi saint ! Pas d'école ! Nous retournons à l'église pour une cérémonie tout en contrastes. Comme le dimanche. « Mais c'est pas dimanche. » Il paraît, à ce que l'on entend dire, que c'est aussi la fête des prêtres. Notre curé est tellement occupé par ses cérémonies qu'il n'a pas le temps d'y penser. Son esprit est à ses paroissiens qu'il faut bien instruire :

> Vous emploierez le Jeudi saint à exciter en vous des sentiments d'amour et de reconnaissance envers Jésus-Christ, pour le grand bienfait de l'Eucharistie qu'il a instituée ce jour-là.
>
> L'Église, pour se conformer aux sentiments de Jésus-Christ, ne néglige rien pour disposer les fidèles à recevoir dignement ce grand sacrement. C'est dans cet esprit qu'autrefois elle donnait publiquement, en ce jour, l'absolution aux pécheurs auxquels elle avait imposé une pénitence publique le mercredi des Cendres. L'Église, par condescendance pour les pécheurs, s'est relâchée de sa première sévérité ; mais, si elle ne leur impose plus de pénitence publique, elle n'exige pas moins qu'ils se reconnaissent coupables devant Dieu, et qu'ils regrettent sincèrement leurs péchés pour se disposer à recevoir les sacrements de Pénitence et d'Eucharistie, comme ils y sont obligés dans le temps de Pâques.
>
> Entrez donc, Mes Frères, dans les vues de l'Église ; détestez de tout votre cœur les péchés que vous avez commis ; formez la résolution de vous confesser au plus tôt. Priez humblement le

Seigneur de vous les pardonner ; faites un ferme propos de ne plus les commettre, avec la grâce de Dieu. Unissez-vous aussi, autant que vous le pourrez, aux sentiments d'humilité que Jésus-Christ a manifestés en ce même jour, en lavant les pieds à ses apôtres, avant d'instituer l'auguste sacrement de l'Eucharistie.

« *La belle messe* »

Ce jeudi particulier nous paraît très saint surtout à cause de *la belle messe* du Saint-Sacrement. Prévoyant déjà Pâques, la chorale s'est exercée. Les enfants de chœur sont fin prêts pour la procession dans la nef. Par un zèle peu ordinaire et, pour une fois, en pleine possession de leur pouvoir, les servants de messe, agenouillés au pied de l'autel, attendent fébrilement le chant du *Gloria* pour agiter les clochettes posées, selon l'habitude, à droite sur la deuxième marche de l'autel. Ils sonnent jusqu'à enterrer la chorale et l'orgue qui pousse ses derniers souffles avant le repos qui suivra jusqu'au Samedi saint au matin. La légende veut qu'au moment où le *Gloria* est entonné par le prêtre et repris majestueusement par la chorale, les cloches de Saint-Michel s'envolent vers Rome, capitale de la chrétienté, *pour se faire bénir*, *pour aller prier avec le pape*, ou *pour se faire laver les fesses*, disent clandestinement les enfants.

Aussitôt terminé le chant du *Gloria*, plus de cloches, plus d'orgue, plus d'angélus. La paroisse est en pénitence. À l'offertoire, commence le lavement des pieds qui fait tour à tour la joie et la gêne des enfants de chœur choisis à l'avance pour la cérémonie. Devant chaque enfant assis pour la circonstance, le prêtre agenouillé lave, essuie et baise le pied découvert, à l'émerveillement général des gens. Leurs yeux sont d'autant comblés qu'à ce moment encore l'autel est chargé de fleurs et que le luminaire scintille.

Visites et reposoir

À la fin de la messe, après une courte procession vers l'autel latéral où se trouve le reposoir généreusement orné, l'autel principal est vidé et dépouillé. Les fidèles quittent l'église en silence. Nous avons l'impression d'un grand deuil universel.

Les heures qui suivent se passent surtout au reposoir devant lequel se succèdent les gens du village, jusqu'aux petites heures du matin. Pour ma mère qui doit, à midi, remonter au Troisième Rang, il s'agit de faire vite ses sept visites au reposoir, c'est-à-dire entrer et sortir de l'église, sept fois de suite, en disant chaque fois des prières aux intentions du Souverain Pontife : *Notre Père, Je crois en Dieu, Je vous salue Marie, Gloire soit au Père*. Elle peut ensuite revenir l'âme en paix dans les Concessions ; elle a mérité le ciel et pour ses enfants et pour son mari et pour elle. Un jour, nous lui avons demandé pourquoi sept fois ? « C'est un chiffre sacré, il y a sept sacrements. »

Vendredi saint

Si Noël est en principe le jour le plus joyeux de l'année, le Vendredi saint en est le jour le plus triste. Les mots pour le dire sont significatifs : le *Vendredi noir*, le *jour des Morts du printemps*, le *Saint Vendredi*. Jour strictement férié ! Dès le dimanche des Rameaux, le ton avait été donné :

> Le Vendredi saint, soyez profondément attristés à la vue des souf-frances que Jésus-Christ a endurées dans sa passion, et du sacrifice douloureux qu'il a consommé sur la croix, en versant son sang pour notre salut.
>
> Vous assisterez ce jour-là à l'office divin et au sermon de la Passion. Vous adorerez Jésus-Christ en croix avec componction, amour et reconnaissance. Enfin, vous passerez ce jour dans le recueillement, la prière, la méditation et les bonnes œuvres.

Comme pour ajouter à la tragédie du jour, voici un avis de quête :

> Le Vendredi saint, pendant l'office du matin, on fera, en cette église, la quête commandée par le Souverain Pontife en faveur des sanctuaires de Jérusalem et de la Terre Sainte. Saisissez avec joie, Mes Très Chers Frères, cette occasion de témoigner, par une aumône, votre amour et votre reconnaissance au Dieu de charité qui vous a rachetés au prix de son sang.

Tout est plutôt douloureux ce jour-là. On dirait que le soleil n'a pas la même intensité et que, s'il se montre, il est plus rouge : « à cause du sang versé par le Christ ». Chez les Frères Maristes et les Religieuses de Jésus-Marie, silence absolu, pas un mot ; et on jeûne au pain et à l'eau. Des prédictions étranges circulent ici et là. Si, durant la lecture de la Passion selon saint Jean, souffle le vent du nord, attendons quarante jours de vent encore ; vent du sud veut dire printemps qui arrive. L'heure est surtout aux mauvais présages. Chacun y trouve son compte. Pluie, neige ou froid du Vendredi saint n'annonce rien de bon. L'inquiétude règne.

À l'église

À l'église tout est noir, triste, austère. « On dirait ben que Jésus est mort aujourd'hui », disent les habitants des Rangs. Petits, nous avions la nette impression que Jésus venait d'être crucifié en ce jour, tout près, peut-être sur les hauteurs du Rang Deux ou à Beaumont en face du fleuve, là où la Corriveau avait expié son « affreux crime ».

Une cérémonie particulièrement appréciée est celle où, quittant nos places de banc au jubé, nous nous dirigeons vers la nef en vue de la vénération de la vraie croix alors que la chorale chante le *Venite Adoremus* et « Chrétiens, chantons à haute voix, Vive Jésus, vive sa croix ! » Chacun s'approche de la balustrade, s'agenouille, baise la *relique de la vraie croix*, pour retourner à sa place avec le sentiment qu'il a « présenté ses respects » à celui qui est venu parmi nous pour expier nos péchés. Il n'est pas question de nous demander s'il s'agit oui ou non de la vraie croix, convaincus déjà que Jésus nous a aimés jusqu'à en mourir.

Si le temps le permet, et surtout si la route est passable, nous demeurons au village pour le célèbre chemin de la croix à trois heures précises. Dans l'église assombrie, Monsieur le curé, en chape noire, marche vers chaque station du chemin de la croix tandis que la chorale chante langoureusement :

Au sang qu'un Dieu va répandre,
Ah ! mêlez du moins vos pleurs.
Chrétiens qui venez entendre
Le récit de ses douleurs :

Puisque c'est pour nos offenses
Que ce Dieu souffre aujourd'hui,
Animés par ses souffrances,
Vivez et mourez pour lui.

À la maison

Retour à la maison... et à la grange. Personne ne travaille ce jour-là, sauf pour les soins réguliers aux animaux, que certains habitants obligent à jeûner. Ce n'est pas le jour pour planter un clou. Les femmes ne devraient pas se regarder dans le miroir, ni étrenner. Ce n'est pas le temps de se couper les ongles ni de couper les cheveux aux enfants. Gare aux frisettes ! On ne fait pas cuire le pain le Vendredi saint, sinon il deviendra dur comme pierre. On raconte qu'un cultivateur de Saint-Vallier, surpris à travailler dans son érablière au lieu d'aller à l'office saint, a trouvé du sang dans une de ses chaudières.

Entre midi et trois heures, silence absolu pour ceux qui n'ont pu se rendre à l'église. Chez les Bélanger, on apporte une poignée de clous sur la table : « Ça nous aide à penser à ce qu'il a pu endurer pour nous autres. »

Pour maman, le Vendredi saint est un jour de très grande douleur, non seulement à cause du récit de la Passion qu'elle écoute sans bouger pour obtenir la guérison de sa petite dernière en convalescence, mais aussi parce qu'elle pourra adorer la vraie croix et s'apitoyer sur Marie « tout fin seule, ou presque, à souffrir à cause de son garçon ». Les hommes ont fiché le camp, paraît-il, sauf le plus jeune, Jean : « Que c'est triste ! »

Maman nous raconte qu'autrefois, lorsque le temps ne permettait pas d'aller aux offices, certains paroissiens célébraient leur Grand Vendredi en plaçant, sur la table recouverte d'une nappe blanche, un crucifix que chaque membre de la famille allait baiser.

Puis, livre de messe en main, on lisait le récit de la Passion à haute voix, qu'on faisait suivre d'un chemin de croix. «Puis ceux qui savaient chanter chantaient» :

1. Écoutez bien, peuples chrétiens,
   Ce qui va vous surprendre.

2. C'est la complaint' de Jésus-Christ
   Voudriez-vous l'entendre?

3. Il a été quarante jours
   Sans prendre soutenance…

Le Vendredi saint, papa ne parle pas. Comment peut-il?… Nous nous le demandons. Il nous dira que ce jour-là signifie pour lui la double crucifixion du Christ et des Canadiens français : «Le Christ est mort à cause des Juifs; nous, nous avons été crucifiés par les Anglais, des protestants.» Pour adoucir les propos de papa, maman ajoute : «C'est important de prier pour eux, au cas où ils se convertiraient un jour.»

Samedi saint

Vienne le Samedi saint! Dernier jour de jeûne. Monsieur le curé prédit une liturgie d'église plutôt particulière :

Le Samedi saint, vous honorerez la sépulture de Jésus-Christ dans le tombeau. Ce mystère absorbait tellement les premiers fidèles, qu'ils passaient le jour et la nuit en prière, sans prendre ni nourriture ni repos, parce qu'ils se souvenaient que, par leur baptême, — qu'on peut appeler le sacrement de la mort et de la sépulture de Notre-Seigneur Jésus-Christ —, ils avaient été comme ensevelis dans le tombeau avec ce divin Sauveur, pour mourir au péché, et qu'ils en étaient sortis vivants avec lui.

À l'église

Très tôt le matin, commence aux portes de l'église la bénédiction du feu que nos habitants trouvent pour le moins étonnante, eux qui ont tellement peur pour leurs propres bâtiments. L'intention liturgique est tout autrement rassurante : «L'Église bénit un feu nouveau, pour signifier la vie nouvelle que l'on reçoit par Jésus-Christ, dont le cierge pascal représente la vie glorieuse. »

Seul papa va à l'église parce que, explique maman, « c'est trop faire prier les enfants que de les amener à un office qui dure six heures. Moi, je dois préparer le dîner de fin de carême. Les hommes ont tellement hâte que ça finisse ! »

Jamais mon père n'a manqué un seul de ces longs samedis d'église. « C'est pas difficile de donner un dernier coup de carême quand tu sais que tout va finir à midi et que tu vas pouvoir goûter, enfin, à ton lard salé… Moé, j'vas aussi à l'église pour apporter de l'eau bénite à ma femme, ça lui sert toute l'année. Quand même tu sacrifierais un avant-midi de ton temps, si tu es récompensé toute l'année ! » Aussitôt de retour à la maison, papa remet un flacon d'eau bénite à ma mère qui le dépose soigneusement avec les objets les plus précieux de la maison.

Quand maman le questionne pour savoir un peu ce qui s'est passé lors de cette cérémonie si matinale et si longue, papa y va joyeusement : « J'ai ben aimé la façon dont Monsieur le curé a allumé le feu et l'a béni. Il a chanté en latin des mots qui sonnaient comme des chants de printemps. Les grandes litanies ont commencé. Au beau milieu de la cérémonie, Morissette a entonné *Alleluia*. Tout le monde s'est levé, j'en ai frissonné de joie. Je sentais venir la fin des fins du Carême, le Christ reprenait son souffle. Le bedeau Charette, tout excité à déshabiller ses statues, a failli accrocher un bras de saint Antoine. Tu aurais dû voir les servants de messe, les petits Dugal, agiter leur clochette. Il a fallu que Monsieur le curé les regarde d'un air fâché pour qu'ils arrêtent leurs simagrées… Tu comprends, les cloches, l'orgue au *Gloria*, le chant du premier *Alleluia* depuis cinquante jours… c'est ben excitant. À la fin de la messe, trois alléluias bout à bout, la chorale a répété, toute la paroisse a ressuscité… Moé avec. Et je pensais à ma pipe… »

À la maison : il est midi !

Arrive l'un des moments les plus souhaités depuis le mercredi des Cendres. Il est midi et plus. Papa, de retour de l'église, de la grange à la maison, ouvre son sac à tabac, charge sa pipe, s'approche du poêle, soulève le rond d'en avant et d'un tison l'allume joyeusement en entonnant son chant vivement attendu de libération inconditionnelle :

> Alléluia, Alléluia,
> L'carême s'en va,
> On mangera plus de soupe aux pois,
> On va manger du bon bouillon gras.

> Alléluia,
> L'carême s'en va,
> Il reviendra,
> À Mardi gras.

Assis dans sa berceuse, il fume, il salive des lèvres, inhale, exhume, oubliant sa faim... et la nôtre. Il raconte à quel point l'office de l'église ne lui a pas paru trop long : « Quand t'es pour finir, tu t'encourages... comme Monsieur le curé qui, le jour des Rameaux, nous parlait déjà de Pâques. »

LE TEMPS PASCAL

En effet, il faut préciser que, dès le dimanche des Rameaux, le curé anticipe la fête de Pâques avec des propos qui cadrent moins bien avec les Jours saints :

> Dimanche est le saint jour de Pâques, première et principale fête des chrétiens. C'est en ce jour que Jésus-Christ est ressuscité victorieux de la mort et du péché ; c'est en ce jour qu'il a repris la vie qu'il avait donnée pour nous, et que, réunissant son âme à son corps, il est sorti triomphant du tombeau. Préparez-vous à ressusciter avec lui et à recommencer une vie nouvelle.

Ce n'est qu'une semaine plus tard, le jour même de Pâques, que nous apprenons le vrai sens mystique de cette grande fête de la vie :

> Jésus-Christ est ressuscité ! Tel est, Mes Très Chers Frères, le mystère que l'Église célèbre en ce jour avec la plus grande solennité, et dont elle s'occupera pendant l'octave. Ce mystère est le complément de

l'œuvre de notre rédemption, et le fondement de notre foi, puisque la résurrection du Christ nous a ouvert l'entrée du ciel et qu'elle est la principale preuve de sa divinité.

De même que Jésus-Christ est ressuscité corporellement, et qu'il a commencé une vie nouvelle, immortelle et glorieuse, ainsi nous devons être ressuscités spirituellement, c'est-à-dire commencer une nouvelle vie, en renonçant entièrement et pour toujours au péché et à tout ce qui nous porte au péché, en aimant Dieu seul, et tout ce qui nous porte à Dieu…

Remerciez, en ce jour, le Divin Agneau dont le sang rédempteur a marqué vos âmes pour la vie éternelle ; bénissez le glorieux vainqueur de la mort qui, en sortant du tombeau, vous a donné le gage de votre propre résurrection ; formez surtout une bonne et sérieuse résolution de ne plus mourir et de ne plus laisser mettre votre âme au tombeau du péché, et demandez cette grâce au Christ ressuscité qui ne meurt plus.

Suit la consigne inévitable de « faire ses Pâques », qui risque d'être répétitive :

De nouveau, nous vous avertissons que le temps de la Communion pascale finit dimanche prochain… et nous vous conjurons de vous souvenir de votre baptême, de ne pas faire à l'Église l'injure de mépriser ses volontés, et de ne pas causer au Cœur de Jésus le chagrin de résister aux pressantes invitations de son amour.

Un temps ambigu

Pâques a lieu — tout dépend de la lune — entre le 22 mars et le 25 avril. Bien entendu, cléricalement, théologiquement, c'est la fête des fêtes pour l'Église, la première fête chrétienne, « le sommet du Temporal », diront les plus avertis.

En fait, les gens de Saint-Michel ne fêtent pas tant Pâques que la fin du Carême. Le climat ne se prête pas tellement à la résurrection : le printemps tarde, des tempêtes de neige sont toujours possibles. Bien sûr, il y a l'eau bénite, l'eau de Pâques, la grand-messe solennelle, la chasuble dorée. La croyance y est, mais le cœur moins ! Quand le support cosmique manque, comment le peuple peut-il célébrer à l'aise ?

Pourtant, toute la paroisse est invitée à ressusciter, à changer ses habitudes, ses désirs, ses options, et à demander « la grâce de la persévérance finale ». Le sermon sera long. Papa considère que son curé est plus éloquent quand il ne lit pas son papier. Il a depuis longtemps établi que, de toute façon, les curés parlent trop longtemps… Maman, elle, entend tout, enregistre tout :

Le nom de Pâques qui est donné à cette fête rappelle la Pâque ancienne que mangèrent les enfants d'Israël.

Ce nom dans leur langue veut dire *passage* ; ils l'employaient pour signifier le passage de l'ange qui, chargé par Dieu de mettre à mort les premiers-nés de l'Égypte, allait dans les maisons des Hébreux qui étaient marquées du sang de l'Agneau. Dans la nouvelle loi, il signifie que Jésus-Christ est passé de la mort à la vie, et qu'en triomphant du démon, il nous a fait passer de la mort du péché à la vie de la grâce…

Le mot *Alleluia* que l'on répète si souvent le jour de Pâques et dans tout le temps pascal, signifie : *Louez Dieu !* Il était le cri d'allégresse chez les Hébreux, et a été adopté et introduit par l'Église dans sa liturgie, pour exprimer la joie et le bonheur que met dans les âmes chrétiennes le souvenir du glorieux mystère où s'appuient leurs plus chères espérances…

Même si la joie de Pâques n'est pas nécessairement dans l'air, même si plusieurs paroissiens sont épuisés par le jeûne et les offices des Jours saints, trois rites particuliers demeurent, tous reliés à la fête : le rite de l'eau de Pâques avec l'idée de voir danser le soleil, nous en reparlerons, la communion pascale obligatoire et la grand-messe de Pâques au matin.

Pauvre maman ! Elle n'a pas le temps d'aller voir danser le soleil le matin de Pâques et les mauvais chemins l'empêcheront peut-être de descendre à l'église. Forcément, elle demeurera à la maison, dira le chapelet vers les dix heures, lira dans son livre de messe en attendant le retour des hommes. A-t-elle jadis profité de ce matin pour nous apprendre, selon une antique coutume, à marcher durant l'heure de l'élévation ? Elle ne nous l'a jamais confié.

Cette fête les intrigue. « Monsieur le curé nous dit que le Christ n'est plus mort… pis qu'i' faut chanter des alléluias. Comment peux-tu chanter *Alleluia*, si les chemins défoncent, si t'as toutes les misères du monde à te rendre à l'église ? Moé, en tout cas, dit papa, si j'étais Dieu, je fêterais Pâques un peu plus loin du Vendredi saint. En juin, en mai ou même en fin d'avril, quand la débâcle est craquée, que le fleuve est décollé, après le retour des hirondelles et des outardes, quand le jardin montre ses premières pousses, quand les feuilles sortent, que viennent les lilas, que l'avoine tige, que le soleil est en chaleur, que les poules le sont aussi, que les taurailles et le bœuf à la grange, tous ensemble recommencent à s'énerver pour de bon, ce serait le vrai temps de dire : Alléluia ! »

Ma mère fronce les sourcils, car elle aussi pense, respectueusement bien entendu, que si le Sauveur du monde était né et avait vécu sur notre terre de Bellechasse, il aurait sûrement attendu les beaux chemins, les oiseaux et les belles marguerites avant de ressusciter : « Tu as un peu raison, Caïus. Mais, en haut, ils ne sont pas obligés de raisonner comme nous autres en bas. Pour moi, Pâques, ça me fait penser que le printemps s'en vient ; comme le ciel, il finira bien lui aussi par arriver. »

La Quasimodo

Le premier dimanche après Pâques, c'est la Quasimodo, ainsi nommé à cause de l'introït de la messe latine qui débute par ces mots : *Quasi modo geniti infantes*, « Comme des enfants nouveau-nés ». À l'église Saint-Michel, toujours la même exultation, le même décor de banderoles et de fleurs. La liturgie officielle poursuit son cours :

> Entrez, Mes Frères, dans ces pensées de l'Église, associez-vous aux joies saintes qui sont exprimées dans les prières et les chants liturgiques, et souvenez-vous que la vraie joie habite toujours dans un cœur pur et dans une conscience en paix avec Dieu.

« Faire ses Pâques »

Autre est parfois l'intention, autre est souvent la réalité. *Faire ses Pâques* ! En d'autres mots identifier ses péchés, aller les confesser dans sa paroisse, finalement aller communier, demeure une obligation grave. Faute de faire leurs Pâques, les paroissiens de Saint-Michel-de-Bellechasse croient qu'ils iront peut-être en enfer, qu'ils seront enterrés à coup sûr dans un endroit non bénit, à la frontière de la clôture du cimetière. Redoutables hypothèse et certitude !

Tout l'après-carême est en quelque sorte orienté par la consigne super-obligatoire : faire ses Pâques. L'ultimatum ! Quelquefois à la prière du soir, maman ajoute : « Prions, ce soir, pour les gens qui n'ont pas encore fait leurs Pâques. » Plusieurs Ave y passent. C'est qu'il y a à Saint-Michel, comme en toutes les paroisses, quelques irréductibles, trois ou quatre, des hommes habituellement, qui refusent nettement la confession ou encore attendent à la toute dernière minute pour comparaître au confessionnal. Ils font ce qu'on appelle des *pâques de renard*, pareils à cet animal qui, à l'aube, pour ne pas être vu, par détours et contours, rôde autour du poulailler et attrape un petit déjeuner gratuit grâce à la naïveté de quelques poulettes inexpérimentées.

Ces « méchants », qui ne font pas leurs Pâques, sont facilement identifiables et montrés du doigt. Et si, par hasard, il leur arrive un malheur durant l'année, tout de suite la conclusion va de soi : « On ne joue pas longtemps avec le Bon Dieu sans se faire attraper. » En certaines paroisses du haut du comté, le curé aurait même fait sonner les glas « en l'honneur » de ceux qui n'avaient pas obéi à la consigne. La légende veut que l'un d'entre eux ait été changé, un jour, en loup-garou !

En principe, le temps de la communion pascale, donc celui où l'on doit faire ses Pâques, finit avec le dimanche de la Quasimodo :

> Le temps assigné pour les Pâques expire aujourd'hui. Je vous avertis, de la part de l'Église, que si quelqu'un d'entre vous n'a pas encore accompli le grave précepte de la communion pascale, il est tenu de le faire au plus tôt. Prions pour ceux qui ne se sont pas encore occupés de ce devoir, et demandons pour ceux qui ont eu le bonheur de communier, la grâce de persévérer dans leurs bonnes résolutions et de mener désormais une vie vraiment surnaturelle.

Cependant, les conditions routières et les distances sont telles que Monsieur le curé peut, avec l'autorisation de l'évêque, prolonger le temps permis. Auquel cas, il ne manquera pas d'y revenir dans ses prônes et avis dominicaux.

L'Ascension

Quarante jours après Pâques, un jeudi, la paroisse célèbre la glorification du Seigneur assis à la droite du Père, c'est l'Ascension. Le rituel a tout prévu :

> Jeudi est la fête de l'Ascension. C'est en ce jour que Jésus-Christ monta au ciel par sa propre puissance en présence de ses disciples. Après sa résurrection, le Sauveur voulut rester sur la terre pendant quarante jours encore pour donner une preuve manifeste de sa résurrection et pour achever d'instruire ses apôtres. Le quarantième jour, après avoir béni les siens et les avoir exhortés à l'espérance, il s'éleva de terre, disparut aux regards de la foule et alla s'asseoir à la droite de son Père au plus haut des cieux.

Si Jésus nous aimait tant, pourquoi est-il reparti ? Il faut expliquer :

> Jésus-Christ est monté au ciel :
> 1. pour prendre possession du royaume éternel que sa mort lui avait mérité ;
> 2. pour être notre médiateur auprès de son Père ;
> 3. pour nous y préparer une place ;
> 4. pour envoyer le Saint-Esprit à ses apôtres, comme il l'avait promis.
> C'est pour figurer son départ que, après l'Évangile de la messe solennelle de ce jour, on éteint le cierge pascal.

Est-ce une raison de nous détacher de ce monde parce que, lui, l'a quitté ? « On dirait ben que oui » :

> Pour célébrer dignement et avec fruit la fête de l'Ascension, nous devons adorer Jésus-Christ comme notre médiateur, appuyer solidement sur le mystère de son Ascension notre espérance d'aller au ciel, nous détacher du monde et souffrir patiemment les peines et les douleurs de cette terre d'exil, afin de triompher un jour dans la gloire du ciel, notre véritable patrie.

Voilà de bien hautes pensées et de quoi mystifier les «pauvres habitants» du Troisième Rang de Saint-Michel-de-Bellechasse. L'Ascension, ils la résument en disant que c'est la fête du ciel au ciel, là où sont déjà rendus nos chers défunts. Ma mère, qui n'a que sa cuisine pour horizon immédiat, trouve du courage supplémentaire à penser que bien de ses parents et amis sont déjà «là-bas en haut avec saint Pierre qui leur a ouvert la porte». Plutôt impatient d'un printemps trop tardif, mon père pense à ses semences et ne comprend pas trop pourquoi le petit Jésus s'est sauvé au moment où le travail de la terre commence: «S'il avait attendu un brin, j'aurais mieux compris... »

La Pentecôte

Cinquante jours après Pâques, la fête du Saint-Esprit. Dès l'Ascension ou le dimanche qui suit, Monsieur le curé a voulu préciser:

> Dimanche prochain, l'Église célébrera la grande fête de la Pentecôte.
> C'est en ce jour que le Saint-Esprit, la troisième personne de la Sainte Trinité, descendit d'une manière éclatante, sous la forme visible de langues de feu, sur les apôtres et sur les disciples assemblés dans le cénacle. C'est en ce jour que l'Église a été formée, et que les apôtres, remplis de la vertu puissante de l'Esprit saint, ont commencé à annoncer Jésus-Christ ressuscité et à prêcher les vérités de l'Évangile. L'Église a consacré ce dimanche à adorer le Saint-Esprit, à reconnaître et à célébrer les effets merveilleux qu'il opéra dans les apôtres, et à demander l'effusion de ses grâces dans les âmes des fidèles.

Comme s'il n'y avait pas assez de mystère dans l'air:

> À l'imitation de la Sainte Vierge et des apôtres, préparons-nous, pendant cette semaine, à recevoir le Saint-Esprit, par l'éloignement du monde et de ses amusements, par le silence et l'humilité, par des prières et des bonnes œuvres, par des vœux, des désirs ardents et surtout par une bonne et sincère confession. Reconnaissons que, sans le secours du Saint-Esprit, nous ne pouvons rien faire de bon pour notre salut, et qu'avec lui nous pouvons tout.

Demandons-lui avec instance de venir demeurer en nous. Si nous avons le bonheur de le recevoir, travaillons à le conserver avec soin. Rendons-nous fidèles à suivre ses saintes inspirations, et prenons garde de rien faire qui puisse le contrister et le chasser de notre âme.

La Vigile

À ces considérations plutôt austères s'ajoute l'inévitable ascèse d'une vigile qui fait davantage penser au Carême qu'à l'après-Pâques liturgique :

Samedi prochain, veille de la Pentecôte, est un jour de jeûne d'obligation. Nous ferons ce jour-là la bénédiction solennelle des fonts baptismaux. Tâchez d'assister à cette sainte cérémonie. Renouvelez-y les promesses de votre baptême ; humiliez-vous d'y avoir été infidèles, et demandez à Dieu qu'il vous purifie de tout péché, afin que vous puissiez, le lendemain, recevoir le Saint-Esprit avec les dispositions convenables.

Même en cette veille de la grande solennité de la Pentecôte, croyons-le ou non, l'exhortation à faire ses Pâques revient à la surface. La terrible échéance !

Nous vous avertissons de nouveau que tous les fidèles doivent se confesser au moins une fois l'an, et communier pendant le temps de la communion pascale. Si vous n'avez pas encore rempli ce grave devoir, nous vous exhortons à le faire sans délai, et à y apporter des dispositions vraiment chrétiennes.

Les dons du Saint-Esprit

Le dimanche matin, sur le ton solennel des avertissements :

Je souhaite qu'en ce jour on puisse dire de tous ceux qui composent cette paroisse, comme autrefois des apôtres : « *Repleti sunt omnes Spiritu Sancto*, ils ont tous été remplis du Saint-Esprit. » Dégagez vos cœurs, Mes Très Chers Frères, de l'esprit du monde, pour mériter d'y recevoir et d'y conserver le Saint-Esprit avec tous ses dons et ses fruits. Exposez avec humilité et confiance tous vos besoins à ce divin consolateur, afin que vous puissiez ressentir les effets de sa demeure en vos âmes, et goûter les délices qui se trouvent dans le service de Dieu, au milieu même des croix et des adversités inséparables de cette vie.

Demandez-lui, avec l'Église, ses sept dons, qui sont ceux de sagesse, d'intelligence, de science, de conseil, de piété, de force et de crainte de Dieu. Demandez surtout le don de piété, pour aimer Dieu avec tendresse, et le servir avec zèle ; le don de force pour résister au démon, au monde et à la chair ; et le don de la crainte de Dieu, pour vivre toujours dans une sainte frayeur de l'offenser et de lui déplaire.

Et ça continue ! Comme si certains paroissiens avaient pu oublier !

De nouveau nous vous avertissons que le temps de la communion pascale finit dimanche prochain, et nous vous conjurons de vous souvenir de votre baptême, de ne pas faire à l'Église l'injure de mépriser ses volontés, et de ne pas causer au Cœur de Jésus le chagrin de résister aux pressantes invitations de son amour.

Pour ajouter au sérieux de ces propos qui cadrent si peu avec la générosité de la saison et l'éclatement possible des fleurs et des couleurs, Monsieur le curé introduit ses Quatre-Temps du prin-temps ; trois jours, mercredi, vendredi et samedi, d'abstinence et de jeûne d'obligation, comme pour marquer d'une façon pénitentielle un changement de saison. « Pourtant, c'est pas Carême ! » Obéis-sance oblige ! C'est d'autant plus pénible que Dieu a pris un visage inédit : il est devenu le Saint-Esprit ! Une colombe !

Ô Saint-Esprit !

Nos gens, qui en ont déjà assez à penser avec le Bon Dieu, le Très Haut et le Christ mort pour nos péchés, n'éprouvent guère de passion pour l'Esprit saint, cet anonyme qui vient compliquer davantage leur vie. Même si les prêtres proclament que l'Esprit est Dieu ! Eux, ils ont l'esprit ailleurs ou nulle part. Même maman, si attentive à la lecture du prône, ne semble pas trop intéressée. D'ailleurs, le curé Deschênes avait admis, et ma mère s'en sou-vient : « L'Esprit saint, c'est comme de la brume… Il cache quelque

chose d'important, mais on ne voit rien… Prions-le quand même ! »
Pourtant ! Quel Canadien français n'a pas chanté dans sa vie, selon
l'antique version : « Ô Saint-Esprit, venez en nous… Embrasez
notre cœur de vos feux les plus doux » ?

À la Pentecôte, c'est le temps d'apporter à la maison un autre
flacon d'eau fraîchement bénite par Monsieur le curé à l'église ; il
est important d'en avoir même deux ou trois flacons. L'eau de la
Pentecôte a la même réputation que l'eau bénite du Samedi saint.
Certains pensent qu'elle est meilleure. Maman ne sait pas trop :
« On verra bien quand viendront les orages et la grêle. »

LE TEMPS APRÈS LA PENTECÔTE

Monsieur le curé prend ses précautions le dimanche avant la
Trinité en nous rappelant « le jour sacré de notre baptême » :

> Quoique l'Église se soit toujours occupée de la Sainte Trinité,
> et qu'elle adore continuellement un Dieu en trois personnes, elle
> a cependant consacré ce jour particulier à célébrer cet auguste
> mystère, afin d'amener ses enfants à en faire chaque année une
> profession de foi publique et solennelle.
>
> Ce sera dimanche que, tous ensemble, nous ferons cette profes-
> sion ; que nous reconnaîtrons que nous avons été baptisés au
> nom du Père, et du Fils, et du Saint-Esprit, et que nous renou-
> vellerons les promesses que nous avons faites à Dieu dans notre
> baptême. Disposez-vous pendant cette semaine à bien faire ce
> renouvellement.

La Trinité

Toute une histoire que le premier dimanche qui suit la Pentecôte à l'église Saint-Michel ! Le prône est encore interminable. « On
dirait ben que moins nos prêtres comprennent, plus ils ont envie
de parler. » Nos gens, qui n'ont de pensées que pour leurs champs
et leurs semences, ont en effet de quoi s'étonner « de cette trinité
des personnes opposée à l'unité de leur nature ». « Comme si nous
n'avions pas assez de mystères dans notre religion ! »

Les indulgences s'en mêlent. Maman apprécie «que Notre Saint-Père le pape Pie X, par un décret de la Sacrée Congrégation des indulgences du 1er juin 1906, accorde une indulgence plénière pour le renouvellement des promesses du baptême en la fête de la Sainte Trinité». Pour gagner cette indulgence, applicable aux âmes du purgatoire, il faut assister dévotement à la cérémonie solennelle de la rénovation des promesses du baptême en la fête de la Sainte Trinité dans l'église paroissiale ou dans toute église où se fait l'office public, et satisfaire aux conditions ordinaires de la confession, de la communion et d'une prière aux intentions du Souverain Pontife. Comme par hasard… prétextant que «la mémoire est une faculté qui oublie», le curé ajoute : « Le temps assigné pour la communion pascale finit aujourd'hui… »

Ô mystère !

Le dimanche de la Trinité cache d'autres divins secrets.

L'Église célèbre aujourd'hui, Mes Frères, le mystère de la Très Sainte Trinité, un seul Dieu en trois personnes distinctes, le Père, le Fils, et le Saint-Esprit : mystère qui doit faire l'objet continuel de nos adorations sur la terre et dans le ciel.

Quoique l'Église célèbre ce mystère ineffable tous les dimanches, et tous les jours de l'année, puisqu'ils sont tous consacrés à adorer, à louer et à bénir un Dieu en trois personnes, elle en fait une fête particulière en ce jour.

Trois et un ! «Est-ce possible ?» «Oui, qu'a dit Monsieur le vicaire à la leçon de catéchisme : "L'eau peut être une et trois, être pluie, glace et neige. Et c'est toujours de l'eau." Pas vrai, les enfants ?» Papa conclut face au silence sacré de maman : «J'cré ben que le Bon Dieu doit nous trouver un peu pas mal arriérés d'idées !»

Les promesses du baptême

Un rite repris chaque année à la grand-messe est celui du renouvellement des promesses du baptême. Monsieur le curé préside. Si certains fidèles éprouvent quelque difficulté à croire, il est temps de les ramener au noyau dur de la foi, le mystère d'un seul Dieu en trois personnes :

> Soumettons notre raison à tout ce que l'Église nous propose d'en croire. Faisons une profession publique de notre foi dans ce grand mystère. Renouvelons les promesses de notre baptême, et remercions Dieu de nous avoir faits chrétiens et catholiques.
>
> À ces fins, que chacun de vous répète, en son particulier, ce que je vais prononcer au nom de tous.

Pendant que toute la paroisse s'agenouille, le vicaire aussi, et les enfants de chœur de même au signal de la claquette du Frère Directeur, Monsieur le curé, debout, en chasuble blanche, un cierge allumé à la main, d'un ton décidé poursuit :

> Mon Dieu, je vous remercie de m'avoir fait chrétien, catholique, votre enfant, disciple de Jésus-Christ, et membre de votre Église.
>
> Hélas ! je n'ai pas vécu comme m'y engagent ces qualités si augustes. J'ai souvent péché, et je vous ai beaucoup offensé.

Il fallait s'y attendre, sans broncher Monsieur le curé enfile la suite qui va comme de soi :

> Je vous en demande pardon, mon Dieu ; et je veux vous aimer et vous servir le reste de mes jours ; et, pour ce sujet, je ratifie en votre présence, et je renouvelle les promesses de mon baptême.
>
> Je renonce à Satan.
>
> Je renonce à ses pompes, c'est-à-dire aux maximes et aux vanités du monde.
>
> Je renonce aux œuvres de Satan et à toutes sortes de péchés.
>
> Je crois en Dieu le Père tout-puissant, créateur du ciel et de la terre.
>
> Je crois en Jésus-Christ, son Fils unique, Notre-Seigneur, qui est né, qui a souffert, et qui est mort pour nous.
>
> Je crois au Saint-Esprit, à la sainte Église catholique, à la communion des saints, à la rémission des péchés, à la résurrection de la chair, à la vie éternelle.
>
> Je crois tous ces articles, ô mon Dieu, et tous ceux que croit et enseigne votre sainte Église, à qui vous les avez révélés, et dans le sein de laquelle je veux vivre et mourir.
>
> Je jure aussi de garder vos commandements.

Je vous aime et je vous aimerai de tout mon cœur, de toute mon âme, de tout mon esprit et de toutes mes forces. J'aime et j'aimerai mon prochain comme moi-même pour l'amour de vous.

Donnez-moi, ô mon Dieu, votre grâce et votre bénédiction pour accomplir ces promesses.

Après quoi, Monsieur le curé éteint son cierge ; il suppose bien sûr une unanimité dont il ne doute pas un seul instant qu'elle ne soit déjà acquise : « Asseyez-vous ! » Soulagés, sans trop savoir pourquoi, les gens s'assoient. Monsieur le curé va pouvoir épiloguer sur ce « grand mystère qu'il ne faut pas comprendre ». « Mais pourquoi parle-t-il ? » Papa s'endort. Maman dit son chapelet.

À la maison

De retour à la maison, et selon ses habitudes, papa commente la profession de foi qui s'appelle le renouvellement des promesses de notre baptême : « Des fois, on dirait que nos prêtres manquent de confiance en nous... ils nous font répéter les mêmes choses. Pourquoi revenir sur notre baptême ? Baptisé, on l'est pour l'éternité. Personne ne peut nous débaptiser. I' faudrait pas déranger le Bon Dieu pour rien. » Maman n'a rien dit.

La Trinité a bonne presse à la maison et pour d'autres raisons. Ce dimanche promet l'été, la Fête-Dieu, la fête de sainte Anne, l'Assomption et sa procession à la chapelle de Lourdes. Il y a toujours ce refrain que chacun aime turluter :

> Malbrough s'en va-t-en guerre
> Mironton, mironton, mirontaine...

> Il reviendra-z-à Pâques,
> Ou à la Trinité...

> La Trinité se passe...
> Malbrough ne revient pas...

De dimanche en dimanche

La vie continue... De jour en jour, de dimanche en dimanche, jusqu'à l'Avent. Cette suite liturgique de dimanches-après-la-

Trinité n'émeut pas trop nos gens, pas plus que de savoir que l'Église célèbre le mystère trinitaire tous les dimanches et tous les jours de l'année désormais « consacrés à adorer, à louer, à bénir un Dieu en trois personnes ». Ne sont-ils pas davantage préoccupés par ce vieux dicton douteux, moitié vrai, moitié faux : « S'il pleut le dimanche de la Trinité, il pleuvra dix dimanches de suite » ?

La file de vingt-quatre à vingt-sept dimanches qui se suivent après la Trinité nous mène au dernier dimanche de novembre. Vrai court-circuit dans notre piété, la fête quelque peu étrange du Christ-Roi, créée par Pie XI en 1925 et mal encadrée par le Temporal, n'a aucun impact sur nos gens. Ils s'étonnent qu'à un mois de Noël l'on veuille célébrer Jésus-roi qui, quelques jours plus tard, deviendra Jésus-enfant. « Faudra que nos prêtres se décident un jour. Nous autres, les habitants, on aimerait savoir à qui on a affaire : au p'tit Jésus ? ou à Jésus mort sur la croix ? ou au Christ-Roi ? Pis une couronne d'épines, pis une couronne dorée, ça va pas tellement ensemble ! Mais on aime ben les fêtes ! »

CHAPITRE 4

Le temps du péché

S I SOUVENT ALERTÉS par l'obligation de faire leurs Pâques, les paroissiens du Québec, et de Saint-Michel, ont de quoi parler du péché et de toutes ses variantes.

LE PÉCHÉ ET SES VARIANTES

« Qu'est-ce qu'un péché ? » « Ce qui fait de la peine au Bon Dieu. » « Qu'est-ce qui fait de la peine au Bon Dieu ? » Qui sait ? En pratique est péché tout ce qui est défendu par *Le Petit Catéchisme de Québec*, tel qu'expliqué en chaire. Tant de manières d'offenser Dieu, de fauter ! Instruit par le Rituel diocésain et son catéchisme appris par cœur, Monsieur le curé n'en finit pas de distinguer et de distribuer les étiquettes qui permettront des confessions plus lumineuses : il y a les péchés véniels, les péchés mortels ; les fautes légères, les fautes graves ; il y a des péchés ordinaires, des péchés réservés au jugement de l'évêque ; des péchés certains, des péchés douteux ; des péchés capitaux — orgueil, avarice, impureté, envie, colère, gourmandise, paresse —, des péchés contre la foi, l'espérance, la charité ; des péchés contre les commandements de Dieu et de l'Église. Il y a aussi les péchés contre les personnes, par exemple la simonie ; les péchés contre les objets, les sacrilèges ; les péchés contre les mots sacrés, les blasphèmes et les parjures. Il faudrait s'accuser, en plus, de ses fautes « par pensées, par paroles, par actions et par omission... »

La liste est longue et détaillée, fastidieuse même. Monsieur le curé étale ses explications sur plusieurs prônes des dimanches du Carême.

LES DIX COMMANDEMENTS DE DIEU

Dès le premier dimanche du Carême, les fidèles de Saint-Michel apprennent les inévitables et différents péchés possibles selon :

Les dix commandements de Dieu

1. Un seul Dieu tu adoreras,
   Et aimeras parfaitement.
2. Dieu en vain tu ne jureras,
   Ni autre chose pareillement.
3. Les dimanches tu garderas,
   En servant Dieu dévotement.
4. Père et mère tu honoreras,
   Afin de vivre longuement.
5. Homicide point ne seras,
   De fait ni volontairement.
6. Impudique point ne seras,
   De corps ni de consentement.
7. Le bien d'autrui tu ne prendras,
   Ni retiendras sciemment.
8. Faux témoignage ne diras,
   Ni mentiras aucunement.
9. L'œuvre de chair ne désireras
   Qu'en mariage seulement.
10. Biens d'autrui ne désireras,
    Pour les avoir injustement.

Les péchés contre le premier commandement

Dieu premier servi ! Les premiers péchés à confesser sont moins ceux qui blessent la charité, nous y reviendrons, que ceux qui s'attaquent à la croyance pure et simple en Dieu. Ces fautes sont en substance assez connues, surtout de ma mère. Les péchés contre la foi, contre l'espérance, contre la charité passent, selon la norme officielle, avant les péchés contre la religion.

Contre la Foi

Ignorer par sa faute les principaux mystères de la religion et les devoirs de son état ; négliger d'apprendre l'Oraison dominicale, la Salutation angélique, le Symbole des Apôtres, les Commandements de Dieu et de l'Église ; ne pas faire au moins de temps en temps des actes de foi, d'espérance et de charité ; mettre de côté les moyens nécessaires pour éclairer sa foi, tels que sermons, instructions catéchistiques, bonnes lectures, etc.

Douter des vérités de foi ; refuser d'en croire quelque article ; critiquer ou mépriser la parole de Dieu ; lire, prêter, vendre des livres, pamphlets, tracts et journaux hérétiques, impies, irréligieux, immoraux, défendus ; avoir honte de paraître catholique ; faire quelque acte d'infidélité, d'idolâtrie, d'impiété, d'hérésie ; en faire profession ouverte ; abjurer la foi.

Contre l'Espérance

Par excès : présomption de ses forces ; abuser de la pensée de la bonté de Dieu pour l'offenser ou pour différer sa conversion. Par défaut : se désespérer ; se défier de la miséricorde de Dieu ; croire qu'on sera damné quoi que l'on fasse.

Contre la Charité

Manquer de générosité au service de Dieu ; murmurer contre sa Providence ; avoir comme mobile dominant de ses actions l'amour de soi ou des créatures, de préférence à l'amour de Dieu ; se faire l'esclave du respect humain ; céder aux sentiments de haine, de dégoût, de mépris contre Dieu ou contre les choses de Dieu.

Contre la Religion

Irrévérences dans l'église ; être longtemps sans prier Dieu ; oubli de sa présence ; abus de ses grâces ; profanation ou mépris des sacrements et des choses saintes ; sacrilèges ; discours impies ; actions irréligieuses ; superstitions ; vaines observances ; divination, horoscope ; vœux faits légèrement ou pas accomplis ; infidélité aux promesses du baptême.

Monsieur le curé profitera des autres dimanches du Carême pour continuer son énumération tirée de l'appendice du même Rituel romain (1919).

Les péchés contre le deuxième commandement

Serments faux, vains, téméraires, injustes ; blasphèmes ; malédictions, imprécations, jurements.

Les péchés contre le troisième commandement

Des fautes peuvent exiger, selon les circonstances, quelques vigoureuses semonces.

Travailler ou faire travailler le dimanche sans nécessité ; manquer la messe ou en omettre une partie notable ; se livrer ce jour-là à des divertissements dangereux ou criminels.

Les péchés contre le quatrième commandement

Ils seraient moins troublants.

Refuser à ses pères, mères, tuteurs, maîtres, supérieurs ecclésiastiques ou civils, le respect, l'obéissance, la fidélité, l'amour, l'assistance ; les blâmer, murmurer contre eux, avoir pour eux de l'aversion, du mépris ; ne pas instruire, ne pas édifier, ne pas reprendre, ne pas surveiller ses enfants, ses inférieurs, ses domestiques.

Les péchés contre le cinquième commandement

L'énumération suffirait :

Offenser le prochain dans sa vie naturelle, civile ou spirituelle. 1. *Dans sa vie naturelle* — Le maltraiter, le battre, le blesser, l'estropier, le mutiler, le tuer, le haïr, lui souhaiter du mal, la mort, interpréter en mal ses actions, lui attribuer de mauvaises intentions ; inimitiés, refus de pardonner, de se réconcilier ; vengeance, jugements téméraires, mépris, reproches, querelles, injures, affronts, outrages.

2. *Dans sa vie civile* — Médisances, calomnies faites, écoutées, point réprimées ; railleries choquantes, rapports faux ou injurieux, libelles ou chansons diffamatoires.

Les péchés contre les sixième et neuvième commandements

Il va sans dire qu'ils sont traités d'une façon plus minutieuse et renvoient le futur pénitent aux

pensées, désirs, paroles, regards, actions contraires à la pureté ; modes indécentes ; chansons libres ; livres licencieux ; statues et tableaux déshonnêtes ; bains immodestes ; spectacles dangereux ; danses, comédies, assemblées nocturnes, tête-à-tête, veillées sans témoins ; défaut de vigilance des pères et mères sur ce point.

Il arrive ici que les commentaires, toujours objet de grand intérêt, supplantent la simple énumération. Que de péchés possibles autour de la sainte vertu de pureté ! Peut-être faudra-t-il un autre long sermon pour venir à bout de toutes les explications au sujet de ces commandements, sûrement les plus populaires mais aussi les plus malmenés au confessionnal. Et pour cause !

Les péchés contre les septième et dixième commandements

Vols, fraudes, injustices, tromperies, en achetant ou en vendant, sur la qualité, la quantité ou le prix ; faux poids, fausses mesures, fausse monnaie ; dettes point payées ; négligence de payer le salaire des ouvriers ou domestiques ; procès et frais injustes ; dommages causés par malice, négligence, conseil ; prêts usuraires ; recel de choses volées ou trouvées ; banqueroutes frauduleuses ; convoitise du bien d'autrui ; dépenses au-delà de ses moyens.

Les péchés contre le huitième commandement

Faux témoignages ; subornation de témoins ; falsification des pièces, des titres ; mensonges nuisibles, joyeux, officieux ; équivoques, déguisements ; jugements téméraires et calomnies.

LES SEPT COMMANDEMENTS DE L'ÉGLISE

Comme si les commandements de Dieu ne suffisaient pas à convaincre qu'il faudra un jour aller se confesser de tant de péchés possibles, nous entendons parler en plus, à l'école, au catéchisme et en chaire, des commandements de l'Église. Ces sept commandements, ils les savent du bout des doigts :

Les sept commandements de l'Église

1. Les fêtes tu sanctifieras,
   Qui te sont de commandement.
2. Les dimanches messe entendras,
   Et les fêtes pareillement.
3. Tous tes péchés confesseras,
   À tout le moins une fois l'an.
4. Ton Créateur tu recevras,
   Au moins à Pâques, humblement.
5. Quatre-Temps, vigiles, jeûneras,
   Et le carême entièrement.
6. Vendredi chair ne mangeras,
   Ni le samedi mêmement.
7. Droits et dîmes tu paieras,
   À l'Église fidèlement.

Devoir pastoral oblige ! « Il ne faudrait pas, Mes Chers Frères, oublier les commandements de l'Église. » Les nouveaux péchés à l'horizon prennent d'autant plus d'importance à la maison que Monsieur le curé se montre plus éloquent à nous les rappeler. Sauf que ce qui nous préoccupe davantage est moins la distinction compliquée entre les commandements de Dieu et les commandements de l'Église, que ce qui serait péché mortel ou péché véniel, et encore ici la motivation est plutôt la sanction appréhendée que l'offense faite à Dieu.

C'est péché que mépriser ou profaner les jours de fête en achetant, vendant ou travaillant à des choses défendues ; ne point assister à la messe les dimanches et fêtes ; omettre la confession annuelle ou la communion pascale ; violer sans raison grave la loi du jeûne et de l'abstinence ; refuser de payer la dîme, la capitation, les suppléments, tels qu'imposés par l'autorité religieuse.

LES PÉCHÉS CAPITAUX

Toujours le péché! La grande obsession religieuse de l'époque! En principe, nous sommes tous des pécheurs, nous dit-on à l'église. Mais il semble qu'il y ait des péchés «plus péchés» que d'autres, des péchés quasi inévitables, des péchés *capiteux*, comme les appelle innocemment la vieille Ernestine Goupil. Il y en a même sept, encore sept! Chaque péché capital a ses ramifications.

L'orgueil

L'orgueil arrive en premier:

Complaisance en soi-même qui fait qu'on se juge supérieur aux autres, qu'on se glorifie de ses vertus et de ses talents, et qu'on méprise volontiers son prochain; vanité et ambition qui font qu'on recherche les honneurs, les dignités, qu'on déploie un faste et un luxe au-dessus de sa condition et de ses moyens; amour-propre qui fait qu'on rapporte tout à soi-même, qu'on s'obstine dans ses façons de penser sans pouvoir supporter les contradictions, qu'on sacrifie volontiers les autres à soi-même; hypocrisie qui fait qu'on dissimule volontiers ses défauts et qu'on se donne de fausses apparences de vertu.

L'avarice

L'avarice menace tout aussi bien les pauvres que les riches, d'où le péché de «cupidité qui fait convoiter et rechercher les biens terrestres par n'importe quel moyen, pour le seul plaisir de les posséder; attachement déréglé aux biens de la terre».

L'impureté

L'impureté, déjà incluse dans les sixième et neuvième commandements de Dieu, fera fortune dans les années 1920. Peut-être faudrait-il introduire tout de suite une certaine distinction entre les péchés de la chair «*permis* en mariage seulement» et les péchés de même espèce, *défendus*, auxquels s'exposent «les jeunes laissés sans surveillance ». Encore une fois l'insistance est telle qu'il est arrivé à papa de s'endormir en écoutant tel ou tel prêtre délibérer sur l'impureté, « cette dévoreuse d'âmes ». Par ailleurs, à propos des péchés dits charnels, papa a des remarques presque belliqueuses : « J'ai doutance que le curé est curieux, il veut trop en savoir… Pourtant il est le premier à nous dire que la curiosité est un péché. » Même maman s'interroge : « Je pense qu'il y a trop de péchés mortels dans notre religion. »

L'envie

D'autres péchés capitaux, que les habitants oublient facilement d'accuser « faute de mémoire », peuvent être commis. L'envie, par exemple. L'envie ! « Être jaloux ; se réjouir des malheurs du prochain ; s'affliger de ses succès ; chercher à lui faire perdre l'estime dont il jouit et exagérer le mal qu'on en dit. »

La gourmandise

La gourmandise englobe « la sensualité et les excès dans le boire et le manger ; alcoolisme, ivresse complète ou incomplète ; ivrognerie habituelle ». Un péché célèbre !

La colère

La colère produit l'impatience, les emportements, les murmures, les chicanes entre voisins ainsi que les altercations en temps d'élection.

La paresse

Reste la paresse : « Négliger de s'instruire ou de s'acquitter de ses devoirs de religion ou de ses devoirs d'état ; perdre son temps et vivre dans la mollesse et l'oisiveté ; ne pas faire valoir ses talents ; causer, par son insouciance à remplir tout son devoir, un préjudice notable à ses maîtres ou patrons, à ses associés ou à sa famille. »

LES OCCASIONS DE PÉCHÉS

S'il n'y avait qu'à dire nos péchés ! Mais il y a aussi à confesser les *occasions de péchés* qu'on aurait pu éviter. Elles ne manquent pas. Distinguons entre les *occasions éloignées* et les *occasions prochaines*.

Les *occasions éloignées* qui, en soi, n'offensent pas Dieu sont, par exemple, s'habiller *pas très* modestement mais sans trop y penser ; s'amuser en des lieux risqués mais sans préméditation ; se laisser surprendre par de mauvais désirs.

Les *occasions prochaines* de péchés, plus sérieuses, qui compromettent l'absolution, sont l'habitude des maisons douteuses, les fréquentations sans surveillance, le port de vêtements provocants pour les femmes et les jeunes filles, les assistances aux bals, aux spectacles et aux veillées qui invitent aux actions dégradantes. Un habitué du blasphème qui ne réagirait pas serait en *occasion prochaine* de péché ; de même pour ceux qui lisent de mauvais livres, qui regardent des tableaux lascifs et qui profanent ouvertement le jour du Seigneur et les fêtes d'obligation.

Nous, les enfants, ne comprenons pas trop pourquoi nos habitants paraissent si intéressés à écouter ces énumérations qui, nous l'avons appris plus tard, s'appliqueraient davantage aux gens de Montréal qu'aux paroissiens de Saint-Michel.

LES CONTRITIONS

Ce n'est pas tout de connaître ses péchés et de se les avouer, il faut, avant même de les confesser, les regretter. Deux sortes de contrition sont à considérer : l'une *parfaite* et l'autre *imparfaite*. Seule la contrition parfaite efface le péché même sans le sacrement de pénitence, pourvu qu'on veuille un jour s'en confesser : « Les péchés sont remis quelquefois par une contrition parfaite, lorsqu'elle est jointe au désir du sacrement. »

Contrairement à l'attrition basée sur la peur de l'enfer ou le dégoût du péché qu'est la contrition imparfaite, la vraie contrition, une douleur de l'âme, réside dans la volonté plutôt que dans les larmes ou le sentiment ; elle est le regret, non le remords, non la culpabilité ou la peur de Dieu. Elle réaffirme ainsi la paternité miséricordieuse de Dieu et s'appuie sur « le pur amour du Sauveur ».

Tout cela serait rassurant si on ne nous enseignait que la contrition doit être souveraine, en ce sens qu'elle doit être davantage vécue et plus grande que le simple regret. Elle doit être universelle, couvrir tous les péchés mortels. Elle doit être surnaturelle, aller au-delà des sens et de la nature, s'inspirer de motivations profondes.

Comment s'exécute-t-on à la contrition ? En pensant à la bonté de Dieu, à son objective providence, à Jésus qui a souffert. On prie, on lit des passages des Saintes Écritures, on prend la résolution d'éviter les occasions prochaines de pécher.

Telles sont les consignes entendues pour bien se préparer à la confession. Chaque dimanche du Carême promet une prédication pénitentielle qui ne laisse aucun doute aux paroissiens de Saint-Michel sur la manière dont leurs devoirs religieux s'imposent. Il convient de leur rappeler, quitte à répéter ce qu'ils savent déjà, les appellations des péchés, les commandements de Dieu et de l'Église et, si possible, ajouter un petit commentaire. Toute cette procédure est importante pour faciliter l'aveu des péchés au confessionnal, qui deviendra peu à peu, pour Monsieur le curé du moins, l'obligation essentielle du Carême.

Ma mère médite à sa façon les divers énoncés de Monsieur le curé. Ça lui rappelle les leçons de catéchisme du temps jadis à Saint-Raphaël ; elle s'inquiète encore, elle s'inquiète toujours. Papa sait. Il intervient : « Le temps que tu prends à te poser des questions, c'est du temps perdu. Le Bon Dieu t'attend pour te pardonner. Lui, i' calcule pas. Tu regrettes ou tu regrettes pas. Si tu vas à confesse, tu regrettes. Pourquoi bretter quand t'as fait un péché ? Le Bon Dieu, i' brette pas, lui. I' pardonne. »

« ALLER À CONFESSE »

Déjà l'univers des mots est signifiant. Sacrement de pénitence, sacrement des morts... à cause du péché. Il faut *aller à confesse* pour dire ses péchés, «les petits comme les gros»! Aller au Saint Tribunal, le confessionnal, c'est être jugé et se décharger l'âme, se nettoyer l'esprit, devenir blanc comme une colombe. Toutes sortes de confessions sont à l'ordre du jour: confession particulière, confession générale, confession du mois, et l'inévitable confession pascale, durant le Carême si possible. On va se confesser à l'église, tout comme on jeûne à la maison: même obligation, même obsession, même langage culpabilisant.

Aller à confesse, ainsi que le rappelle Monsieur le curé en chaire, est d'autant plus important que nous faisons tous des péchés et qu'il nous est impossible de communier sans les confesser. «Le Bon Dieu, c'est le Bon Dieu. Il faut être propre pour le rencontrer. Tu te laves bien avant de t'endimancher. C'est la même chose avant d'aller communier, tu vas à confesse. Quand même le curé disputerait un peu, oublie ça, tu sors net, propre, soulagé parce que tu as parlé», répète maman. Aussi surveille-t-elle étroitement les premiers vendredis et dimanches du mois, ainsi que les fêtes de Noël et de Pâques: «Voyons! les hommes, n'oubliez pas d'aller vous confesser.» Comme si cela allait de soi qu'elle nous rappelle à nos devoirs religieux. Non, je n'ai jamais entendu papa protester, sinon pour concéder: «Votre mère, elle, veut qu'on aille tous au ciel avec elle.»

Au confessionnal

Au confessionnal se succèdent les pénitents en série. Surtout le dimanche matin et la veille des grandes fêtes. Leurs péchés déboulent à toute allure. Les absolutions se bousculent. Et ça recommence, et ça continue. Durant deux, trois, quatre heures à la filée. Ma mère s'en attriste: «Pauvre curé! il a confessé durant deux heures, et puis après c'était la messe. Les gens ne sont pas raisonnables. Ils devraient pécher moins. Pauvre Bon Dieu!» Terrible confession! «Torture d'église» pour ces habitants aux prises avec leur hiver.

« Pauvre péché mortel ! »

Notre peur est instinctive. Déjà nous savions que la pénitence et le baptême sont des *sacrements des morts*! Des prédicateurs zélés nous identifient en outre les péchés mortels les plus « mortellement mortels » : *fourrage, sacrage et buvage* ; ce qui fut traduit plus tard par *luxure, sacrure* et *champlure*. Vous auriez dû voir nos forestiers et nos gens de chantier des rangs de Saint-Michel au printemps au retour du bois, plutôt ivres, mais si heureux de se retrouver à la maison avec leur femme. Ces hommes de toute une pièce avaient, paraît-il, des traitements de faveur au confessionnal, et pour cause : « Ils ont commis des péchés, ils se sont tous ennuyés de leur famille. C'est pas le temps de les disputer. » Presque une absolution communautaire ! « Venez, les hommes, au confessionnal de gauche. Dites seulement vos gros péchés, parce que la messe, elle, n'attend pas. »

Il demeure qu'à l'époque, la seule pensée de commettre un péché mortel, jugé le plus souvent à partir du contenu plutôt que de l'intention, met ma mère hors d'elle-même. Dès lors, elle projette sur nous, sans le vouloir, ses propres craintes, elle si bonne, si prévenante, si pieuse ! Papa a ses dits et réflexes : « Pour faire un péché, il faut consentir et c'est pas à mon voisin ni au curé de décider que j'en ai fait un… Pis j'sus assez intelligent pour pas faire un péché mortel, j'sus pas assez bête pour en vouloir à Dieu à jamais. Dieu, lui non plus est pas si bête ! Une chose est certaine, ta mère fait pas de péché mortel, elle est trop sainte pour ça. »

« Ma première confession »

Un jour est arrivé le temps fatidique de sa première confession ! « Ma première confession m'a marquée plus que ma première communion dont je ne me souviens presque pas. Ah ! que j'étais gênée… Je ne savais pas trop… J'avais peur de manquer la dernière partie de mon *Acte de contrition*. J'avais peur que Monsieur le curé dise mes péchés à mes parents. »

Elle nous raconte comment, entrée dans le confessionnal, elle a entendu pour la première fois le crissement du guichet qui s'ouvre. Cette grille la sépare du prêtre assis qui, étole violette au cou et tête penchée en aiguille de montre, l'écoute. Après le signe de la croix, elle récite la formule : « Bénissez-moi, mon Père, parce que j'ai péché. Il y a pas de jours ni de semaines que je suis allée à confesse et que j'ai pas accompli la pénitence imposée… Mon Père, je m'accuse, c'est ma première fois, de m'être fâchée deux fois, d'avoir eu des distractions dans mes prières… » Avertie des fautes des enfants des rangs qui disent souvent : « Mon Père, je vous accuse… », elle ne se trompera pas. Une fois terminé l'aveu détaillé de ses péchés, elle ajoute : « Mon Père, je m'accuse de plus de bien d'autres péchés que je ne connais pas, et de ceux de toute ma vie ; j'en demande pardon à Dieu, et à vous, mon Père, la pénitence et l'absolution. »

Monsieur le curé commence ici son petit discours, assez bref, car il y a une ligne d'enfants en attente : « Dieu est bon. Il te pardonne. Fais comme lui. Comme pénitence tu diras : "Bénissez mes parents", deux fois… Dis ton *Acte de contrition*. » C'est-à-dire : « Mon Dieu, j'ai un extrême regret de vous avoir offensé, parce que vous êtes infiniment bon, infiniment aimable, et que le péché vous déplaît ; pardonnez-moi par les mérites de Jésus-Christ mon Sauveur ; je me propose, moyennant votre sainte grâce, de ne plus vous offenser et de faire pénitence. »

L'absolution

Pendant que maman récite son *Acte de contrition*, Monsieur le curé donne son absolution en latin : *Misereatur tui omnipotens Deus, et dimissis peccatis tuis, perducat te ad vitam æternam. Amen.* « Que le Dieu tout-puissant te fasse miséricorde, qu'il te pardonne tes péchés, et te conduise à la vie éternelle. Ainsi soit-il. » Puis, étendant la main droite : *Indulgentiam, absolutionem et remissionem peccatorum tuorum tribuat tibi omnipotens et misericors Dominus. Amen.* « Que le Seigneur tout-puissant et miséricordieux t'accorde le pardon, l'absolution et la rémission de tes péchés. Ainsi soit-il. »

Si maman entend dire en sourdine que le curé a refusé l'absolution à une femme du voisinage, elle réagit avec respect et compassion : « Madame Bélanger a dû mal s'expliquer. On n'a pas à savoir. Le curé est bon. Le secret de confession, c'est le secret de confession pour tout le monde. » Papa a pour son dire que si le curé devait lui refuser l'absolution à lui, il devrait y avoir une « saprée bonne raison, d'à cause que c'est déjà dur d'aller dire ses péchés à un autre homme ». Et pour taquiner maman qui n'ose plus sourire : « Si les femmes pouvaient confesser, j'pense que j'serais toujours à confesse ! »

La pénitence imposée

Le plus redoutable, pour elle, pour nous, est moins l'aveu des péchés que nous pouvons défiler rapidement d'une voix feutrée sur-humiliée, que la pénitence possible : « Pour votre pénitence, dites une, deux, trois dizaines de chapelet… Vous direz un chapelet pour les morts… Vous ferez une visite à la croix du chemin… Vous ne fumerez pas durant deux jours… Vous ne mangerez pas de bonbons durant une semaine. » S'il fallait se faire imposer comme pénitence un chemin de croix ! Quelle honte ! Il nous arrivait de comparer nos pénitences jusqu'à en rougir à l'occasion, comme si une pénitence plus sévère signifiait de plus gros péchés. Nous avions tellement peur d'être jugés !

Maman sait : « C'est pas la pénitence qui est la principale affaire à surveiller, c'est votre regret, la bonne intention de ne pas continuer. » Mon père préfère aller droit au but : « S'il faut aller me confesser, j'irai me confesser. » Comme nous, il s'en remet à notre mère qui décide du jour et de l'heure. Ce qui le préoccupe, lui aussi, est moins la confession — « nos curés sont pas meilleurs que nous, les habitants » — que la pénitence qui s'ensuit. Pourtant, il ne semble pas que les confesseurs aient abusé dans son cas. Mais il a entendu dire qu'un tel a dû arrêter de fumer sa pipe pendant un mois, qu'un autre a dû cesser de boire son *p'tit caribou* durant cinq semaines, que tel autre a dû faire trois chemins de croix et un autre, réciter cinq chapelets : « I' ont dû faire de gros péchés pour se faire avoir avec autant de prières. Moé, ça me dit que nos prêtres sont trop sévères. À tant travailler, on doit pas être du méchant monde. Ce que t'en penses Rose-Anna ? » « Je pense, moi, que Dieu est bon de nous aider à faire mieux qu'hier. Regarde ! Tu disputes les enfants. Souvent tu les disputes parce que tu les aimes, pour qu'ils fassent mieux. Dieu, c'est notre père ! » Dès qu'il entend ce mot, l'occasion est belle de s'affirmer : « Moé aussi je suis votre père. » Et nous, pour l'éprouver, répondions à l'unanimité : « Oui, mais un "notre Père" en petit ! »

Des questions sérieuses se posent à la maison : « Comment se fait-il que le curé de Saint-Vallier, paraît-il, donne de petites pénitences ?... C'est pas lui en tout cas qui nous enverrait un soir faire un chemin de croix au cimetière. On n'est pas plus méchants que les gens de Saint-Vallier... » « Comment se fait-il que les jeunes vicaires sont plus doux que les vieux curés ? » Rose-Anna n'est pas ébranlée dans ses convictions : « La pénitence, c'est une chose ; le péché, c'en est une autre... Le Bon Dieu, lui, pardonne. À lui de juger. Pas à nous ! »

CHAPITRE 5

Le Sanctoral

L A PEUR du péché est-elle contournable? Oui, en ce sens qu'au ciel intercèdent déjà pour nous des saints et des saintes. Une certaine confiance règne. Plus à l'aise avec ces « saints » qui ont eu, eux aussi, leurs misères et leurs difficultés, qu'avec le Seigneur « créateur du ciel et de la terre… assis à la droite de Dieu le Père tout-puissant, d'où il viendra juger les vivants et les morts », les paroissiens de Saint-Michel préfèrent le Sanctoral au Temporal. Même Monsieur le curé est de cet avis mais il ne le dira pas. « Pourvu que le monde vienne à l'église! »

Le Sanctoral a peut-être la réputation de trop encourager la piété subjective, individualiste, la piété sentimentale et la dévotion personnelle. Pour ces gens de chez nous, qui ne connaissent ni la théologie ni les grands mots pour exprimer leurs sentiments, le Sanctoral représente mieux la personnification du héros et la sainteté de la vie quotidienne. « Dieu est trop loin, il nous faut les saints. »

VIVE LA FÊTE !

Même si les fidèles ne savent pas tellement la différence entre ce que le rituel officiel appelle le Temporal et le Sanctoral, ils aiment la fête. Or toute cérémonie à l'église est une fête: « On dirait que le temps s'arrête, comme si nous étions déjà au ciel! »

« Ça me donne un petit goût d'éternité. » « La fête, dimanche ou en semaine, ça nous permet de nous parler… À l'église, on se r'trouve. »

À la maison aussi « avec tout notre monde » et peut-être « avec un petit quelque chose pour réchauffer les violons ». Peuple heureux ! Peuple fêteux ! C'est si vrai que les prêtres, voire les évêques, doivent souvent intervenir pour modérer les élans de « nos chers paroissiens ». Le curé s'évertue à répéter : « Surtout attention à la boisson… et aux tentations de la chair… » Les gens ne peuvent pas ne pas entendre, mais ils se disculpent assez facilement : « On travaille tellement, prenons un p'tit coup, on ira se confesser après… »

DES DIMANCHES TROP ORDINAIRES

Timidement, avec ses mots à elle, maman avouera qu'elle n'aime pas cette suite de dimanches ordinaires sans modèle à imiter. « J'en ai assez de l'ordinaire de tous les jours à travailler et à recommencer. Les saints, eux au moins, ont vécu notre vie, ils en ont arraché. D'aucuns se sont tués à travailler, d'autres sont morts d'avoir trop dit leurs idées. Ça me donne confiance. Ils sont là pour nous. Une fête de saint, c'est dimanche en grand, c'est dimanche deux fois en même temps ! Je prie mieux ce jour-là. »

En surveillant son calendrier ecclésiastique de janvier à décembre, elle sait à quoi et à qui s'en tenir. Il y a le jour de l'An bien sûr, puis les fêtes du Saint Nom de Jésus, de la Sainte Famille, de la Purification de la Bienheureuse Vierge Marie ou la Chandeleur, la Saint-Joseph, la Saint-Marc, la Fête-Dieu, la Saint-Jean-Baptiste, les fêtes du Sacré-Cœur, du Précieux Sang, de la Bonne Sainte Anne, de la Transfiguration, de l'Exaltation de la Sainte Croix, la Saint-Michel, la Toussaint, le jour des Morts, l'Immaculée Conception, sans oublier d'autres fêtes locales qui surgissent à l'occasion d'un heureux anniversaire ou d'une visite extraordinaire.

LES PRÉNOMS DE SAINTS

Non, ce n'est pas un hasard que maman choisisse — elle et non papa — des noms de saints pour ses enfants, tels Jeanne, Léopold, Alexandre, Joachim, Cécile. Autant elle trouve étrange des dénominations et des appellations d'enfants par des noms profanes, Napoléon, Wilfrid en l'honneur de sir Wilfrid Laurier, autant elle est heureuse que des paroisses, même des rues de Québec, et les cloches aient des noms de saints. « Ça ne fait pas de mal à personne. Puis on est protégés. »

LE JOUR DE L'AN

Autant à l'église qu'à la maison, la fête s'impose à notre esprit dès le premier jour de l'année communément appelé le jour de l'An. Endimanchons-nous ! Précisons que, pour ces gens, l'habitude est de traiter certaines fêtes relatives à la vie quotidienne de Jésus comme si elles étaient celles de leurs saints préférés. Le premier de l'An, par exemple.

La bénédiction paternelle

Au jour de l'An, à la maison, la bénédiction paternelle supplante chronologiquement, en importance et en émotion, la messe et les bénédictions d'église. Déjà entouré d'une certaine gravité due au caractère spécial accordé à une nouvelle année, ce jour n'en est pas un comme les autres. On s'y est préparé depuis plusieurs semaines. En fait, les préparatifs des repas du premier de l'An sont des plus sérieux. Comme à Noël. Boucherie, tourtières, gâteaux étagés ou roulés ou crémés, croquignoles, tartes, blanc-manger, gelées de toutes les couleurs avec crème fouettée et puddings.

Le grand moment en est sûrement la bénédiction paternelle, tôt le matin, au retour de la grange. Le seul matin où la prière n'est pas obligatoire.

Au lever du dernier enfant, la cérémonie est dans l'air. Nous nous parlons à voix basse. « Vite, les enfants, votre père s'en vient de la grange. » Alors nous descendons l'escalier sagement, timidement, et, au signe de notre mère qui demeure debout comme pour surveiller les rites, nous nous mettons à genoux. Le « pauvre » père doit alors s'exécuter, parlant tantôt latin, tantôt français, sans trop savoir.

Irrésistible émotion ! Qui l'aurait cru ? Il est intimidé, nous le sommes tous. Eh oui ! l'amuseur, le folichon, le turluteur, le voici tout à coup devenu Melchisédech ! Debout, sérieux, il nous bénira. « Et pourtant il n'est pas prêtre. » Comment cela se peut-il ? « Je vous bénis, les enfants, au nom du Père, et du Fils, et *Spiritu Sancto…* Je vous souhaite ce qu'il y a de mieux. » Et ça finit là. La gêne supplante l'émotion et puis on se donne la main : *Bonne, Heureuse Année et le paradis à la fin de vos jours.* Ma mère reprend l'initiative : « Vite, les enfants ! Habillez-vous pour la messe. » Quelques minutes plus tard, c'est au tour de papa : « Les enfants, en voiture ! Le curé va nous bénir lui aussi, tous ensemble, toute la paroisse. »

À l'église

Nous partons vers l'église, froid ou pas froid, en sleigh ou en traîneau selon les chemins. En route, on chante encore nos cantiques de Noël : *Ça, bergers, assemblons-nous, Les anges dans nos campagnes, Adeste fideles, Dans cette étable.* Arrivés à l'église : *In nomine Patris et Filii et Spiritus Sancti. Amen.* La messe commence. Avant le sermon, un enfant de chœur allume un cierge bénit et l'apporte à un des anciens marguilliers. Celui-ci le prend et va trouver celui qu'on vient d'élire marguillier. Tous les deux vont s'incliner devant Monsieur le curé, se tournent ensuite pour saluer les paroissiens, puis le nouveau marguillier prend sa place dans le banc d'œuvre.

Après avoir lu l'évangile, en latin bien entendu, Monsieur le curé en chaire nous rappelle que le premier de l'An est la fête dite de la Circoncision ; il lit sans conviction, son esprit est ailleurs :

La circoncision était la marque distinctive du peuple juif : c'était le signe de l'alliance que Dieu avait conclue avec son peuple. Notre-Seigneur étant venu pour expier nos péchés, voulut, dès son entrée dans le monde, en assumer le fardeau et en commencer la réparation avant d'imposer au monde la grande loi de la mortification. Il commence par l'observer, et il verse aujourd'hui les premières gouttes de sang qu'il achèvera de répandre sur la croix. C'est le commencement de sa passion, et comme l'aurore de notre salut.

Aussi, est-ce en ce jour qu'il prend le nom de Jésus, c'est-à-dire Sauveur, qui lui avait été donné, dès avant sa conception, par l'archange Gabriel.

Voilà une réflexion qui n'en dit pas beaucoup aux habitants : « Cette fête doit venir des vieux pays. » Monsieur le curé poursuit sa lecture du Rituel romain :

> Pour bien célébrer cette fête qui est le premier jour de la nouvelle année, nous devons :
> 1. remercier Jésus-Christ des grâces reçues pendant l'année qui vient de finir ;
> 2. lui demander pardon des péchés commis ;
> 3. consacrer à Dieu l'année qui commence et le prier de nous faire la grâce de la passer saintement.

L'attention renaît quand il donne les statistiques de la paroisse : naissances, mariages, décès. À l'énumération des décès, les fidèles s'agenouillent et prient pour les âmes des trépassés. Ce matin-là, Monsieur le curé parle simplement. Il sait que nous avons déjà reçu la bénédiction paternelle. Lui aussi va nous bénir : « Je vous souhaite, dit-il, une Bonne et Heureuse Année ; le bonheur en ce monde et la vie éternelle dans l'autre ! » Ils sont unanimes : « Monsieur le curé a bien parlé ce matin. » « Moins c'est long, mieux il parle », ajoute papa.

L'échange des vœux

Aussitôt la messe terminée, et peu importe le froid, la majorité des hommes se retrouvent sur le perron pour se dire ou se redire leur *Bonne et Heureuse Année et le paradis à la fin de vos jours*. Ou encore : « Que le Bon Dieu te donne la santé pis la prospérité, pis que ta femme ait un autre petit dans l'année, pis que tes vaches donnent du lait, pis que tu aies une bonne coupe de bois. »

D'autres formules courent : « Je te souhaite une Bonne Année, la santé pour gagner ta vie et la patience pour élever tes enfants. » « Je te souhaite une Bonne Année, la santé, beaucoup d'argent et un heureux ménage. » « Je te souhaite une Bonne Année, la santé et que tu te trouves un mari ! »

Au magasin général, les femmes échangent également leurs vœux, merveilleux de simplicité et d'amitié :

Je te souhaite une Bonne Année et toutes sortes de bonnes choses.
Je te souhaite une Bonne Année, une bonne santé et le paradis à la fin de tes jours.
Je te souhaite une Bonne Année, la santé et que « tu achètes » encore cette année.
Je te souhaite une Bonne Année, la santé et la patience pour élever ta famille.
Je te souhaite une Bonne Année et la santé pour toi et ta famille.
Je te souhaite une Bonne Année, une bonne santé et que tous tes désirs se réalisent.
Je te souhaite une Bonne Année, la santé et tout ce que tu désires.

Entre-temps, ici et là, les jeunes s'amusent : « Bonne Année, grand nez ! » « Et toi pareillement, grand's dents ! » « Va chez le diable tout le temps ! »

LE SAINT NOM DE JÉSUS

Le lendemain, 2 janvier, la fête du Saint Nom de Jésus, remise, s'il y a lieu, au dimanche qui suit. En pleine période festive, un sermon s'impose, un sermon en règle contre les sacreurs qui méprisent les noms de Dieu et de ses saints. Papa, qui ne sacre pourtant pas, aime ces sermons qui ont « de la poigne ». « Mes Très Chers Frères, sacrer c'est pécher trois fois à la fois. C'est pécher contre Dieu que vous insultez, c'est pécher contre le prochain que vous scandalisez, c'est pécher contre vous-même qui manquez de respect et de savoir-faire. Trois péchés à la fois, c'est l'enfer. » Maman écoute et implore Dieu pour « Joseph Letellier, qui est sûrement le sacreur le plus expérimenté du Troisième Rang ».

LA FÊTE DE LA SAINTE FAMILLE

Dans l'octave de l'Épiphanie, un autre dimanche se transforme chaque année, chorale à l'appui, en une fête appréciée, la Sainte-Famille. Jour idéal pour avertir les enfants et leur raconter l'obéissance exemplaire de Jésus. Tout en prenant la précaution de ne pas mettre en relief l'épisode de Jésus perdu au Temple en train de discuter avec les autorités du lieu, pendant que désespérément ses parents le cherchent puisqu'il s'est éloigné sans permission. Monsieur le curé prononce un autre sermon en règle qui rend les femmes mal à l'aise, alors que leurs hommes se réjouissent intérieurement, et pour cause! « La famille, Mes Frères, c'est sacré… C'est sacré les enfants… Il faut faire des enfants. Vous m'entendez? Faire des enfants! Pas empêcher la famille! Faire des enfants! »

A La Durantaye, le curé Chouinard, oubliant sans doute que Jésus fut un fils unique, s'en donnait à cœur joie et à pleins poumons sur le dû conjugal. « Notre curé aime bien les enfants, qu'ont dit les gens en sortant, mais ce n'est pas lui qui les élève. Ça paraît! »

Le même dimanche de la Sainte Famille peut donner lieu, surtout s'il y a un prédicateur invité, à un autre prêche sur « la sainte éducation à donner aux enfants », sur la morale chrétienne, sur l'aide mutuelle et sur le « saint respect dû à nos dévoués parents » : « Oui, Mes Bien Chers Frères, il faut prendre au sérieux l'éducation de nos enfants. L'éducation est, avec la religion, la première richesse d'un pays. Le saviez-vous? Savez-vous qu'une famille avec des enfants mal élevés est pire qu'un nid d'abeilles dans votre grange? Ne vous laissez pas piquer! Priez! »

L'évangile de Cana

En ce même temps après l'Épiphanie, Monsieur le curé se permet parfois de savoureux commentaires sur l'évangile de Cana. Même si le Christ semble avoir donné un exemple de non-sobriété en changeant l'eau en vin, « et en fin de veillée en plus », notre pasteur, le curé Bélanger, sort son célèbre sermon attendu par papa sur les malheurs familiaux causés par la boisson: « La maudite boisson qui tue les familles, les âmes et les réputations. Plus vous buvez, Mes Frères, plus vous creusez votre fosse! Vous souvenez-vous du garçon de Ti-Pit Dumont, mort à vingt-neuf ans? S'il n'avait pas bu, il serait avec nous autres aujourd'hui. » Personne ne dort. Maman prend son chapelet et dit tout de suite un Ave pour Azarias Dumont « mort en boisson ».

LA CHANDELEUR

Le 2 février, la Chandeleur. Ce jour enterre à sa manière les dimanches qui ont suivi l'Épiphanie. C'est que, du 20 décembre au 2 février, le jour gagne soixante-dix-neuf minutes sur la nuit. Le soleil se lève vingt-quatre minutes plus tôt et se couche cinquante-cinq minutes plus tard. Si, le 2 février, l'ours sort de sa « couchette », voit son ombre et revient tout de suite dans son antre, cela veut dire en calcul amérindien que l'hiver sera long. « Encore quarante jours à attendre le printemps! » Les dictons circulent : *À la Chandeleur, le jour prend de l'ampleur. À la Chandeleur, la neige est à sa hauteur.*

La Purification

Le 2 février encore! Jour où le sacristain défait la crèche et libère l'église de toutes ses banderoles; jour de la fête des cierges. Il s'agit d'une fête mariale à ne pas oublier : Marie qui obéit à la loi par humilité, Marie qui va se purifier au Temple et y présenter son enfant, Marie qui rencontre Siméon le prophète. « Vous, les jeunes filles, ça serait un bon jour pour penser entrer au couvent. »

Des cierges bénits

Les fidèles ont la coutume de faire bénir, ce jour-là, des cierges qu'ils rapportent dans leurs maisons. « Ne manquez pas, Mes Très Chers Frères, de conserver cette excellente tradition; le cierge bénit est une protection pour le foyer. On l'allume au moment des dangers; il veille au chevet des malades et il éclaire les ombres de la mort. »

Après la vente des cierges à la sacristie, la cérémonie commence : « Daignez bénir et rendre saints ces cierges pour l'usage des hommes et pour la santé des corps et des âmes. » Un signe de croix, un peu d'eau bénite, trois encensements rapides suffisent pour que les chantres entonnent leur antienne latine à propos des païens enfin illuminés par la lumière du salut chrétien. Les cierges distribués aux enfants de chœur, commence la procession à l'intérieur de l'église, qui rappellerait le voyage de la Sainte Famille de Nazareth à Jérusalem et l'allégresse que ressentit le vieillard Siméon en contemplant l'Enfant-Jésus au Temple. « Pendant cette procession, nous devons renouveler notre foi à la divinité de Jésus-Christ, le prier de nous éclairer et de nous rendre dignes d'être un jour admis dans le temple de la Jérusalem céleste. »

Durant la messe, nous tenons allumés nos cierges tout neufs à la lecture de l'évangile et depuis la préface jusqu'à la communion. De retour à la maison, maman les range dans un tiroir réservé à cet effet. Ces cierges de la Chandeleur ont la mission de préserver la maison de la foudre, du feu et, s'il y a lieu, des inondations. Ils seront aussi allumés si Monsieur le curé vient porter le viatique.

Disons que, pour nous les enfants Lacroix, le cierge demeure un objet mystérieux et important. Isolés que nous sommes, nous éprouvons un vif besoin de protection supplémentaire. En cas de danger, de feu dans les tuyaux de la maison, de feu à la grange ou à la porcherie, un cierge allumé fait des merveilles. Mais, jamais, nous n'oserions allumer un cierge bénit, comme chez les Bernard, pour chasser le diable ou pour connaître le nom d'un futur cavalier ou d'une blonde. « Ça, c'est de l'abus », répétait ma mère. « C'est de la sacrée folie », commentait mon père.

LA SAINT-BLAISE

Exactement le 3 février, le lendemain de la Chandeleur, c'est la Saint-Blaise. Ce saint, dans Bellechasse, et sans doute ailleurs, a la réputation de guérir « les toux et les maux de gorge, les rhumatismes, les maux de barbe ». D'où les expressions : *bénédiction des gorges, bénédiction de saint Blaise, se faire brûler la gorge.*

La Saint-Blaise donne aussi lieu à une cérémonie à l'église qui peut coïncider avec la fin de la cérémonie de la bénédiction des cierges à la messe de la Chandeleur, le jour précédent. Voilà qui arrange les gens des rangs qui n'auront pas besoin de redescendre à l'église. La cérémonie est pittoresque. Monsieur le curé s'avance à la balustrade ; croyants et croyantes viennent s'agenouiller comme s'ils allaient communier. Le célébrant porte deux cierges, croisés l'un sur l'autre à la manière d'un carcan ouvert, il touche la gorge de chaque fidèle. Il prie : « Seigneur, par l'intercession de votre serviteur saint Blaise, délivrez-nous des maux de gorge et protégez-nous de tout autre mal, ô vous qui vivez et régnez dans les siècles des siècles. Ainsi soit-il ! »

Et si saint Blaise oubliait ? Il reste, pour se guérir, les chaussettes sales, des linges chauds autour de la gorge. Papa estime qu'il faut avoir confiance autant à ses chaussettes qu'à saint Blaise. Maman n'est pas d'accord. Comme elle veut la paix, elle nous encourage à avoir confiance d'abord à saint Blaise qui, lui, avait sans doute confiance aux chaussettes…

AUTOUR DE LA SAINT-VALENTIN ET DU CARNAVAL

Vienne la Saint-Valentin, le 14 février ! Monsieur le curé avertit qu'il n'y a rien de sacré dans cette fête « inventée par les jeunes pour se faire du plaisir à bon marché ». Maman ne bouge pas. Papa non plus. Le 29 février, donc à chaque année bissextile, on raconte qu'en ce jour la vieille fille en mal de mari pourrait rencontrer un vrai cavalier. Peut-être !

Monsieur le curé est nerveux. Le Carnaval approche. Il a peur que sa paroisse s'excite et fasse des folies avant de s'enfermer en carême. Un jour, nous avons eu la surprise d'entendre notre mère avouer que « Monsieur le curé devrait être un peu moins sévère pour fêter un peu plus avec nous autres… Je le trouve tellement pâle ! »

LA SAINT-JOSEPH

En hiver, jamais facile ! Mieux vaut ne pas avoir trop de fêtes à l'église ! Mais, à l'approche du printemps, voici la Saint-Joseph qui fait oublier à sa façon l'austérité quadragésimale :

> Oui, Mes Chers Frères, allons avec foi et confiance à celui qu'une sainte appelait hardiment l'intendant des greniers du Paradis. Sollicitons sans hésiter son haut patronage.
>
> Demandons-lui, en particulier, de protéger notre sainte mère l'Église, comme il protégea l'Enfant-Jésus, de la défendre contre ses ennemis intérieurs et extérieurs, et de l'assister dans l'accomplissement de sa mission divine. Prions-le aussi de protéger nos communautés religieuses ; d'obtenir pour tous les pères et mères la grâce de bien élever leurs enfants et de faire régner Jésus-Christ à leur foyer ; enfin, nous souvenant qu'il eut la consolation de mourir entre les bras de Jésus et de Marie, implorons, par son intercession, la grâce d'une bonne et sainte mort.

Tous les curés n'ont pas le même zèle à promouvoir directement le culte de saint Joseph. Il paraît qu'à Saint-Gervais, déçu par certains paroissiens qui ne s'étaient pas confessés à Pâques l'année précédente et qui ne s'étaient même pas montrés à la messe de Minuit, le curé aurait lancé un sermon en bonne et due forme sur le sujet : « Mes Chers Frères, saint Joseph était charpentier. Charpentier, il faisait des confessionnaux... Ça me fait penser tout à coup que certains que je connais et qui par hasard sont ici oublient le confessionnal... Mieux vaut tard que jamais. »

Le Frère André

Nous entendons dire entre-temps qu'à Montréal, surtout à cause d'un certain petit frère André, saint Joseph triomphe. Papa commente : « Normal qu'à Montréal, une grosse ville d'affaires, saint Joseph prenne le dessus, lui qui a financé les affaires de la Sainte Famille. Nous autres, à Saint-Michel, on est pas riches et on en a juste assez pour déranger Notre-Dame de Lourdes. » Maman réplique que, d'après le sermon de Monsieur le curé, saint Joseph a été surtout un admirable père de famille et qu'il conviendrait que Caïus Lacroix raisonne autrement : « Saint Joseph n'avait pas plus d'argent que nous… Mais, lui, il s'occupait de sa famille. » Provoqué, papa répond : « Mais lui n'avait qu'un enfant et sa femme était sans péché ! »

L'ANNONCIATION

Bien que reportée aussi au dimanche suivant, la Saint-Joseph nous paraissait plus importante que l'Annonciation du 25 mars. Pourquoi une seule fête de saint Joseph dans l'année et plusieurs fêtes consacrées à sainte Marie ? Ce dont nous nous souvenons, c'est qu'il est dit, à mots couverts bien entendu, que la Sainte Vierge s'étant trouvée enceinte, neuf mois avant Noël, le 25 mars serait le meilleur temps pour une femme qui le souhaite de devenir enceinte… « Mais ça ne dépend pas seulement de nous », aurait dit madame Letellier.

LA SAINT-MARC ET LES ROGATIONS

Voici arrivés ces temps à la fois doux et inquiétants de la fonte des neiges, la Saint-Marc avec ses prières pour la terre, qu'on appelle les Rogations, et les Quatre-Temps du printemps. Pour les habitants habitués au long hiver et au printemps « toujours en retard sur nos idées », les prières pour les biens de la terre et la bénédiction des grains sont de première importance. Cependant, les distinctions entre la Saint-Marc, les Rogations, les Quatre-Temps, les litanies majeures et les petites litanies leur importent peu. Monsieur le curé a pourtant expliqué et insisté à la Saint-Marc, soit le 25 avril :

> Suivant un usage très ancien, l'Église fera, ce jour-là, les prières dites des Rogations ou Litanies Majeures. Nous ferons, à 7 heures, une procession solennelle pour demander à Dieu sa bénédiction sur les fruits de la terre. Nous lui demanderons aussi la grâce de

persévérer dans son service, d'éviter le péché afin d'éloigner le châtiment qu'il attire, et de vivre toujours de façon à mériter les bénédictions pour nos corps et pour nos âmes.

Assistez à cette procession avec recueillement et piété ; chantez ou récitez dévotement les litanies des saints, et entendez avec un grand esprit de foi la sainte messe que nous chanterons immédiatement après la procession.

C'est Dieu, dit saint Paul, qui donne la bénédiction à nos travaux, et qui fait germer, pousser et mûrir les grains semés dans nos champs. C'est lui également qui les préserve des accidents auxquels ils sont exposés. Venez donc avec foi et confiance implorer cette bénédiction et cette protection dont vous devez ensuite lui témoigner votre reconnaissance.

Les Rogations comportent une procession à l'intérieur de l'église avec les *petites litanies* qui ressemblent à celles de la Saint-Marc, répétées trois fois à la file, soit les lundi, mardi et mercredi avant l'Ascension. La quête du jour est destinée à faire dire plusieurs messes pour les biens de la terre. On rapporte que certaines femmes font à la maison *du beurre des rogations*, beurre fait avec la crème ramassée les jours des Rogations. « C'est du beurre miraculeux, bon comme remède, et qui se garde même sans être salé. »

La bénédiction des grains

Tous les deux, maman et papa, sont d'accord pour prier pour la terre « qui a dormi tout l'hiver et qui se réveille maintenant ». Aussi la bénédiction des grains revêt-elle, pour papa surtout, une importance majeure ; elle survient juste après le dernier évangile, emprunté à saint Jean, chapitre premier. Comme il est édifiant de voir ces habitants tenant dévotement dans leurs grosses mains de tout petits sacs de grains à faire bénir ! Ils observent la mini-procession dans l'église ; ils ont hâte que Monsieur le curé bénisse leurs grains, car déjà ils sont, en esprit, en train de semer. Papa est très ému. Les chemins de terre étaient si méchants en cette année 1932, et pourtant il a tenu à descendre des concessions « à cause que nos terres ont encore plus besoin du Bon Dieu que de nos bras.

Avec nos gros hivers, nos champs gèlent tout rond… Oui, de temps à autre je m'arrête, j'regarde ma terre, elle a dormi tout l'hiver, j'sens que le printemps vient… et dans ce temps-là j'ai pas besoin qu'on m'dise si je dois aller à l'église. J'y vas tout naturellement.» Aussi quand il revient à la maison avec ses trois petits sacs de grains bénits que maman traite aux petits soins, c'est comme s'il nous apportait le Bon Dieu!

Davantage portée à faire pénitence, ma mère jeûnerait bien ces jours-là si elle se laissait aller à sa seule générosité; elle jeûnerait en vue de la réussite des prochaines semences. Mais comme le jeûne durant les Rogations n'est pas obligatoire, que ce ne sont pas des Jours saints, elle accorde à son mari d'avoir un petit peu raison: «Mieux vaut prier que jeûner!»

LA FÊTE-DIEU

Une fête à ne pas manquer, surtout pas la procession, nous en sommes prévenus dès le dimanche de la Trinité. Il y a du mystère dans l'air: «Jeudi prochain est la fête du Très-Saint-Sacrement, de l'Eucharistie.» Le prône précise:

> C'est le Jeudi saint que Jésus-Christ a institué le sacrement de l'Eucharistie; mais l'Église, étant particulièrement pénétrée ce jour-là des sentiments de la douleur qu'inspire la passion de Notre-Seigneur, a remis après la Pentecôte la célébration de l'institution de ce grand mystère, afin de le faire avec plus de pompe et de joie. Elle y a même consacré une octave entière, afin de témoigner plus solennellement sa reconnaissance et son amour à Jésus-Christ réellement présent dans cet auguste sacrement.
>
> L'Église célèbre cette fête comme le triomphe de Jésus-Christ sur l'impiété et sur l'hérésie. Elle regarde ce mystère comme l'abrégé des merveilles de ce divin Sauveur, comme le signe de son amour pour les hommes, et la consommation de tous ses mystères. C'est le sacrifice et la victime de la nouvelle alliance: c'est le signe de l'union et de la charité qui doivent régner entre tous ceux qui y participent.

Avec octave

Déjà un peu excitée par ce qui doit arriver, maman écoute avec grande attention. Papa, levé tôt pour venir communier à la basse-messe, s'endormirait s'il ne pensait déjà à la belle procession, à son contexte festif et à tout le monde qu'il verra.

L'Église demande de ses enfants, pendant cette octave solennelle :

1. Qu'ils croient et confessent Jésus-Christ réellement et véritablement présent dans la sainte Eucharistie, sous les apparences du pain et du vin, et qu'ils soumettent leur foi à tout ce qu'elle leur enseigne touchant ce mystère adorable.

2. Que pendant cette octave, ils viennent dans son temple pour lui rendre leurs respects et leurs hommages, l'y adorant en esprit et en vérité, assistant aux offices, à la sainte messe, aux processions et aux saluts, avec modestie et piété.

3. Qu'ils reçoivent Jésus-Christ dans l'Eucharistie avec des sentiments d'amour et de reconnaissance, puisque ce divin Sauveur ne s'est mis dans ce sacrement que pour servir de nourriture à leurs âmes, comme il nous en assure, en disant : *Ma chair est véritablement une nourriture, et mon sang est véritablement un breuvage.*

4. Qu'ils l'offrent avec le prêtre, à la sainte messe, y assistant avec piété et dévotion, comme des adorateurs et des victimes avec Jésus-Christ.

Pendant l'octave de la Fête-Dieu, le Saint-Sacrement sera exposé tous les jours dans cette église à la messe qui se dira… ; et tous les soirs à … l'on chantera un salut. Assistez à ces pieux exercices, autant que vos occupations pourront vous le permettre.

La Fête-Dieu marque dans l'esprit des gens l'arrivée de l'été, et le temps de la propreté à l'église. Les femmes disponibles organisent alors une corvée pour le grand lavage. Planchers, autels, bancs, statues, etc. Une fois que tout est propre, la paroisse est en mesure de penser à la « solennité de la Fête-Dieu ».

Le temps d'étrenner

Le dimanche qui suit le jeudi après la Trinité est un jour sacré, sorte de point tournant dans la vie des gens. L'occasion est belle d'étrenner les habits d'été, les tissus légers de couleur pastel et les souliers blancs. Bien mal vus seraient ceux qui oseraient porter ce jour-là des vêtements moins dignes. C'est à un point tel que le curé est parfois obligé de rappeler que la Fête-Dieu est une fête avant tout religieuse et non l'occasion d'une parade de mode comme il y en a en ville :

> Ce n'est pas mal de se vêtir richement ; c'est une marque de respect à l'hôte vénéré ; mais c'est un non-sens pour un croyant de s'occuper d'abord de lui-même le jour où il ne devrait avoir d'yeux que pour l'auguste passant qui daigne honorer les rues de sa présence.

La procession

Même dans les rangs, il y a comme une sorte d'impatience. Chacun examine le ciel pour s'assurer qu'il fera beau « le jour de la procession de la fête du Saint-Sacrement ». De plus, il existe une croyance populaire qui veut que si le Saint Ostensoir ne peut sortir à la procession à cause du mauvais temps, c'est signe que « les récoltes seront moins belles ». « Espérons que Dieu ne nous punira pas cette année. »

Les paroissiens du village ont décoré les devantures de leur maison avec des banderoles, des *pavillons*, des drapeaux religieux et profanes, avec des branches de sapin. Au tournant qui mène à la rue de la chapelle, il arrive qu'on élève une arche d'épinette chargée de toutes sortes de banderoles : la procession passera en dessous. Très impressionnant !

La messe commence à 9 h 30, la procession se met en branle vers les 10 h 30. Papa attend. Maman s'extasie. C'est vraiment la fête. Moins à cause du mystère de l'Eucharistie que de la procession. Monsieur le curé est distrait ; il voudrait que tout aille comme sur des roulettes, que les Ligueurs du Sacré-Cœur soient bien habillés, que les Dames de Sainte-Anne tiennent leur rang, qu'elles ne jalousent pas les Enfants de Marie, que les enfants soient plus recueillis, que tout soit pieux et digne « des gens de Saint-Michel qui savent si bien faire les choses ».

Avertissements

Notre curé va-t-il répéter ce qu'il a déjà lu le dimanche précédent?

La procession solennelle du Saint-Sacrement va se mettre en marche après la messe. Ce n'est pas assez, Mes Très Chers Frères, d'accompagner le Saint-Sacrement dans cette procession; vous devez y avoir continuellement présent à l'esprit le Dieu qu'il renferme. C'est le jour du triomphe de Jésus-Christ dans le sacrement de nos autels; c'est aussi celui où vous devez lui donner un témoignage éclatant de votre foi et de votre amour dans cet auguste sacrement...

Ne vous y trouvez pas comme à un spectacle profane; que la curiosité ou la vanité n'y aient aucune part dans vos cœurs; détournez vos yeux de tout ce qui pourrait vous y distraire. Venez au contraire y faire amende honorable à Jésus-Christ, pour tous les péchés qui se commettent contre lui, et que vous avez peut-être commis vous-mêmes, par vos mauvaises communions, vos immodesties dans les églises et vos irrévérences à la sainte messe.

Demandez à Jésus-Christ qu'il sanctifie tous les lieux par où il passera; qu'il répande ses bénédictions sur les personnes qui les habitent; et que sa grâce demeure en tous ceux qui auront eu le bonheur de l'accompagner dans cette procession.

Heureusement qu'il lit, et vite. Les avertissements paraissent moins sévères.

Durant cette procession, occupez constamment votre esprit de Jésus-Christ; méditez son amour, pensez à tout ce qu'il a fait et entrepris pour vous. Les reposoirs doivent vous représenter les différents endroits où ce divin Sauveur s'est arrêté pour accomplir l'œuvre de votre salut. Pensez surtout à l'étable de Bethléem où il a commencé ce grand mystère, et à la montagne du Calvaire où il l'a consommé. C'est là qu'il nous a donné des marques authentiques de son amour. Témoignez-lui-en votre reconnaissance.

À chacun sa manière

Monsieur le curé Bélanger s'est arrêté un instant, sans doute pour attirer l'attention de ses «chers paroissiens»: «Cette année, comme à bien d'autres reprises, le maire J.-N. Roy, gérant de la Banque Canadienne Nationale, offre la galerie de sa maison comme reposoir et se charge des frais encourus à cet effet. Nous l'en remercions de tout cœur. »

Le riche J.-N. Roy se trouve ainsi bien identifié et comme bien exaucé, lui qui se trouve, comme par hasard, l'organisateur en titre du Parti libéral aux élections fédérales, en plus d'être un assureur distingué de la Mutual Life of Canada. Papa accepte même que monsieur Roy assiste à la procession sans la marcher : « Chacun sa manière de faire. Ne jugez pas, les enfants ! Il a ses raisons. En tout cas, il est charitable et c'est plus important que de marcher la procession. »

La procession de la Fête-Dieu mobilise à la fois tout le visuel et tout le sonore paroissial : cloches, cantiques, ostensoir, reposoirs, fleurs par terre, dais, encens, habits blancs, gants et soutanelles rouges, chape dorée, bannières et étendards colorés.

Un village médiéval

La paroisse est devenue comme un grand village médiéval. Les gens, qui ont le goût de la fête, entendent honorer à la fois Dieu, le soleil, la vie, les fleurs, le printemps, les beaux habits, les enfants de chœur, les confréries, divers groupes.

Commencée aussitôt après la messe, la procession chemine du perron de l'église à la chapelle de Lourdes. D'abord, c'est la croix portée par un enfant de chœur accompagné de deux acolytes ; ensuite, la bannière de la Sainte Vierge du couvent, suivie des Religieuses, de leurs élèves et des fillettes des écoles portant de petits drapeaux ; puis, la bannière des Enfants de Marie, portée par deux paroissiennes, de très belles filles, habillées en blanc et coiffées de jolies « mantes » (voiles de première communion et couronnes), entourées de leurs consœurs dont quatre d'entre elles tiennent les rubans de la bannière. Après, c'est la bannière de Sainte-Anne escortée par les Dames de Sainte-Anne et les jeunes filles qui ne sont pas Enfants de Marie. La bannière de Saint-Michel est encadrée des jeunes ligueurs du Sacré-Cœur et de leurs officiers décorés de leurs insignes, alors que les hommes ligueurs et leurs officiers arborant aussi leurs insignes marchent derrière leur drapeau du Sacré-Cœur. Viennent ensuite la bannière de Saint-Joseph, les chantres, la bannière du Sacré-Cœur avec les garçons des écoles, aussitôt suivis des enfants de chœur et des porte-flambeaux. Des enfants recrutés à l'école du village parsèment le sol de fleurs tandis que le thuriféraire balance doucement l'encensoir. Le dais sous lequel Monsieur le curé porte l'ostensoir est soutenu par messieurs les marguilliers. Enfin, le chœur de chant qui s'en donne à cœur joie : « Aimons le Sacré-Cœur », « Ô Jésus, doux et humble de cœur… », « Cœur Sacré de Jésus, j'ai confiance en vous ».

Une senteur de lilas et de roses fraîches embaume l'atmosphère. Inoubliable !

Au reposoir

Arrivé au premier reposoir, aménagé à la maison d'un villageois, et déjà gardé par des anges improvisés, des petites filles du couvent devenues subitement sages, le curé dépose le Saint-Sacrement sur l'autel et la chorale entonne son *Tantum ergo* :

Tantum ergo Sacramentum	Vénérons donc, prosternés,
Veneremur cernui :	Un si grand Sacrement ;
Et antiquum documentum	Que l'ancien symbole
Novo cedat ritui :	Cède la place au nouveau rite,
Praestet fides supplementum	Et que la foi supplée
Sensuum defectui.	Au défaut des sens.
Genitori, Genitoque	Au Père et au Fils
Laus et jubilatio,	Louange et cris de joie,
Salus, honor, virtus quoque	Bonheur, honneur et puissance
Sit et benedictio :	Et bénédiction.
Procedenti ab utroque	À celui qui procède de l'un et de l'autre
Compar sit laudatio. Amen.	Soit une gloire égale. Ainsi soit-il.

Cette hymne attribuée à Thomas d'Aquin, ma mère la chante allègrement, et en latin. Le cœur y est ! Dieu comprend. Les personnes âgées qui se font un devoir de suivre la procession à travers les rues du village profitent de ce chant-mystère pour s'asseoir un instant. Après l'oraison en l'honneur du Saint-Sacrement et un court sermon, la procession reprend sa route jusqu'au second reposoir, parfois à la chapelle Sainte-Anne, mais le plus souvent à la chapelle Notre-Dame de Lourdes. Un autre *Tantum ergo*, un autre sermon, une autre bénédiction avec l'ostensoir. Le chant du *Magnificat* marque la finale de chaque étape. En principe, tous sont tenus de se retrouver à l'église pour un dernier salut du Saint-Sacrement.

Comme au ciel pour ma mère

Recueillie, éblouie, maman regarde, observe, voit tout, entend tout; elle veut prier pour toute la paroisse, mais surtout pour sa famille. Émue jusqu'aux larmes : « Pensez-y un peu ! Le petit Jésus caché au tabernacle se promène maintenant dans les rues de Saint-Michel. » Quand il passe, elle s'agenouille. Elle prend le temps de fixer l'ostensoir de près. Et le reposoir donc ! « Plus beau que jamais, plus beau d'année en année ! » Elle rêve ! Elle rêve ! « Comme c'est beau de voir l'hostie dans un soleil doré et bien abrié, avec tout ce monde endimanché et pas pressé pour marcher ! Et je me dis que le ciel, ça doit être comme à la Fête-Dieu : tout le monde ensemble au même reposoir, qui aime le même Bon Dieu qui, lui, aime tout le monde. Je ne serais pas surprise qu'au ciel il y ait Fête-Dieu tous les jours. Même en hiver. Avec ce beau soleil du Bon Dieu ! »

La procession de mon père

Tout petits, il nous a toujours paru que, pour mon père, la Fête-Dieu était prétexte à une immense satisfaction de voir toute la paroisse en procession en avant du dais et de Monsieur le curé : « Une paroisse qui marche ensemble, qui prie ensemble, qui chante ensemble, qui aime le Bon Dieu ensemble, c'est sûrement une paroisse digne de Wilfrid Laurier ! » De tels propos surprennent toujours ma mère. Mais lui, pour éviter la réplique, précise aussitôt : « Sans Laurier, il n'y aurait pas de pays. Pas de pays, pas de procession. Disons merci au Bon Dieu ! »

Pour toutes sortes de raisons plus ou moins faciles à deviner, nous constatons que, contrairement à ma mère portée à valoriser l'ostensoir et le reposoir, papa incontestablement préfère à toute la décoration cette lente procession de monde à travers le village : « Non, c'est pas tout le monde qui peut marcher avec le Bon Dieu… Ça s'mérite… Y a des pays où ça arrive pas. »

Sans que nous le sachions toujours, à chaque année reviennent en lui d'inévitables jalousies : « Qui portera le dais ?… Chez qui le reposoir ?… S'il faut que ce soient des Bleus ! Le Bon Dieu ne mérite pas ça ! » Quel honneur quand il est choisi pour porter le dais, « ce parapluie du Bon Dieu » !

LA FÊTE DU SACRÉ-CŒUR

Il arrive aux clercs qui ne sont pas reliés aux travaux quotidiens de la ferme d'exagérer. Aussitôt réussie la Fête-Dieu, une autre fête s'annonce. La célébration de la fête du Sacré-Cœur suppose aussi grand-messe, exposition du Saint-Sacrement, heures d'adoration, amendes honorables, consécrations, indulgences. Ce que lit Monsieur le curé en chaire n'est plus tellement approprié à la vie quotidienne de ces habitants aux prises avec leur terre en train de produire :

Vendredi prochain est la fête du *Sacré-Cœur de Jésus*, et nous en ferons la solennité le dimanche.

Le Cœur de Jésus a été le foyer et le symbole de son amour pour les hommes, il est convenable et souverainement juste qu'il reçoive un culte spécial. Aussi, dans tous les siècles, a-t-il été l'objet de l'amour, de l'adoration et de la confiance des disciples de Jésus-Christ. C'est le foyer et le symbole de cet amour tendre, compatissant et généreux qui a fait pour nous de si grandes choses, *car à peine quelqu'un voudrait-il mourir pour un juste… mais l'amour de Dieu a éclaté sur nous par la mort de Jésus-Christ, qui nous a justifiés dans son sang, nous qui étions ses ennemis.* (Rm 5,7) C'est dans ce Cœur divin qu'ont été formés les desseins de notre salut : c'est le tabernacle de *l'alliance nouvelle* qui a réconcilié la terre avec le ciel ; c'est l'autel *des parfums et de l'holocauste*, où le Pontife éternel a offert et continue d'offrir *en odeur de suavité*, le sacrifice de sa mort; et sur lequel brûle le feu d'une *charité qui ne s'éteindra jamais*; c'est *la table d'or*, sur laquelle Jésus a préparé l'aliment céleste de son corps qui doit nourrir nos âmes, c'est cette *fontaine divine* où nous sommes invités *à venir puiser avec joie les grâces du salut. (Isaïe 12,3)*

Papa qui, comme par hasard, s'est réveillé en entendant parler de parfum, d'holocauste, d'odeur de suavité, de table d'or et de fontaine divine, se demande sérieusement si Monsieur le curé n'aurait pas mal dormi, s'il ne s'est pas trompé de page ou de livre ou même s'il n'a pas pris *un petit coup*.

La fête du Sacré-Cœur arrive souvent au temps du hersage et du jardinage; elle a peu de chance d'être prise sérieusement, quoique papa soit officiellement inscrit dans la Ligue du Sacré-Cœur par décision unanime du curé. À la prière du soir, ma mère ajoutera les litanies du Sacré-Cœur que nous absorbons plus ou moins distraitement. Cette fête en est plutôt une de village et, surtout, de la ville de Québec, à cause d'un certain père Lelièvre, promoteur inimitable de cette dévotion.

LA SAINT-JEAN-BAPTISTE « EN PETIT »

Saint Jean-Baptiste est officiellement et religieusement le patron des Canadiens français depuis 1908. À l'église Saint-Michel, la messe du 24 juin, remise au dimanche suivant, est solennisée. Mais, en fait, la Saint-Jean-Baptiste risque d'être une fête urbaine, une fête pour des discours de députés. Au Troisième Rang, on pense plutôt aux foins et aux fraises…

LA SAINTE-ANNE « EN GRAND »

La Bonne Sainte Anne a plus de chance, et ce, depuis les origines du pays. Une sorte de fête familiale, paroissiale et nationale que le 26 juillet! Même si les foins ne sont pas terminés. Jour de confiance, de communion et de pèlerinage. «La Bonne Sainte Anne ne nous a jamais laissés tomber… Elle a fait ses preuves. Elle fait encore des miracles», répète papa. Monsieur le curé est d'accord :

> Le 26 prochain, l'Église fera la fête de sainte Anne, mère de la Sainte Vierge et patronne de toute la province civile de Québec, et le dimanche nous en célébrerons la solennité.
>
> Sainte Anne, qui a été l'objet d'un culte spécial de la part de nos ancêtres, depuis le commencement de la colonie, semble avoir fait du Canada tout entier son héritage, et avoir choisi le sanctuaire de Beaupré comme le lieu principal où elle ne cesse d'obtenir des faveurs tant spirituelles que temporelles à ceux qui ont recours à elle.
>
> En effet, depuis l'établissement de ce pays, nos ancêtres se sont toujours distingués par leur dévotion à sainte Anne, comme le prouvent les nombreux autels et sanctuaires sous son vocable, l'affluence toujours croissante des pèlerins qui vont y invoquer cette grande sainte et les grâces signalées que Dieu accorde par son intercession. Continuons fidèlement les pieuses traditions de nos ancêtres, et par notre attachement à la foi de nos pères, rendons-nous toujours dignes de sa protection.
>
> Prions cette grande sainte de nous obtenir les secours qui nous sont nécessaires pour vivre saintement dans notre état, et pour en remplir fidèlement tous les devoirs. Les pères et mères doivent en ce jour demander à Dieu la grâce de bien élever leurs enfants, de leur donner une éducation chrétienne, et surtout de les exciter et de les former à la pratique du bien et de la vertu par leur bon exemple et par la régularité de leur conduite.

Un culte privilégié

La Bonne Sainte Anne est à Saint-Michel l'objet d'un culte privilégié. Une chapelle lui est dédiée depuis 1702, souvent réaménagée par la suite. Le mois de juillet lui est consacré. Du 17 au 26, une neuvaine est ajoutée à la prière du soir. Plusieurs enfants du pays portent son nom. Il y a même une confrérie des Dames dites de Sainte-Anne, et une bannière de procession à son effigie. Quel paroissien de Saint-Michel ne rêve pas d'aller un jour ou l'autre en pèlerinage à Sainte-Anne-de-Beaupré !

Maman qui porte le nom privilégié de Rose-*Anna* considère sa patronne comme sa grand-mère du ciel. Absolument de son avis, papa prétend que la Bonne Sainte Anne est si puissante qu'elle a souvent empêché les orages de tout détruire ; il irait volontiers en pèlerinage à Sainte-Anne-de-Beaupré tous les ans si le travail de la ferme le lui permettait. Il la vénère, sa Bonne Sainte Anne ! Il la trouve plus forte que les autres saints du ciel, sauf la Sainte Vierge, pour la bonne raison qu'arrivée en haut avant eux, sainte Anne connaît mieux le milieu et les « tours » du Bon Dieu.

L'ASSOMPTION OU NOTRE-DAME DE LOURDES

Mais la Sainte Vierge ! Celle qu'on appelle, à Saint-Michel, Notre-Dame de Lourdes. À cause de la chapelle qui lui est dédiée depuis 1879, elle fait l'unanimité. Une semaine avant le 15 août ou encore le 15, Monsieur le curé reprend son *discours du trône*, comme dirait papa, pour nous avertir que le temps de penser à la fille de sainte Anne est enfin arrivé :

L'Église fera le 15 août la fête de la glorieuse Assomption de la Vierge Marie, et dimanche nous en célébrerons la solennité. L'Église célèbre, en ce jour, trois mystères en l'honneur de Marie : sa sainte mort, sa glorieuse résurrection, sa triomphale assomption dans le ciel. Marie mourut sans douleur. Son âme, après avoir consumé des feux du divin amour le corps si pur auquel elle était unie, s'en détacha sans efforts, et comme dans un suprême élan de charité qui la ravit à la terre pour la porter dans le sein de Dieu. Son corps fut placé dans un tombeau, d'où il sortit bientôt, revêtu de tous les privilèges des corps glorieux. Bien que cette vérité n'ait pas encore été définie comme dogme, elle est cependant affirmée par la croyance et le culte de l'Église universelle. Un corps dont le Dieu de sainteté avait fait son temple, et qui, à cause de cela, avait été soustrait à la tache originelle, ne devait pas être assujetti à la corruption du tombeau.

Marie aurait été à la fin de sa vie terrestre «élevée en âme et en corps à la gloire céleste». Donc, un jour ou l'autre, «i' va falloir arriver à y creire, comme pour le reste», dira papa de retour à la maison. «Monsieur le curé n'avait pas besoin de s'énerver. Comme s'il n'était pas certain de ce qu'il disait! Si tu crois à la résurrection, tu acceptes que la Sainte Vierge est arrivée au ciel avant nous... »

Tout cela il le pense, même s'il a à peine entendu, contrairement à ma mère qui a tout écouté de la suite du *Rituel*:

> Aussi, Marie est-elle élevée en gloire et en puissance au-dessus de tous les anges et de tous les saints. Elle a été couronnée par la Sainte Trinité comme reine du ciel et de la terre.
>
> Réjouissons-nous, Mes Frères, de la glorieuse Assomption de Marie et de son beau triomphe sur la mort. Du haut du ciel, elle est notre reine: rendons-lui nos hommages et soyons ses sujets fidèles et dévoués. Près du Père céleste, elle est notre Mère: soyons ses enfants soumis et affectueux. Avec son divin Fils, elle se constitue notre avocate: recourons à sa puissance suppliante avec une entière confiance, assise sur son trône de gloire, elle est pour tous les chrétiens la porte du ciel: prions-la de nous obtenir la grâce de vivre et de mourir dans l'amitié de Dieu, afin d'entrer par elle, un jour, dans la bienheureuse demeure de notre éternité.

Monsieur le curé a beau lire et lire, nos gens ont l'esprit errant: «Aurons-nous du beau temps pour la procession de Lourdes?» Et pourquoi, veille de la solennité de l'Assomption, devons nous faire jeûne et abstinence, d'autant plus que l'Assomption est la deuxième fête patronale de notre paroisse? Jeûner en été! Personne n'ose parler, mais beaucoup n'en pensent pas moins.

La procession de Lourdes

Heureusement, la fête est déjà dans l'air. La paroisse est si fière de sa chapelle de Lourdes! Chaque année, le 15 août ou le dimanche qui suit le 15, vers les 7 heures, sur le modèle de la Fête-Dieu, se déroule une autre procession vers la chapelle, annoncée à toutes volées par nos trois cloches, avec tous les charmes et les mystères d'une fête de village. Enchâlés de tentures bleues, jaunes, rouges et blanches, les clochers de l'église et de la chapelle apparaissent comme descendus du ciel. Banderoles, drapeaux, fleurs habillent le défilé. Les maisons sont pavoisées. Des lanternes japonaises sont accrochées au mini-clocher de la chapelle tout illuminée. Dans la demi-obscurité du soir, la marche est grandiose. Jeux d'ombres et de clarté, mobilité de la foule ! Sainte kermesse ! Paysage à la Van de Velde ! Dans l'église, la foule chante, prie : l'*Ave Maria* et les litanies chantées de la Sainte Vierge. Après chaque dizaine de chapelet : *Laudate ! Laudate Mariam !*

Le défilé se met en branle. La croix ouvre la procession, suivie de la bannière des Enfants de Marie, puis des enfants, des Enfants de Marie, des Dames de Sainte-Anne, accompagnées des dames et des jeunes filles. Suivent les enfants de chœur, la statue de la Sainte Vierge et le clergé. Puis, la chorale des hommes, chargée d'assurer le chant de l'église à la chapelle, le drapeau du Sacré-Cœur, les Ligueurs du Sacré-Cœur, les hommes et les jeunes gens. Les personnes qui précèdent le clergé marchent deux par deux de chaque côté de la rue ; celles qui suivent, quatre par quatre.

Durant tout le parcours, l'on prie, l'on récite le chapelet à haute voix et l'on chante *Laudate ! Laudate Mariam !* et *Ave, maris stella*, « Salut, étoile de la mer ». À l'arrivée à la chapelle de Lourdes, c'est la chorale des Enfants de Marie qui prend la relève, entonnant l'*Ave, maris stella*. Un sermon, donné souvent par un prêtre de l'extérieur, précède le salut du Saint-Sacrement. Enfin, pour terminer en beauté, la chorale des jeunes filles chante les versets du *Magnificat* alors que tous les paroissiens reprennent en chœur *Magnificat, magnificat, anima mea Dominum* !

Si belle était la fête que si nous avions demandé à nos parents s'ils préféraient la diurne procession de la Fête-Dieu ou la nocturne procession de la fête de l'Assomption, ils auraient opté, croyons-nous, pour la procession nocturne, tant ces lumières du soir les fascineront toujours.

LA SAINT-MICHEL

Passe le temps, passent les semaines. Voici, fin septembre, la Saint-Michel. Le rituel promet une fête double presque-de-première-classe. En ce temps-là, on fête, le même jour, tous les anges. Comme nous vivons dans une paroisse dédiée à saint Michel, ce dernier prend une grande importance, et d'autant plus que depuis le début du siècle une statue en bois de pin sculptée par Louis Jobin (†1928) a été placée devant l'église. Dès lors, saint Michel terrassant le dragon incarne pour nous un archange tout-puissant. Monsieur le curé aussi se fait rassurant :

> Le 29 septembre, nous célébrerons la fête de saint Michel, archange. L'Église, en ce jour, honore spécialement saint Michel, parce qu'il est le prince de tous les anges et, en quelque sorte, l'ange titulaire de l'Église militante.
>
> Pour célébrer dignement cette fête, nous devons remercier Dieu d'avoir donné aux bons anges la grâce de ne pas suivre Lucifer dans sa révolte ; lui demander d'imiter leur fidélité et leur zèle pour sa gloire ; les vénérer comme princes de la cour céleste et comme nos protecteurs ; le prier de présenter à Dieu nos prières, nos bonnes œuvres, et de nous obtenir son secours.

Un archange protecteur

Il faut dire que depuis longtemps, ici comme en France, le folklore et la réalité s'en sont mêlés. Qui, au Canada français, n'a pas chanté joyeusement :

> C'est à la Saint-Michel
> Que tous les ânes changent de poil...

Depuis la fondation de la paroisse, en 1678, l'archange Michel nous protège. Le 29 septembre, fête de saint Michel d'après le Sanctoral, le soleil est entré franchement dans son détour lors de l'équinoxe d'automne. Le froid et la neige menacent nos pensées. Entre-temps, saint Michel triomphe toujours en face de l'église. « Il faut se fier à saint Michel, disent nos gens, il est bien vu du Bon Dieu. Même les Allemands en auraient peur, il est plus fort que tout nous autres ensemble. »

« Une fête en règle »

Parce qu'elle est fête patronale, la célébration de la Saint-Michel sera reportée le dimanche qui suit le 29. « Une fête en règle ! » Il arrive qu'à la grand-messe quelques membres supérieurs de la confrérie de Saint-Michel occupent les premiers bancs de la nef, à côté des Religieuses de Jésus-Marie. La Garde Saint-Michel est venue spécialement de la ville de Québec. Toute la fanfare est là. Quel spectacle !

Quand arrive le *Sanctus*, alors que nous sommes tous à genoux, juste au moment solennel de la consécration, tout à coup une voix de stentor, qui enterre la chorale et toutes nos saintes cloches et clochettes : « Attention ! Présentez armes ! Saluez, Hostie ! » Les tambours résonnent, les trompettes et les cors retentissent. Distrait, Monsieur le curé a de la peine à aligner bénédictions et génuflexions. La messe à son sommet ! De retour à la maison, papa, toujours aussi heureux d'une telle cérémonie, commente joyeusement : « Mes enfants, si vous n'avez pas la foi avec ça, vous ne l'aurez jamais. » Maman ne semble pas trop d'accord parce qu'elle s'est sentie dérangée dans sa prière. « Pourquoi les gens de la ville viennent-ils nous montrer à prier ? Je voudrais bien savoir ce que le Bon Dieu pense de tout ce vacarme à la consécration. »

Un allié de taille

En saint Michel, papa trouve un allié de taille. Sa prière à l'Archange, il la sait par cœur et la dit tous les jours :

> Saint Michel Archange,
> Défendez-nous dans le combat ;
> soyez notre protecteur
> contre la méchanceté et les embûches du démon.
> Que Dieu lui commande ;
> nous vous en supplions
> et vous, prince de la milice céleste,
> par le pouvoir divin qui vous a été confié,
> précipitez au fond des enfers Satan
> et les autres esprits mauvais,
> qui parcourent le monde
> pour la perte des âmes.

Est-ce simple fierté envers sa communauté d'appartenance, est-ce un hommage à la paroisse qu'il aime, notre père croit vraiment que saint Michel, avec son épée et le dragon sous ses pieds, peut tout : « Saint Michel est plus fort que Delamarre. » Voit-il à travers cet ange un Montcalm enfin vainqueur ? Voit-il l'image de son peuple enfin nommé par son nom ? Nous n'avons jamais su, sauf que papa aime tellement la politique qu'en regardant saint Michel vainqueur il est possible qu'il se croie lui-même vainqueur et député en train d'écraser les Bleus.

LES SAINTS ANGES GARDIENS

Cette statue en face de l'église choquerait encore plus maman si elle ne professait, pour contrecarrer les opinions de son mari, un culte indéfectible pour l'ange gardien. Car elle le préférera toujours, son petit ange discret, qui l'inspire en secret. Elle comprend mal ce tapage à cause de l'archange Michel, un ange qui se promène avec une épée. Pas très courageux ! Papa n'a pas digéré que maman lui dise un jour : « Si ton saint Michel est si fort des bras, pourquoi prend-il une épée pour se défendre ? »

D'ailleurs, en ce jour du 29 septembre, est aussi largement répandue, depuis monseigneur de Saint-Vallier (†1727), la croyance que nous avons chacun un ange protecteur :

> Nous devons aussi remercier Dieu d'avoir donné à chacun de nous un ange gardien ; respecter sa présence et ne pas le contrister par le péché ; suivre promptement les bons sentiments qu'il nous inspire ; faire dévotement nos prières, afin qu'il puisse les offrir à Dieu comme un encens d'agréable odeur ; l'invoquer souvent au cours de la journée, et surtout dans les tentations.

Pendant que papa accepte la présence de son ange gardien, il n'en demeure pas moins convaincu qu'il se doit de défendre constamment, devant nous tous, la réputation de saint Michel : « C'est mon ange gardien qui m'dit d'aller à saint Michel ! »

LA FÊTE DU ROSAIRE

Maman attend sa revanche. Ce sera bientôt la fête du Rosaire, qui s'appelle aussi la fête du chapelet, la fête de toutes sortes d'indulgences plénières. « La Sainte Vierge, elle, ne nous oubliera jamais. » Papa est tacitement d'accord même si parfois, pour ne pas dire souvent, la répétition des Ave et des litanies du Rosaire à l'automne, quand les jours deviennent de plus en plus courts, l'endort d'un sommeil qu'il ose à peine combattre. Seule la pensée de saint Michel le tiendrait éveillé !

LA TOUSSAINT

Au-delà de toute discussion implicite ou explicite, voici la grande fête obligatoire de la Toussaint suivie du grand jour des Morts. Ces deux fêtes, soudées, font penser à la Semaine sainte : « une fête blanche et une fête noire » ; la Toussaint en blanc, le jour des Morts en noir. Les deux fêtes sont tout naturellement réunies, comme dans les vieux pays où la Toussaint devient le jour attendu des visites au cimetière. Monsieur le curé insiste. Ma mère écoute avec grande attention : elle aime tellement penser aux saints !

Cette fête est d'obligation et l'une des plus solennelles de l'année. Elle a été instituée :

1. pour remercier Dieu d'avoir sanctifié ses serviteurs sur la terre et de les avoir couronnés de gloire dans le ciel ;
2. pour honorer les saints qui n'ont pas une fête particulière dans l'année ;
3. pour multiplier nos intercesseurs ;
4. pour réparer les négligences commises dans les fêtes particulières des saints ;
5. pour nous rappeler que nous sommes tous appelés à être saints, et que nous pouvons y réussir en correspondant à la grâce.

Vous devez, en ce jour, méditer le bonheur dont les élus jouissent dans le ciel et dire : le même bonheur m'attend, mais à la condition de les imiter et de vivre comme eux dans la pénitence, la mortification et la pureté, car rien de souillé n'entrera dans la Jérusalem céleste.

Méditons, pendant cette octave, les huit Béatitudes, comme les voies qui conduisent au ciel.

À la Toussaint, en semaine ou le dimanche, nous nous retrouvons tous à l'église : « Nos saints nous aiment ; ils nous attendent. » Déjà très émue à cause de tous ses saints parents *rendus de l'autre bord*, maman passe la journée à jongler. Papa l'observe : « Ta mère, c'est une femme de souvenirs. »

LE JOUR DES MORTS

Sans être d'obligation, mais très observé, le 2 novembre, jour des Morts, jour des Âmes, l'emporte en émotion et en dévotion. Monsieur le curé célèbre en ce jour trois messes pour le bien des Âmes.

Le lendemain de la Toussaint, l'Église fera la commémoration des morts.

L'Église fera, ce jour-là, des prières pour le soulagement et le repos des âmes de ceux qui sont décédés en état de grâce, mais qui n'ont pas encore pleinement satisfait à Dieu pour leurs péchés.

Souvenez-vous d'offrir pour eux des prières, des aumônes, et surtout le saint sacrifice de la messe.

Les âmes de vos parents et de vos amis s'adressent à vous dans leurs souffrances et vous disent : « Ayez pitié de nous, vous au moins qui êtes nos amis. » (*Job* 19,21) Soyez sensibles à leur état ; soyez touchés de leurs peines, et procurez-leur les secours qu'elles attendent de vous. Entrez dans le cimetière pour y faire de sérieuses réflexions sur la brièveté de la vie, sur la vanité des choses du monde et sur la mort. Les ossements de ceux qui y reposent vous avertiront de penser à votre dernier jour. Préparez-vous-y par la mortification, par la pénitence et par les bonnes œuvres.

Les indulgences

Ma mère ne voudrait pour rien au monde manquer ces indulgences. Elle connaît tant de défunts ! Papa éprouve quelques doutes qu'il ose à peine formuler : « Moé, j'ai pour mon dire que Dieu est généreux, i' doit pas compter les indulgences, pis i' peut appeler les âmes directement au ciel sans passer par nos prières. » «C'est ce que tu penses! comme si tu étais le Bon Dieu. Tu aurais besoin d'aller à confesse… », proclame ma mère. Et mon père d'avouer : « J'aurais dû me taire. »

Le jour des Morts, maman regarde longuement chacune des cartes mortuaires insérées dans son livre de messe : «Il faut prier pour ceux qui sont partis. On ne sait jamais! Les Âmes ont peut-être plus besoin de prières qu'on pense. » Si le temps est passable, elle ira au cimetière faire son chemin de croix, pour de là entrer à l'église, en sortir, puis y rentrer, afin de gagner chaque fois des indulgences applicables aux âmes du purgatoire. Elle aimerait bien en recueillir au moins sept selon la coutume du Jeudi saint.

Un jour protégé

Pour toutes sortes de raisons, le jour des Morts sera, pour papa aussi, un jour sacré. Non! Il n'ira pas labourer au cas où apparaîtrait du sang dans les sillons; il n'ira pas veiller non plus. Craint-il les morts qui rôderaient cette nuit-là, d'autant plus que les jours raccourcissent et qu'il fait de plus en plus sombre? Des histoires de peur circulent. Avec des apparitions de défunts! Y croit-il? Nous ne l'avons jamais su tant il excellait à nous raconter les peurs des autres.

La criée des Âmes

À l'église, trois messes sont célébrées à la filée. Le principal événement paroissial du 2 novembre est la *criée des Âmes*. À l'issue de la grand-messe, sur le perron de l'église ou à la sacristie s'il pleut, papa dirige l'enchère. Pourquoi lui, et ce prestige d'un jour? « À cause de sa grande gueule qui finit toujours par avoir le dernier mot! » Noblesse oblige!

Les gens ont apporté des volailles, un quartier de bœuf, de petits cochons, des gorets, peut-être une poche de patates, quelques paires de mitaines… «Une fois une piastre, deux fois une piastre, trois fois une piastre, adjugé à Adjutor Pouliot!» Aussitôt la criée terminée, papa remet la caisse à Monsieur le curé qui calcule le nombre de messes à faire chanter pour nos morts. Ma mère se réjouit: «Ça prouve que votre père a la réputation d'être honnête.»

LA SAINTE-CÉCILE ET LA SAINTE-CATHERINE

L'austérité de la saison automnale s'en mêle; la suite des jours jusqu'à Noël reste plutôt pénible. Nous ignorons pratiquement la Saint-Martin du 11 novembre, sauf pour nous interroger sur le temps «au cas où il ferait plus doux».

Le 22 novembre, nous entendons parler à travers les branches que les Sœurs du Couvent fêtent allègrement sainte Cécile, patronne des musiciens. Il s'agit, paraît-il, d'une fête chantante. Sauf que dans les rangs on pense autrement: «Les Sœurs, elles, n'ont pas d'animaux à soigner tous les soirs.» Jalousie d'habitants «peu sorteux»!

Trois jours plus tard, la Sainte-Catherine, dite patronne des vieilles filles. Mais il n'y a pas à proprement parler de vieilles filles dans la famille; ou elles se marient, ou elles entrent chez les religieuses, ou elles se dévouent dans la parenté, ce qui leur donne un statut favorable.

LA SAINT-FRANÇOIS-XAVIER

Même si Monsieur le curé lit en chaire des propos savants le 30 novembre sur saint André, le 3 décembre sur saint François Xavier que les Jésuites auraient réussi à faire nommer second patron du Canada, la vie des habitants du Troisième Rang s'oriente plutôt vers la première et seule grande fête d'avant Noël: l'Immaculée Conception, le 8 décembre.

L'IMMACULÉE CONCEPTION

Le curé Deschênes est explicite. À cause du rituel bien entendu :

Nous célébrerons la fête de l'Immaculée Conception de la Bienheureuse Vierge Marie.

C'est le 8 décembre 1854 que le pape Pie IX, aux acclamations de l'Église universelle, définit solennellement comme vérité de foi le dogme de l'Immaculée Conception. En vertu de cette définition, nous sommes tenus de croire que la Sainte Vierge, par un privilège tout spécial et en vue des mérites de Jésus-Christ, fut sanctifiée dès les premiers instants de sa conception et préservée de la tache du péché originel.

Il suffit de réfléchir à la sublime vocation de Marie et à son titre de Mère de Dieu pour comprendre la convenance du glorieux privilège que l'Église honore par cette fête. Aussi, les fidèles n'ont-ils pas attendu la proclamation du dogme, pour rendre à la Vierge Immaculée le culte de leur filiale piété. Les traditions les plus anciennes et les plus précises avaient, en quelque sorte, frayé la voie à la définition dogmatique. L'histoire de l'Église, en notre pays, nous offre de ce fait des preuves bien consolantes. Nous y voyons que, dès l'origine, l'Immaculée Conception fut l'objet d'un culte solennel et d'une dévotion toute particulière. Mentionnons seulement le fait que le premier évêque du Canada, Mgr de Laval, voulut consacrer à Marie Immaculée l'église cathédrale qu'il fit bâtir à Québec, en l'année 1666.

Pour garder ces belles traditions, entrons bien dans l'esprit de l'Église, et célébrons cette fête avec une vraie piété. Remercions Dieu d'avoir accordé à Marie un si glorieux privilège ; demandons-lui d'augmenter notre foi au dogme de l'Immaculée Conception, et d'accroître notre dévotion à la Sainte Vierge. Adressons souvent à Marie cette invocation, qui rappelle son glorieux privilège et la confiance qu'il nous inspire : « Ô Marie, conçue sans péché, priez pour nous, qui avons recours à vous. »

Cette fête est d'obligation.

À la suite d'un long sermon en trois points, comme il se doit, sur Marie modèle de chasteté, Marie modèle de continence et Marie modèle de pureté, tout le monde revient à la maison un peu perplexe. Ils se doutent, ces chers habitants, si près de la transmission de la vie, que ces questions ne se discutent pas, même entre gens mariés. Cette expérience extra-conjugale de Marie, et réussie, les culpabiliserait ? C'est difficile à savoir, à moins d'imaginer…

Du mystère pour tous

Quant à croire ou à ne pas croire, comme l'affirme Monsieur le curé, que Marie a été, « par une grâce unique, préservée dès le premier instant de sa conception de toute tache originelle », maman dit que « c'est grandement à respecter. Tant mieux si les prêtres ne comprennent pas ! Le Bon Dieu fait souvent des choses avec nous les femmes, que les hommes ne comprendront jamais… » Papa répond : « Tu prétends que le curé comprend pas, mais pourquoi en parle-t-il si souvent ? Je trouve que cette histoire de virginité l'intéresse trop… »

Un « autre » vendredi

Au cas où le 8 décembre tomberait un vendredi, Monsieur le curé ajoute au prône : « Comme la sainte Église dispense de l'abstinence les jours de fête d'obligation, vendredi prochain, fête de l'Immaculée Conception, vous pourrez faire usage de viande. » Étrange dispense, pense ma mère qui n'aime pas qu'on joue avec ces jeûnes fixés à l'avance : « Le Bon Dieu, lui, respecte ses journées. »

Entre-temps, l'Immaculée nous apportera peut-être une belle chute de neige arrivée tout direct du ciel. « Neige blanche comme la Sainte Vierge ! » Cette bordée fait penser aux sleighs, aux traîneaux à billots. Les habitants du Troisième se préparent à hiverner.

LES DERNIERS SAINTS DE L'ANNÉE

La Saint-Thomas apôtre, le 21 décembre, est pratiquement noyée dans les préparatifs de Noël. Vienne Noël au plus vite ! Les fêtes liturgiques qui suivent, de la Saint-Étienne aux Saints

Innocents, sont submergées par les fatigues et les festins de Noël. Quant à la Saint-Sylvestre, le 31 décembre, c'est tout simplement la veille du jour de l'An pour les gens des rangs, une de ces rares fêtes qui n'est pas marquée par une vigile de jeûne. En fait, cette ultime fête du Sanctoral est déjà hypothéquée par le changement d'année.

CHAPITRE 6

Le temps cosmique

I L N'EXISTE en ce temps-là dans Bellechasse ni semestre, ni trimestre, ni vacances, que ce soit à Noël, à Pâques, encore moins
en été. Car, durant les vacances dont parlent les gens de la ville, les
enfants des rangs travaillent à la maison et à la ferme. Le temps
rural est un temps cosmique répétitif, uniforme à bien des égards.
Pourtant, la variété y domine largement selon les saisons et les fêtes.

LES SAISONS

Le printemps signifie les sucres et le grand ménage de la maison; l'été appelle les foins; l'automne, les récoltes et les labours;
l'hiver, la coupe du bois. Ou encore, les renards disent le printemps,
les hirondelles proclament l'été, les orignaux parlent de l'automne
et les ours font penser à l'hiver... alors que les moineaux sont
de toutes les saisons. L'été débute avec la Fête-Dieu, l'automne
avec la Saint-Michel, l'hiver avec l'Immaculée, le printemps avec
l'Annonciation.

L'hiver

De toutes les saisons, l'hiver est le temps qui impressionne
davantage l'habitant. Une saison rude, peu confortable, quelquefois
dramatique. Les belles feuilles sont tombées, éparpillées, mortes,

enterrées. Les oies blanches et les outardes sont parties au loin, très loin. Patience ! Courage ! L'hiver rallonge le temps, comme disent les gens d'en Haut. Quand l'hiver est arrivé pour de bon, que le fleuve l'a dit aux habitants puisque la glace porte sans craquer, commencent les boucheries. À la maison, la coutume est de recueillir le sang de cochon pour faire du boudin. La politesse veut qu'on en offre aux voisins, aux proches, et même à Monsieur le curé qui, le dimanche suivant, dira peut-être en chaire : « Je veux féliciter les paroissiens qui donnent du boudin après leur boucherie. Je le sais parce que j'en ai reçu en cadeau et ça fait bien plaisir au Bon Dieu qui vous récompensera pour tant de générosité. »

Des travaux pour tous

Ma mère s'est remise à coudre, à repriser, à tricoter, à crocheter, à tresser, à écharpiller, à filer, à tisser, à saler la viande des boucheries, tout cela à part « l'ordinaire ». Papa bardasse, range fourches, brocs, rateaux et faucilles, fait le ménage à la grange, à la remise, au poulailler, à la porcherie. Aussitôt finies les boucheries et « selon l'emplissement des journées », il ira bûcher, scier, « lever les chemins », gosser, écharder, équarrir l'empoignure de ses haches. « C'est pas le temps des éloignements, pis encore moins des grands marchements jusqu'à Montmagny ou Lévis. » L'hiver est le temps choisi pour les radoubs, pour sortir le bois de chauffage, pour son charroyage sur la neige, pour le rangeage, pour égermer les patates. Pendant que les hommes sont au bois ou à la grange et que les enfants sont à l'école, maman fait son ouvrage, médite à l'occasion son *Imitation de Jésus-Christ*, dit ses chapelets, feuillette son missel, regarde les images mortuaires insérées ici et là dans son livre de prières. L'hiver réchauffe les souvenirs.

En plein Carême

Mieux, l'hiver serait-il le temps par excellence des croyances et de la foi pure ? Cette terre blanche et muette durant de longs mois leur parle-t-elle différemment des autres saisons ? Saison austère s'il en est une : c'est presque une tragédie de naître en hiver au bout du Troisième Rang, de mourir aussi, comme il est arrivé à ma mère par une tempête implacable le 20 janvier.

En fait, à cause de l'hiver, nous allons moins souvent à l'église. Le Carême s'en mêlant, nous jeûnons un peu plus. Maman répète : « Ah ! l'hiver finit toujours par nous avoir ! » « Comme le Bon Dieu », répond papa. Elle d'ajouter : « Il y a quand même une bonne différence entre le Bon Dieu et l'hiver ; l'hiver passe, Dieu ne passe pas... »

Des croyances éprouvantes

Par ailleurs, papa trouve passablement troublant de se faire raconter à l'église, en plein hiver, des paraboles d'été, des récits de semence, de grain de sénevé : « On voit ben qu'i' sont jamais venus au Troisième Rang ceux qui parlent comme ça dans les églises. » Célébrer en hiver le miracle de Jésus qui marche sur les eaux quand lui-même, Caïus Lacroix, marche sur la glace de sa rivière Boyer diminue en son esprit taquin l'impact du miracle du Christ : « Pourquoi le curé s'excite tant quand i' nous voit nous promener sur le fleuve avec nos godendarts pour scier la glace ? »

Plus théologienne, ma mère sait que Dieu parle pour tout le monde à la fois et qu'il est éternel ; ça ne la gêne pas que la Parole soit associée aux travaux d'une autre saison en d'autres pays. Elle ne regimbe pas. Au contraire : « Caïus, tu n'es pas tout seul sur la terre. Puis si le curé se mêle dans ses saisons, c'est peut-être que d'autres l'ont mêlé... Laisse faire le Bon Dieu, il peut tout arranger ; pense que c'est lui qui a inventé le printemps, ça t'aidera à prier mieux. »

Le printemps

Arrive enfin le printemps ! Court. Ambigu. Saison-frontière. La fonte des neiges, l'odeur du bois d'érable, les sucres, les semences, les jardins. « Les gens de la ville ne se rendent pas compte. »

Les sucres

Les sucres, surtout les sucres, sont l'objet d'une très grande joie à partager. Trois semaines après l'arrivée des corneilles, à l'éveil des écureuils, vers le 25 mars, entailler, faire le tour de ses érables, transvaser l'eau, allumer, attiser, faire bouillir, surveiller dans le grand chaudron la belle eau sucrée qui bout du matin au soir, savoir étendre le sirop sur la neige ou laisser encore bouillir pour que ça tourne en sucre, entre-temps se nourrir, fracasser les œufs, faire frire le jambon. Tout cela, ne l'oublions pas, en plein carême ! Heureusement que ce qui ne se croque pas ne rompt pas le jeûne… « Vive la cabane à sucre ! »

À la maison, le printemps se fait assez particulier. Ma mère, qui a bien hâte à l'été, s'occupe à ses petits et grands ménages, de la cave jusqu'au grenier. Pendant que les hommes sont peut-être à fendre le bois et à le corder, à tondre les moutons, elle prépare le savon, carde au besoin, file encore, termine une courtepointe, ses catalognes et des *couvertes*. « Je me désennuie et je prie. »

Les retrouvailles

Peu à peu apparaîtra la terre à mesure que reviennent les outardes, les belles oies blanches. Les hommes pensent aux semences, les femmes au jardinage. Voici enfin le temps de herser, le temps de rouler, le temps de fumer les champs, le temps de semer les patates, à relais, à mains d'enfants, après le passage de la charrue double, le temps de planter les fraises, le temps de sarcler, le temps de manquer l'école !… Les pagées de clôture à redresser, les bêtes à mettre au pacage… et quoi encore ! Le printemps recommence la vie.

Même les gens du village imitent les habitants : ils nettoient leur terrain, ramassent les branches, raclent un peu, laissent respirer le gazon, remuent la terre, plantent des fleurs, sortent la table de pique-nique et quelques chaises dites de parterre.

Les fêtes attendues

À la foi paroissiale, le printemps offre les fêtes incontournables de la Semaine sainte, puis le mois de Marie. C'est au printemps qu'ont lieu la marche au catéchisme, la confirmation, la première communion et… que rêvent les amoureux d'un nid familial. Maman dira : « Ça ressuscite de partout, il faut bien que ça ressuscite ici aussi… J'aime voir fleurir les arbres, courir les oiseaux… Rien qu'à voir revenir nos outardes et à les entendre chanter l'air du matin, il y a des alléluias dans l'air ! » Elle croit que le Christ est retourné au ciel au printemps : « Ça me dit que c'est la meilleure saison pour voyager. Il fait plus clair au printemps. » Papa la corrige : « Les saisons du Bon Dieu ne sont pas les nôtres, le ciel, c'est ouvert toute l'année. »

Les « Communions »

Certains événements s'imposent inévitablement. Monsieur le curé les a proclamés :

> [Tel jour], à … heures, aura lieu la communion solennelle des enfants qui ont subi avec succès l'examen final sur toute la matière du catéchisme. Cette communion sera précédée d'une retraite de trois jours, pendant laquelle les enfants seront préparés, par la prière, la prédication et la confession, à accomplir cet acte si important de leur vie. Les exercices de la retraite commenceront (tel jour, à telle heure). Ils s'ouvriront, le matin, par la sainte messe, et se termineront, le soir, par la bénédiction du Saint-Sacrement.

Maman veille : nous irons au village, nous marcherons au catéchisme. Marcher au catéchisme, en fin de printemps, arrive en mai. Il faut ! Cela veut dire quatre semaines, sinon cinq, avec les enseignements de Monsieur le vicaire, et trois jours de retraite avant la communion attendus comme des vacances. Même si nous habitons à cinq milles — huit kilomètres — de l'église : « À l'école, tu apprends ton catéchisme ; à l'église tu t'en rappelles. Si Monsieur le curé te questionne, réponds ce que tu sais. Si tu ne sais pas, ne dis rien. Mieux vaut silence que trompe. » En fait, il nous a toujours paru que, si le catéchisme était pour tout le monde, la première communion ou la petite communion, ainsi que la communion solennelle ou la grande communion étaient surtout l'affaire des enfants du village mieux habillés, aux brassards neufs, aux gestes et aux mots plus sûrs. Nous étions surclassés.

De toute manière, nos parents sont si occupés — en fin de printemps ou en début d'été — qu'ils ne semblent pas alarmés du fait que nous ayons hâte de communier surtout pour en finir avec ces leçons préfabriquées de catéchisme. La communion solennelle signifie que l'été approche ou même qu'il est déjà arrivé.

Papa a des idées un peu osées pour l'époque à propos de ces rites religieux printaniers imposés: «Nous autres, en mai et en juin, on est occupés avec nos semences. Le temps des semences, c'est pas un temps pour aller au village. Nos curés devraient venir voir ce qu'on fait sur nos terres durant ce temps-là. Moé, ça m'dit que toutes ces communions à marcher au catéchisme, c'est décidé ailleurs... "Faut ben obéir!" qu'a dit ta mère, moé j'penserais que le Bon Dieu comprend autrement... Pis que si tu portes un brassard au bras en communiant, ça veut pas dire que tu seras plus travaillant. Nos filles sont pas plus filles en voile blanc qu'en tablier de ménage... Tout ça, ça coûte cher, et ça prend du temps à nos terres!»

L'été

Du point de vue religieux, l'été — sauf quelques fêtes — n'annonce rien de bon. Il signifie des travaux urgents, les travaux de la terre n'attendent pas. Parmi ces travaux, les foins ou le temps de faucher, de râteler, de charger, d'engranger. D'autres travaux à la mi-été: aller aux «petites» fraises, aux framboises, aux cerises, aux groseilles, aux mûres, aux bleuets, qu'une chaleur souvent extrême fait souvent mûrir très rapidement. L'été au Troisième Rang, «c'est du temps pressé». Car il faut également prévoir les récoltes: du grain à faucher, à engerber, à envoiner; du blé à battre, à moudre; des arbrisseaux à effardocher, à sapiner. À la maison, notre mère trouve le temps de «faire ses confitures» distribuées dans des pots de cristal, mieux encore de fabriquer son vin de cassis et son vin de riz blanc, sans compter le « sucre-à-crème » bon en toute saison. À elle aussi, à elle seule de veiller au jardin et aux petits sarclages.

Trois fêtes sacralisent l'été : la Fête-Dieu, la Sainte-Anne et l'Assomption. Pourtant bien célébrées, elles restent des fêtes plutôt difficiles à vivre à cause des foins et des récoltes qui en pleine chaleur mangent toutes nos énergies. « Dieu sait que nous travaillons fort », répète notre mère. « Qui travaille prie ! », avait dit Monsieur le curé, ce qui était de nature à la rassurer, au moins jusqu'à l'automne.

L'automne

L'automne ! Une saison étrange, étonnante de beauté toujours, en même temps que quelquefois d'une grande tristesse. Tapisserie des paysages. Féerie des couleurs ! Deux ou trois nuits venteuses, et les feuilles s'envolent, et les nids se vident. Toujours trop tôt partent les outardes. Les oies blanches suivent. L'été indien ou la Saint-Martin n'annonce rien de stable. Avec le temps de tendre des collets à lièvre, de prévoir la chasse au chevreuil, survient le cycle des grandes mers, le temps de rentrer le bétail, de sortir le rouet… À l'église, Monsieur le curé commente : « Mes Chers Frères, l'automne est une saison pour nous aider à réfléchir. La vie et la mort voyagent ensemble. Le jour, la nuit, le soleil, le soir… De toute façon, Dieu aura le dernier mot. Oui, l'automne, c'est bien spécial. »

L'automne, c'est bien spécial aussi à la maison. Quand mettrons-nous les fenêtres doubles ? quand finirons-nous d'emplir le caveau à patates ? Quand ma mère en finira-t-elle avec ses marinades et ses conserves au cas où l'hiver serait long, trop long ? Papa est sorti pour atteler : ce sont les labours d'automne, signe d'arrière-saison.

Les Quatre-Temps

Liturgiquement annexés aux saisons, il y a d'autres jours bien surveillés par maman, les Quatre-Temps :

> Quatre-Temps, vigiles, jeûneras,
> Et le Carême entièrement.

« Mes Chers Frères, cette semaine sera la semaine des Quatre-Temps… Venez à l'église, elle vous attend, vous ferez plaisir au Bon Dieu et vous vous en porterez mieux. »

Quatre fois par année, en mars, juin, septembre et décembre, les chrétiens adultes jeûnent les mercredi, vendredi et samedi, et cela a cours jusque dans les années 1940. On ne prend en principe, comme en carême, qu'un seul repas complet par jour, auquel il est permis d'ajouter une légère collation. À cette abstinence rituelle, Monsieur le curé ajoute, bien sûr, l'obligation morale de la confession et de la communion. Les intentions religieuses des Quatre-Temps sont claires :

> Nous commençons aujourd'hui la semaine des Quatre-Temps. Mercredi, vendredi et samedi seront donc des jours d'abstinence et de jeûne d'obligation.
>
> L'Église a institué ce jeûne des Quatre-Temps pour sanctifier par la pénitence chacune des quatre saisons de l'année, et rappeler à tous les fidèles l'obligation de mortifier leur chair, elle nous exhorte à profiter de ces jours de pénitence :
> 1. pour demander à Dieu pardon des péchés commis pendant la dernière saison ;
> 2. pour le remercier des grâces reçues ;
> 3. pour le solliciter de bénir les fruits de la terre ;
> 4. pour implorer la grâce de sanctifier la saison qui commence…

À l'église, selon l'habitude, il y a messe, petite procession, litanies et invocations. Monsieur le curé porte ses ornements violets. L'office est long et pénitentiel. *Flectamus genua*, « Fléchissons les genoux », dit le prêtre avant chaque oraison. Et chacun s'agenouille. L'heure est à la réflexion et à la soumission.

À la maison

Bien que toujours prête à respecter ces consignes qui font tant penser au carême, si ma mère ne va pas à l'église, c'est à cause de l'ouvrage, à cause des enfants qui vont à l'école, ou à cause des foins en été, à cause de la distance, à cause d'une coutume qui veut que ce soit plutôt les hommes, plus immédiatement liés à la terre, qui s'y rendent. Entre-temps, elle veille à notre respect du jeûne et de l'abstinence !

Ce que papa saisit moins, c'est qu'on puisse imposer des Quatre-Temps même l'été, au temps des travaux les plus urgents, quand la terre exige toute son attention. Il ne comprend pas que l'on remercie la terre avant de connaître l'ampleur des récoltes : « Tu remercies pas avant d'avoir reçu ton cadeau. C'est que Monsieur le curé, lui, i' travaille pas et c'est pour ça qu'i' est toujours avant le temps. » Devant les enfants, ma mère se doit d'intervenir : « Ne parle pas contre les prêtres, ça pourrait te porter malheur. » Papa rectifie : « J'parle pas contre les prêtres, j'parle de ma terre, la terre que le Bon Dieu m'a donnée et qui est bénie, chaque jour, chaque mois, tout le temps, en plus des Quatre-Temps. »

DES MOIS SACRÉS

Il n'y a pas que les années et les saisons qui soient pour nous en un sens sacrées. Il y a en outre les mois répartis comme suit : janvier est le mois de la Sainte Famille ; février, le mois de la Chandeleur ; mars, le mois de saint Joseph ; avril, le mois de saint Marc ; mai, le mois de Marie ; juin, le mois du Sacré-Cœur ; juillet, le mois de la Bonne Sainte Anne et du Précieux Sang ; août, le mois de l'Assomption ; septembre, le mois des Anges ; octobre, le mois du Rosaire ; novembre, le mois des Morts ; décembre, le mois de l'Immaculée.

Dans cette consécration des mois par dévotions et invocations des saintes et des saints patrons, voyons une volonté populaire bien ancrée d'un souci de protection ; il y a encore le désir, un désir naturel, d'arrêter la montre, d'immobiliser le temps, comme pour l'éterniser. Les dimanches et fêtes obéissent à la même perspective. Quand *Le Petit Catéchisme de Québec* intervient, le *Rituel* revient au premier plan en vue de déterminer les devoirs du chrétien. « Qu'est-il à propos de faire tous les mois ? » Réponse : « Il est à propos de se confesser tous les mois et de communier fréquemment, selon l'avis de son confesseur. » Peu à peu s'installe la coutume d'aller se confesser et de communier le premier dimanche ou le premier vendredi de chaque mois.

Caprices des mois

Y aurait-il par ailleurs des mois fastes et des mois néfastes ? « Ça dépend du Bon Dieu », répond tout de suite ma mère… « Et de la température », poursuit mon père. Mars trop froid nuit aux sucres ; juillet trop chaud amène des orages et compromet la rentrée du foin. Septembre trop capricieux retarde ou endommage la récolte : « Comment veux-tu ramasser les patates, les choux de Siam et même le fourrage quand i' pleut à tous les deux jours et que les jours raccourcissent ? » Par contre, une tempête à l'Immaculée est une chance pour un Noël blanc et le travail de la coupe du bois en forêt.

Janvier

Reprenons. Si janvier est le mois de la Sainte Famille, attendons-nous à ce que le premier dimanche après l'Épiphanie Monsieur le curé bénisse les enfants. Il paraît qu'en ville un enfant est appelé à faire l'homélie, c'est-à-dire le sermon rédigé par nul autre que Monsieur le curé qui se laisse aller un peu plus à ses sentiments paternels.

Février et mars

« Février, c'est un mois pour espérer. » À la Chandeleur, la neige étant à sa hauteur, l'hiver se décante, le soleil est plus généreux et la lumière nous invite à l'optimisme. En mars, les chemins sont si mauvais qu'il nous arrive de ne pas aller à l'église et de nous ennuyer. Attention ! si mars arrive en lion, il pourrait partir en mouton jusqu'à compromettre les sucres… et la religion.

Avril

Avril, ce mois-frontière, promet souvent la fête de Pâques, les sucres, la conversion de la terre qui se réveille enfin pour de bon, l'arrivée des oiseaux. Le retour majestueux des outardes est l'événement le plus émouvant de la saison ; nous les entendons venir de loin, puis nous les apercevons regroupées en compas, chantant et filant vers la barre de l'horizon. Quelle élégance ! Quelle fidélité ! « Vive avril à cause des outardes, disait ma tante Olympe, mais attention à la grippe ! » Ma mère conclut que le mois d'avril est un mois capricieux.

Mai

Que vienne mai, le mois de Marie, le mois des fleurs, le mois des amours, des belles chansons et des beaux cantiques ! L'idéal pour ces habitants, nous le savons, serait que Pâques arrive en mai avec les hirondelles, pas loin de la Fête-Dieu. À la maison, dans les rangs et même au village, l'heure est à la joie chantée :

1. C'est dans le mois de mai,
    En r'montant la rivière,
    C'est dans le mois de mai
    Que les filles sont belles.

Refrain   Que les filles sont belles, ô gué !
           Que les filles sont belles...

2. Et que tous les amants,
    En r'montant la rivière,
    Et que tous les amants
    Échangent leur maîtresse.

Refrain   Échangent leur maîtresse, ô gué !
           Échangent leur maîtresse...

C'est le mois de Marie

À l'église, on est plus sérieux et surtout très marial :

[Tel jour] prochain, à ... heures, commenceront, en cette église, les exercices publics du mois de Marie.

En tout temps de l'année, sans doute, Marie est le digne objet de notre amour filial et de notre confiance entière ; mais la piété des fidèles répandus dans le monde entier a voulu lui consacrer ce mois d'une manière spéciale. Mère de Jésus notre Sauveur, elle possède la plénitude de la vie qu'elle nous communique parce que nous sommes les frères de Jésus. Médiatrice toute-puissante auprès de son divin Fils, elle est la dispensatrice des grâces qu'il nous a méritées. Cause de notre joie, elle est la consolatrice des affligés. Secours des chrétiens, elle est la mère de miséricorde et le refuge des pécheurs. En elle donc se réunissent tous les titres les plus incontestables à notre piété filiale, à notre confiance et à notre reconnaissance. Chaque jour de ce mois béni, efforçons-nous de lui témoigner ces sentiments par quelque exercice spécial de piété en son honneur : ajoutons-y une plus grande vigilance sur notre cœur et surtout un désir ardent d'imiter et de pratiquer les vertus dont elle a été un si parfait modèle. Prions pour nous-mêmes, pour ceux qui nous sont chers ; prions aussi pour la sainte Église.

Les indulgences s'accumulent, et pas n'importe lesquelles :

Les Souverains Pontifes ont accordé une indulgence de 300 jours chaque jour du mois, aux personnes qui font en public ou en particulier un exercice en l'honneur de la Sainte Vierge. De plus, on peut gagner une indulgence plénière au jour que l'on choisira pendant ce mois, ou l'un des huit premiers jours de juin, aux conditions ordinaires de la confession, de la communion et d'une prière aux intentions du Souverain Pontife. Toutes ces indulgences sont applicables aux âmes du purgatoire.

Au village, chaque soir, prières, litanies, chapelets et salut du Saint-Sacrement. De quoi occuper une bonne heure, ou près. Dans les rangs, occupés que nous sommes, il est difficile d'en faire autant. À l'école, il y a quelques exercices pieux, parfois trop. Il est acquis de toute manière que le mois de Marie est le mois le plus exaltant de l'année ainsi que le chante un cantique :

> C'est le mois de Marie,
> C'est le mois le plus beau ;
> À la Vierge chérie
> Disons un chant nouveau.

Cantique choisi, cantique à réplique :

> C'est le mois de Marie,
> C'est le mois de la pluie ;
> À la Vierge Marie
> Offrons un parapluie.

Pour maman, il ne fait aucun doute que le mois de Marie, beau temps mauvais temps, ne se compare à aucun autre mois de l'année : « C'est un mois de ciel. »

Les mois d'été et d'automne

Mai passé, défilent des mois qui nous font revivre la Fête-Dieu, la fête de sainte Anne, et peut-être même un pèlerinage à son sanctuaire de Beaupré, la procession à la chapelle de Lourdes, la Saint-Michel-à-papa, le mois du Rosaire-à-maman et, enfin, le plus tragique de tous, novembre, le mois des Morts.

Le mois des Morts ! La nature s'acharne. Griserie des jours, soleil sans chaleur, du froid, de la pluie de neige ou de la neige de pluie. Le cimetière et nos terrains de famille, nos lots comme on les appelle, deviennent de plus en plus inaccessibles à cause de la boue.

Décembre

S'amène décembre ! Premier mois de l'hiver, peut-être marqué par la tempête dite de l'Immaculée. Neige et froid. À l'église, Monsieur le curé a beau parler de Quatre-Temps, de jeûne et de mortification, il est bien difficile de s'y résoudre. N'est-ce pas bientôt Noël, le choix des cadeaux, le temps des menus anticipés, le retour éventuel des hommes des chantiers ? Un cantique d'église, *Venez, divin Messie*, récapitule nos sentiments. Au pensionnat, il devient un vrai chant de libération ! Quels mots merveilleux pour des écoliers fêtards d'occasions souvent provoquées !

> Venez, divin Messie,
> Sauvez nos jours infortunés ;
> Venez, source de vie,
> Venez, venez, venez.

Ah! descendez,
Hâtez vos pas;
Sauvez les hommes du trépas...

Papa n'attendra pas

Papa n'attendra pas Noël pour reprendre joyeusement sa parodie du *Il est né le divin Enfant* telle que reçue de son grand-père qui la lui a apprise pour notre plus grand plaisir:

1. Il est né l'p'tit enfant Jésus,
   Dans l'mois d'décembre, dans les plus gros frettes,
   Il est né l'p'tit enfant Jésus,
   Quand i' est né, y avait du frimas d'sus.

2. Si saint Joseph, il l'avait su
   Que l'mois d'décembre était si frette,
   Si saint Joseph, il l'avait su,
   Ah! j'cré ben qu'i' aurait attendu...

DES SEMAINES SPÉCIALES

Y a-t-il au calendrier de ma mère, outre les mois, des semaines sacrées ou du moins des semaines plus saintes que d'autres? Elle répondrait sans doute que toute semaine, née aux premiers jours du monde, est divine et sacrée. Mais il y a des semaines plus spéciales; par exemple, celles de Noël, du jour de l'An et de l'Épiphanie, la semaine de la retraite paroissiale, la semaine des Rogations, la semaine des Quatre-Temps. Mais de toutes la plus prestigieuse est la Semaine sainte. On y passe de joie à tristesse, du blanc au violet, ou au noir. Les écoles sont fermées; les travaux à la ferme vont au ralenti. « Heureusement que c'est pas toujours la semaine des Jours saints, parce qu'on avancerait pas vite dans notre ouvrage... »

Dans un tel contexte, la semaine de Pâques se trouve quelque peu dévalorisée, ne se comparant ni à la tristesse de la Semaine sainte ni à la joie communicative de la semaine de Noël. Monsieur le curé a beau parler d'octave solennelle, rien à faire. Au-dehors la saison est indécise ; mars et avril ne nous aident pas à solenniser Pâques dont on continue pourtant à nous prêcher la suprême importance.

DES JOURS SANCTIFIÉS

De même qu'il existe durant l'année ordinaire des semaines plus saintes que d'autres, de même l'on compte des jours plus sacrés. Nous avons nommé le jour de l'An, le mercredi des Cendres, les Jeudi, Vendredi et Samedi saints, Pâques, la Toussaint, le jour des Morts, l'Immaculée Conception et surtout Noël. Bien entendu, chaque dimanche est un jour de fête.

Les fêtes et dimanches

Qu'arrive-t-il en ces jours de fête d'obligation ?

Q. Que doit faire un chrétien, les fêtes et dimanches ?
R. Les fêtes et dimanches, un chrétien doit s'abstenir de toute œuvre servile, du jeu, des voyages pour affaires temporelles ; assister à la messe de sa paroisse, aux vêpres et aux instructions qui se font dans ces jours.

> Les dimanches messe entendras
> Et les fêtes pareillement.

Dimanche !

Dimanche ! un jour quasi incomparable. Travail la semaine ! Dimanche la fête ! Rang la semaine, village le dimanche ! La terre la semaine, l'église le dimanche ! Dimanche ! Le jour le plus attendu de toute la semaine. « Le jour du Bon Dieu. » En soi, aller à l'église est une fête. À cause de la grand-messe. Et papa ajouterait : « du perron d'église ! »

Liturgiquement, chaque dimanche est comme une anticipation du ciel, un acte de foi en la Providence, un souvenir du septième jour de la création où Dieu se reposa, un rappel du retour du

Seigneur. Monsieur le curé n'oublie pas, mais sans insister, que le dimanche honore la résurrection.

C'est, par ailleurs, le dimanche qu'on étrenne, qu'on s'endimanche, qu'on visite la famille, qu'on se repose, qu'on joue aux cartes et, selon une certaine tradition orale, qu'on conçoit les plus beaux enfants du monde. « Faut pas travailler, pas faire d'œuvres serviles. » À moins d'une permission spéciale de Monsieur le curé. Il est malchanceux de se couper les ongles, de sonner une enclume, de coudre, de faire du pain, de couper du bois, de bêcher, de laver, d'aiguiser une faux ou sa hache. En Gaspésie, certains prétendent même qu'un mort sur les planches le dimanche présage d'autres deuils à venir.

À l'église

Le meilleur de la journée se passe à l'église. L'église ! la plus belle maison de la paroisse, la mieux éclairée, la mieux chauffée, la plus colorée. On y entend les plus beaux mots du dictionnaire Larousse, ainsi que les plus beaux chants par les plus belles voix de la paroisse. « Mes enfants, dit maman, vous pouvez vous compter chanceux d'aller fêter à l'église. C'est un cadeau du Bon Dieu… Le Bon Dieu nous attend dans notre église. » Pour sa part, papa estime que si le Bon Dieu se cache au tabernacle, il est aussi à la grange : « Le Bon Dieu est partout. » Ce à quoi ma mère répond : « À l'église, il est plus chez lui qu'avec tes vaches qui grognent et tes bœufs qui beuglent. »

La messe

L'action dominicale qui anime au plus haut point la dévotion de ma mère et justifierait à elle seule son affection pour l'église Saint-Michel est la messe. La grand-messe ou messe chantée, et la petite messe ou messe basse ou encore messe lue. « Sans le saint sacrifice de la messe, il n'y aurait, explique-t-on à l'école, ni hostie, ni tabernacle, ni ostensoir, ni Fête-Dieu. »

« Aller à la messe, c'est aller rencontrer le Bon Dieu. » « Si tu ne veux pas le rencontrer, il ne te forcera pas… Ceux qui ne vont pas à la messe par leur faute n'iront pas au ciel, c'est certain.» La messe est si importante qu'au jour des Morts et à Noël il y en a trois. D'ailleurs, les plus belles funérailles sont celles où il y a trois messes à la fois, dont deux aux autels latéraux. Aussi maman désire-t-elle qu'après sa mort soient dites le plus grand nombre possible de messes, surtout des grands-messes.

L'important à la messe, prétend encore maman, «c'est d'y arriver à temps et de ne pas sortir avant la fin comme font les jeunesses». Par contre, la croyance reçue est que si tu arrives au moins pour l'offertoire et que tu ne quittes pas avant la communion, tu as assisté à la messe, et surtout évité le péché mortel toujours à l'horizon. Papa réagit comme elle, pour une fois! «Faut pas jouer avec le Bon Dieu. Tu vas à la messe ou tu y vas pas. Arriver pour partir, c'est pas arriver...»

La grand-messe

La foi dominicale de ma mère paraît plus à l'aise avec la messe basse du matin, à cause de la confession et de la communion. Papa préfère la grand-messe — même si on n'y communie pas — parce qu'il y a plus de monde à rencontrer. Avant que commence la cérémonie, papa est debout sur le perron de l'église à jaser à qui mieux mieux. Seul le dernier coup des cloches l'oblige à entrer. Ma mère est déjà rendue dans l'église; elle a fait son chemin de croix, son mini pèlerinage, elle est à dire un autre chapelet: «Ça passe le temps et la prière ne fait jamais de tort.»

Durant la grand-messe, elle dit encore son chapelet, regarde furtivement, délicatement, ici et là, pour voir ce qui se passe: «Ce n'est pas pour écornifler; je veux juste savoir pour quels malades je devrais prier.» Et elle ne paraît pas trop dérangée que la messe soit en langue latine. Ces paroles, qu'elle ne comprend pas, Monsieur le curé va les commenter au sermon et l'aider à les interpréter. Elle pense que ceux qui parlent latin sont plus instruits, plus compétents, plus fiables en matière de foi. Pour elle, croire n'est pas seulement adhérer à un credo, à des rites, à des personnes, mais aussi à une langue étrangère.

Le sermon

À la grand-messe, comme à la messe basse d'ailleurs, deux temps forts s'imposent : l'inévitable sermon et la quête.

Pour les gens, le sermon comprend le prône et ses annonces, puis l'enseignement proprement dit. Évidemment, la litanie des petites nouvelles paroissiales est plus appréciée : « Il y a promesse de mariage entre Joseph… et Marie… », « Jeudi dernier, service chanté de X…, décédée lundi ; elle était la mère de… » Suivent les annonces, parfois les plus inattendues, à propos d'une vente à l'encan, d'une criée sur le perron de l'église, d'un porte-monnaie perdu, d'une incitation à … « bien voter ».

Quand arrive le sermon, qui débute par un signe de croix et une citation latine, le signal est donné : les habitants s'encantent… et se soumettent à l'épreuve du temps. Jamais ma mère n'oserait adopter un tel laisser-aller, d'autant plus qu'elle veut toujours apprendre sa religion. Ce qu'elle aime dans les sermons, ce sont les appels à la morale, à la tempérance, au respect du nom de Dieu. Elle apprécie ces directives, qu'elle nous répétera dans la semaine, souvent à mots couverts, prétextant que si Monsieur le curé l'a dit, c'est donc que c'est vrai et qu'il faut le faire : « Monsieur le curé a dit qu'il faut prier tous les jours, qu'il faut se tenir tranquille à l'église, qu'il faut se respecter durant les fréquentations. » Il faut écouter les prêtres parce qu'ils sont « plus instruits que nous » et qu'ils ont toujours quelque chose à dire de salutaire : « Le Bon Dieu est avec eux. »

Bien sûr, ma mère si attentive n'apprécie pas, mais pas du tout, que papa, à côté d'elle, ne semble pas intéressé, pire encore qu'il dorme aussi facilement : « Tu scandalises les enfants. Tu ronfles. Tu nous fais honte. » Ce à quoi il peut répondre inlassablement : « Je suis debout, à jeun depuis cinq heures, j'ai donné à manger à mes animaux, moé j'ai même pas mangé, j'ai tout fait mon train. C'est-i' de ma faute si le jeûne m'endort et si le curé parle trop longtemps ? C'est lui qui m'endort, pas le Bon Dieu… Pendant que je dors, je médite. Je devine quand c'est le bout de la fin et qu'arrive "l'éternité des éternités". On dirait tout à coup que j'entends toquer l'horloge de l'église, ça m'secoue, j'me réveille. J'ai dormi le temps d'une méchée, pis j'dors pu… » D'autres fois il se défend, encore humblement… et drôlement, prétextant qu'en sommeillant il se prépare au repos éternel.

Il avoue quelques préférences. Il est même prêt à écouter le petit vicaire d'occasion « qui cherche ses mots », sauf qu'« i' pourrait finir ses études, pis crier moins. Pourquoi i' a peur ? » Ce qu'il admire avant tout, ce sont les sermons des Pères de retraite qui le gardent éveillé en parlant haut, fort, avec leur enfer pour toujours et à jamais : « I' savent nous parler, eux autres… » Disons que ma mère semble tout goûter à la fois, allant jusqu'à tenter d'ignorer pratiquement les humeurs irrévérencieuses de son mari.

La quête

Autre moment « crucial » de la messe, plus distrayant qu'édifiant, souvent l'objet de discussions à la maison : la quête. Il faut dire que sur les questions d'argent, comme en la plupart des familles rurales de l'époque, la mésentente est fréquente. Chez nous, maman administre, papa s'en fiche ; elle capitalise, il dépense. La générosité de maman à la quête est plus que limitée, ça frôle la mesquinerie. Elle estime qu'il ne faut donner à l'église que l'unique nécessaire : « On est pauvres, notre premier devoir c'est notre famille. » Une fois payées dîme et place de banc, il appartiendrait surtout aux riches du village de faire leur part pour le culte : « Ils sont à l'église plus souvent que nous autres du bout du Troisième Rang. » Mon père refuse ces arguments : « Plus tu donnes au Bon Dieu, plus tu reçois. Plus tu donnes, plus tu deviens riche. C'est comme la multiplication des pains par Notre-Seigneur ; il en restera toujours. Arrête de t'énerver, Rose-Anna, l'argent ça finit toujours par arriver. »

À l'heure exacte de la quête à l'église, les marguilliers se mettent en branle ; ils passent de banc en banc. Petits, nous mettions un malin intérêt à écouter le son des *cennes* jetées dans la *tasse* ; son aigu : 10 cents ; son moyen : 5 cents ; son couvert : 1 cent. D'où les commentaires plus ou moins favorables à la sortie de l'église, surtout à propos des « gens en moyens qui donnent moins que nous autres, plus pauvres ». Ma mère s'indigne : « Ils pourraient se forcer un peu pour le Bon Dieu.» Ce à quoi mon père réplique : «I' font comme toé, i' calculent.» Silence ! Le silence d'un homme est d'or ! Celui d'une femme serait d'argent !

La consécration

L'unanimité des cœurs se refait à la consécration. Toute la paroisse à genoux obéit à la clochette : chacun incline profondément la tête quand il faudrait plutôt la lever pour regarder l'hostie. Mais la consigne est la consigne. Il n'y a rien de plus excitant pour les enfants de chœur que ces sonneries, une fois, deux fois, trois fois, pendant que le prêtre par multiples génuflexions et signes de croix n'en finit plus de bénir hostie, calice et ciboire.

La communion

On ne communie pas à la grand-messe pour la première raison que si tout le monde communiait Monsieur le curé ne suffirait pas à la tâche. Car lui seul peut toucher à l'hostie. Papa s'interroge : «Moé, i' m'semble qu'i' manque quelque chose à notre grand-messe ; le curé pourrait parler moins longtemps et pis nous faire communier tout le monde ensemble.» Ce à quoi ma mère répond : «Ne t'en fais pas, le curé communie, lui, pour tout le monde.»

De toute façon, à la basse-messe, seule messe de communion, les défilés houleux des paroissiens vers la balustrade n'ont rien d'exemplaire et le retour dans les allées est embarrassant pour beaucoup de gens : «Se faire dévisager en revenant de communier n'est agréable pour personne.» «Ferme les yeux», dit papa. «Mais si on se ferme les yeux, on ne retrouve pas sa place de banc… Puis, si tu ne vas pas communier, la paroisse va peut-être penser que tu es en état de péché mortel», réplique maman.

Après la grand-messe, il y aura peut-être assemblée de ci, assemblée de ça, Ligue du Sacré-Cœur, Société de Tempérance ; ou encore, à la porte de l'église, en la bonne saison, papa performe, fait ses annonces, préside à des mini-ventes, parle, parle… Les enfants, nous nous impatientons. Maman, à l'intérieur, attend,

attend. Elle prie. Elle passera le temps… à réciter des chapelets pour ses enfants, toutes sortes de prières de réparation, d'amendes honorables contre les blasphèmes et les sacrilèges.

Comme nous habitons loin, loin, au fond d'un rang, il n'est pas question de retourner au village pour les vêpres, sauf pour une fête spéciale, telle la procession de Lourdes en été. D'ailleurs, le temps qui s'écoule entre la fin de la grand-messe et notre retour à la maison peut être long.

Nous avons souvent manqué la messe le dimanche. La famille va à l'église et non les personnes, de sorte qu'il s'en trouvera toujours un, deux ou trois pour représenter les autres. Si nous n'allons pas à l'église à cause du mauvais temps, de la maladie ou faute de voiturage, la maison risque, vers les 10 heures du matin, de devenir une église : « Silence, les enfants ! la messe est commencée. » Au son du *Sanctus* des cloches de La Durantaye, le chapelet commence : « Tout le monde à genoux. »

Jour après jour

Il n'existe vraiment qu'une semaine spéciale durant l'année : la Semaine sainte, avec ses jours plus importants, les Jeudi, Vendredi et Samedi. La semaine telle qu'elle se déroule habituellement, jour après jour, commence avec le dimanche.

Dimanche, ça passe vite, mais la semaine ! Quand on habite au bout d'un rang, les journées risquent d'être longues. Ma mère a son organisation : lundi, lavage ; mardi, repassage ; mercredi, barattage du beurre ; jeudi, couture ; vendredi, cuisson du pain ; samedi, ménage du haut en bas de la maison. Et dimanche : reposage ! Un seul jour peut compromettre tous les autres. « Gros lundi, petite semaine ! Lundi pourri, semaine finie ! »

De même, pour chaque jour, elle a ses dévotions privilégiées. Dimanche, le jour du Bon Dieu ; lundi, ses chères âmes du purgatoire ; mardi, les anges ; mercredi, saint Joseph ; jeudi, l'Eucharistie, le Saint-Sacrement ; vendredi, le Sacré-Cœur, le Christ en croix ; samedi, la Sainte Vierge. Après le dimanche, les jours les plus prestigieux demeurent le vendredi et le samedi.

Vendredi

Vendredi, jour d'abstinence, est avant tout le jour anniversaire de la mort du Christ dont on sait l'impact sur la sensibilité des gens de Saint-Michel. Il y a les premiers vendredis du mois quasi obligatoires pour toute la paroisse : « J'ai fait mes neuf premiers vendredis du mois. Je les fais plusieurs fois. Quand on fait les neuf premiers vendredis du mois, on obtient la persévérance finale, des indulgences aussi. J'y crois. » Neuf premiers vendredis, à la suite, sinon il faut recommencer.

Quant aux indulgences du vendredi gagnées par prières, actes d'offrande, signes de croix et rites de toutes espèces, ma mère les accumule, surtout les indulgences plénières, pour que toute la famille aille au ciel. « Comme si t'étais pas certaine du Bon Dieu », répète papa. Ce à quoi elle répond : « Toi, Caïus, tu vas à la banque, tu déposes, tu retires. Et moi, je n'aurais pas le même droit à la banque du Bon Dieu ? Vous autres, les hommes, vous faites des marchés de bêtes à cornes, nous autres, les femmes, on aime s'entendre secrètement avec le Bon Dieu. De la confiance, ça ne se raisonne pas. » Quoi qu'il en soit, le vendredi ne sera jamais un jour pour étrenner ou même se couper les ongles, encore moins pour se marier ou aller voir sa blonde, car ça pourrait nuire aux amours.

Samedi

Samedi est un jour marial, oui, mais pensé le plus souvent en fonction du dimanche. Un jour de travail pour tous les membres de la famille, mais plus particulièrement pour maman, d'où son expression familière : « Je fais mon samedi ! » Aidée de ses deux filles, Jeanne et la petite Cécile, elle met la maisonnée en ordre et tout propre pour le lendemain « au cas où il viendrait de la visite ». L'après-midi ? Lavage des planchers, brossage, cirage et préparation du repas du dimanche midi afin de travailler le moins possible « le jour du repos ». Une croyance circule : « Qui meurt samedi, ne va pas en purgatoire. La Sainte Vierge l'en empêche. »

Des jours particuliers

Parfois, il y a en semaine des jours qui ont peu à voir avec le sacré réel, tels la Saint-Valentin dédiée aux amoureux, le Mardi gras, la mi-carême, la Sainte-Catherine. Le 1er avril est toujours propice à de joyeux mensonges : *Poisson d'avril*! Nous savons que « ce n'est pas péché de mentir un 1er avril ». Rappelons qu'en ces années-là on ne connaissait ni la fête des Pères, ni la fête des Mères, ni le jour de l'Action de grâce. D'autres jours comporteront certaines composantes religieuses, tels le jour de l'An, le jour du baptême, les jours de la première communion, de la confirmation, de la communion solennelle, le jour de son mariage, le jour des funérailles.

Le jour du baptême

À propos du baptême, malgré les enseignements du *Petit Caté-chisme de Québec* appris par cœur, nos gens ne semblent pas y attacher tellement d'importance. Ils ignorent ou oublient que le baptême est le premier des sacrements, qu'il efface le péché origi-nel en nous faisant chrétien, enfant de Dieu et de l'Église, et qu'il est absolument nécessaire au salut. Leur vie est rude, les familles sont nombreuses, la pauvreté est grande. D'autre part, il semble bien que le jour de la naissance soit plutôt piégé par le secret : il ne faut pas que les enfants sachent. L'accouchement lui-même est une affaire de femmes, en chambre close.

Ce qui importe pour eux, c'est davantage la continuité, la tradition, que le sacrement. À ce propos, papa aime épiloguer, en se berçant : « Ce ber-là, mon garçon, i' règne dans nos familles depuis une bonne escousse. Dans l'temps comme dans l'temps, on s'est dit qu'on pourrait élever notre famille avec le ber des Blais de Saint-Raphaël. Dans ce temps-là, ça méchait vite. Tu faisais un p'tit et t'en perdais deux. Mon p'tit bonjour, t'es mieux de rester en vie, j'lui disais. Surtout si c'était un p'tit garçon. Mon premier garçon, Léopold, est né le vendredi de la semaine de devant le deuxième dimanche d'après la Toussaint. Heureusement, c'était l'automne. Aussitôt né, aussitôt à l'église. »

Urgence du baptême

Ainsi, dans la vie de la communauté familiale, le baptême individuel devient un rite familial à observer dans le plus court délai possible. En fait, le rite du baptême apparaît comme une urgence, pour contrecarrer les effets du péché originel, le péché *original* comme l'appelait ma tante Olympe. « Sans le baptême, tu n'as pas le droit d'aller communier ni d'être enterré au cimetière. C'est grave, les enfants ! »

Nous entendions dire que notre voisine avait refusé d'embrasser sa petite avant qu'elle ne soit baptisée. Mais, comme ma mère est sur ce point discrète, dans les actes comme dans les paroles, nous n'avons jamais su son idée. Papa n'est pas de l'avis de qui « prend le Bon Dieu pour un tyran ». Il a sa ferme conviction : « Laura se prend pour qui ? Un enfant, ça pèche pas, c'est un ange. Un petit bec, ça chasse le diable ! »

Monsieur le curé a beau parler de l'autre baptême, le baptême de désir, à savoir qu'en cas d'urgence désirer le baptême de son enfant est presque l'équivalent que de lui donner le sacrement, les parents ne veulent pas attendre. Il faudrait une grosse tempête pour les empêcher, aussitôt l'enfant né, d'aller le faire baptiser. Toujours la hantise des limbes, ce territoire hors ciel voisin du purgatoire ; rien qu'à penser qu'un bébé malade serait né inutilement, sans aller au ciel, c'est la panique ! Laura Blais, notre voisine, vient d'accoucher, un 5 février. L'enfant est fragile, il va mourir. Cela veut dire que s'il n'est pas baptisé tout de suite Laura ne le reverra pas, ni au ciel ni ailleurs : « J'ai toujours eu pour mon dire qu'il ne faut jamais prendre de chance. Les prêtres nous permettent d'attendre la fin des tempêtes, mais je sais que si tu n'es pas baptisé t'es pas chrétien ; pas chrétien, tu vas aux limbes ! »

Des rites attendus

Le baptême a lieu si possible tout de suite après l'accouchement. Donc ma mère n'y assiste pas. Les parrain et marraine sont choisis selon les critères habituels pour qu'il n'y ait ni chicane ni jalousie : si le premier-né est un garçon, le parrain et la marraine sont les grands-parents paternels; si c'est une fille, c'est au tour des grands-parents maternels *d'être dans les honneurs*. Pour les autres enfants, on demande à la parenté, ce qui n'est pas sans poser de sérieux problèmes familiaux. Quant à la porteuse, ce sera ou la marraine ou une tante. L'ère des cadeaux n'étant pas encore advenue, parrain, marraine et porteuse s'en tirent à peu de frais! Aussitôt terminée à la sacristie la courte cérémonie, il y a sonnerie de cloches, sauf pour les enfants illégitimes. De retour à la maison, ni fête ni repas. Des questions plutôt: « Le petit a-t-il pleuré? Quand s'est-il réveillé? L'eau était-elle froide? Et quand le curé a mis le sel sur la langue? Le bedeau a-t-il laissé longtemps sonner les cloches? Trois cloches? Deux? Une?» Certains paroissiens sont d'avis que si les cloches ne sonnent pas, le nouveau-baptisé peut devenir sourd.

La petite communion et la communion solennelle

Si le jour du baptême a des chances de passer souvent inaperçu, il n'en est pas de même pour celui de la première communion. Précédée de la première confession, elle promet la confirmation, mais pour plus tard. D'autre part, pas de seconde communion dite solennelle sans *marcher au catéchisme*. Cela veut dire, nous l'avons vu, que, durant quatre semaines au moins, les enfants doivent se rendre au village pour recevoir en moyenne une soixantaine d'heures d'enseignement religieux du curé et du vicaire.

La confirmation

Le sacrement qui pourrait facilement être oublié, si la visite de l'évêque n'aidait pas un peu à nous en souvenir, est la confirmation. En effet, seul l'évêque a le droit de dispenser ce sacrement. Sa visite à Saint-Michel est donc attendue. Tous les deux ans, tous les trois ans. Selon ses disponibilités.

À l'église, catéchisés, confessés, soigneusement vêtus, les enfants viennent s'agenouiller aux pieds de Monseigneur qui leur impose les mains, dessine sur leur front une onction en forme de croix avec le saint chrême, puis c'est la célèbre petite tape tant attendue et commentée, soit un léger soufflet que les habitants appellent en souriant *la petite tape sur la gueule.* «Bronche pas, mon garçon, i' te fera pas mal.» De toute façon, le confirmé est averti à l'avance qu'il lui faudra être fort pour défendre sa foi et ne pas en rougir. Au prône, Monsieur le curé résume:

> La confirmation est un sacrement qui nous donne le Saint-Esprit, avec une force particulière pour confesser constamment la foi de Jésus-Christ, pour vivre selon son Évangile et pour résister aux ennemis de notre salut, le diable, le monde et la chair.

En fait, maman et papa se souviennent à peine du moment de leur confirmation à Saint-Raphaël. C'est le lundi 18 juillet 1892, huit jours après avoir atteint ses dix ans, que Rose-Anna Blais reçoit la confirmation du coadjuteur du cardinal Taschereau. Pour Caïus Lacroix, c'est quatre ans plus tard, à ses douze ans, le mardi 4 août 1896, que le même évêque, monseigneur Louis-Nazaire Bégin, devenu archevêque de Québec, lui confère ce sacrement.

Une femme comme maman, intelligente, cultivée à sa manière, fière et fidèle, ne sait trop quoi penser de ce rite qui donne tout à coup le Saint-Esprit et rend les enfants présumément «parfaits chrétiens et capables de confesser leur foi en paroles et en actions». Papa aussi s'interroge: «Si ce sacrement est si peu important, pourquoi est-ce que l'évêque est-il obligé de se déplacer? Moé, ça m'dit qu'y a des choses qu'on sait pas assez dans notre religion.» Ce à quoi maman répond vite: «Tu ne trouves pas qu'on en a déjà assez à croire pour vouloir en apprendre encore plus? Plus tu sais, moins tu crois.»

Le mariage

Maman se rappelle mieux, il va sans dire, du jour béni de son mariage. Mais elle en parle peu! A-t-elle regretté de s'être mariée? ou d'avoir épousé Caïus Lacroix? C'était un mardi matin, tôt, à l'église Saint-Raphaël de Bellechasse, le 13 mai 1902. Elle se souvient avec émotion du départ de Saint-Raphaël pour Saint-Michel, après que Jos Vermette eut chanté *Les adieux de la mariée*: «Ç'a été un vrai déluge de braillage.» Papa raconte: «Mariés, i' fallait ben penser aux semences. La terre attend pas, elle ; pis elle fait pas de voyage de noces. Vers le soir on arrivait à Saint-Michel… On a tellement travaillé dans les premiers temps qu'on avait juste le temps d'aller à la messe le dimanche. En ce temps-là, on s'regardait pas le nombril pour savoir si on était heureux ou malheureux. Et on se mariait pour avoir des enfants. Jeanne est arrivée le 9 mai de l'année suivante… On a pas perdu de temps. »

Ils n'ont pas célébré, que je sache, leur anniversaire de mariage une seule fois. Pourquoi ? Ils ont leurs interprétations. Maman : « Des fêtes, c'est pour dire merci au Bon Dieu. Plus il y a de mercis sur la terre, plus il y a de l'amour. Mais des fêtes pour prendre de la boisson, c'est pas des fêtes. En ville, on fête trop, on fête pour rien. » Papa est d'accord : « J'vois pas, moé, comment des gens de la ville, qui ont jamais mis les pieds dans une porcherie ou à l'étable, peuvent fêter et ensuite dire merci au Bon Dieu. C'est à nous autres qu'i' devraient dire merci. Et au Bon Dieu ! Pis pour ben fêter, i' faut être pauvres comme nous autres. »

Ont-ils dit le fond de leur pensée ? Nous en doutons, car, pour eux, et donc pour nous, l'essentiel d'une journée est le travail, autant sinon plus que la prière. Comment lui, papa, célébrerait-il un anniversaire en pleine mi-mai ? « J'ai pas seulement ma femme à prendre soin, y a les enfants, mes vaches, mes chevaux, mes poules, mon étable. Donne-moé du temps, donne-moé de l'argent et j'vas t'en organiser des fêtes à ton goût, mais pas pour me fêter moé. » Ma mère est plus nuancée : « Faut pas exagérer, Caïus, si tu n'as pas le temps, tu n'as pas le temps. Quand même, ça fait du bien de s'arrêter. Puis on en profite pour remercier le Bon Dieu. » Il n'a pas répondu ! Une chose est certaine, ils ont fait leur vie en nous rendant heureux. C'était, pour eux, le plus important.

CHAPITRE 7

La vie quotidienne

COMMENT SE VIT, se déroule chacune des journées de mes parents ? Déjà le vocabulaire courant utilisé par ma mère est significatif. Elle dira souvent : « Aujourd'hui d'aujourd'hui ! » Que la visite arrive à l'improviste : « Je vous souhaite le meilleur bonjour », « Bonjour de bonjour. Bonjour de la vie ! que vous me faites plaisir ! »

Quelles que soient ses occupations et sa manière d'être en tenue de tous les jours ou d'être endimanchée, une de ses expressions les plus joyeuses revient comme un refrain : « Belle journée, aujourd'hui ! » Ma mère soulignera au besoin qu'elle a travaillé « toute la sainte journée ». Et lui, papa, continuera à proclamer que labourer en mai comme bûcher du bois en hiver, « ça fait des sacrées bonnes journées » ! Le sacré les poursuit.

UNE STRUCTURE QUASI SACRALE

En fait, nous pourrions dire que chaque journée de ma mère en Bellechasse obéit à une structure quasi sacrale. La vie d'une femme du Troisième Rang est réglée un peu à la manière de celle des moines du Moyen Âge : par le soleil et par la lune, alternance entre travail, repos et prière. De-ci de-là, les cloches d'églises l'avertissent de l'heure. Le P'tit Train vient confirmer. Ni radio, ni montre au poignet avant les années 1930 ; maman s'adapte pour que la journée garde son rythme. Une nuit dure le temps que brûlent trois chandelles; une heure, c'est le temps passé à la grange matin et soir; trente minutes, le temps d'une bonne pipée; quinze minutes... la récitation du chapelet en famille; une demi-minute, un Pater!

LA JOURNÉE COMMENCE

Q. Que doit faire un chrétien tous les jours de sa vie?

R. Pour vivre saintement, un chrétien doit tous les jours de sa vie:

1. En s'éveillant le matin, faire le signe de la croix, et dire: *Mon Dieu, je vous donne mon cœur.*
2. Après s'être habillé modestement, se mettre à genoux et faire la prière du matin.
3. Entendre la messe, s'il le peut commodément.
4. Vaquer aux occupations auxquelles son état l'appelle.
5. Prendre ses repas avec sobriété et tempérance, ayant soin de dire le *benedicite* et les *grâces*.
6. Assister les pauvres, selon son moyen.
7. Faire l'examen de conscience et la prière du soir, quand l'heure en est venue, et en famille autant qu'il se peut.

La journée commence par la prière et finit par la prière. Ajoutons les prières d'avant et d'après les repas, trois fois deux fois: « Ça occupe ! »

Ce que le petit catéchisme appelle les exercices de la vie chrétienne, ma mère les connaît d'office et par cœur. Elle nous invite à bien respecter ces consignes.

Q. Comment un chrétien doit-il sanctifier ses actions?

R. Il doit sanctifier ses actions en les offrant à Dieu.

Q. Comment doit-il souffrir les peines et les contrariétés de la vie?

R. Il doit souffrir les peines et les contrariétés de la vie avec patience, en expiation de ses péchés, et les unir aux souffrances de Jésus-Christ.

Q. Comment doit-il se comporter dans les tentations?

R. Dans les tentations, il doit se recommander à Dieu et éviter les discours et les objets qui pourraient l'entraîner au mal.

Q. S'il croit être tombé dans le péché mortel, que doit-il faire?

R. S'il croit être tombé dans le péché mortel, il doit s'en humilier sur-le-champ, en demander pardon à Dieu par un acte de contrition parfaite et se confesser aussitôt que possible.

Q. Que doit-on observer par rapport aux divertissements?

R. Par rapport aux divertissements, on doit observer de n'en point prendre, à moins qu'ils ne soient nécessaires ou innocents.

Avant même l'école, maman a prévu que nous saurions au moins quatre prières par cœur. «Ça vous servira tout le temps de votre vie. Mieux vaut les apprendre tout de suite... à la suite»:

1. *Notre Père*
Notre Père, qui êtes aux cieux,
Que votre nom soit sanctifié;
Que votre règne arrive;
Que votre volonté soit faite
sur la terre comme au ciel.
Donnez-nous aujourd'hui notre pain quotidien,
Pardonnez-nous nos offenses comme nous pardonnons
à ceux qui nous ont offensés.
Et ne nous induisez point en tentation
mais délivrez-nous du mal. Ainsi soit-il.

2. *Je vous salue, Marie*
Je vous salue, Marie, pleine de grâce
le Seigneur est avec vous,
vous êtes bénie entre toutes les femmes
et Jésus le fruit de vos entrailles est béni.
Sainte Marie, mère de Dieu, priez pour nous,
pécheurs, maintenant et à l'heure de notre mort.
Ainsi soit-il.

3. *Je crois en Dieu*
Je crois en Dieu, le Père tout-puissant,
créateur du ciel et de la terre et en Jésus-Christ,
son fils unique Notre-Seigneur, qui a été conçu
du Saint-Esprit, est né de la Vierge Marie,
a souffert sous Ponce-Pilate, a été crucifié, est mort,
a été enseveli, est descendu aux enfers le troisième jour,
est ressuscité des morts, est monté aux cieux,

est assis à la droite de Dieu le Père tout-puissant
d'où il viendra juger les vivants et les morts.
Je crois au Saint-Esprit, à la Sainte Église catholique,
à la communion des Saints, à la rémission des péchés,
à la résurrection de la chair, à la vie éternelle.
Ainsi soit-il.

4. *Gloire soit au Père*
Gloire soit au Père, et au Fils, et au Saint-Esprit.
Comme elle était au commencement, comme elle est maintenant
et comme elle sera pendant les siècles des siècles.
Ainsi soit-il.

Aussitôt éveillés, nous nous devions, dès nos quatre, cinq ans, de faire le signe de la croix : « Au nom du Père, et du Fils, et du Saint-Esprit. Ainsi soit-il. » Et avec la vitesse qui s'impose quand on renifle déjà son petit déjeuner, de dire :

> Mon Dieu, je vous donne mon cœur
> Prenez-le s'il vous plaît
> Afin que jamais aucune autre créature
> Ne le puisse posséder
> Que vous seul, mon bon Jésus.

Le même petit catéchisme, source première de sa piété quotidienne, a aussi prévu qu'après « s'être promptement et modestement habillé », à genoux, nous dirions à la suite :

Acte d'adoration
Mon Dieu, je vous adore et vous reconnais pour mon créateur, mon souverain Seigneur, et pour le maître absolu de toutes choses.

Acte de foi
Mon Dieu, je crois fermement tout ce que la Sainte Église catholique croit et enseigne, parce que c'est vous qui l'avez dit, et que vous êtes la vérité même.

Acte d'espérance
Mon Dieu, appuyé sur vos promesses et sur les mérites de Jésus-Christ mon Sauveur, j'espère avec une ferme confiance que vous me ferez la grâce d'observer vos commandements en ce monde, et d'obtenir par ce moyen la vie éternelle.

Acte d'amour ou de charité
Mon Dieu, qui êtes digne de tout amour, à cause de vos perfections infinies, je vous aime de tout mon cœur, et j'aime mon prochain comme moi-même pour l'amour de vous.

Acte de contrition
Mon Dieu, j'ai un extrême regret de vous avoir offensé, parce que vous êtes infiniment bon et infiniment aimable, et que le péché vous déplaît ; pardonnez-moi par les mérites de Jésus-Christ mon Sauveur ; je me propose, moyennant votre sainte grâce, de ne plus vous offenser et de faire pénitence.

Acte de remerciement
Mon Dieu, je vous remercie de tous les biens que j'ai reçus de vous, principalement de m'avoir créé, racheté par votre Fils, et fait enfant de votre Église.

Acte d'offrande
Mon Dieu, j'ai tout reçu de vous ; je vous offre mes pensées, mes paroles, mes actions, ma vie et tout ce que je possède, et je ne veux l'employer qu'à votre service.

Acte d'humilité
Mon Dieu, je ne suis que cendre et poussière ; réprimez les mouvements d'orgueil qui s'élèvent dans mon âme, et apprenez-moi à me mépriser moi-même, vous qui résistez aux superbes et qui donnez votre grâce aux humbles.

Acte de demande
Mon Dieu, source infinie de tous les biens, donnez-moi tout ce qui m'est nécessaire pour la vie et la santé de mon corps, mais surtout la grâce de faire en toutes choses votre sainte volonté. Par Jésus-Christ Notre-Seigneur. Ainsi soit-il.

LE BÉNÉDICITÉ ET LES GRÂCES

D'autres rites semblent inévitables. Tous les membres de la famille, debout autour de la table, tête penchée, se plient matin, midi, soir, au déjeuner, au dîner et au souper, à la récitation du bénédicité d'avant et des grâces d'après les repas.

Benedicite

Bénissez-nous, ô mon Dieu, ainsi que la nourriture que nous allons prendre. Au nom du Père...

Grâces

Nous vous rendons grâces de tous vos bienfaits, ô Dieu tout-puissant, qui vivez et régnez dans les siècles des siècles. Ainsi soit-il. Au nom du Père...

Le tout précédé et suivi de sérieux signes de croix. Non, il ne faudrait pas être surpris que les signes de croix aux repas, comme à l'église, soient plutôt rapides, mais nous les faisons. Les petits avertissements de maman ne nous dérangent guère. Papa a déjà dit à voix basse : « Moé, si j'fais vite, c'est que j'ai hâte de parler au Bon Dieu. »

LEURS PRIÈRES DU MATIN

Si tous nous sommes fidèles aux prières d'avant et d'après les repas, eux, papa et maman, disent-ils leurs *Actes* tous les jours ? Maman, oui. Papa ? Peut-être pas. Le ton monte parfois à propos de la prière du matin. Papa maintient qu'il prie à la grange, dans ses clos et au bois. Mais maman n'est pas trop d'accord : « Au moins, Caïus, tu pourrais donner l'exemple aux enfants et faire ta prière à genoux à la maison. Une prière, ça demande du respect, du silence. Pas debout à la grange. Prier avec des vaches, penses-y un peu ! » La réponse ne tarde pas : « As-tu oublié le bœuf de Bethléem pis l'âne du p'tit Jésus ? » « Mais réfléchis un peu, Caïus, les enfants ont besoin de nous voir prier ensemble le matin avant de partir à l'école. Et tu n'es pas là. » Réponse, la même : « Le Bon Dieu est partout, partout... » En catimini il nous confiera : « En fait, quand j'me lève, j'donne ben mon cœur au Bon Dieu. En arrivant le matin à la grange, j'réveille mes vaches... et j'les fais prier. Le matin tous les animaux sont de bonne humeur et ça m'dit que le Bon Dieu l'est. Mais t'as beau prier et faire des prières, si tes vaches ont pas leur foin, si tes chevaux ont pas leur avoine, si tes poules ont pas leur grain, i' se passera rien. » Faire le train, c'est plus difficile, croit-il, que plier des couvertures de lit et donner à manger aux enfants. «Ta mère, elle, prie matin, midi et soir. Elle prie. Elle a du temps pour prier. Elle peut tricoter et penser à rien, comme elle peut tricoter et penser au Bon Dieu… tandis qu'à la grange, i' faut que tu penses à toute à la fois. La même chose au bois à scier, à corder, ou ben dans les clos d'en haut à herser, à faucher, à moissonner. »

Se sent-il vraiment coupable? Peut-être un peu: « J'prie pas autant qu'elle; j'pense au Bon Dieu, pas de la même façon. J'sus ben d'accord qu'en m'levant, je fasse un signe de croix, pis que j'offre mon cœur au Bon Dieu, à condition que le Bon Dieu me le rende pour toute la journée. J'en ai besoin pour prendre soin de mes animaux… et de ma femme. J'ai pour mon dire que toutes les journées sont au Bon Dieu et que si j'prends bien soin de mes animaux et de ma terre, ma journée vaut autant que la sienne… J'sais qu'elle fait prier les enfants pour moé; j'dois en avoir ben besoin! Pourtant j'boé pas, j'fume pas beaucoup, j'ai pas le temps de courailler comme i' font au village. Aujourd'hui pour demain que je meure, sur semaine ou dimanche, matin, midi ou soir, j'veux que le Bon Dieu sache une fois pour toutes que ma vie, c'est ma famille, ma femme, ma terre, mes animaux. Pas besoin de lui répéter tous les jours. J'lui dis une fois, j'sus certain qu'i' a compris. »

LE MATIN DE MON PÈRE

Ma mère n'abandonne pas la partie: «Pas de prière, pas de Bon Dieu. Pas de Bon Dieu, la journée va chez le diable!» Elle admire cependant que son mari se lève avant elle. Surtout en hiver, vers les cinq heures, pour allumer le poêle. «Il dit que c'est la lune qui le réveille, même si elle est cachée, ou le coq ou les corneilles du printemps. Je ne le crois pas. Je pense plutôt que son besoin de revoir ses animaux le force à se lever. Ton père, c'est un homme du matin. »

Nous aimions l'entendre, notre père, parler longuement du matin comme d'un vrai temps sacré: «Au jour d'aujourd'hui, encore aujourd'hui, j'sus pas bretteux. À cinq heures dans dix, j'suis avec mes animaux, même si les enfants dorment. Non, j'aimerais pas être un journalier sans savoir à l'avance qu'est-ce que je devrai faire demain. Moé, pour être heureux, i' faut m'lever à la barre du jour. Au p'tit matin, tu files cent bottes à l'arpent. Les gens qui se lèvent pas trop de bonne heure ont toujours besoin d'attendre une escousse avant de s'décider. La basse matinée y passe et i' ont encore rien fait. À tout bout de champ j'en rencontre des dormeux qui étaient encore debout aux abords de minuit ; pas capables de se coucher, pas capables de se lever, pas capables de travailler. Moé, j'ai toujours dit à mes garçons : "Tâche de pas t'anuiter si tu veux vivre vieux. Arrive pas tard et tu t'lèveras tôt." Quand on est vaillant, on a l'angélus du matin dans le ventre. Puis à midi sonnant, on a déjà un bon boutte d'la journée d'faite, on arrive une miette plus vite à la maison, on amuse le temps, on a le temps d'une pipée, on a plus d'appétit. Souventes fois, quand les jours se rapetissent, j'me dis que ceux qui se lèvent pas tôt finiront jamais par savoir qu'est-ce qu'une journée d'homme. En tout cas, que j'meure, j'arriverai pas en retard au ciel. J'voudrais y arriver le matin. »

LE SOIR DE MA MÈRE

Ma mère préfère la soirée pour une raison toute simple : « À cause que le soir, pour le chapelet après souper, toute la famille est là. » Famille qui prie, famille unie. Le soir, c'est le repos, le mystère, la nuit qui vient, avec un dernier avertissement : « Un signe de croix avant de vous endormir ne vous fera pas de mal. » Nous savons fort bien que notre père, déjà ronronnant-ronflant, ne fera jamais ce signe de croix que nous traçons pour faire plaisir à maman. Quant à elle, même après avoir prié tout son chapelet, il ne lui serait jamais venu à l'idée de terminer sa soirée, d'entrer dans la nuit et de s'endormir sans avoir saucé son deuxième doigt dans le petit bénitier accroché au-dessus du lit conjugal et sans avoir dit ses trois Ave. Par ailleurs, mon père, qui tombe comme une bûche — surtout durant le temps des foins et de la boucherie — ne s'est jamais moqué, ni en un sens ni en l'autre, de cette dévotion.

Ma mère aime la nuit. Elle l'aime à cause du silence, du secret : « Ça aide à penser, à prier. » Insomniaque, elle croit que la nuit est plus sacrée que le jour : « C'est si mystérieux, la noirceur ! » Papa rétorque : « C'est plein de loups-garous. » Elle renchérit : « C'est durant la nuit que Marie a eu la visite de l'Ange à l'Annonciation, le petit Jésus est né à minuit et la résurrection a eu lieu de nuit parce que personne n'a rien vu. La nuit est l'heure des âmes du purgatoire qui cherchent des prières. » Les nuits que ma mère aime le plus, sont, bien entendu, la nuit de Noël, la nuit de noces d'un de ses enfants, « et que ça dure jusqu'au petit matin à l'heure du train » !

Papa s'étonne que la nuit soit tellement respectée par les animaux, les oiseaux, même par son chien : « I' doit y avoir du divin là-dedans. » D'autre part, il aime ses nuits « tout fin seul » à la cabane à sucre : « Ça m'donne tout à coup des envies de prier comme ta mère. J'écoute mes érables couler à la goutte ; avec le poêle qui fait d'la musique, c'est beau, c'est bon comme au ciel. »

VIGILES

En bordure de journée avant la nuit, à la brunante, parfois débutent des bouts de journée, des vigiles, des veillées. Vigile à l'église, veillée à la maison, chacune est sacrée à sa manière. Par exemple, la veillée du jour de l'An et la veillée des morts à la maison sont toutes les deux divines. Moins peut être que ces vigiles d'Église connues pour leur austérité : « Quatre-Temps, vigiles, jeûneras… »

Parmi les plus célèbres, il y a les vigiles de Noël, de l'Épiphanie, de l'Ascension, de la Pentecôte, de la Saint-Jean-Baptiste, des saints apôtres Pierre et Paul, de saint Laurent ; les vigiles de l'Assomption, des saints Matthieu, Simon, Jude et André, ainsi que de la Toussaint et de l'Immaculée Conception. L'aspect pénitentiel ayant pris le dessus, il arrive que la vigile ait comme effet moins le goût de la célébration du lendemain que le désir d'en finir au plus vite avec ces jeûnes commandés d'en haut. Il revenait, bien sûr, à notre mère de nous rappeler les consignes d'Église et de nous faire observer « ces obligations sous peine de péché ».

VEILLÉES

Plus explosives sont certaines de nos veillées « civiles » : veillées du temps des Fêtes, à l'occasion d'une noce. Surtout en hiver. Le froid nous stimule, la joie est à son comble. De la bonne soupe, un bon repas, du *petit caribou* à répétition pour flatter le gorgeot, chacun fait son petit numéro « artistique » : un conte, une folie, une menterie, une drôlerie, une chanson. « Plus il y a de fous, plus il y a de plaisir ! » Puis on danse en faisant attention surtout depuis que Monsieur le curé a distingué entre les danses *collées*, danger de péché mortel, et les danses *décollées*, plus acceptables, presque péché véniel !

Les amoureux ont leurs veillées privilégiées, les dimanches soirs. « Si ça devient sérieux », les jeudis et peut-être aussi les mardis. Le tout sous surveillance à la maison. Le chaperon sera peut-être un enfant, une grand-mère, une grande sœur qui paraît soudainement dans le salon des amours, ou tout simplement un miroir orienté. Les parents se rappelant leur jeunesse, la méfiance est grande : les jeunes doivent être protégés. Surtout il ne faudrait pas… « Ma fille en famille… Ce que les gens diraient ! »

La plus amusante des veillées à Saint-Michel, la moins sérieuse, la plus appréhendée par Monsieur le curé, est reliée aux noces, c'est-à-dire le soir de l'enterrement de la vie de garçon. Sa description échappe à tout sens du sacré. L'improvisation est à son meilleur. Aidées de gin et de *caribou*, se multiplient des imitations burlesques des cérémonies d'église, de la première nuit de noce, du premier biberon.

La veillée des morts

Toutes ces veillées et ces fins de journées plus joyeuses ne doivent pas nous faire oublier les soirées plus douloureuses des deuils à la maison. Même au fin fond du Troisième Rang, la veillée des morts a ses rites, les mêmes ou presque dans toutes les paroisses.

Que survienne une mortalité, toute la vie change. Solidarité. Politesse. Amitié. Maman a l'habitude de dire : « Quand quelqu'un meurt, il faut tout de suite prier pour lui. Ce soir, nous dirons le chapelet pour un tel, une telle. Dans la mort, il n'y a ni Bleu ni Rouge : il n'y a que le Bon Dieu qui nous aime. » À qui veut l'entendre, papa répète : « Quand la mort passe, y a pas à calculer : c'est du temps respectable. Les journées de la mort sont des journées sacrées. »

La veillée commence à la chambre funèbre avec la fin de la clarté, après le souper, disons vers les huit heures. On récite un chapelet, repris à toutes les heures. Entre-temps, dans une pièce voisine, les hommes se sont regroupés, les femmes aussi. On cause à voix basse d'un peu de tout et de rien. On parle un peu de la défunte, du défunt, mais sans insister. La discrétion va de soi. À minuit, réveillon. Les gens de la maison vont ensuite se reposer de leurs fatigues accumulées. C'est alors que les hommes du canton, jusqu'aux plus âgés, commencent à ricaner. Question de se tenir en état de veille entre les chapelets-aux-heures. Se succèdent à un rythme continu, à peine brisé par la récitation du chapelet, des histoires de peurs, de revenants, de survenants, de cadavres trouvés à la cave ou de morts qui se redressent dans leur cercueil, de tombes magiquement ouvertes. Aux grandes peurs partagées se substituent inévitablement les gros rires avec la série interminable des histoires salées. Tout se déroule sans censure, car les femmes sont couchées et les enfants dorment. Comme l'expliquera mon père à ma mère étonnée : « Pendant ce temps-là, on dérange personne. Le mort est mort. I' est au ciel. Au ciel, on rit. Pas vrai ? » Pourquoi réprimander des hommes qui ont eu le courage de passer la nuit blanche ? « Une veillée des morts, ça vaut ben des Heures saintes ! », renchérit papa qui essaie, mais en vain, de rassurer ma mère.

LES HEURES

Il n'y a pas que les journées et certaines veillées qui soient sacralisées. Des heures aussi, des minutes, des secondes. Telles l'heure de l'angélus, l'heure des prières du matin et du soir, l'heure de la grand-messe, l'heure du *Sanctus*, l'heure des glas et l'heure du chapelet. Il est même arrivé, raconte ma mère, que dans les Hauts du comté, durant les retraites paroissiales, le bedeau sonne les cloches toutes les heures du jour pour inviter les gens à se mettre en présence de Dieu.

Nous entendons dire qu'ici et là dans les couvents de religieuses circulent des horloges eucharistiques en vue de rappeler qu'à telle heure de la journée une messe est dite en tel ou tel pays. Ma mère aime cet univers de solidarité. Papa rétorque : « Moé, ça m'donne pas plus de monde pour m'aider à faire mon travail. » « Tais-toi, Caïus, tu n'es pas plus fin qu'un autre ! »

Parmi les heures les plus sacrées qui soient, il en est deux à ne pas manquer pour tout l'or du monde : *minuit* à Noël, et *trois heures* le Vendredi saint.

Minuit à Noël

Minuit à Noël ! Aussitôt qu'apparaît Monsieur le curé en chasuble dorée et les enfants de chœur avec leurs belles soutanelles rouges toutes fraîches pressées, que Morissette de sa voix d'or, nous l'avons dit, lance du haut du jubé, à l'heure exacte, son *Minuit, chrétiens ! c'est l'heure solennelle...*, un frisson d'émotion saisit la paroisse ; il y en a plusieurs qui pleurent. Ma mère résume : « Minuit à Noël, c'est l'heure la plus solennelle du ciel. »

Trois heures le Vendredi saint

Des larmes aussi le Vendredi saint à trois heures, l'heure la plus triste de l'année, quand à l'église commence le chemin de la croix. Personne n'a envie de rire. Même si les enfants de chœur s'enfargent dans leurs soutanelles à chaque « station ». Et il y en a quatorze ! Maman commente : « Si Jésus a fait ça pour nous, il faut tout faire pour ne pas augmenter sa peine. »

Les heures saintes

À l'église, nous entendons parler d'heures saintes d'adoration et d'heures saintes de réparation. Des services de garde du Saint-

Sacrement sont mis en place par Monsieur le curé qui ne manque pas de nous culpabiliser, jusqu'à citer à plusieurs reprises ce passage de saint Matthieu : « Vous n'avez pas pu veiller une heure avec moi. » Au Couvent, chaque élève a son heure de garde. Chez les Frères Maristes, les garçons éprouvant moins de zèle se disculpent : « Si les filles gardent le Bon Dieu, le Bon Dieu, qui est tout-puissant, a encore moins besoin de nous. »

Papa a pour son dire qu'une heure de route pour aller à l'église, une heure de route pour le retour, « avec une heure du Bon Dieu entre les deux », ce n'est pas toujours commode : « Les heures saintes, c'est bon pour les gens du bord de l'eau. Nous autres, des rangs d'en haut, toute la journée on travaille et il faut ménager nos chevaux et nos femmes. » « Parle pour toi ! », lui dit maman, tout en regrettant souvent d'être si loin du Bon Dieu, si loin de l'église. « Si j'étais au village, je passerais la nuit à l'église. »

Les Quarante-Heures

Ma mère éprouve un grand respect pour les Quarante-Heures, même si elle croit qu'elles sont sûrement décidées « par des gens qui ne sont pas d'ici ». Des Quarante-Heures « en été, durant les foins, ou en plein hiver, ou à la fonte des neiges qui fait défoncer nos chemins, ce n'est pas pratique ! »

Malgré ces réticences normales dans les circonstances, les Quarante-Heures célébrées dans l'église Saint-Michel lui apparaissent comme une « Fête-Dieu en prolongation ». Quarante heures sacrées ! Rappelons qu'au temps de mes parents aucune dévotion n'a eu un tel traitement dans le *Rituel* d'Église, à tel point qu'en 1937 encore, une quinzaine d'années avant la mort de ma mère, une nouvelle édition du même *Rituel* comportait jusqu'à dix-sept pages consacrées à cette célébration. Dès le dimanche avant l'ouverture des Quarante-Heures, Monsieur le curé explique :

> [Tel jour] prochain commencera dans cette église l'exposition solennelle du Saint-Sacrement, dite des Quarante-Heures.
>
> Nous vous invitons, Nos Très Chers Frères, à venir témoigner à Notre-Seigneur votre foi à sa parole divine et infaillible, votre

reconnaissance pour ce bienfait inestimable de la Sainte Eucharistie et votre amour envers Celui qui vous a témoigné un amour si tendre et si généreux.

N'épargnez rien pour orner l'autel et l'église tout entière, où le Dieu de toute majesté daigne s'offrir à vos adorations. Mais, surtout, purifiez vos cœurs par une contrition et une confession sincères, qui vous disposent à le recevoir dignement dans la sainte communion.

Un temps calculé

Les cérémonies des Quarante-Heures sont soumises à des horaires stricts. Les habitants n'ont pas été consultés : « Les offices du matin commenceront à huit heures. Le soir, à sept heures, nous ferons la prière du soir, qui sera suivie d'une amende honorable au Saint-Sacrement. » Et ce qui alerte davantage ma mère :

Les indulgences accordées à l'occasion des Quarante-Heures sont les suivantes :
1. Indulgence plénière, applicable aux défunts, aux conditions ordinaires de la confession, de la communion et d'une prière à l'intention du Souverain Pontife, devant le Saint-Sacrement exposé.
2. Indulgence de dix ans et dix quarantaines pour chaque visite faite au Saint-Sacrement exposé, avec le ferme propos de se confesser.

Ornementation

En ce qui a trait à l'ornementation, la *Discipline diocésaine* en vigueur en 1937 précise dans les menus détails, suggère jusqu'à l'excès… Déjà assez affaiblie par l'excès de travail et par un cœur fragile, maman écoute ces avis avec une curiosité évidente ; elle éprouve parfois une certaine jalousie envers les gens du village qui peuvent voir, admirer et profiter de toutes ces « heures saintes » d'exposition et de réexposition du Saint-Sacrement : « La décoration, j'ai toujours aimé ça. »

On orne, si cela se peut, la porte principale, en dehors, de draperies de bon goût; on la surmonte d'un tableau représentant le Saint-Sacrement ou d'un autre emblème eucharistique, pour que par ce signe les fidèles soient invités à visiter Notre-Seigneur et à garder le silence dans le voisinage de l'église.

Au maître-autel, qui est celui de l'exposition, le blanc, ou l'or, est de rigueur. On y prépare un trône aussi riche que possible. Ce trône doit être surmonté d'un petit baldaquin blanc et garni d'or. S'il se trouve dans le retable quelque chose qui tient lieu de baldaquin, il suffit alors d'y ajouter une garniture faite de soie blanche et d'or. Il faut placer les tentures de manière qu'elles n'empêchent pas l'ostensoir d'être aperçu en entier. On ne peut mettre un miroir au fond du trône. Les reliquaires mobiles doivent être enlevés; mais les anges-adorateurs et les anges-candélabres sont tolérés, à condition qu'ils soient placés ailleurs que sur le tabernacle.

Aux autels latéraux, c'est la couleur du jour. Mais le jour des Morts, à l'autel de la sainte Réserve, le voile du tabernacle doit être violet. Il est permis d'exposer sur ces autels la relique d'un saint au jour de sa fête, sans cependant la présenter à baiser aux fidèles et sans bénir avec elle.

Pour que toute l'attention des fidèles se porte sur le Saint-Sacrement, on recouvre d'étoffe blanche, assez opaque et ne portant rien autre chose que des emblèmes ou des textes eucharistiques discrètement présentés, les statues, les tableaux, les reliquaires fixes qui sont sur l'autel ou tout auprès. On voile aussi les fenêtres les plus proches de l'autel.

L'heure du reposoir

Ma mère attend avec grande sérénité ce moment particulier où Monsieur le curé défile dans l'église avec le Saint-Sacrement: une hostie insérée dans l'ostensoir qui sera placé sur le trône de l'autel, appelé pour la circonstance le reposoir. On y chante *Tantum ergo*, on y récite des oraisons aux intentions de l'Église. Le tout se termine par la bénédiction du Saint-Sacrement. En tout deux heures d'église. Maman est séduite. Des chants, des fleurs, l'église tout en couleurs, de belles cérémonies: « Ça nous aide à vivre ! »

L'heure du chapelet

La tradition des Quarante-Heures a-t-elle donné à certains l'idée de la sanctification de toutes les heures de la journée ? Peut-être parce que fatigué, papa aurait dit un jour une phrase que maman lui a interdit de répéter et surtout pas devant les enfants : « Faut quand même pas abuser des bons moments que Dieu nous donne ! » C'est qu'il se souvient qu'à l'école du Deuxième Rang à Saint-Raphaël « c'était Quarante-Heures tous les jours ». À toutes les heures, il fallait reprendre la prière qui suit : « À cette heure, comme à toute heure, que Jésus soit dans mon cœur et qu'il y fasse à jamais sa demeure. Courage, mon âme, le temps passe et l'éternité approche : prépare-toi à mieux vivre, afin de mieux mourir. » Maman, qui prétend n'avoir jamais connu cette coutume dans son école du Premier Rang, serait d'accord mais elle n'en dira jamais rien. Peut-être voulait-elle mieux protéger l'heure du chapelet...

Qu'est-ce que le chapelet ?

S'il y a une heure sacrée à la maison, c'est bien sept heures du soir, heure aussi stricte que l'heure des messes au village.

Q. Qu'est-ce que le *chapelet* ?

R. Le *chapelet* est un pieux exercice composé des plus excellentes prières de l'Église, qui sont le *Credo*, le *Pater*, l'*Ave Maria* et le *Gloria Patri*.

Q. Comment se divise le chapelet ?

R. Le chapelet se divise en cinq dizaines, formées chacune d'un *Pater*, de dix *Ave Maria* et d'un *Gloria Patri*.

Q. Comment commence-t-on le chapelet ?

R. On commence le chapelet par le *Credo*, pour s'exciter à prier avec une foi vive ; par trois *Ave Maria*, pour honorer les rapports de la Sainte Vierge avec les trois personnes de la Sainte Trinité ; et par un *Gloria Patri*, pour renvoyer à Dieu toute la gloire des grandeurs de Marie et des honneurs que nous lui rendons.

Le déroulement des Ave

À sept heures du soir, la famille au complet est à la maison. En principe, les enfants sont sages. Chaque soir, même le dimanche, nous nous agenouillons autour de la table de cuisine. Cette liturgie dure de onze à douze minutes. C'est un spectacle de nous voir ainsi devant l'image d'un Sacré-Cœur tout sanglant et celle d'une Sainte Famille bien rangée. Maman surveille pour que chaque Ave soit dit, et bien dit. Pas de chapelet en bardeaux ni en sursauts ! Sans elle, n'y aurait-il pas plus d'Ave écourtés ou sautés ? Papa, qui a travaillé toute la journée et absorbé un repas d'adulte, s'endort, se réveille, se re-réveille, glisse quelques secondes en dehors de la table, se relève brusquement, enchaîne un autre Ave, se rendort, se ré-rendort. Maman intervient : « Voyons les enfants ! Réveille-toi, Caïus, tu dors… Pas si vite, la Sainte Vierge n'est pas une sauvage. »

Plus tard, en 1950, le chapelet diffusé à la radio est le triomphe de maman : au lieu de dix minutes, il faut un quart d'heure. « Vous voyez ! les enfants, Monseigneur ne déboule pas ses *Je vous salue, Marie.* » Papa lui aurait dit, à part, pour ne pas nous scandaliser : « La radio, elle, a tout son temps pour prier. Moé, j'ai tout vous autres à m'occuper, pis mes vaches et le bœuf et les poules en plus. Non, c'est pas pareil. À chacun son chapelet. » Une autre fois, au souper : « Vous pensez que j'dis pas le chapelet avec vous autres quand j'dors. Ben, j'dors pas. J'm'endors. » Il a raison, parce qu'un soir où ma mère décida tout à coup d'opter pour une autre dizaine de chapelet « pour Joseph Bélanger qui a une pneumonie maligne », papa, quasi endormi, s'est exclamé d'une seule phrase claire et nette : « Pas besoin, Rose-Anna, i' prend du mieux. »

Durant des années et des années, l'heure du chapelet aura été à la fois notre joie et, durant les saisons plus longues, notre épreuve du soir. Toujours la même consigne : « Un chapelet, les enfants, ça ne fait pas mourir ! »

DE MINUTE EN SECONDE

Ce goût sinon ce besoin de chiffrer les heures, les jours, pouvait aller loin. S'il avait fallu, en effet, écouter certains éducateurs et certaines éducatrices de l'époque, nous aurions dû à la maison sanctifier non seulement les heures mais aussi les minutes, les secondes, voire les instants, par une prière, une oraison jaculatoire. À ce propos, toutes sortes de coutumes et de petites histoires circulent : la minute où sonne l'angélus s'appelle « la minute du ciel ». Au moment où sonne le *Sanctus*, si un nouveau-né pleure pour la première fois il sera prêtre ; c'est aussi le temps tout désigné pour apprendre à marcher à un enfant.

Obsédée par cette idée qu'on est sur la terre pour faire son salut, ma mère multiplie les oraisons jaculatoires : « Doux cœur de Jésus, soyez mon amour. Doux cœur de Marie, soyez mon salut. Cœur Sacré de Jésus, j'ai confiance en vous. » Ou encore : « Que les âmes des fidèles défunts reposent en paix ! »

L'angélus

Papa ne comprend pas trop cette sainteté des instants à « cause que c'est ben énervant pour toé et pour le Bon Dieu ». Quand même, c'est pourtant lui qui, jusque dans les années 1930, sur la ferme et à la maison, aura le plus longtemps obéi à l'appel de l'angélus du midi entendu de l'église Saint-Gabriel de La Durantaye, plus près de la ferme que l'église du village. « Quand j'l'entends, j'dis l'angélus. On faisait ça à Saint-Raphaël. Mais ça s'perd des coutumes, comme on perd des forces avec le temps. »

Disons que l'angélus ne goûtera pas la même fortune que les Quarante-Heures et le chapelet, même si papa lui voue un souvenir évident : « Mon défunt père, hiver comme été, disait son *Angelus Domini nuntiavit Mariæ…* J'oublie le reste. Ça fait si longtemps ! Pis lui avait pas peur d'ôter son casque, même en hiver, pour prier sa Sainte Vierge. » Et plus nostalgiquement : « Les gens du village entendent sonner, i' ont rien à faire, pourquoi i' disent pas leur angélus?» Le sait-il vraiment? Se souvient-il de la leçon du catéchisme?

Q. Qu'est-ce que l'*Angelus*?

R. L'*Angelus* est une prière que l'Église nous a appris à réciter le matin, à midi et le soir, au son de la cloche, pour nous rappeler qu'un Dieu s'est fait homme pour nous et que Marie a mérité d'être sa mère.

Q. De quels sentiments doit-on être pénétré en récitant l'*Angelus*?

R. En disant l'*Angelus*, on doit être pénétré de dévotion pour l'ange qui annonce le grand mystère de l'Incarnation; de vénération pour Marie, qui devient Mère de Dieu; de reconnaissance et d'amour pour Notre-Seigneur, qui se fait homme pour nous sauver.

Pour dire l'angélus, il faudrait entendre les cloches, au moins celles de La Durantaye. En hiver, à la maison ou à la grange, aucun son ou presque ne passe. Maman ne nous a jamais parlé de cette coutume. Le chapelet prenait ainsi toute la place, bien mesurée, bien mesurable, chaque soir, chiffré à l'avance: 50 Ave, en plus d'une introduction tout autant minutée. Ah! les chiffres!

AH! LES CHIFFRES!

Ma mère a toujours adoré les chiffres. Elle tient les comptes, surveille l'argent qui arrive et qui part. Attentive, méticuleuse, obsessive, elle ne se fie que modérément à Caïus qui ne pratique pas tellement l'épargne. Quand elle additionne, lui est prêt à soustraire, ou à multiplier. Jamais il n'aurait pu demeurer aussi longtemps secrétaire de la Commission scolaire de la Paroisse sans celle qui a veillé à la gérance des livres. Même dans sa foi, maman comptabilise; elle n'est ni la première ni la seule. Les prêtres le font au nom de la piété et de la morale et pour bien tenir ensemble leurs fidèles ouailles. C'est au sujet de l'évaluation quantitative des indulgences et du symbolisme implicite des chiffres que ma mère affiche le mieux sa science des nombres.

À propos des indulgences

Les indulgences sont chiffrables. Elles s'appellent partielles ou plénières. Applicables ou non aux vivants, aux Âmes. Avec prières quantifiées pour le pape ou pour les fidèles en général. Avec communion ou sans communion ; communion avec ou sans confession. Avec visites à l'église ou non. Avec petits sacrifices ou pas. Avec ou sans crucifix. Avec ou sans eau bénite. Indulgences de la Bonne Mort ou, pour une guérison éventuelle, indulgences du Rosaire. Il suffit de simplement réciter trois ou six *Pater*, *Ave*, *Gloria*. Maman sait tout cela par cœur !

Évidemment, l'indulgence plénière est la plus recherchée parce qu'elle remet, si le sujet est dans les dispositions requises, confession et communion assurées, toute la peine temporelle que méritent les péchés déjà pardonnés. Certaines de ces indulgences plénières sont applicables aux défunts et peuvent être gagnées par tous les fidèles en état de grâce. Il suffit de prier chaque fois pour le Souverain Pontife. L'indulgence partielle, elle, ne remet qu'une partie déterminée de la peine due au péché.

Ma mère sait aussi de science certaine qu'aux jours de la Portioncule, de la fête du Saint Rosaire et au jour des Morts, comme à chaque chemin de croix, elle peut gagner, aux mêmes conditions, toutes les indulgences plénières en cours. *Toties quoties !* Confiance illimitée ! Elle explique que, dans une famille normale, chacun participe d'une façon ou d'une autre au bonheur de toute la famille. Nous serions tous d'un même pays, ciel et terre réunis, et les mérites de l'un retomberaient en bien sur tous les autres.

En fait, elle comptabilise ses indulgences et accumule des sacrifices en vue d'une faveur à obtenir, soit le retour à la santé d'une connaissance, le succès d'une entreprise familiale, la conversion d'un enfant à de meilleurs sentiments, soit d'autres intentions du genre. Sa foi en Dieu et en ses amis, telles la Sainte Vierge et les âmes des défunts, demeurera jusqu'à la fin totale et irréductible : « J'y crois. J'sais bien compter, une indulgence plénière, c'est total. Des mérites, ça se partage. »

Convaincus qu'elle nous avait déjà débarrassés des châtiments de l'enfer et mérité à l'avance le ciel, nous pouvions faire en toute quiétude quelques mauvais coups, avec l'idée qu'elle nous sauverait du pétrin par ses indulgences accumulées à l'occasion de tel ou tel triduum ou de telle ou telle neuvaine à prières indulgenciées.

Plus pragmatique, papa raisonne différemment : « Une bonne indulgence à la retraite paroissiale suffit pour l'année. J'pense pas que le Bon Dieu s'énerve de notre salut éternel autant que ta mère. S'i' est bon, i' est bon. S'i' est miséricordieux, i' est miséricordieux. Autrement, i' est pas le Bon Dieu. Moé, j'aime ça lui faire confiance pis j'sais que mes indulgences arrêteront pas la pluie, mais que le soleil, lui, est toujours là… » Certains jours, il voudrait avertir Rose-Anna : « Si tu continues à déranger le Bon Dieu comme ça, pis la Sainte Vierge, pis la Sainte Famille, pis sainte Anne, par tout ce que tu fais et pries, tu vas finir par les fatiguer avec tes implorations. J'ai pour mon dire que mon chapelet, le soir, avec ma messe le dimanche, ça devrait être assez pour dire au ciel que j'ai autant envie d'y aller que toé. »

Le chiffre 1

À l'église, les premiers vendredis et les premiers dimanches du mois sont hautement publicisés. Tout est accompli avec une bonne confession, une communion et des prières appropriées. Ma mère ne voudrait manquer aucun de ces jours de grâce.

Le chiffre 1, ou le premier, l'impressionne. « C'est simple, si tu n'avais pas le premier chiffre, tu n'aurais pas les autres. » Elle croit, sans savoir pourquoi, qu'il y a de la divinité dans tout ce qui est premier. À cause du chiffre 1, elle attache une suprême importance à la naissance du premier enfant, sans souhaiter pour autant, comme papa, qu'il soit un garçon. Elle est prête à offrir son premier enfant à Dieu afin qu'il devienne prêtre ou religieuse. Elle surveille le premier de l'An, la première communion. Même le dimanche y passe, puisque sans dimanche il n'y aurait pas de semaine, ni suite ni fin. Dans le même esprit, elle offre à nul autre qu'à Monsieur le curé son premier bol de fraises, de framboises ou de bleuets.

Comme papa lui offre son premier sac de patates, sa première corde de bois, son premier petit cochon-de-la-première boucherie de l'année. Elle aime particulièrement évoquer à haute voix le premier jour du monde : « Ç'a dû trimer dur ce jour-là ! »

Le chiffre 3

Si le chiffre 1 éblouit, le chiffre 3 intrigue. Le trois fait le mois ; s'il pleut le premier samedi du mois, il pleuvra trois samedis d'affilée. La religion s'en mêle : la Trinité !... Le Christ mort à trois heures ! Ce n'est pas pour rien que l'angélus, comme les glas, comme le cri du P'tit Train avant la traverse à Saint-Charles siffle trois fois. Tant de mystères !

Le chiffre 7

La croyance au chiffre 7 est enracinée tout autant dans le rang qu'au village. La religion y est certainement pour quelque chose : sept chœurs des anges ; sept dons du Saint-Esprit ; sept douleurs de la Vierge ; sept plaies d'Égypte ; sept sacrements ; sept péchés capitaux ; sept vertus ; sept visites aux reposoirs ; sans oublier, bien sûr, les sept jours de la semaine, les sept notes de la gamme. Il faut sept ans pour avoir l'âge de raison ; le septième enfant, garçon ou fille, aura le don d'arrêter le sang, de soulager un mal de dents ou un mal d'oreilles. Sept ans de malheur à qui casse un miroir ! Voilà de quoi occuper ses pensées en quête de sagesse et de rythme. Ma mère n'aurait jamais voulu manquer ses sept entrées-sorties de l'église le Jeudi saint au midi.

Le chiffre 9

Aussi grande, ou presque, est la fortune du chiffre 9. L'on dit et répète dans tout Saint-Michel que se confesser et communier neuf premiers vendredis du mois à la suite assurent *le paradis à la fin de nos jours.* « Mais faut-il en faire des péchés pour réussir à se confesser tous les mois ! » Papa, pourtant, n'aurait pas sauté un de ces premiers vendredis du mois. Même en hiver ! Il part en raquettes, à la poudrerie, au vent, seul s'il faut, en suivant les pagées de clôtures pour être certain d'arriver à destination. Et pourquoi ? Le vendredi, « un jour où i' faut souffrir un peu plus que la veille. La seule chose que j'comprends pas chez ta mère c'est ses neuf premiers vendredis à la suite et qu'il faut s'arrêter à neuf pour avoir des indulgences. Moé, j'ai l'impression que ta mère calcule plus que le Bon Dieu… C'est pas correct ! »

Par rapport au temps, aux chiffres, nous pourrions dire, gauchement peut-être, que ma mère compte, que mon père décompte. Il est normal que, vivant à la maison et sortant peu, ma mère soit davantage attachée à la mesure immédiate du temps. Mon père serait plutôt l'homme indéterminé des larges espaces que lui offrent la vie au champ, le travail dans la forêt, l'érablière avec sa cabane à sucre et ses tournées électorales. La quantité le préoccupe moins que la succession, le passage, la vie en longueur.

M. 17.
Damase
Blais
&
Philomène
Pilote.

+ semblable publication
ayant été faite à la
paroisse St. François
comme il appert par le
certificat de M. le curé
du lieu; &c ——

J. B.

Le sept Septembre mil huit cent cinquante huit,
après la publication de deux bans de mariage faite aux
prônes de nos messes paroissiales, & la dispense d'un ban
accordée par sa Grandeur Monseigneur l'Administrateur
du Diocèse de Québec, entre Damase Blais, Cultivateur, domicilié en cette paroisse, fils majeur de Joseph Blais, cult. de
Marguerite Turgeon d'une part, & Philomène Pilote, fille
mineure de François Pilote, Cultivateur, & de Christine
Bolduc aussi de cette paroisse d'autre part, + ne s'étant
découvert aucun empêchement au dit mariage, nous
prêtre curé soussigné avons reçu leur mutuel consentement de mariage & leur avons donné la bénédiction
nuptiale en présence de François Xavier Blais, frère
de l'époux, de François Marie Blais, oncle de l'époux,
de François Pilote, père de l'épouse qui avec l'épouse
ont déclaré ne savoir signer, l'époux & les témoins
soussignés ont signé avec nous, par mot sentelignes bons, un mariage

Damase Blais   Marie Marguerite B.
S. Xavier Blais   Marie Adélie M. Blais
Prudent Blais   Reine Desanges Blais
Odile Blais   Selima Blais
Xavier Buteau.

M. Gingras Ptre

3. Acte de mariage de Damase Blais
et de Philomène Pilote, parents de Rose-Anna.

4. Acte de baptême de Joseph Caïus Lacroix.

5. Acte de mariage de Rose-Anna Blais et de Caïus Lacroix.

6. *La maison natale de Rose-Anna,*
au Premier Rang de Saint-Raphaël.

7. *L'église et le cimetière de Saint-Raphaël.*

*8. La maison de Rose-Anna et de Caïus
du Troisième Rang Ouest de Saint-Michel.*

9. Village de Saint-Michel en été vu du Deuxième Rang.

DEUXIÈME PARTIE

L'ESPACE

CHAPITRE 8

L'espace cosmique

AVEC SA GÉOGRAPHIE PHYSIQUE, l'immensité de son territoire, son climat, ses saisons, l'espace québécois conditionnera en plusieurs sens la culture du peuple. Significatif peut-être que le juron préféré de ma mère, le seul au fait qu'elle ait osé pratiquer, à l'occasion, quand elle était fatiguée ou trop préoccupée, est *Saint Espace!* Que voulait-elle dire au juste? Cette question l'aurait étonnée, d'autant plus que, pour elle, l'univers est l'œuvre de Dieu, don reçu et sacré. Le ciel, la terre, ce qui est visible et invisible, en haut, en bas, en avant, en arrière, tout est divin. Comme le rappelle la grande et première célébration de foi: « Je crois en Dieu, le Père tout-puissant, créateur du ciel et de la terre... »

LE FIRMAMENT

Que préfère-t-elle? Le monde est si vaste! Regarder en haut vers le ciel ou autour, du côté de la terre? Bien sûr, la ligne verticale est tout naturellement celle du ciel où, selon le petit catéchisme, cohabitent Dieu, Jésus depuis sa résurrection, la Sainte Vierge, les saints, les saintes, les anges, les âmes de nos fidèles défunts.

D'en haut, viennent la lumière du soleil, la clarté de la lune, les rayons des plus belles étoiles et la pluie qui permet à la terre de germer. Aux alentours voyagent les aurores boréales, se chevauchent les arcs-en-ciel et les plus beaux nuages qui soient.

Le soleil

Son admiration pour le soleil n'a pas de bornes : «En le voyant, je ne peux pas ne pas penser au Bon Dieu. Comme le Bon Dieu, il est en haut, loin, et tu ne peux pas le regarder en face ; il t'aveugle. Mais il est là, toujours là, tout-puissant. Sans soleil, pas de jardin, pas de foin en été, pas de sucre au printemps, pas de récolte à l'automne. »

La lune

En est-il ainsi de la lune et des étoiles ? D'une autre manière, sous un autre angle : «C'est du su et du connu que la pleine lune, notre grosse étoile, c'est bon pour faire des enfants, pour se trouver un cavalier ; c'est bon pour les boucheries, pour entailler les érables, pour commencer les foins. » Dans le Rang 3, la croyance veut que se faire couper les cheveux à la pleine lune favorise une repousse plus rapide de la chevelure.

Les étoiles

Que pense-t-elle des étoiles ? De nos petites sœurs discrètes de nos longues nuits d'hiver, «ces bijoux de la Sainte Vierge », ainsi que les appellent les Sœurs du village ? Maman dira qu'elles sont «les clins d'œil du Bon Dieu qui nous salue d'en haut. Il faut leur dire merci. » Rêveuse à ses heures, elle nous avouera un jour que regarder les étoiles lui donne souvent le goût de prier, sinon d'adorer. «Il paraît qu'en ville, ils n'ont pas le temps de regarder la lune ni les étoiles. Je les plains ! Je ne pourrais pas m'endormir avant d'aller saluer les étoiles. » Que surviennent un orage, un vent de pluie, maman aime voir «les étoiles tenir tête aux nuages ». Chaque année elle nous invite à regarder l'étoile de Bethléem : «Il faut la trouver. Elle est toujours là. Les étoiles ne meurent pas. » Nous la trouvions, mais à chacun la sienne, et souvent différente d'un soir à l'autre !

LA TERRE

Même si elle aime prier en regardant en haut, elle croit, ainsi que papa, que le Bon Dieu lui demande d'habiter en bas, dans cet espace immédiat qui l'encadre, avec un chemin qui la mène au fleuve et un autre qui la mène à la forêt.

Le pays de Bellechasse

De long en large du « pays » circule chaque jour, de l'est vers l'ouest et de l'ouest vers l'est, le P'tit Train Lévis-Rivière-du-Loup qui invite à des voyages imaginaires. À gauche, à droite, parfois au sud, d'autres fois au nord, elle regarde, regarde. Si elle s'écoutait, elle fermerait les yeux « pour mieux voir ».

Elle ne se rassasie pas de fixer l'horizon si beau, si large : « Ce n'est pas pour rien que notre pays s'appelle Bellechasse. » Avec les Appalaches au sud, les Laurentides au nord, si bleues en été et si blanches en hiver, « les couleurs de la Vierge », avec toutes ces rivières, ces lacs, « il y a de quoi dire merci au Bon Dieu toute ma vie, c'est lui qui a mis le comté ensemble avec le ciel par-dessus ».

Le Nord

Elle avoue qu'elle aimerait parfois connaître mieux le nord du Nord jusque par delà la Baie d'Hudson dont parle son livre de géographie. Le Nord signifie peut-être le froid, la neige, mais c'est aussi la terre vierge, non visitée, non nommée, non défrichée. Lieu mystérieux où vont en hiver les hommes de chantier, les forestiers, les draveurs, d'où reviennent au printemps des braconniers enrichis de peaux de bêtes sauvages ! Mystère de l'inconnu et de l'inédit ! Vers le Nord partent périodiquement « nos vrais chrétiens colonisateurs » qui ont le courage d'aller vers les pays d'en haut, jusqu'en Abitibi, pour y faire de la terre neuve. Le folklore s'en mêle. Papa peut raconter durant des heures et des heures des récits, des légendes, celles du curé Labrosse, des bateaux-fantômes, du Père Noël et de ses rennes volants. « Le Nord, c'est à nous autres... Les Américains, eux, ont le Sud ; chacun son bien, chacun son pays ! »

L'Ouest

Entretient-elle avec l'ouest un rapport particulier? À l'ouest se couche le soleil, à l'ouest reviendra le Christ; à l'ouest le cimetière de manière à ce qu'au jour de la résurrection tous les morts se tournent vers le Christ. Comme elle n'a pas l'habitude d'élaborer, nous ne savons que le squelette de sa croyance. Papa préfère ouvertement l'est, à cause des gentillesses des vents, parce que ses ancêtres venus de France en bateau étaient arrivés à l'est du pays! « C'étaient des braves, pas des branleux. » « L'Est, mon garçon, c'est la France. » Tout est dit!

À droite, à gauche

Toujours à propos de l'environnement immédiat et de leur besoin d'apprivoiser les espaces sacrés, il nous arrive de surprendre quelques-unes de leurs discussions badines, entêtées à l'occasion, au sujet de la droite et de la gauche. Ma mère ne porte-t-elle pas son jonc à l'annulaire de la main gauche? Elle arrive à l'église accompagnée de son mari, à sa gauche. Mais… la droite est beaucoup plus rassurante. « Voyons, Caïus, tu donnes la main droite quand tu salues; tu manges de la main droite; tu fais ton signe de croix avec la main droite, tu donnes ta bénédiction avec ta main droite, pas avec ta main gauche… Monsieur le curé donne l'absolution et la communion de la main droite. Te rappelles-tu de la phrase que Monsieur le curé a lue l'autre dimanche: "Venez à moi, à ma droite, les bénis de mon Père!" Pas à gauche, mais à droite! » Nous apprenons à l'école qu'il faut écrire de la main droite; que notre ange gardien est à droite, le diable à gauche. « Attention, les petites filles! »

Mais mon père, rarement pris de court, répond que Dieu lui a donné deux mains, pas seulement une. « Pis je n'ai pas honte de tenir mon chapelet de la main gauche; pis quand je me suis blessé à la main droite en construisant la grange, j'étais aussi catholique avec ma main gauche. »

LE CIEL

Ces considérations sont, à la maison, peu de chose à côté de toutes les émotions qui surgissent dès que l'on parle du ciel, du purgatoire, de l'enfer et même des limbes. Notre autorité suprême, le petit catéchisme, est, en ces matières, redoutable :

Q. Qu'est-ce que le ciel ?

R. Le ciel est un lieu de délices, dans lequel les élus voient Dieu face à face, participent à sa gloire, et jouissent d'un bonheur éternel.

Q. Pourquoi Dieu vous a-t-il créé ?

R. Dieu m'a créé pour le connaître, l'aimer et le servir en ce monde, et pour être heureux avec lui *dans le ciel* et pendant toute l'éternité.

Monsieur le curé confirme au prône les leçons entendues à l'école du Premier Rang de Saint-Raphaël :

Il est impossible de bien exprimer le bonheur des saints dans le ciel… Il s'agit d'une vie heureuse toute l'éternité. L'occupation consistera à voir Dieu face à face, à l'aimer et à chanter ses louanges pendant les siècles des siècles… avec des corps brillants comme le soleil et la joie de toutes sortes de biens spirituels sans aucun mélange de mal, chacun jouissant à sa manière, comme chaque étoile, différente, profite du soleil.

Maman ne cesse d'y penser à son ciel, comme à un lieu magique pour un séjour parfait, le seul lieu qui soit désirable en soi. Le ciel ! le ciel ! Qui n'a pas chanté : « Au ciel ! Au ciel ! Au ciel ! J'irai la voir un jour ! », « Beau ciel, éternelle patrie » ou « Quand vous contemplerai-je » ?

> Ô régions si belles,
> Objet de tous mes vœux !
> Que n'ai-je enfin des ailes
> Pour m'envoler aux cieux !

Le ciel ! Oasis sans misère. Lieu éternel de paix. Un prédicateur populaire résume : « L'essentiel, c'est le ciel ! »

Des images-récompenses largement distribuées dans les écoles rendent le ciel plus que désirable. Les élus y sont nombreux, portant de longues robes à franges dorées ; ils vivent en compagnie d'anges, de beaucoup d'anges, d'une Vierge couronnée, de Dieu le Père, du Christ, de l'Esprit saint déguisé en colombe. Des nuages blancs ici et là superposés ne laissent aucun doute sur l'authenticité de ce haut lieu de joie et de fête.

Le désir du paradis de ma mère

À l'église, à l'école, à la maison, le ciel est la raison première, sinon l'unique raison d'être et de vivre. Chaque année on se souhaite *le paradis à la fin de vos jours*. L'humour s'en mêle. Des histoires folles ou sérieuses de paradis gagné ou perdu se multiplient. Des appropriations aussi, des parodies :

> Mouille Paradis
> Tout l'monde est à l'abri
> Mes deux petits frères
> Sont dessous les gouttières.

Le paradis est d'autant plus *espérable* pour les gens de Saint-Michel plutôt pauvres, qu'ils comptent bien y trouver de tout comme au Magasin général et surtout y retrouver le monde qu'ils ont aimé sur la terre. Il leur arrive, même en hiver, de comparer le ciel à un pays chaud, avec Dieu en prime.

Nous n'en finirions pas de raconter leurs fantaisies verbales, leurs drôleries à propos de saint Pierre, portier du ciel. On dirait qu'ils l'ont vu, qu'ils le connaissent. Madame Beaupré n'a pas du tout envie d'aller au ciel : « Moé, j'en ai assez de ma maison. Y a trop de monde là-haut. J'veux pas aller vivre à l'hôtel du Bon Dieu. » Mais Monsieur le curé l'a tellement tenaillée qu'avant de mourir elle aurait murmuré un faible oui !

Ma mère écoute ces propos étonnants, d'autant que dans sa théologie pratique il ne lui est jamais venu à l'idée que le séjour sur cette terre soit tellement enviable : « Vie de terre, vie de misère !... » Elle nous le répète souvent : « Le bonheur n'est pas dans ce monde. » Non qu'elle soit pessimiste ; elle est réaliste. « Tu vois bien que chaque jour tu ris, tu pleures, tu te désâmes, tu travailles, tu manques d'argent, tu te fatigues, tu t'endors, et ça recommence le lendemain. Il n'y a que les riches qui jouent au bonheur, puis à la fin ils perdent la partie. Mieux vaut ne pas s'installer sur la terre… Ce n'est pas pour rien qu'il y a un cimetière à côté de l'église Saint-Michel, c'est pour nous faire reposer avant d'aller en haut chez le Bon Dieu. »

Pour se stimuler et pour corriger la difficulté de vivre isolée à la campagne, au bout d'un rang, elle rumine sans cesse la définition de son catéchisme : « Le ciel, c'est pour être heureux avec Dieu pour toute l'éternité, en un lieu de délices. » Elle croit qu'au ciel ce sera dimanche toute la semaine, toute l'année. Pas de couture, pas de repas à préparer, pas de lavage, pas de cousage, pas de repassage. Enfin !

Des fois, elle a des doutes : « Il faut être si bon pour aller au ciel ! Être en état de grâce !… Pas de péché mortel ! Faire son salut, mes enfants, ce n'est pas une partie de cartes… Ce n'est pas tout le monde qui va au ciel. »

Le ciel de mon père

Moins obsédé par le jugement de Dieu, papa entrevoit plutôt le ciel comme une sorte de cour royale avec du bon monde, causant sous l'œil de Dieu. Il a pour son dire qu'au ciel il y aura une place spéciale « pour les habitants comme moé qui ont passé leur vie à travailler, à bûcher… On aura du plaisir, Dieu nous donnera tout ce qu'on veut… Pis on s'parlera et le Bon Dieu nous parlera. » Il ne conçoit pas son éternité sans parlementer : « Ensemble on est toujours plus heureux que tout fin seul. » Une chose est certaine, il ne se voit pas au ciel « à niaiser, parce que le Bon Dieu a plus besoin de toé. Si le ciel c'est pour rien faire, j'sus pas intéressé… J'demanderai à saint Pierre d'ouvrir des terres, d'aller défricher, d'entailler des érables, peut-être de garder des poules. I' disent qu'y aura pas au ciel de bûchage, de sucrerie, de réparage… » Et à propos des péchés mortels qui inquiètent tellement son épouse, il répétera que « j'sus pas assez méchant pour en faire… Ensuite, j'ai qu'à faire mon possible : ben élever mes enfants, aimer ma femme, dorloter ma terre, soigner les animaux. Le Bon Dieu peut pas m'en demander plus. »

MAIS L'ENFER !

Le désir du ciel les mène. Mais ne pourrait-on pas en dire presque autant de la peur de l'enfer ? Car, dans la langue journalière, on *tombe* en enfer, on y *descend*, on y est *jeté*. Par les injures on s'envoie chez le diable, en enfer « où tu brûleras pour toujours ».

Qu'est-ce que l'enfer ? Les Pères de la retraite le répètent chaque année : « Il y a dans l'au-delà un état de châtiment dans lequel les méchants, détournés de Dieu, reçoivent leur sanction éternelle… Mes Frères, c'est sérieux, l'enfer est un lieu de tourment où les méchants seront éternellement punis avec les démons. » Châtiment éternel ! Et ça brûle ! Feu éternel ! Jamais en sortir ! Toujours souffrir ! Le ciel, c'est pour jouir. L'enfer, c'est pour souffrir. Le ciel, lieu de délices ! L'enfer, lieu de supplices ! L'enfer : « Là où il y aura des pleurs, des grincements de dents, des démons hideux ! » Bref,

> Il faut mourir
> Un jugement à subir
> Un paradis à gagner
> Un enfer à éviter.

Les gens ont très peur. Peut-être à cause des dits et des images données aux enfants lors des leçons de catéchisme et d'histoire sainte ; peut-être à cause de certaines paraboles de l'évangile lues en fin de novembre, durant le mois des Morts. Peur des sanctions, peur de Dieu. La Maîtresse d'école et le Vicaire ont beau expliquer que ça fera encore plus mal d'être séparés de Dieu que de brûler, la peur du feu l'emporte. Peur naturelle ou culpabilité primaire : rien à faire ! Cette peur est instinctive, omniprésente. À chaque fois que brûle un bâtiment, une grange, une maison, l'angoisse se fait encore plus lancinante. L'histoire malheureuse de Caïn, celles de Nabuchodonosor, de Judas, viennent confirmer : « Les méchants n'y échappent pas… » Surtout pas les buveurs, les vendeurs de boisson, les sacreurs, ceux qui n'ont pas fait leurs Pâques durant l'année. Par exemple, si Joseph Ménard boit trop, s'il blasphème, s'il ne va pas à l'église tous les dimanches, il se doit d'aller en enfer. Et vite, si possible, puisque dans la mentalité populaire la rapidité du châtiment est le signe évident de la puissance divine.

N'empêche que ma mère se pose des questions. Comment Dieu, s'il est juste, laisserait-il aller en enfer Rose-Anna Blais ? Elle qui accumule tant d'indulgences plénières, qui dit ses trois *Je vous salue, Marie* tous les soirs avant de se coucher. Puis, elle a bien élevé sa famille, à preuve son deuxième garçon est devenu prêtre. De plus, elle a grande confiance dans les sacrements de pénitence et d'eucharistie. « Je me demande pourquoi j'ai des doutes… Je doute de qui ? de lui ou de moi ? Des fois j'ai de la misère à m'endormir. Caïus, lui, n'a pas l'air à s'inquiéter… »

Son Caïus a ses idées : « Si le Bon Dieu est comme i' disent, j'vois pas pourquoi i' serait toujours à nos trousses pour nous condamner et nous envoyer en enfer. Y a sûrement des gens qui se trompent à tout mesurer d'après nos péchés. Pis, le Bon Dieu, c'est pas un sauvage ! »

Un jour, à mon retour du collège avec des idées nouvelles et des mots étudiés, ayant énoncé au repas que la bonté de Dieu étant universelle, que nos péchés étant particuliers et limités, donc que l'enfer n'est peut-être pas ce que les curés en racontent, papa m'a répondu, au grand plaisir de ma mère : « Mon p'tit garçon, si tu crois pas à l'enfer, c'est signe que tu vas y aller… Penses-y deux fois ! »

En fait, il a peur, lui aussi. Il ne veut pas le faire voir. D'où sa bravade : « Moé, j'fais confiance à saint Pierre. De sitôt arrivé au paradis, j'vas lui mettre les points sur les i. » Il a peur. Ça le choque que Dieu fasse durer le feu de l'enfer à jamais, sans qu'il veuille changer d'idée en cours de route et pardonner. « Ça m'dit qu'y a quelque chose que les prêtres savent pas… En tout cas, le curé Bureau m'a toujours donné l'impression d'en dire trop sur l'enfer pour pas en inventer un peu beaucoup… s'y est jamais allé. » Comme pour tenir tête à ses peurs : « Moé, j'irai jamais en enfer. Le diable serait trop heureux de me voir arriver. Or le diable peut pas être heureux… Donc, j'irai pas en enfer… »

Les excommuniés de Saint-Michel

Dans la paroisse, nous entendons parler à mots couverts des excommuniés de Saint-Michel. Il y a longtemps, le 1er octobre 1775, en l'église Saint-Michel, un prédicateur jésuite, le père Lefranc, prêche l'obéissance à la nouvelle autorité civile anglaise et protestante. Un paroissien s'écrie en plein sermon : « C'est assez longtemps prêcher pour les Anglais, prêchez donc un peu pour le Bon Dieu maintenant. » Ô scandale ! L'évêque, monseigneur Briand, intervient. L'excommunication expéditive est à la mode. Cinq habitants en révolte ouverte sont excommuniés et doivent émigrer au Quatrième Rang de la Seigneurie de La Durantaye. Ils meurent sans repentance et sont enterrés comme des païens dans un champ. On raconte à leur sujet des histoires de fantômes et d'âmes en peine. Voilà qui n'est pas de nature à nous rassurer, nous du Troisième Rang, d'autant plus que l'opinion ferme des gens est que les cinq excommuniés, enterrés hors du cimetière, damnés à jamais, sont bel et bien en enfer, et pour longtemps, c'est-à-dire pour toujours.

Mon père hésite : « Après toute, c'est des baptisés. Pis le Bon Dieu est un capable, i' est plus fort que le diable… » Il ne comprend pas trop : « On peut excommunier des protestants, mais pas des catholiques… Pour en arriver à s'faire jeter dehors, i' devaient être orgueilleux pas pour rire… »

Pas plus certaine qu'il faut, ma mère doute un peu des propos de son mari. J'ai appris plus tard qu'elle se sentait aussi mal à l'aise avec cette histoire des gens de chez nous, car Pierre Cadrin, mort en 1786 à l'âge de 70 ans, était un de nos cousins. D'autant plus que, sur les cinq excommuniés, il y avait deux femmes enterrées deux ans auparavant, elles aussi, au Quatrième Rang de Saint-Michel.

Où l'enfer ?

Ses peurs reprennent quand monsieur le vicaire Chabot, qui a pourtant la réputation enviée d'être moins sévère que Monsieur le curé, prêche que les personnes qui n'ont fait que jouir sur la terre vont y goûter, à leur tour, à l'enfer ! En fait, serait-elle, serions-nous à la maison plus obsédés par le mal physique d'un feu éternel que par le malheur de l'absence de Dieu pour l'éternité? Toujours inquiète, maman a entendu dire que l'enfer serait sous terre, au creux d'un volcan en Afrique centrale. À cela la réponse de papa est prête: « L'enfer est sûrement pas sous ma terre; ma terre pousse trop ben et mes érables coulent tellement qu'i' est pas possible que le diable rôde dans les parages... J'aimerais mieux savoir où est le purgatoire, pour la bonne raison que j'sus à peu près certain d'aller y passer quelques jours... Parce que j'parle trop, à ce qu'i' paraît. »

LE PURGATOIRE

Le purgatoire? Autant de feu, moins de braise. Destiné aux bonnes gens en mal de s'épurer, on n'y brûle qu'en passant, en attendant le paradis. Les paroissiens de Saint-Michel disent de quelqu'un qui a beaucoup souffert, qu'il *a fait son purgatoire sur la terre*; et de quelqu'un qui, sans être absolument méchant, mène une vie légère, qu'il *ira en purgatoire*. Ce qui les préoccupe en fait, c'est moins le purgatoire que les âmes qui s'y trouvent.

De toute façon, il est dit et officiellement déclaré par Monsieur le curé, — et le vicaire se doit d'être d'accord —: « Il y a un purgatoire, un état de purification morale, dans lequel les âmes qui ne sont pas entièrement pures sont purifiées par les peines et rendues aptes à entrer au ciel... Le purgatoire est un lieu de peines où les justes achèvent, après la mort du corps, d'expier leurs péchés avant d'entrer au paradis. » L'opinion populaire en Bellechasse est que les âmes du purgatoire errent et n'hésitent pas à apparaître pour avoir des prières et ainsi réduire le temps de leur tourment. Donc, une réalité.

Ma mère entre de plain-pied dans cet univers où le ciel est un lieu de délices à mériter, l'enfer un lieu de supplices à éviter et le purgatoire un lieu d'expiation à contourner. Mais elle parle trop du purgatoire pour ne pas entretenir malgré elle des inquiétudes supplémentaires difficiles à maîtriser. À l'église Saint-Raphaël, le petit vicaire fraîchement éclos du Grand Séminaire de Québec insistait : « Il nous disait qu'au purgatoire, il y avait du feu, un feu moins brûlant qu'en enfer, mais du feu ! C'était pour qui le purgatoire ? Pour tout le monde. Parce que personne n'est absolument pur pour paraître devant le souverain Juge. » Tout le monde, ça veut dire aussi la petite Rose-Anna Blais qui commence à trop regarder les garçons… même à l'église durant la grand-messe.

Pourquoi le purgatoire ?

« Pourquoi le purgatoire ? » avait demandé le même vicaire en chaire pour aussitôt se répondre : « Pour que nous achevions de gagner notre salut. C'est une chance du Bon Dieu, sa manière de se faire désirer encore plus et pour nous d'avoir encore plus hâte d'aller au ciel. » Certaine que « mon petit vicaire n'a pas inventé ça », elle fera dire plus tard des messes pour aider les âmes de ses parents décédés et les autres âmes, au cas où elles en auraient besoin.

Elle n'ose pas trop discuter avec son mari qui croit aussi à certains revenants. Quant aux âmes qui cherchent toujours des prières pour sortir du purgatoire, il a des doutes ; il est intrigué que Dieu puisse allumer un feu spécial pour faire brûler du bon monde et qu'ensuite il veuille les en retirer pour les conduire au paradis… « Mon Bon Ange, saint Antoine et saint Michel doivent pas être trop d'accord. J'voudrais ben avoir leur opinion. » Les prédicateurs de retraite paroissiale distinguent : « Le purgatoire, c'est à cause des péchés véniels ; l'enfer, c'est pour les péchés mortels. » Lui, Caïus Lacroix, pense toujours que les habitants aiment trop la terre que Dieu leur a prêtée pour pécher mortellement : « Moé, j'fais des péchés plus gros que toé, Rose-Anna, mais c'est pas d'la malice, c'est d'la faiblesse. Ça veut dire que si j'vas au purgatoire, c'est juste. Un peu, un p'tit peu, un tout p'tit peu… Pas toé, t'es une sainte ! »

LES LIMBES

Les limbes ! Lieu-mystère où auraient été détenues les âmes des justes morts depuis la création du monde jusqu'à la venue du Christ et où le seraient à jamais celles des enfants morts sans baptême. « Les limbes, c'est le séjour des enfants morts dans le péché originel et des millions de faibles d'esprit qui n'ont jamais pu pécher gravement et des milliards de non-baptisés. »

Maman voudrait comprendre. Elle partage, avec ses consœurs de Saint-Michel, l'obsession du baptême ; celui-ci doit être administré le plus vite possible à cause des limbes. N'oublions pas la suprême honte de ne pas être enterré dans un lieu bénit, le cimetière. Elle apprend que madame Jos Breton n'a pas eu le temps de faire baptiser son Jean-Paul qui est mort et qui a été enterré hors du cimetière. « Triste ! Triste ! » « Ça tient pas debout », réplique papa qui a pour son dire « que c'est compliquer la vie pour rien avec ces histoires d'enfants. Les enfants, c'est des enfants, ça pèche pas. C'est nous qui faisons des péchés. Laissons-les tranquilles. En tout cas, pour moé les limbes, c'est du rapporté par des gens d'autres pays. » Rose-Anna d'un ton tout conciliant a répondu : « Ce n'est pas de ma faute si j'ai des inquiétudes. » Lui : « Quand j'ai des doutes, Rose-Anna, j'regarde ma terre. Elle me calme, elle me rassure… J'cré au Bon Dieu créateur du ciel et de la terre, mais pas de l'enfer, pas du purgatoire, encore moins des limbes… »

LA TERRE QUI NOURRIT

En fait, tout habitant de Bellechasse a le sentiment net qu'il y a entre le créateur et la terre une sorte de complot pour faire produire cette dernière et en un sens pour la sacraliser par le travail, par la prière et par certaines bénédictions, telles celles du pain de maison ou du grain au printemps. La terre est à lui, comme le ciel est à Dieu : « Nos terres, c'est des terres méritées, défrichées, piochées, meublées. » Fierté toute médiévale : « C'est sacré, la terre, même en hiver… Tes gros livres d'université savent pas tout ce que la terre sait. La terre nous aime. J'aime ma terre. Quand j'la vois dormir en hiver et fleurir au printemps, j'sais que j'vas ressusciter moé aussi un jour. »

Ni explorateur, ni coureur des bois, ni forestier, ni voyageur, l'habitant-défricheur Caïus Lacroix n'a que du respect pour le *bien paternel*, comme il l'appelle sans arrière-pensée. Sa terre, cultivable, le sécurise. « La terre s'est pas faite toute seule; elle m'attendait quand j'sus venu au monde. Elle était là même avant qu'on l'achète. Un vrai cadeau du ciel ! »

Maman, papa, les voisins, tous les habitants sont d'accord. À la maison, à l'église, à l'école, dans les rangs, partout, elle est la référence première du cultivateur de Bellechasse. « La terre, c'est l'air qu'on respire, c'est la neige, c'est le vent, les montagnes, tout le pays du Bon Dieu. » Si Dieu a fait l'univers, s'il a créé en même temps sa petite terre du Troisième Rang, le même Bon Dieu s'attend à ce que lui, Caïus Lacroix, fasse aussi son possible. « C'est un travail d'équipe. » Sa terre, il la foule, il la herse, il la domine; elle est le lieu premier de sa spiritualité. Sur ce sujet il est intarissable. Maman l'écoute, solidaire et admirative. « La terre, c'est comme avec le Bon Dieu, tu lui parles. Des fois elle répond, des fois elle répond pas; des fois elle répond tout de suite, des fois elle prend son temps. Ma terre, c'est un peu comme toé ma femme, j'la sème, elle produit; elle a toujours le dernier mot. Fions-nous à elle, la terre ! »

Qu'il l'observe du sud au nord ou du nord au sud, à gauche, à droite, c'est toujours grand. « Tu y peux rien, y a du divin, du miraculeux partout. » Il faut dire que papa aime sa terre même quand il dort. Qu'il revienne de nuit et que les étoiles « lui papillotent sur la tête », il s'enthousiasme, il n'en finit plus de regarder. Ah ! qu'il redoute le jour nécessaire de la donaison à l'un de ses enfants, « le moins paresseux » !

Sur ce point ultra-sensible, maman voudrait bien le raisonner. « Voyons, Caïus, la terre, c'est du donné pour passer, pas pour y rester. Tu devrais t'en souvenir. Dieu est plus important que ta terre. Monsieur le curé l'a dit: "La terre, c'est pour mériter son ciel…" » « Mais pourquoi t'énerver, Rose-Anna? J'le sais, c'est à la terre que j'remettrai ma vie et j'sus fier d'elle d'à cause qu'elle va m'enterrer sans dire un mot. » Un peu blessée: « Tu parles trop, Caïus, pour dire toujours la vérité. » Et lui, tout de suite: « Fie-toé un peu plus à moé et tu verras ben que j'ai raison; notre terre, c'est notre richesse, elle a besoin de nous deux pour vivre. Comme les enfants. »

Une terre sacrée

Nous les retrouvons chaque printemps, tous les deux, papa et maman, à l'église pour la cérémonie des Rogations en vue de la bénédiction des grains. L'idéal serait que, revenus à la maison, le plus jeune enfant, Cécile, plus près du Bon Dieu comme le veut la croyance populaire, aille déposer ces grains bénits en terre. Mais ce n'est pas toujours possible. Papa s'exécute, maman, émue, à la porte de la cuisine, le suit des yeux.

Nous entendons dire que dans les Hauts du comté, l'on se met à genoux et l'on baise la terre avant d'y déposer et d'y enterrer les grains bénits. La famille Goupil prie à sa manière : « Un *Pater* pour les patates, un *Pater* pour les betteraves et un *Pater* pour le blé. » D'autres habitants planteraient une croix ou déposeraient une médaille de saint Joseph, voire une médaille miraculeuse en plein champ pour être encore plus certains d'être exaucés. Grand-mère Blais a dit : « Dans les affaires douteuses comme nos semences, mieux vaut mettre le ciel de son bord. »

Si elle s'écoutait, maman irait cacher des médailles dans les champs d'avoine. « Mais ton père, lui, prétend que mettre des médailles dans la terre c'est abuser du Bon Dieu qui aime mieux les grains bénits que les médailles. » Elle accuse son mari de se contredire : « L'autre jour tu as dit aux enfants qu'il ne faudrait pas trop bénir la terre d'à cause qu'elle est déjà l'ouvrage du Bon Dieu. Comment peux-tu aujourd'hui aller à l'église faire bénir tes grains ? » « Peut-être que j'me contredis, mais quand j'mets des grains bénits dans la terre, j'prie pour que ma terre prie avec moé. Donc, c'est pas pareil… Le grain, ça vient de notre battage ; la terre, ça vient de lui… C'est comme pour les bateaux ; tu fais bénir un bateau, mais tu bénis pas la mer. Le bateau, c'est toé qui le bâtis, pas Dieu. Tandis que la mer, c'est lui qui l'a faite et tout fin seul. Et ça paraît, elle a d'la puissance ! » Maman qui l'écoute ainsi raisonner tout haut le trouve admirable pour un homme qui a si peu d'instruction : « Tu as de la tête pleine à penser… Je te crois quand tu parles comme ça. » Flatté : « Tu sais, j'ai pas autant d'instruction que toé, Rose-Anna, mais y a longtemps que j'écoute ma terre, elle me parle toute la semaine. » « Moi aussi, dit-elle pour conclure, j'entends des fois le pain me parler… »

Le pain

Faire son pain lui procure une fierté comparable à celle de papa en train de cultiver. La voici, par gestes simples et sacrés, qui prépare farine, eau, sel. Suivent les manipulations répétitives, recto verso, jusqu'au suprême rendez-vous du pain au four pour une autre attente rituelle calculée à la minute près. Que du four le pain arrive sur la table, c'est son triomphe ! Toute la maisonnée respire l'incomparable odeur d'un parfum de gratitude. Elle aime nous rappeler, au bénédicité, qu'avant de trancher le pain nouveau grand-père Blais le signait avec son couteau. « Du pain, mes enfants, c'est à respecter autant que le Bon Dieu. » « À respecter comme nos terres », affirme papa qui pense que sa terre qu'il aime tant est généreuse à tous égards et que, s'il y a du pain sur la table, c'est justement à cause de ses champs de blé et d'avoine à proximité de sa terre à bois.

LE FEU QUI CHÂTIE

Tout n'est pas toujours aussi euphorique, car si le pain lève bien, si la terre produit bien, il reste un élément mal aimé qui, bien qu'essentiel, nous fait peur à ses heures : le feu, la bête rouge préfé-rée du diable. « Il y a deux êtres au monde avec qui tu ne dois pas jouer : le Bon Dieu et le feu. Le feu peut tout brûler, la maison, la grange, les bâtiments, et vite. Surtout si le vent s'en mêle. »

Peur du tonnerre ! peur des éclairs ! peur du poêle à bois en hiver ! peur des allumettes ! Des peurs instinctives. Vivre dans des bâtiments de bois sec n'est pas de tout repos.

A-t-on le droit d'avoir autant peur ? « Nous autres, de Saint-Michel, nous ne pouvons pas oublier que notre église a brûlé deux fois, en 1806 et en 1872. Chaque fois, à cause du tonnerre. » « Ne te fie pas au feu, Caïus, il ne nourrit pas l'enfer pour rien. » Pourtant, maman apprécie autant que lui qu'il y ait à l'église une lampe qui brûle, des cierges qui flambent et des lampions allumés, même la nuit. Elle n'a pas peur non plus d'allumer une chandelle bénite à la fenêtre, « pour empêcher le tonnerre de faire des folies » ! Pour la même raison, elle dissimule ici et là dans la maison, dans le hangar, dans la grange, des médailles protectrices. Mais nous la sentons sur la défensive. C'est à cause d'elle que tous les enfants ont développé des peurs instinctives de ce qui s'appelle feu, tonnerre, orage, éclair. « Le feu, mes enfants, c'est un sournois. »

D'autre part, papa croit qu'il n'y a que le feu de forge qui soit divin. Une tradition orale veut en outre que lorsque « entre éclair et tonnerre tu fais un signe de croix, le tonnerre ne tombera pas et même tu peux sauver une âme du purgatoire ». De toute façon, la croyance unanime est qu'un bon orage électrique est un avertissement d'en haut : « Dieu a toutes sortes de manières de nous parler. »

L'AIR QUI MYSTIFIE

Si le feu fait si peur, l'air, lui, mystifie. Il est encore moins maîtrisable que le feu. « Quand tu n'as plus d'air, tu meurs. » L'air ne sait pas toujours ce qu'il veut, comme le vent qui change de bord à sa guise : « L'air, c'est plein d'anges et de diables qui jouent et se battent avec le vent et les nuages. » « Des fois, dira maman, je ne comprends pas le Bon Dieu. » Aussi, quand le vent fait le fou, elle allume encore sa chandelle bénite. « N'ayez pas peur, les enfants, le vent ne nous noyera pas… L'air est seulement troublé, il va se calmer. »

Le beau temps, comme le soleil, finit toujours par avoir raison. Papa voudrait bien savoir si, à cause d'un orage au temps des foins ou en hiver aux jours des pires tempêtes, Dieu n'est pas un peu fâché contre lui. « Pourtant j'mène une vie assez bonne. » Maman se fait rassurante. « L'air, c'est comme le Bon Dieu, partout à la fois. Mieux vaut s'y fier que vouloir l'emprisonner ! »

L'EAU QUI PURIFIE

L'air étant plutôt accepté comme il survient, les rapports de ma mère avec l'eau sont en général assez positifs. Parce que l'eau est naturelle, primitive et, à ses heures, guérisseuse, purificatrice et régénératrice. Elle éprouve pour elle des sentiments de gratitude, d'autant plus que tout près cœxistent ou cohabitent la fontaine du Trécarré, la rivière Boyer, le fleuve Saint-Laurent, le lac Saint-Michel… En outre, personne n'oublie à Saint-Michel que nos ancêtres venus de France sont arrivés par voie d'eau.

Au Troisième Rang, nous connaissons plus de dix sortes d'eau: outre l'eau pure, « un cadeau du Bon Dieu », nommons l'eau de source, l'eau de rosée, l'eau de pluie, l'eau de grêle, l'eau du puits, l'eau d'érable, l'eau de forge, l'eau de mai, l'eau de Pâques, l'eau de la Pentecôte, l'eau bénite.

L'eau bénite

Quand l'eau est bénite, sa valeur sacrée augmente. Le *Rituel* de monseigneur de Saint-Vallier (1703) avait prévu des dizaines et des dizaines de bénédictions de toutes sortes, dont chacune s'accompagnerait d'aspersion d'eau bénite. Chaque fois que nous entrons dans l'église paroissiale, le signe de la croix avec eau bénite au bout des doigts est de rigueur. À la maison, les services de l'eau bénite ne se comptent plus. Des bénitiers, il y en a partout, même à la grange. Qui n'a pas été aspergé? En santé ou en maladie, au moment de la mort, ou pour conjurer un fléau? « Moi, nous dit une voisine, j'ai déjà entendu parler de quelqu'un qui buvait de l'eau bénite. Une femme qui était enceinte disait qu'à chaque fois qu'elle attendait un enfant, elle buvait de l'eau bénite. Je pense bien qu'elle pensait que ça allait impressionner son enfant. »

Maman croit vivement à la valeur divine de cette eau, elle en met sur les plaies, sur les verrues; elle s'y trempe les pieds. Le soir, avant de se coucher, elle nous suggère de dire:

Eau bénite, je te prends.
Si la mort me surprend,
Tu seras mon sacrement.

Elle asperge tant et si bien, ici et là, que papa éprouve des doutes. « À force de tout arroser d'eau bénite, on dirait qu'on pense que Dieu a mal fait sa besogne. » Ce à quoi elle répond fermement : « Moi, j'ai de la confiance en Dieu et en tout ce qu'il a créé. J'ai confiance aux prêtres, parce qu'ils prient plus… que toi et ce sont eux qui bénissent l'eau. Pas toi ! »

L'eau de Pâques

L'eau de Pâques a le don de les raccorder. Au matin de Pâques il faudra se lever tôt, avant même le soleil, aller à la rivière y recueillir une eau *pure et chaste,* à contre-courant pour qu'elle soit encore plus nette et plus claire. Cette eau possède des vertus sacrées et curatives. « C'est mieux que nos remèdes. » Même si elle n'est pas bénite à l'église le Samedi saint au matin. Elle est comme si !… On se signe avec elle, on se frotte les yeux, le visage, on en boit. Les animaux à qui il est arrivé peut-être de jeûner le Vendredi saint en profiteront, l'eau de Pâques peut leur être bienfaisante.

Une tradition voudrait que ce soient les femmes, plutôt que les hommes, qui aillent les premières chercher l'eau de Pâques. Est-ce parce qu'au matin de Pâques les femmes furent les premières, au lever du jour, à courir au sépulcre ? « J'ai jamais entendu parler de ça », répond mon père pour qui l'affaire de l'eau de Pâques est une tradition de famille à continuer plutôt qu'à discuter. « Pâques, c'est le jour de la résurrection du Christ, c'est normal qu'i' arrive des choses pas à l'accoutumée, comme de l'eau de Pâques qui est bénie sans être bénite. Monsieur le curé nous a toujours encouragés à condition de ne pas arriver en retard à la messe : "L'eau de Pâques n'a jamais nui à l'eau bénite dans notre paroisse !" »

Eau de Pâques, ou eau de mai, ma mère reste ferme sur ses convictions : elle n'a jamais utilisé l'eau de Pâques pour ses bénitiers ni pour la jeter aux fenêtres aux jours de « gros orages ». « Quand l'eau est bénite à l'église par Monsieur le curé, elle a plus de pouvoir. Comme le pain lorsqu'il est consacré par le prêtre. » Mais papa, lui aussi, a ses idées là-dessus : « Tu devrais savoir, Rose-Anna, que toutes les eaux viennent du Bon Dieu. C'est ben beau de l'eau bénite à l'église, mais quand les chemins défoncent, tu restes à la maison et tu prends ce que le Bon Dieu t'envoie. Pis aller au froid de bonne heure à la rivière Boyer chercher ton eau de Pâques est peut-être ben aussi méritoire que de se laisser servir à l'église par le curé. »

La neige

Que pensent-ils de l'eau changée en neige ? « La neige est belle, mais quand c'est trop, c'est trop. » Ce à quoi maman répond : « C'est comme toute chose que le Bon Dieu nous envoie, ça dépend de la façon dont tu le prends ! » En fait, le rapport de maman la croyante avec la neige est assez particulier ; elle l'aime, la respecte, mais quelquefois s'en fatigue.

Elle dira aussi du petit qu'on vient de baptiser qu'il est *blanc comme neige* ou *pur comme de la neige fraîche*. Il lui arrive de comparer telle neige étoilée et douce qui descend sur le Troisième Rang à « la bonté du bon Dieu qui blanchit tous nos péchés ». Mais là où elle est moins enthousiaste, c'est quand la neige se fait poudrerie et tempête : « De la neige excitée ! » En effet, les chemins d'hiver sont fermés, elle ne peut pas aller au village pour la grand-messe… Ça lui rappelle des récits de bûcherons perdus en forêt. La peur la reprend. Un souvenir en appelle un autre. Des relations nombreuses de voyages et de naufrages, voire de bateaux-fantômes, la ramènent une fois de plus aux ruses de la nature et aux mystères de l'espace. Il n'y a que le bois de Maska qui ne la trouble pas.

LA FORÊT DE MASKA

Au bout du Trécarré, en bordure, immobile, silencieuse comme une église en semaine, fixe, remplie d'ombres et de lumière, quasi impossible à visiter la nuit, est la forêt de Maska. Celle qui nous offre du bois de chauffage, qui nous donne les sapins de Noël à l'église et les rameaux de la Semaine sainte. Mais il s'y trouve aussi des ours, des renards, des lièvres. Maman va rarement au bois, sauf pour les sucres, ou en cas d'urgence. Elle apprécie le bois qui « nous chauffe bien », qui peut s'enflammer, qui se laisse brûler pour nous : « Mes enfants, il faut donner sa vie comme le bois nous la donne. » Disons que pour papa toute randonnée en forêt à Maska, même l'hiver, est une bénédiction. « Presque aussi beau qu'à l'église Saint-Michel ! » Ce qui fait dire à notre mère que pour son mari le bois, le grand air, l'espace, tout cela ressemble à une paroisse, « tellement c'est grand, tellement c'est bon à vivre ».

CHAPITRE 9

La paroisse

Comme pour amadouer des forces secrètes, toutes les grandes religions, rêvant à des endroits protégés, du moins réservés, créent des espaces sacrés, des temples, des synagogues, des mosquées, des églises, des chapelles, oratoires ou mausolées. C'est ainsi que la paroisse avec son église, son cimetière, ses chapelles, ses croix de chemin, devient un lieu sacré protecteur de la naissance jusqu'à la mort.

Bien rivées au sol, géométriquement définies, juridiquement reconnues, immédiatement accessibles à tous les paroissiens qui en font leur lieu préféré d'appartenance et de rassemblement, les premières paroisses d'Acadie et du Québec ont l'avantage des racines et par elles l'arbre paroissial ne cesse de refleurir au moindre appel des événements.

LA PETITE PATRIE

Jusqu'en ces dernières années, la paroisse aura été chez nous un pays en soi, *la petite patrie*, plaque tournante d'une foule d'activités profanes et sacrées, civiles et religieuses. Elle est de ce temps, au Québec, où tout était paroissial, à un point tel que, pour être un bon citoyen, il fallait d'abord être un bon paroissien. Nos gens affirment leur première identité en disant qu'ils sont nés dans telle ou telle paroisse, baptisés au même lieu, confirmés à l'église. «C'est

là que j'ai fait ma première communion et que je me suis marié… »
Continuité des réflexes et des souvenirs ! Rien, ou presque, n'arrêtera
ces filiations tant il est vrai que, bon gré mal gré, on sera toujours,
surtout à la campagne, du pays de son enfance.

Communauté d'appartenance, lieu juridique de référence de
tout genre, la paroisse est un territoire privilégié à cause de ses
temples et de ses édifices. Lieu par excellence des cérémonies sacrées
et liturgiques, elle possède en plus des registres, des archives, des
objets d'art, des trésors.

La vie de la paroisse, c'est aussi les disputes, les placotages, les
luttes de clocher, les querelles de voisins, les rivalités autour des
places de banc, les procès et les excommunications. Tout ce qu'on
peut dire, quitte à se contredire, en temps d'élection du maire ou
du marguillier ! Chaque rang, chaque faction veut avoir raison. Il
fut même un temps où il était de mauvais goût d'épouser un garçon ou une fille de la paroisse voisine… Éternelles misères, éternels
privilèges des sociétés closes qui vivent le plus souvent au ras du
sentiment !

En bordure du fleuve

Peu à peu, ici et là au Québec à partir du xviie siècle, en
bordure du fleuve Saint-Laurent, surgissent des paroisses identi-
fiées par des noms de saints protecteurs, avec des églises souvent
très belles, des chapelles votives, des grottes, des cimetières et bientôt des lots de famille où plusieurs de nos concitoyens rêvent d'y
trouver, comme ma mère, leur dernier repos.

Qu'on demande à nos gens de Bellechasse de nous décrire
leur paroisse des années 1900, aussitôt, avec une fierté toute féodale
et sans allusion ou presque à ce que nous appelons aujourd'hui
régions, quartiers, zones ou secteurs, ils nous tiendront des propos
bien circonstanciés sur leur paroisse qui les a tant marqués.

À tous égards, immense et presque prophétique, la paroisse
est non seulement l'église et son clocher, les chapelles, le presbytère, le cimetière, les croix de chemin, mais aussi les vivants, les
morts, les âmes du purgatoire. La paroisse, c'est surtout le monde

au village et celui des rangs ; c'est le maire et ses conseillers, le curé et ses fidèles, le bedeau et les marguilliers, l'école et ses maîtresses, le collège et ses Frères, le couvent et ses Sœurs. C'est même le dimanche et les jours de fête, les processions, les défilés, le perron de l'église, l'entrée royale de la mariée par l'allée centrale de l'église et aussi… la route qui mène au cimetière. « La paroisse, c'est toute notre vie. »

Le terrain de la Fabrique

En termes civils, la paroisse Saint-Michel s'appelle la municipalité de Saint-Michel ; elle possède, elle aussi, ce territoire « sacré » qui s'appelle le terrain de la Fabrique, la terre sur laquelle se trouvent l'église, le presbytère et le cimetière. Le vocabulaire rattaché à ce terrain est en général fort respectueux. « Ne touche pas aux arbres de la Fabrique. Fais attention ! » « C'est le terrain au curé. » « C'est le terrain de l'église… » « C'est sacré, ce coin-là ! » Y voler en est le suprême sacrilège.

Les enfants ne devraient pas jouer sur le terrain de l'église même si les mamans pensent qu'ils y sont plus en sécurité. « Quand on joue sur le territoire du Bon Dieu, on ne se fait pas mal… et les accidents sont rares. »

Ce terrain est d'autant plus noble qu'il est à Monsieur le curé et à ses marguilliers. Donc, sous l'œil vigilant du curé et de quelques marguilliers plus zélés, le terrain de l'église et celui du presbytère ou le perron de l'église peuvent devenir des lieux naturels de rassemblements. Voilà qui explique que parfois les politiciens viennent y faire leurs discours.

Pour ma mère

Pour maman, comme pour papa, pour les gens aussi, la vie courante ne permet pas toujours de distinguer ce qui relève de l'administration de la Fabrique et de l'administration paroissiale. Au fond, comme Monsieur le curé a un œil sur tout, nous avons l'impression que même juridiquement tout lui appartient.

Canoniquement, de par les registres, la paroisse Saint-Michel date de 1678, et celle de Saint-Raphaël de 1851. Sans oublier les beaux jours de sa jeunesse à Saint-Raphël, les préférences de ma mère, depuis son mariage, vont à sa paroisse d'adoption, celle qui contient ce qu'il y a de plus beau au monde. Surtout quand ma mère entrevoit son village du haut de la côte du Deuxième Rang, ses Laurentides, son Île d'Orléans, son fleuve, habillé comme la Sainte Vierge, si bleu en été et si blanc en hiver!

Ses souvenirs n'en finissent pas de vagabonder, jusqu'à comparer favorablement son clocher aux clochers de Saint-Charles (1827), de La Durantaye (1910), de Saint-Vallier (1713) et de Beaumont (1714). Tout ici la séduit. Elle est chaque fois remuée en son cœur par la générosité de ces paysages devenus désormais les siens : « Il y a de quoi remercier le Bon Dieu tout le temps de ma vie de m'avoir conduite à une aussi belle paroisse que Saint-Michel-de-Bellechasse. »

Pour mon père

« Nous, icitte dans les rangs, on vit avec la terre, l'eau, la glace, la neige, l'air du temps, et on surveille le feu. C'est ça notre pays… Sans compter que la municipalité s'est payé durant l'année un bon maire — c'était mon candidat, bien sûr ! —, deux conseillers, un président de commission scolaire et toujours le même secrétaire à tout faire, je veux dire ton humble serviteur. C'est pas toute. À part ça, on a une Fabrique, des marguilliers intelligents, un curé pour nous baptiser, nous marier et nous enterrer ; une belle église, un presbytère qui est le plus grand du comté, un cimetière tranquille et… pas de dettes. La paroisse idéale ! »

Pour papa, la paroisse c'est « tout le monde et du village et des rangs », sauf que, dans les rangs, les gens seraient meilleurs citoyens parce qu'on y travaille davantage. « Au village, on trotte ou on parlote. » Qu'il l'aime sa paroisse ! Elle est « son pays vrai. » Ici, les ancêtres ont planté leurs croix, tracé des rangs et fixé leurs pagées. Ici, à Saint-Michel, les pilotes au long cours ont fait le village : « Ça demande du respect, mon garçon ! Les pilotes Bernier, Santerre, LeBlanc, c'étaient pas des pisseux en culottes ! »

On ne saurait assez insister aujourd'hui sur l'importance sociale et culturelle de cet espace sacré pour nos parents qui s'y identifient, s'y retrouvent, avec la perspective assez réconfortante, on s'en doute, d'y être enterrés et d'y attendre leur salut éternel. Surtout maman, mais aussi papa souhaitent un jour descendre pour de bon au village à cause de la proximité de l'église et dans l'espérance de se trouver « plus près du Bon Dieu ».

LA MAISON DU BON DIEU

Séduction ou nostalgie, crainte du vide ou pressentiment de l'infini, besoin d'appropriation ou recherche d'une mystérieuse terre vierge, le terrain de la Fabrique se voit promu à tous les respects, du fait initial que s'y trouve l'église paroissiale. L'église, c'est *la maison du ciel, la porte du paradis*, c'est *notre* maison. « Tais-toi, le Bon Dieu est là. » « Taisez-vous les enfants, on entre chez le Bon Dieu. » Seul grand lieu de rassemblement que nous connaissions, nous y entrons comme on entre au ciel. Surtout en hiver... après soixante minutes au froid! On y vient pour s'y réchauffer comme pour y prier en toutes saisons, pour s'y confesser, pour y communier, pour s'y marier, pour y faire baptiser et pour s'y faire absoudre avant le grand séjour au cimetière.

L'attachement que nos gens éprouvent envers l'église Saint-Michel-de-Bellechasse! Leur maison préférée, « la plus belle de toute la paroisse ». « Vraie maison d'éternité! » Ici, tout est saint: les murs, les plafonds, la nef, le sanctuaire, les jubés, les autels, le tabernacle, la balustrade, la chaire, les bancs, les confessionnaux, les bénitiers, la croix, la lampe du sanctuaire. Même le sacristain! Même les marguilliers!

Que l'église Saint-Michel brûle en 1872, ils la rebâtissent le plus vite possible et l'inaugurent l'année suivante. Symbole vivant et visible de cet univers mental qui réunit le ciel et la terre, le passé, le présent et l'avenir, ce que Malraux appelle généreusement l'Intemporel, l'Irréel, le Surnaturel. C'est la fierté... Fierté que cette église Saint-Michel ait été tout de suite reconstruite « par les meilleurs menuisiers du comté ». « C'est la plus belle église du comté. »

Maman s'extasie devant les couleurs, les décorations jusqu'à la voûte, les belles statues. « C'est le commencement du ciel sur terre. » Papa est d'accord dans la mesure où l'église est pleine de tout ce beau monde endimanché et sur son « trente-six » ! « Plus y a de monde, plus l'église est belle, plus le ciel sera beau. » Jamais il ne lui viendrait à l'idée d'y entrer seul, ne fût-ce que pour une visite au tabernacle, comme il arrive parfois à ma mère de le faire, surtout en hiver. « Le Bon Dieu aime le monde plein l'univers ! »

Notre clocher

Pas de village sans église ! Pas d'église sans clocher ! Ce « doigt de Dieu » pointé vers le ciel est à la fois bénédiction et avertissement. Simplement à le regarder ils sont, nous sommes rassurés. Poudrerie ou noirceur, beau temps mauvais temps, il préside à notre destinée. La tradition en Bellechasse veut que lorsque brûle une église le clocher soit, tel le capitaine d'un navire en difficulté, le dernier à quitter son poste.

Nos cloches

La première richesse du clocher, ce sont ses cloches. « Clocher sans cloches est comme bibliothèque sans livres », avait dit un prédicateur. « Clocher sans cloches, église orpheline », traduisait maman. Et papa : « Clocher sans cloches, clocher tout nu ! » Les cloches disent le temps, la vie, l'angélus, l'heure du *Sanctus*, les naissances, les mariages, les deuils, les funérailles, les grandes fêtes, le départ des processions, l'arrivée de l'évêque et celle du nouveau curé ; elles sonnent aussi le tocsin — est-ce le feu ? est-ce une noyade ? — les corvées et autres événements. À cause de ses angélus, de ses heures de messes, de ses fêtes et surtout de ses glas, « le clocher nous mène par le bout du nez », se répètent les gens du canton. Des légendes circulent : à Noël, par exemple, les cloches peuvent continuer à sonner, même sans bedeau. On raconte aussi que le curé de Saint-Vallier étant mort subitement, les cloches ont sonné avant que le bedeau n'arrive aux cordes…

Ils entendirent parler d'une célèbre bénédiction des trois cloches qui eut lieu en 1900 à Saint-Michel. Parrainées, marrainées, les cloches furent appelées solennellement Jésus, Marie, Joseph. Monsieur le vicaire général, venu de Québec, fit un long sermon, puis se mit à bénir en latin. «Mais que c'était beau toutes ces cérémonies!» Entendant parler de bénédiction latine, papa répète qu'il n'y comprend rien. Aussitôt, ma mère intervient: «Les cloches, elles, comprennent!» Ébloui par la finesse de ses réparties, notre père lui aurait demandé si elle était venue au monde dans un clocher. Et quand, par nostalgie sans doute, elle prétend que les cloches de Saint-Raphaël sonnent mieux que celles de Saint-Michel, «c'est peut-être qu'elles ont été mieux bénites»; lui croit que «les cloches sonnent mieux simplement quand elles sont plus neuves».

La science des cloches

Curieuse, un peu belette à ses heures, ma mère possède, comme on dirait maintenant, la science des cloches. Elle sait que toute église qui se respecte doit avoir au moins une cloche, une cloche bénite. Elle sait qu'il faut sonner trois fois par jour, le matin à six heures, à midi aussi, et le soir à six heures, quelle que soit la saison. C'est l'angélus, c'est-à-dire trois triades de tintons par une seule cloche avec une pause après chaque triade; ensuite, une volée pour environ trois minutes, sauf le midi et le soir de la veille d'une fête importante dite de première classe où l'on sonnera une volée de cinq minutes à répéter le matin, le midi et le soir du jour même de la fête.

Les dimanches et les fêtes dites d'obligation, avant la messe chantée, le bedeau sonnera trois fois: soit une heure, une demi-heure et dix minutes avant la messe. Quelques tintements finaux indiquent que la cérémonie va commencer. Elle sait encore que le bedeau doit surveiller les *Sanctus* et les moments de l'élévation. Elle sait exactement comment on sonne le commencement du Carême, les offices spéciaux de la Semaine sainte, la grand-messe et les glas.

Enfin, ma mère a entendu parler du temps des anciens carêmes et de la communion pascale. La veille du premier jour du

Carême, après l'angélus du soir, toutes les cloches sonnent en volée durant environ dix minutes; à la fin du temps de la communion pascale, on sonne, de la même façon, après l'angélus du soir. «Ça veut dire que les cloches savent qu'une religion bien faite est importante.»

La sonnerie des glas

Ah! les glas! Ma mère débrouille tout autant le langage subtil des glas, au masculin comme au féminin. Le rituel est explicite:

Dès qu'un décès est officiellement connu, le curé fait sonner la cloche, ou les cloches, pour l'annoncer aux paroissiens et recommander à leurs suffrages l'âme du défunt.

Pour l'annonce du décès, on sonne le glas trois fois consécutivement; mais ensuite on ne le sonne toujours qu'une seule fois. Cependant on ne sonnera pas les glas le dimanche.

Le tintement pour les glas est variable. Il est de trois coups par cloche lorsqu'il s'agit d'un homme; de deux coups par cloche quand il s'agit d'une femme; de neuf coups par cloche quand le défunt est un prêtre; de quinze coups par cloche si le défunt est un évêque ou le pape. Pour un homme, on commence par la grosse cloche; pour une femme, par la petite cloche.

Le glas consiste en trois séries successives de trois (ou deux ou neuf ou quinze) coups de tintement par cloche, avec une volée. Quand une seule cloche est sonnée, le tintement est de trois fois trois (ou deux ou neuf ou quinze) coups.

Au décès d'un enfant, les sonneries, bien que non obligatoires, sonneront plus joyeusement.

Comment a-t-elle appris à distinguer les glas simples des glas doubles? Nous ne le saurons jamais. Quoi qu'il en soit, elle sait: il y a les glas simples, chaque cloche faisant son strict devoir, et les glas doubles, à plusieurs cloches, avec leur volée. Les glas doubles annoncent un décès et, après l'angélus du soir, les funérailles du lendemain. Le jour des obsèques, les cloches sonnent trente minutes avant la cérémonie, dès que le cortège funèbre est en vue, et environ cinq minutes avant son arrivée, le tout se terminant par un tintement de quelques coups. Quand vient l'absoute, on sonne le glas. Ce tintement rituel suit le chant du *Libera*, se prolonge durant la procession vers le cimetière. Il n'y a pas de glas doubles au service anniversaire ; l'on sonne alors le premier coup une demi-heure avant la cérémonie, le deuxième coup vingt minutes plus tard, suivi de quelques tintements. Le dernier commence et finit avec l'absoute.

Le 2 novembre, ou plutôt la veille après les vêpres des morts ou après quatre heures de l'après-midi, la coutume veut que la grosse cloche tinte par glas doubles d'heure en heure jusqu'à l'angélus, et le lendemain matin, 2 novembre, depuis l'angélus jusqu'à la messe solennelle. Pour sa part, maman se souvient qu'à Saint-Raphaël l'on sonnait la grosse cloche tous les soirs du mois de novembre, pour rappeler aux vivants le souvenir des morts.

Le perron de l'église

Le clocher parle ; le perron d'église fait parler. Déjà avant la grand-messe, même en hiver, les hommes y jacassent, placotent, exprimant ainsi leurs opinions, leurs amitiés, leur solidarité. Les femmes, elles, entrent directement à l'église. Ce perron est-il vraiment un espace sacré ? On peut en douter par le ton et par le thème des conversations qui s'y déroulent. Y a-t-il une séparation entre le sacré qui serait à l'intérieur de l'église et le profane qui serait sur le perron de l'église et sur les terrains avoisinants ? Les gens de Saint-Michel, surtout les habitants, ignorent ces distinctions ; il faut plutôt leur pousser un peu dans le dos pour les faire entrer dans l'église, à l'*Asperges me*. Certains vont jusqu'à sortir du temple et fumer sur le perron durant le sermon. Le curé intervient : « Le perron de l'église, c'est pas pareil à nos perrons de maison. Le Bon Dieu est plus proche, c'est plus sacré. Vous devriez faire attention à vos conversations. »

Sacrées ou pas, les conversations des hommes reprennent de plus belle après la grand-messe et peuvent durer jusqu'à une heure de l'après-midi. Sur le perron de l'église se concluent alors des marchés — même le dimanche ! —, se disent d'autres nouvelles, se transmettent les derniers cancans de la Fabrique. Encore après la grand-messe, il peut y avoir des annonces, des nouvelles, des encans, la criée des Âmes, la quête pour les biens de la terre, des précisions sur une corvée dominicale « avec la permission de Monsieur le curé ». Qu'arrive le temps des élections, avec l'autorisation de Monsieur le curé toujours, un candidat peut y adresser la parole : « Mes chers électeurs, je remercie Monsieur le curé de me prêter cette tribune sacrée qu'est votre beau perron d'église, et s'il a besoin de réparations, comptez sur moi parce que notre bon gouvernement respecte le Bon Dieu, par rapport que sans le Bon Dieu nous ne ferions pas un aussi bon gouvernement. »

De retour à la maison, maman s'étonne toujours que les hommes aient organisé des marchés près du Bon Dieu, jusqu'à y vendre ou même à y échanger des animaux. Elle qui, le dimanche, n'oserait même pas coudre un bouton ! « Nos hommes ne sont pas religieux. » Papa a sa réponse toute prête : « Si tu fais un bon marché sur le perron d'église, c'est signe que le Bon Dieu est avec toé. Si tu fais un mauvais marché, ça veut dire que tu dois prier un peu plus fort. Pis je m'en confesserai s'i' faut. » Pas convaincue, elle revient à la charge : « Ça reste que ce n'est pas permis de trafiquer sur un perron d'église, à moins d'avoir une permission spéciale de Monsieur le curé. » Lui, tout d'une traite : « Qu'est-ce que tu penses de la criée des Âmes, c'est un marché ou c'en est-i' pas un ? Pis Monsieur le curé est pour… »

La fascination des lieux

L'église est cet espace cinquante fois plus grand que sa cuisine. Le grand crucifix de plâtre, attaché comme un bénitier à une colonne, ne rentrerait pas dans son salon. Elle pourrait nommer à la suite la table de communion, la lampe du sanctuaire, la statue de la Vierge, le maître-autel, le confessionnal, le plafond peint en diverses couleurs avec des étoiles, des anges ici et là. Comme c'est beau à voir ! Ces grands tableaux, ces images de saints et de saintes, ces statues ! « Quand tu es dans une église, tu es presque déjà au paradis. » « Moé, réplique papa, j'ai pour mon dire que le ciel est comme ça : des belles images, du beau chant, des belles cérémonies et surtout des libéraux plein les jubés, beaucoup de libéraux, c'est-à-dire des vrais chrétiens !» «Caïus ! tu es sur la terre. Ne fais pas ton petit saint Pierre !»

Rien n'est trop beau

«Rien n'est trop beau pour le Bon Dieu.» Aussi, tout ce qui est relié à l'église, au culte, prend une importance capitale. L'église Saint-Michel n'est pas pensable sans ses vêtements sacrés, ses bannières, ses reliquaires, ses lustres, ses chandeliers, ses lampions allumés et tous ces souvenirs qui, à chaque cérémonie, en appellent à la mémoire du peuple. La belle chasuble ! la belle chape ! toutes bien conservées à la sacristie. Pour ma mère, la valeur première de ces vêtements tient moins à leur richesse qu'au fait qu'ils sont bénits, qu'ils sont propres, qu'ils ont été brodés par les Sœurs «qui travaillent toujours bien quand il s'agit de faire plaisir au Bon Dieu et à Monsieur le curé».

Des vases sacrés

À cause d'une certaine familiarité avec les vases liturgiques dans les jurons québécois — calice ! ciboire ! ostensoir ! — on peut se demander à quel degré de conscience ma mère a sacralisé ces objets qu'elle n'a pourtant jamais touchés. Pour elle, ces vases sont sacrés parce que bénits. La matière dont ils sont faits, argent, or, appelle aussi le respect qu'on se doit de leur porter et l'attention qui leur est promise. En fait, à part les prêtres, il n'y a que le sacristain qui puisse les toucher. Elle l'envie. «Que j'aimerais toucher rien qu'une fois à un ciboire ! Mais je ne sais pas ce que cela me ferait. J'aurais peur de faire un sacrilège. Le ciboire, c'est si près du Bon Dieu !» Elle est littéralement obsédée par cette défense de toucher au ciboire, au calice ou même au tabernacle. Il n'y a que l'hostie qu'elle peut recevoir, mais pour aussitôt l'avaler. Et encore ! Elle adore les cérémonies qui entourent l'hostie : salut du Saint-Sacrement, heure sainte, procession de la Fête-Dieu. Elle porte autant d'attention à la nappe blanche à la balustrade qu'à la patène à cause des miettes qu'il ne faut pas laisser tomber ; car si on échappe l'hostie à la table de communion, le sacristain doit venir laver le plancher aussitôt que Monsieur le curé aura recueilli l'hostie égarée.

Papa, lui, ne semble pas trop comprendre ces énervements « à cause que le Bon Dieu est bon ». Il accepte mal que les prêtres, qui ne veulent pas qu'on touche au ciboire à cause de l'hostie, nous la mettent ensuite dans la bouche. « Touche ou touche pas ! Qu'i' se décident ! Je voudrais ben savoir ce que le Bon Dieu pense de tout ça. »

Entrée à l'église

Maman entre à l'église en faisant un grand signe de croix après avoir légèrement trempé dans le bénitier le bout du doigt de la main droite, encore gantée. Arrivée à sa place de banc, réservée et payée chaque mois de janvier, elle fait sa génuflexion, s'age-nouille, joint ses deux mains en circonflexe. Un instant, discrète-ment, d'aussi loin qu'elle peut voir sans attirer l'attention, elle regarde pour savoir qui est déjà dans l'église. Beaucoup plus tard surviendra papa qui se sera enfin décidé à quitter son perron d'église et qui arrive juste, tout juste pour l'*Asperges me*. Après une rapide génuflexion, le voilà au bord du banc, à genoux ; il se recueille, fait un large signe de croix, surtout pour rassurer celle qui le surveille. Par clins d'œil savamment orientés, il observe pour se renseigner : qui manque à l'appel ? qui est retenu à la maison pour une raison ou pour une autre, une grippe, un animal malade, un accident ? Au retour, il commentera allègrement les modes féminines, le port de certains chapeaux surtout qui, à son avis, ressemblent davantage à de « vieilles chaloupes », à des « goélettes naufragées » ou à des « lapins à moitié endormis ». Ces remarques ne plaisent jamais à ma mère qui lui répliqua un jour : « Caïus, tu ne nous connais pas, nous, les femmes. Toi, tu portes ton casque de poil, ton chapeau de castor, ça veut dire quoi ? Ça veut dire que tu es chauve… Donc tu es jaloux ! parce que dans le Rang 3, les chauves sont tous des jaloux. » Et lui : « C'est-i' pour ça que tu m'as marié ? »

Le savoir des yeux

Revenons à l'observation et surtout à la « science » liturgique de notre mère. Elle sait qu'il faut couvrir de trois nappes tout autel où se célèbrent les Saints Mystères ; elle sait que la partie antérieure de l'autel est couverte d'une pièce d'étoffe adaptée à la hauteur de la table d'autel et souvent ornée d'or, d'argent, de soie, de dessins en relief. La nappe d'autel doit toujours être propre et recouverte d'un drap liturgique après les cérémonies. Elle note que Monsieur le curé porte, pour la communion, la confession et les bénédictions spéciales, un surplis à manches longues, plutôt larges, et une étole aux couleurs variant selon les temps liturgiques.

Elle sait… elle sait que le blanc et le rouge sont des couleurs fondamentales, bien que d'autres teintes soient aussi autorisées, comme le vert, le violet, le noir. Elle a appris que la chasuble, la chape, l'étole, le manipule, la dalmatique, la tunique, le voile huméral, le voile du calice et la bourse doivent être en soie ; elle a vu, de ses deux yeux vu des ornements en soie blanche mêlée de fils d'argent : « Un cadeau des Sœurs, sûrement. »

Du doré

À Noël, à Pâques, les ornements sont de drap d'or brodé, recouverts en majeure partie de fils ou de lamelles d'or. Quand Monsieur le curé, quittant la sacristie, entre au sanctuaire, barrette sur la tête, avec un calice doré couvert d'un voile brodé d'or et qu'il porte sa belle chape, elle est émue : « J'en pleurais presque, tant c'était beau à voir. Surtout avec tous les lustres allumés, les six cierges, les banderoles qui partent du plafond, les enfants de chœur en soutane rouge et Monsieur le curé tout heureux de chanter son *Asperges me* ou le *Vidi Aquam*. Nous autres, les pauvres gens, on aime quand c'est riche. Le Bon Dieu mérite bien ça. »

Le blanc

Elle n'est pas seule à savoir. C'est du su et du connu depuis la petite école que le blanc à l'église signifie la joie et la pureté. Selon les prédicateurs des retraites, trois blancheurs sauveraient le monde : celles de l'hostie, de la Vierge Marie et du Pape. Au baptême, le prêtre porte d'abord une étole violette pour signaler l'état de péché originel dans lequel se trouve le futur baptisé, puis, au cours de la cérémonie, il la remplacera par une étole blanche pour exprimer la joie et l'action purificatrice du baptême. Le bébé est vêtu en principe d'un vêtement blanc. De même, à la première communion, il est entendu que les fillettes sont « blanches » et que les garçons portent un brassard blanc sur veston noir. Lors d'un mariage, il est devenu traditionnel pour la jeune fille et future épouse d'arriver en blanc à l'église. Aux funérailles des petits enfants morts après leur baptême, le blanc est obligatoire. Au temps de Noël et de Pâques, le blanc triomphe. Cela va de soi. La joie !

Vert-violet-rouge-bleu

Après le blanc, des couleurs vives. Pour les dimanches après la Pentecôte, vert des chasubles, vert des étoles, vert du voile du tabernacle. Cette couleur ordinaire symbolise l'espérance promise par la résurrection, tandis que durant l'Avent et le Carême, le violet rappelle la pénitence. Le rouge a toujours été réservé à la mémoire des martyrs que ma mère admire pour avoir versé leur sang et souffert pour expier nos péchés. « Rouge libéral », papa ne trouve pas amusant que ses idoles, Laurier et Turgeon, soient ainsi associés à des martyrs.

À toutes ces couleurs, ma mère préférerait peut-être le bleu, couleur naturellement associée à la Vierge Marie, couleur du ruban et de la banderole des Enfants de Marie. Mais le bleu n'est pas couleur d'église et, pire, c'est la couleur d'un parti politique, le sien, qui gagne rarement ses élections. Il ne conviendrait pas d'énerver son mari.

Et noir

Reste le noir. On parlera d'un *fret noir*, d'une *misère noire*, *d'un trou noir comme chez le diable*. Le noir symbolise la mort. Tout cercueil est recouvert d'un drap noir sur lequel est dessiné une grande croix blanche ou dorée ; les écharpes ou les brassards des porteurs du défunt doivent aussi être noirs. Même si on ne décore point de noir la croix de procession, ni la table de communion, ni les stations du chemin de la croix, on voilera cependant de noir les fenêtres pour un service de première classe. Quand mon grand-père Bram Lacroix est mort en 1936, parce qu'il avait passé toute sa vie à rendre service, la paroisse avait sorti toutes ses tentures et tous ses draps noirs. Il y en avait partout, jusque dans les fenêtres et sur les prie-Dieu : « Je t'assure, avec tout ce monde plein la noirceur, c'était beau. J'étais là et j'priais pour tous les morts de la paroisse. Plus c'est noir, plus c'est beau. »

À l'école du Deuxième Rang, il fut un temps où l'usage des couleurs suscitait quelques discriminations gênantes : le ruban blanc destiné aux plus sages, le ruban rouge aux enfants mâles trop batailleurs, tandis que le ruban noir désignait l'état de péché grave dans lequel se trouvait fatalement tel ou tel élève qui aurait insulté la maîtresse ou qui se serait moqué ouvertement de Monsieur le curé. Justement, Monsieur le curé s'en est mêlé et l'enseignante trop zélée fut rappelée à la discrétion. Ce qui fit dire un jour à notre mère : « C'est à l'église, pas à l'école, que les couleurs sont les plus belles. »

Le rose

Deux fois par année, il y a un dimanche rose, soit le troisième dimanche de l'Avent et le quatrième dimanche du Carême. Les vêtements sacerdotaux en rose ! L'orgue en surplus ! Comme des haltes de miséricorde, des manières d'encouragement à poursuivre les rites du jeûne qui s'achèvera avec Noël ou le Samedi saint. Ces dimanches joyeux, dits *Gaudete* et *Lætare*, nous les mentionnons à la maison, essayant de convaincre notre mère que, si on se réjouit à l'église le dimanche, on peut en faire autant la semaine et donc diminuer nos jeûnes. Elle reste inébranlable. « La maison, c'est pas l'église ! »

La place de banc

L'église est pour tout le monde. Mais… tout le monde ne peut pas y prendre place à son gré. Les gens le savent, ils s'organisent. Et pour qu'il n'y ait pas trop de conflits, chaque famille aura droit à sa place de banc retenue, achetée et payée à l'avance, en janvier.

Même si Monsieur le curé donne l'impression de posséder l'église et d'en être le seul responsable, il n'oserait jamais toucher à la place de banc de ses paroissiens. «Nous, habitants, on travaille fort toute la semaine, on ne se couche pas après le dîner. Il nous faut une place. Avoir ta place de banc à l'église, c'est comme avoir ton lot au cimetière. T'es mieux de voir à tes affaires à cause que les autres n'y verront pas pour toi.» Il n'y a que les jeunesses qui s'en fichent un peu, quitte à aller s'inventer une place ou plutôt un petit coin en arrière de tout le monde, au jubé, au *poulailler*, comme ils l'appellent.

Le banc des Lacroix est au premier jubé, rangée du centre, cinquième banc à droite. Maman y arrive comme chez elle, tel un oiseau qui retrouverait son nid chaque dimanche. Sa préférence pour le jubé tient à ce qu'elle voit mieux le prêtre, que le banc est moins cher et que c'est moins gênant si on arrivait en retard. Papa a ses raisons: «Au jubé, le curé est loin, i' nous voit pas dormir durant ses sermons… Pis on entend mieux la chorale et l'orgue en haut au deuxième jubé. C'est pour ça que j'ai toujours aimé ma place de banc. Pis i' disent, les prêtres, que plus tu es haut plus tu es près du Bon Dieu!»

La vente des bancs

Vente des bancs, vente à l'enchère, vente au plus offrant. Une affaire d'hommes, et pas nécessairement calme. Des rivalités surgissent entre les gens du village qui veulent toujours les places en avant dans la nef centrale, et les gens des rangs qui doivent, disent-ils, se contenter des restes. Les avantages des bancs d'en avant sont connus de toute la paroisse: l'allée qui y mène est plus longue, l'entrée du bénéficiaire sera nécessairement plus remarquée sinon plus solennelle. Non seulement la chance d'être observés est bonne, mais les heureux élus de ces places pourront éviter les bousculades des communiants à la balustrade, surtout au temps de Noël et de Pâques. Il faut donc comprendre que la vente des bancs à l'enchère devienne une occasion de grand placotage et de pur chamaillage. Même dans l'église ? Si ! Monsieur le curé, qui connaît son monde, a pris soin de retirer le Saint-Sacrement de l'église pour le déposer dans un endroit plus secret : « Il ne faut pas scandaliser le Bon Dieu avec nos chicanes. »

Des bancs spéciaux

En l'église Saint-Michel-de-Bellechasse, il n'y a pas que des bancs vendus ou libres ou encore des bancs de famille réservés depuis des temps immémoriaux. On y trouve aussi le banc du huissier ou constable en arrière de l'église, et le banc d'œuvre ou le banc des marguilliers. Affaire d'usage, rarement exigé par la loi de la Fabrique, le banc d'œuvre tient son caractère spécial de son emplacement dans la nef. Disposé de côté plutôt que face à l'autel, de façon à ce que les marguilliers puissent voir davantage ce qui se passe dans la nef et dans les jubés.

L'autel

De sa place de banc au premier jubé, ma mère, qui a des coups d'œil majestueux sur toute l'assemblée dominicale, sait qu'il s'y trouve ici et là des lieux plus sacrés que d'autres, tels les confessionnaux, la balustrade ou la table de communion, la chaire, l'autel, le tabernacle, le sanctuaire ou le chœur, précisément là où elle ne peut aller. Si elle devait choisir, elle préférerait l'autel, à cause du tabernacle.

Rien ne remplace l'autel, avec son tabernacle, dont la vocation première est d'être visible tout en étant isolé. D'ailleurs, le vocabulaire courant le signifie bien : on *s'approche* de l'autel, on *monte* à l'autel, on fait une *génuflexion* à l'autel, on *descend* de l'autel, on *s'agenouille* à l'autel. Au sanctuaire se trouvent le maître-autel, grand autel ou autel principal, sans compter les autels latéraux ou autels-d'à-côté. Pour accéder au grand autel, il y a des marches, encore des marches.

L'autel principal, pour les plus avertis, symbolise la Montagne sainte des béatitudes, la table du Jeudi saint, le Golgotha, le tombeau du Christ, la résurrection de Jésus et même le tombeau des martyrs. On y célèbre les Saints Mystères. Chargé de reliques incrustées dans une pierre, la pierre d'autel, l'autel est parfois si orné de cierges et de fleurs que la croix obligatoire au centre risque d'être oubliée.

À l'école, l'enseignante n'y va pas de main morte : « Pas d'autel, pas de messe ; pas de messe, pas d'église ; pas d'église, pas de religion. » Enfin, pour maman, pour papa, voir leur fils, ordonné prêtre à 25 ans, monter à l'autel principal devant toute la paroisse est le suprême honneur qui puisse leur arriver en ce monde. Comme si l'autel devenait un lieu sacré de promotion sociale !

Le petit paradis

Sur l'autel principal se trouve justement le tabernacle que les Sœurs appellent joyeusement *le petit paradis, la petite maison du Bon Dieu*. « C'est là où dort le petit Jésus enfermé et prisonnier à cause de nos péchés. » Orné d'un voile, protégé par une clef, le tabernacle abrite la Sainte Réserve ou les Saintes Espèces qui assurent la présence réelle de Jésus au Saint-Sacrement. Passer devant le tabernacle sans faire sa génuflexion est une sérieuse impolitesse. Maman s'étonne à ce propos des génuflexions écourtées du bedeau : « Dire que le petit Jésus voit tout cela ! » Pour une fois, papa n'ose pas commenter, d'autant plus qu'il se sent personnellement concerné.

La chaire

De toute façon, il opterait moins pour le tabernacle ou même l'autel que pour la chaire à cause de la parole : « Un bon sermon ça se donne en chaire, d'à cause que le Bon Dieu est en haut et pis que, pour écouter Monsieur le curé, c'est intéressant de le voir. » Ce à quoi ma mère répondra : « Pourquoi, tu dors ? » « Rose-Anna, tu penses que fermer les yeux c'est dormir?» «Mais tu ronfles!» «Non, j'respire!...»

La lampe du sanctuaire

La lampe du sanctuaire ne semble pas retenir particulièrement leur attention. Il faut dire que cette lampe ajoute du mystère à notre église. Surtout le soir, et davantage la nuit. Petite lampe vacillante, toujours au poste, fidèle servante, signifiant à qui de droit que Jésus est au tabernacle; il convient de se taire et de faire, en entrant et en sortant à toute heure du jour, génuflexion, soit simple, soit composée. Eh oui! «N'oublie pas, Caïus, ta génuflexion au Saint-Sacrement caché dans le tabernacle. Si tu aperçois le Saint-Sacrement exposé dans l'ostensoir perché sur le tabernacle, il te faudra mettre les deux genoux à terre et bien incliner ta tête. C'est de règle.» La petite lampe allumée «veut dire que tu n'es pas dans une église protestante...» Ce qui explique un peu pourquoi notre mère était celle qui, de notre point de vue, attachait la plus grande attention à ce que nous appelions entre nous «le petit fanal du Bon Dieu».

Les confessionnaux

Entre chaire et balustrade, de chaque côté, se trouve notre confessionnal. *La boîte à péchés,* disent les jeunes; *le trou des supplices*, commentent les sacreurs et les buveurs; *le saint tribunal de la pénitence*, rectifie Monsieur le curé. Il s'agit d'un territoire sacré à l'intérieur de l'église. Le prêtre s'y rend en surplis avec étole et barrette. «C'est là que tu reçois l'absolution.» Lieu redoutable autant par sa configuration géométrique, par son espace réduit et sombre, par ses murs, ses rideaux, son grillage, par son abord immédiat, que par ce qui s'y dit. Aller se confesser, superbe pénitence! Pour tout le monde. Premier vendredi du mois, premier dimanche du mois, jours de grande solennité, l'inévitable refrain: «Voyons, les hommes! N'oubliez pas d'aller à confesse.»

Quant à Monsieur le curé, bien qu'il n'en soit pas toujours

conscient tant il s'y est habitué, le confessionnal lui permet de connaître sa paroisse et, en un sens, de la contrôler sinon de la dominer. Au moins en esprit, car il estime généralement que passer par *la boîte-à-confesse* répond à une urgence : « Nos gens ne sont pas des anges. »

Papa trouve que « c'est bon de dire ses péchés parce que le prêtre apprendra, en nous entendant, qu'i' est pas meilleur que nous autres... Mais j'comprends pas les femmes, on dirait qu'elles aiment ça se confesser dans le noir à des hommes... Moé, j'aime aller au vicaire, j'le vois nerveux quand j'lui dis des gros péchés. I' est mieux de s'habituer ! Nous autres, les habitants, on fait des péchés plus beaux que ceux de la ville. Pis, on les dit franchement, on biaise pas, nous autres. Des fois, j'souhaiterais me confesser nez à nez et pas sur le côté, en cachette. Monsieur le curé y penserait deux fois avant de m'donner en pénitence un chapelet ou un chemin de croix. Si tu vas à confesse, t'as pas à avoir de honte de tes péchés, parce que tes péchés vont t'apporter l'absolution, et l'absolution c'est le Bon Dieu qui te pardonne. »

Ma mère résiste : « Tu n'as pas honte, Caïus, de parler comme ça devant les enfants... » La réponse ne varie guère : « Moé, j'sus pour la franchise. Un péché, c'est un péché, le Bon Dieu aime pas ça. Mais un péché, c'est toujours public, en faisant mal tu fais toujours mal aux autres. Pourquoi s'cacher dans un confessionnal pour dire ses péchés ? Le curé aussi i' en fait des péchés, pis sûrement des gros ! » Mi-avertissement, mi-réprobation : « Caïus ! »

La sacristie

L'église de Saint-Michel s'est annexé une belle et grande sacristie. Lieu sacré par participation, on y discute des affaires de la Fabrique. À la sacristie ont lieu les assemblées des marguilliers, des Enfants de Marie, des Dames de Sainte-Anne, des Ligueurs du Sacré-Cœur et d'autres confréries. On y confesse les sourds. En hiver, on y baptise, on y célèbre parfois la messe du lundi au samedi inclusivement. « Mieux vaut sacristie chauffée que grande église frédissante. » Là se retrouvent aussi les vieilles statues, les portraits des anciens curés, des vêtements liturgiques usés et des vases sacrés bien rangés et sous clef.

Maman préfère l'église, son église : « C'est plus beau, plus grand, plus silencieux. » Elle compare volontiers l'église à son grand salon tout propre et la sacristie à sa cuisine. Comme les femmes en général, elle n'aime pas tellement la sacristie. « Je suis une personne timide ; dans l'église on est moins regardé. » Papa, lui, aime la sacristie pour la bonne raison qu'il peut s'y présenter en habits de semaine, « tandis qu'à l'église tu te dois d'être sur ton trente-six. À la sacristie, nos dires avec les prêtres sont moins gênants. On peut y causer sans pécher. Tout le monde est naturel. »

Le charnier

Sous la sacristie, à la cave proprement dite, se trouve un espace « pas beau du tout » et « triste au possible », « fret comme chez le diable ». « L'endroit le plus affreux du monde, nous dit maman. N'allez pas là. » S'y trouvent les cercueils de nos morts en hiver et au début du printemps, soit, en principe, du 1er novembre au 1er mai. Papa l'a dit : « L'hiver, c'est dur même pour nos morts. Non, c'est pas drôle d'aller hiverner au charnier. Moé, j'voudrais mourir à l'été... Mon père Bram II est mort au plus tragique de l'hiver, en février ; i' a passé trois mois au charnier avant de s'en aller tout dret au cimetière... C'est comme s'i' avait été caché au purgatoire. »

LE CIMETIÈRE

De tous les espaces que possède la Fabrique, le plus boulever-sant est sûrement le cimetière, « le Champ des Morts ». Lieu réservé, lieu protégé, lieu silencieux, lieu sacré où dorment nos ancêtres et où se promènent, la nuit — à ce qu'on dit —, les âmes du purgatoire.

Pour ma mère comme pour mon père, le caractère sacré du cimetière paroissial tient à sa proximité de l'église, au partage du même sol, au fait qu'il soit bénit et qu'il accueille les fidèles défunts de toute la paroisse.

Le cimetière de Saint-Michel est particulièrement beau avec sa grille de fer forgé, sa clôture bien alignée et son site sur les rives du fleuve. Rares sont les lots qui n'ont pas une croix ou une pierre tombale. « Ils méritent bien ça, nos morts. Ce sont eux qui ont fait notre chez-nous. »

En outre, le même lieu sacré peut s'honorer d'avoir un vrai beau calvaire avec ses personnages de circonstance : Jésus en croix, Marie sa mère, saint Jean et Marie-Madeleine tout en larmes. « Au cimetière, il y a le monument sur lequel tu inscris ton nom au plus vite, l'année de ta naissance… puis le Bon Dieu décidera de l'autre date. Et lui seul ! Il sait ce qu'il fait ! » Maman poursuit : « L'épitaphe, c'est pour demander des prières, pour se souvenir et pour te rappeler que tu n'es pas grand-chose sur la terre. »

Aussi, le pire malheur qui puisse arriver à ceux qui n'ont pas fait leurs Pâques ou qui ont en quelque sorte résisté à leurs prêtres, comme les patriotes excommuniés de Saint-Michel, est de ne pas être enterrés dans la terre bénite ou d'y être enterrés avec la tête en dehors de la clôture, pour bien marquer leur marginalité. L'exclusion sera longtemps le lot des suicidés, ceux dont il n'est jamais question à la maison. Mais ce que papa n'accepte pas, et que ma mère n'ose commenter, est que l'on n'enterre pas en terre sainte les enfants morts sans baptême : « J'comprends pas. Si les enfants ont pas péché, pourquoi les punir ? Une amanchure d'idées comme celle-là, ça doit venir des vieux pays ! » Maman entend dire qu'il y aurait en ville des cimetières pour les protestants. Ça la dérange : « Pourquoi les enterrer dans un cimetière, s'ils vont en enfer ? » Papa : « Tu sais, le Bon Dieu est intelligent, i' raisonne mieux que tout le monde. C'est lui qui décide. Pas nous autres. Pas même Monsieur le curé. »

Ma mère n'aime pas se promener seule au cimetière, ni le jour encore moins le soir. Parce qu'elle a peur des morts. Peut-être aussi à cause d'un certain respect qui la dépasse. Quand elle voit le cimetière en hiver avec « son grand drap blanc de neige qui couvre nos morts », elle en est bouleversée : « Ça me dit, à moi, que nos cimetières sont des lieux aussi importants que Sainte-Anne-de-Beaupré. On n'y pense pas assez. » Papa, tout méditatif, ajoute :

« Un cimetière, c'est rempli du Bon Dieu, pis de gens qui pensent à nous. Dire qu'on sera là un jour. Tous les deux. Attends-moé, Rose-Anna ! »

LE PRESBYTÈRE

Tout près du cimetière, héritage du Régime français, le presbytère érigé en 1739 contribue au prestige du terrain de la Fabrique. Monsieur le curé y vit, logé, nourri, protégé, comme au temps des seigneurs de la Nouvelle-France, moyennant dîmes et services de ses vassaux, « mes chers paroissiens ». Socialement, visuellement, la maison du curé joue un rôle majeur dans la vie paroissiale des Québécois, même si la plupart des paroissiens de Saint-Michel préféreraient parler à Monsieur le curé non pas au presbytère, mais plutôt à la sacristie.

Au presbytère on va payer sa dîme, prévoir un baptême, mettre les bans pour un de ses enfants qui va *épouser,* sonder le vent au temps des élections. « Non, j'irai pas déranger le curé pour régler mes problèmes, parce que mes problèmes sont des problèmes d'habitant. Surtout que la servante est écornifleuse. » Pour tout, ou presque, papa va à la sacristie. Il s'y trouve à l'aise, et selon son dire : « Au presbytère, tu déranges ; à la sacristie, tu t'arranges. »

Maman n'est allée au presbytère qu'une fois. Une seule fois dans sa vie. « Et depuis ce jour-là, à ce que prétend papa, elle m'a dit qu'après cinq enfants et malade comme elle est elle ne pourrait plus en avoir d'autres… J'aimerais ben savoir ce qu'elle a pu dire au curé Deschênes. C'est pas juste pour moé qui voulais au moins dix enfants. »

LA CHAPELLE DE LOURDES

Plus sacrée que le presbytère, bien que n'étant pas bâtie strictement sur le terrain de la Fabrique, il y a, depuis 1879, à l'ouest du village, la chapelle de Lourdes, ainsi appelée parce qu'elle est une imitation miniaturisée du célèbre sanctuaire de France. Mon père adore *sa* chapelle de Lourdes. Maman s'interroge sur cette préférence : « On dirait que tu l'aimes plus que l'église. Pourtant l'église est plus grande, elle a été bâtie avant la chapelle de Lourdes. » Rien à faire. Papa pense autrement : « La chapelle est pour toute la paroisse comme un paratonnerre, comme le phare qui dit aux goélettes ousqu'i' faut pas aller. Sans la chapelle de Lourdes, l'église et la Fabrique iraient pas loin. Si la paroisse se porte ben, Monsieur le curé l'a dit au jour de l'An, c'est à cause de la chapelle de Lourdes. » Il n'est pas indifférent à l'opinion paroissiale que des groupes de l'extérieur viennent à l'occasion y faire leur pèlerinage.

LA CHAPELLE SAINTE-ANNE

Du côté est du village, il y a une autre chapelle. Toute petite, traditionnelle, bâtie en 1702, reconstruite en 1905, et dédiée à la Bonne Sainte Anne, pour montrer aux gens qu'elle est autant avec eux à Saint-Michel que présente à Sainte-Anne-de-Beaupré. Tous les deux, maman et papa, sont d'accord : la chapelle Sainte-Anne mérite d'être respectée en tout temps, mais surtout quand elle devient un lieu de reposoir pour une Fête-Dieu.

LE COUVENT DES RELIGIEUSES
DE JÉSUS-MARIE

Tout près du cimetière, se trouve, depuis 1865, le couvent des Religieuses de Jésus-Marie. Ma mère, qui pourtant n'y a jamais étudié, aime bien cette maison : « C'est propre, des planchers-miroirs, des Sœurs accueillantes, travaillantes, qui prient jour et nuit... Quand tu entres, il n'y a pas de bruit, tu n'entends rien. Même le silence se tait. » Papa n'y mettrait pas les pieds. Surtout pas en temps d'élection : « Ça m'gênerait. Ces femmes sont trop parfaites pour moé, et tu réussiras jamais à savoir de quel bord, *bleu* ou *rouge*, elles penchent. »

LE COLLÈGE DES FRÈRES MARISTES

Il connaît mieux le collège des Frères Maristes qui sont arrivés à Saint-Michel en 1917 : « Les Frères, eux, ont pas peur de voir salir leur plancher pour recevoir du monde. » Il admire leur discipline : « Pour réussir à tenir en place 30 enfants de chœur, il faut du nerf. Les Frères en ont ! » Retenons en passant que le Frère directeur aurait voté libéral à la dernière élection.

LA MAISON DU BEDEAU

Entre le collège des Frères Maristes et le couvent des Religieuses de Jésus-Marie, il est une maison qui pourrait presque passer pour sacrée parce qu'elle est bâtie sur le terrain de la Fabrique et surtout parce qu'elle y loge le bedeau. Dans l'esprit de nos gens, tout ce qui est relié plus ou moins directement à la Fabrique et au curé devient sacré. « La maison du bedeau, c'est pas aussi sacré que le presbytère. Mais quand tu entres là, ça sent déjà la sacristie : c'est à respecter. »

L'ÉCOLE DU RANG

Au milieu du Troisième Rang Ouest, comme au milieu du Rang Est, il y a ce qu'on appelle communément la petite école. Petite, un seul niveau, un poêle à bois pour l'hiver, du bois déjà cordé tout près, une cinquantaine de pupitres alignés, puis le bureau de la Maîtresse en avant, devant le tableau noir. Ces écoles de rang sont toutes semblables. D'une architecture aussi modeste que leur apparence. Même les « appartements privés » de la Maîtresse se résument en une seule chambre, petite elle aussi, avec un lit et une chaise tout au plus.

C'est notre lieu de rendez-vous du début de septembre à la fin de juin. Dès que la saison le permet, nous allons souvent nu-pieds à l'école. Ce qui peut être considéré par certains parents comme un signe de pauvreté n'est pas noté par les enfants. Nous marchons, matin et soir, vingt minutes à pas d'enfant. « Vingt minutes, ça fait pas mourir son homme », répète papa, tandis que ma mère, elle, le supplie, surtout en hiver : « Va donc atteler le cheval et conduire les enfants à l'école. Il ne fait pas beau dehors. » Et lui, sans hésiter, nous amène à l'école en cinq minutes. Parfois, en hiver encore, je pars seul « en chien », avec mon chien qui tire allègrement un traîneau adapté à travers les champs de neige cretonnée. Le chien demeurait toute la journée à l'école près du poêle. Nous le trouvions bien chanceux, lui, de pouvoir ainsi dormir sans subir les foudres de la Maîtresse.

L'institutrice règne en « maître », sauf à la visite toujours attendue du curé ou du vicaire. Cette visite, mensuelle, lui permet quelque répit, étant donné que sa tâche consiste à enseigner à sept divisions en même temps, et toutes les matières scolaires possibles : de l'alphabet au catéchisme, en passant par le français, l'histoire sainte, la géographie, l'arithmétique. Un seul événement est franchement redouté : l'arrivée de monsieur l'Inspecteur qui vient, selon le dire unanime des habitants, « pour ne pas se mêler de ses affaires… Et on pourrait ben s'en passer… ».

AUTRES LIEUX SACRÉS ?

Doit-on dire que, pour mon père, la salle publique dite du Conseil et la salle d'exposition agricole sont aussi des lieux sacrés ? Ma mère, elle, y attache si peu d'importance ! Dans ce cas on pourrait dire que le Magasin général d'Albert Lemieux était pour elle un espace plus sacré que tous les lieux de parlailleries de mon père mis ensemble.

LES CROIX DE CHEMIN

Sur le territoire de la paroisse se trouvent des croix en quantité : croix de clocher, croix de chapelle, croix de cimetière, croix de calvaire, croix de chemin et croix domestiques. Les plus aimées sont les croix de chemin, si utiles en hiver pour identifier sa route et si « saintes » en été puisqu'on y vient prier. « Un rang est sacré quand une croix y a été plantée », aurait dit un prêtre du voisinage. Comme autrefois, à Gaspé, ces croix signifient un peu la vocation de la terre qui les reçoit, qu'elles sanctifient, qu'elles protègent. Qu'arrive un malheur dans le rang, une sécheresse, une invasion de sauterelles, un incendie, le lieu où est érigée la croix de chemin devient le carrefour naturel des conversations entre voisins et des supplications vers l'Éternel.

D'ailleurs, maman observe que « la croix de chemin, clouée dans la terre, a des bras ouverts au ciel… pour nous protéger et intercéder pour nous ». Papa d'ajouter : « C'est aussi un guide pour nos chevaux et un avertissement pour nos jeunesses qui reviennent de veiller. » Et quand maman passe devant la croix de chemin de notre rang, elle penche doucement la tête, tandis que papa en toute saison soulève avec ostentation son chapeau, y ajoutant un large signe de croix tout entortillé. Il a pour son dire qu'en hiver ôter son casque de poil pour le Bon Dieu, c'est de la bonne politesse et que, s'il attrape un rhume, le Bon Dieu le guérira tout de suite. Mais pourquoi les femmes n'en font-elles pas autant ? Il n'ose répondre. Joseph Bélanger lui a dit : « Tu comprends, Caïus, s'il fallait que nos femmes lèvent leur chapeau en passant devant la croix, on serait rendus à l'église avant qu'elles l'aient remis à la bonne place. »

Mon père préfère saluer mille fois sa croix de chemin que de faire un seul chemin de croix à l'église, et encore moins au cimetière. Il pense que ceux qui ne prennent pas soin de leur croix de chemin sont aussi fautifs que ceux qui négligent leur lot au cimetière : « Ils courent de gros risques de faire choquer le Bon Dieu. » Toutefois, il n'aime pas que les habitants se servent d'épouvantails à moineaux en forme de croix. Comme si c'était plus efficace ! « Faut respecter le Bon Dieu. Dieu a trop aimé les oiseaux pour les chasser maintenant avec des croix. » Maman est d'accord. Qui ne dit mot consent !

Quoi qu'il en soit de toutes ces croix publiques et de ces lieux sacrés, il semble bien que les gens de Saint-Michel ont d'abord trouvé un autre espace priviliégié en tout temps : leur maison, la maison familiale.

CHAPITRE 10

À la maison

S I L'ÉGLISE PAROISSIALE et ses dépendances occupent beaucoup d'espace dans la religion de nos habitants, c'est qu'ils y trouvent un lieu idéal pour exprimer leur foi personnelle, foi reliée d'abord et avant tout aux saisons et aux travaux journaliers.

Rose-Anna Blais a quitté la maison paternelle à 19 ans, le jour même de son mariage, pour habiter Saint-Michel-de-Bellechasse. Tout à coup, son univers change : « Qui prend mari, prend pays. » La voici au fin fond du Troisième Rang de Saint-Michel, dans une maison achetée par Bram Lacroix pour son fils Caïus en 1901, qui dès lors devient sa maison. Sa maison, la grange, le poulailler, la remise, les clôtures, les pagées, les barrières, la terre du nord au sud, de la rivière Boyer à Maska, tout cela sera *chez-nous*.

CHEZ-NOUS !

Espace domestique, espace quotidien, espace préféré. Telle la terre pour l'habitant du Troisième, telle la maison pour maman. Sa maison ! Là où sont nés ses cinq enfants. Son domaine ! Elle en est la maîtresse absolue, jusqu'à la gestion financière. Sa maison, elle ne la quitte que pour aller à la messe au village, pour visiter des parents, des voisins. Parfois, elle et son mari partiront vers Saint-Raphaël, à trois heures de route en boghei ou en sleigh : visites joyeusement anticipées, parce que très rares. Il lui arrivera, à la fin de sa vie, d'être obligée d'aller à Lévis, à Québec, pour consulter le médecin; sa plus grande hâte est de revenir dans la belle maison blanche au bout du Troisième Rang, «le plus beau rang de Saint-Michel, entre le fleuve, les montagnes et la forêt de Maska, allant vers Saint-Charles. Chez-nous, c'est chez-nous!» Elle y mourra.

Chez-nous, pour elle, c'est d'abord la maison et, dans la maison, surtout la cuisine. Chez-nous devient si sacré que «la seule différence entre l'église et la cuisine de ta mère, ironise papa, c'est qu'à la cuisine y a pas de tabernacle et qu'on peut parler tant qu'on veut». Mais il doit savoir, ce cher Caïus Lacroix, que Rose-Anna Blais détient en sa cuisine autant sinon plus de pouvoir que lui dans sa grange. Un pouvoir moral aussi car, à l'époque, être reine du foyer signifie effectivement être suzeraine sur tout notre chez-nous, même sur la ferme!

Tout est bénit

Ajoutons que ma mère considère la maison si sacrée qu'elle a depuis longtemps vu à ce que tout ce qu'elle renferme soit pratiquement un jour ou l'autre bénit, et ainsi consacré. Quel objet, quel lieu n'a pas été bénit lors de la visite paroissiale du curé? Ainsi, ont été bénits sa cuisine, son salon, sa chambre à coucher, les chambres des enfants, les lits, les crucifix, les niches, les statuettes, les images saintes, les bénitiers, les chapelets, les scapulaires, les médailles. Même les bâtiments: la grange, le hangar, le poulailler, les remises! Si elle s'écoutait, elle ferait tout rebénir à chaque visite paroissiale. «Voyons, Rose-Anna, voudrais-tu aussi que le Bon Dieu soit bénit?» N'oublions pas que *Sainte Bénite!* est un des jurons préférés de l'époque!

Pour chaque croix, pour chaque médaille, pour chaque scapulaire, pour chaque *Agnus-Dei* qu'elle porte, pour chaque chapelet qu'elle prend, pour chaque mèche de cheveux d'une parente décédée qu'elle conserve, elle dispose d'une petite prière toute prête, apprise par cœur ou encore inventée. Elle a même des prières contre les sauterelles, le tonnerre, la sécheresse, les tempêtes de janvier.

À la maison toujours, il y a moult croix et crucifix. Aussi, le geste sacré le plus fréquent, le plus populaire est-il le signe de la croix, de même que l'objet qui domine est la croix. La plus célèbre à nos yeux est dans la cuisine, à côté du crucifix, la croix noire dite la *grande croix* ou la *croix de tempérance*.

Des croix, il y en a partout : dans les chambres, au salon, au hangar et jusqu'à la grange. « Ça protège et ça aide à prier. » Même le cadeau attendu à la première communion, à la confirmation et au jour des noces est un crucifix. Le plus touchant souvenir serait de recevoir, à l'occasion d'un deuil, le crucifix de celui ou de celle qui vient de mourir. Pendant longtemps le mort sur les planches ou dans la tombe portait entre ses doigts un crucifix et un chapelet ; au moment de fermer le cercueil, les deux objets étaient retirés et remis à la famille. Le culte domestique va, en certaines occasions, jusqu'à donner au pain boulangé, au pain de sucre, la forme d'une croix.

Dans la chambre à coucher de mes parents, il y a, en plus du bénitier accroché au-dessus du lit, en plus des deux grandes images du Sacré-Cœur et de l'Enfant-Jésus, un crucifix, « le crucifix de nos grands-parents ! » Ça paraît qu'il date ! Le plâtre est d'une surface douteuse ; le bout d'un orteil est disparu. « C'est venu de l'autre bord, avait dit grand-père Blais, c'est peut-être pas un beau crucifix comme y en a chez Pollack ou chez Eaton, mais c'est un crucifix-à-souvenirs ; i' est comme le Bon Dieu, i' fait partie de nos vies. »

Ce qui dérange un peu mon père est qu'il ne puisse « se tourner la face » sans voir une croix et il s'appelle LACROIX ! « Des fois j'aimerais mieux penser autrement qu'à des croix, penser à mon ange gardien, et j'cré ben qu'i' est de mon avis. Trop de crucifix, trop de croix, trop de prières, c'est pas bon pour la religion. Trop, c'est trop ! » Non que papa doute du pouvoir des croix, des crucifix, des chapelets, des médailles, de l'eau bénite, mais il a pour son dire que sa femme, Rose-Anna, bien que de bonne foi, abuse.

SON CHAPELET

Après le crucifix, la croix, l'objet bénit le plus précieux de ma mère est son chapelet. Souvent mon père égare le sien ; elle, jamais. Surtout qu'elle possède le chapelet de nacre de l'arrière-grand-mère Blais : « Ça remonte dans les années 1800. » Chapelet à l'église, chapelet à la maison, chapelet au lit. « Mon chapelet, c'est ma vie, c'est Marie, ma mère au ciel, n'essaie pas de séparer quelqu'un de sa mère. » Depuis qu'elle est toute petite, elle le récite à l'école, à l'église durant la messe, à la maison tous les soirs et, plus tard, malade, au moins trois fois par jour : « Mon chapelet, c'est comme le bréviaire de Monsieur le curé, c'est à dire à chaque journée. » Mais, si dévote soit-elle, au grand jamais elle ne ferait comme Carmen Bolduc qui suspend son chapelet à la corde à linge pour demander du beau temps ou encore comme Juliette Pouliot qui lance son chapelet dans les airs pour trouver un objet perdu ; en tombant, la croix indiquerait la direction où se trouve l'objet. Elle entend parler aussi de Rosa Brochu qui, chaque jour durant deux ans, a dit trois chapelets pour connaître sa vocation. Au village, il y a une demoiselle Lemieux qui, pour gagner des indulgences, récite un chapelet à toutes les heures, jour et nuit, à partir de trois heures le Vendredi saint jusqu'au dimanche de Pâques au matin. Elle sait que sa propre mère, la veille de Noël à partir du coucher du soleil jusqu'à la messe de Minuit, le disait dans le but d'obtenir des faveurs particulières. « Mais non ! Mais non ! » Jamais elle n'oserait : « La Bonne Sainte Vierge est trop intelligente pour qu'on la bouscule. »

DES MÉDAILLES

Afin d'être certaine du patronage à tous égards de la Sainte Vierge, ma mère n'hésite pas à distribuer des médailles protectrices, des médailles à porter sur soi ou encore à greffer à nos chapelets. Tout ce qu'il y a de médailles à la maison, voire à l'étable, au hangar, à la remise ! « Une médaille bénite, ça protège toujours. Les rats en ont plus peur que de la chatte…» Des médailles! Elle en garde dans son sac à main, dans les tiroirs de la cuisine, jusqu'en dessous de son oreiller au cas où… il arriverait un moment difficile pour elle, pour nous. Papa, prétextant que la Sainte Vierge n'a jamais porté de bijoux, accepte difficilement qu'on surcharge son chapelet de toutes sortes de médailles, bénites ou pas: «Un chapelet, c'est un chapelet. Un chapelet c'est pour la récitation, pas pour la préservation.» Il nous arrivait d'entendre dire qu'un tel s'était noyé, qu'un autre avait eu un accident grave, mais tout paraissait moins tragique si la médaille de la Sainte Vierge, ou le scapulaire, était encore attachée au corps de la victime: «La Sainte Vierge n'abandonne jamais ceux qui se confient à elle», nous répétait ma mère.

LES SCAPULAIRES

Outre les médailles, les chapelets, les croix, nous avions les scapulaires. À chacun le sien! Un scapulaire ordinaire est fait de deux morceaux de tissu de forme rectangulaire, l'un sur la poitrine et l'autre dans le dos, reliés entre eux au moyen de cordons; s'il était agrandi, l'ensemble formerait presque un maillot de corps. Une image pouvait être appliquée sur le dessus ou à l'intérieur du scapulaire. À ce scapulaire bien dissimulé sous la camisole, maman agrafe une ou deux médailles et parfois un petit sac camphré pour nous protéger de la grippe et des congestions pulmonaires «d'à cause que les Blais sont faibles des poumons». Le scapulaire doit être bénit, sinon il n'a pas de valeur.

Pour toutes les occasions et toutes les dévotions, il y a le scapulaire du Sacré-Cœur, le scapulaire blanc de la Sainte Trinité, le scapulaire rouge de la Passion, le scapulaire bleu de l'Immaculée-Conception, le scapulaire noir de Notre-Dame des Sept-Douleurs, le scapulaire brun de Notre-Dame du Mont-Carmel, le scapulaire du Cœur Immaculé de Marie, le scapulaire de saint Joseph, sans compter les scapulaires du Tiers-Ordre. À cause de sa confiance illimitée en cet objet bénit qui génère — paraît-il — certaines indulgences, que de fois maman nous a-t-elle demandé: «As-tu ton scapulaire ? As-tu oublié ta médaille scapulaire ? Avec ça tu seras protégé : il ne t'arrivera rien de mal. »

Les « Agnus-Dei »

Quant aux « Agnus-Dei », sortes de scapulaires, petits sachets de tissu de forme ronde ou ovale sur lesquels sont imprimés les mots *Agnus Dei* et en effigie l'*Agneau mystique,* jamais il n'est arrivé à notre mère d'insister pour nous imposer ces objets qui faisaient pourtant partie de ses dévotions, avec la croix, le crucifix, le chapelet et les médailles.

DES MÈCHES DE CHEVEUX

Parmi les objets importants à ses yeux, des mèches de cheveux de sa mère qu'elle avait coupées le jour de sa mort et qu'elle gardait dévotement avec d'autres souvenirs cachés dans son sac à main. Aurait-elle gardé ces reliques pour attirer une protection ou contourner un malheur ? Nous ne l'avons jamais su. Pour une fois, le silence quasi total de notre père est éloquent. Le principe, le même toujours, il l'énonce clairement : « Tout dépend de tes intentions. Si tu penses pas au Bon Dieu, i' est pas obligé de penser à toé, même si ta maison est pleine de médailles et de reliques. »

DES IMAGES

La maison est sacrée, non seulement parce qu'elle est bénite ou parce qu'elle est l'habitat de chapelets, de médailles, d'« Agnus-Dei », de chandelles bénites, d'eau bénite, mais aussi parce qu'il s'y trouve de nombreuses images pieuses. De grand format ou de petit format, *Made in France* ! ou *Made in Italy* ! Ces images représentent le Christ, la Sainte Vierge, la Trinité, les anges, des saints et des saintes en quantité. Objets de récompenses à l'école, ou encore distribuées lors des visites paroissiales, à l'occasion d'une fête, au moindre prétexte quoi! Il ne faut jamais les détruire ni les brûler: «Brûler une image, c'est sacrilège.» Selon la foi de ma mère, les images jouent le triple rôle habituel de rappel, d'intercession et d'ornement.

Images de grand format

Les images de grand format deviennent des cadres accrochés au mur dans presque toutes les chambres de la maison: images d'un petit Jésus italien joufflu, ou d'un Christ en croix, du Sacré-Cœur, de la Sainte Famille, de la Sainte Vierge adolescente aux yeux virés à l'envers, de la Bonne Sainte Anne tout en complaisance, d'un saint Joseph plutôt soumis avec un lys dans les mains et de saint Antoine de Padoue qui a l'air perdu. Bien sûr, on y trouve en évidence l'image du pape régnant, en l'occurrence Pie X avec ses joues roses et ses yeux d'une large bonté. Plus tard, à côté d'un Benoît XV stoïque, papa exigera que l'on mette la photo de son idole Wilfrid Laurier. «C'est sûrement un saint pour s'être entendu avec les Anglais!»

Un jour, maman a voulu installer à la maison une reproduction de l'Œil de Dieu encadré dans un triangle, tirée du «gros» catéchisme en images nouvellement utilisé dans les écoles. La famille a plutôt mal réagi: «Maman, on sait que le Bon Dieu est partout. On n'a pas besoin de savoir maintenant qu'il nous guette.» Papa fournit l'argument irréfutable: «Écoute, ma femme, c'est à moé que le Bon Dieu a demandé d'avoir un œil sur vous autres. l' m'semble que j'fais mon possible. Si l'Œil de Dieu arrive ensuite, les enfants vont se décourager et i' vont aller jouer ailleurs...»

Images de petit format

Des images de petit format sont disséminées à travers les pages du livre de prières de maman, avec des cartes mortuaires non bénites qui semblent profiter ainsi du culte acquis des Blais envers les âmes du purgatoire. Ces images font partie du patrimoine familial. Périodiquement, nous, les enfants, regardons ces images parfois doublées d'une photo, d'une prière indulgenciée que maman récite à voix basse, ce qui a le don de nous impressionner. Elle disait : « Quand je m'ennuie, je regarde mes images et le temps passe plus vite. »

Ce qui intrigue davantage notre cher père, c'est que ma mère prie devant trois « Sainte Vierge » et deux « saint Joseph ». « Avec des images pas pareilles, elle doit se mélanger dans ses mots. Moé, j'aime ben mieux prier sans leur voir la face, surtout s'ils en ont plusieurs. »

Pourtant, elle n'ira pas, comme elle le fait avec les médailles, glisser une image sainte sous son oreiller pour rêver à son amoureux ou pour se guérir, ou encore pour se protéger contre quelques maladies ennuyeuses ; elle n'irait surtout pas imiter madame Luc Catellier de La Durantaye qui, pour se soigner, avale tout rond des images comme on avale une hostie ! « Quand même ! je ne suis pas folle ! » « Et le Bon Dieu, faut pas en rire », ajoute mon père, rassuré.

LES STATUETTES

Il y a bien quelques statuettes dispersées ici et là dans la cuisine, les chambres à coucher et même jusqu'au grenier. Les plus honorées et les plus honorables sont la statue de la Sainte Vierge et celle de saint Joseph. De Saint-Raphaël, ma tante Olympe avait apporté une jolie minuscule statue de saint Antoine de Padoue. Question, disait-elle, de mettre toutes les chances de son côté si elle perdait un objet : « Oh ! bon saint Antoine, nez fourré partout, dis-moi où j'ai perdu mon aiguille à coudre ! »

Ma mère avait pour son dire que la Sainte Vierge vaut tous les saints, y compris le saint Antoine de la tante Olympe et le saint Christophe de son mari Caïus. À cela papa répond : « Tu t'fais ben aider par tes enfants pour la vaisselle. *Ta* Sainte Vierge pourrait ben s'faire aider par *mon* saint Christophe que j'promène gratuitement dans mon traîneau tout l'hiver. » Il se fiche de ceux qui, à la fin de sa vie, veulent lui apprendre que saint Christophe n'a pas existé.

« Une chose est certaine, c'est que, pour moé, saint Christophe est saint Christophe, patron des voyageurs. Pis c'est un saint. Ceux qui croient pas, c'est leur affaire. Moé, j'y crois. Pis on verra ben au paradis. »

LES PORTE-BONHEUR

C'est du su et du connu que les gens de la place, comme on les appelle communément, affectionnent d'autres objets protecteurs, porte-bonheur, bagues, pendentifs, amulettes, gages. Si étrange que cela soit, ces objets ne semblent pas entrer chez nous pour la bonne raison, explique notre mère, qu'ils n'ont jamais été bénits et que, en conclut papa, « le Bon Dieu n'a pas besoin de toutes nos bebelles pour savoir qu'on a besoin de lui ».

Le jonc de mariage

Peut-être devrait-on ajouter que madame Rose-Anna Blais-Lacroix tient particulièrement à un objet très spécial, son jonc de mariage bénit à l'église Saint-Raphaël un 13 mai au matin : « C'est mon devoir de toujours porter mon jonc. Je le porte jour et nuit, sinon il pourrait m'arriver un malheur. »

LE « PAROISSIEN »

Mieux instruite que papa plutôt *docteur en oralité* que *docteur en piété*, maman arrive à l'église, aux grandes fêtes surtout, avec un petit-livre-de-messe, son *Paroissien*, don de grand-mère Pilote. « Ce n'est pas un livre comme les autres, c'est bon pour suivre la messe, à cause que le prêtre parle latin. » « Rose-Anna, as-tu remarqué qu'y a que les femmes pour avoir un livre de messe ? » « Ça t'apprendra, Caïus, que les femmes, elles, sont pieuses. » « Ben moé, j'ai mon chapelet. » Mais Caïus Lacroix, habitant de profession, serait-il un peu jaloux de madame la Mairesse qui entre à l'église avec son gros livre de messe à tranche dorée ? « Nous autres, les habitants, on s'promène pas dans les allées avec des sacoches remplies, on est pas instruits, on est moins pieux que nos femmes, mais quand il s'agit d'organiser une vraie messe, une vraie Fête-Dieu, un pèlerinage à Sainte-Anne-de-Beaupré, c'est nous, les hommes qui avons l'affaire en main. Pis on a pas besoin d'un livre de messe pour prier. C'est notre cœur qui parle. » Maman aurait-elle concédé ce dernier point ? De toute façon, elle ne répond pas. Surtout, elle aime tellement son pèlerinage à Sainte-Anne-de-Beaupré qu'elle ne voudrait pas le moindrement indisposer son mari qui en est un des principaux organisateurs. « Nos hommes, on les connaît par cœur. Nous nous taisons et ils ont l'impression d'avoir raison. »

PÈLERINAGE À SAINTE-ANNE-DE-BEAUPRÉ

En effet, une fois par année, le 26 juillet ou mieux le dimanche qui suit, la paroisse change de pays : grand pèlerinage à Sainte-Anne-de-Beaupré !

« Un pèlerinage, c'est un voyage prié, qu'a averti Monsieur le curé. » Aller en pèlerinage, « c'est rencontrer des gens qui prient le même Bon Dieu que nous, qui croient aux mêmes miracles que nous ». Pourquoi en bateau et pourquoi à Sainte-Anne-de-Beaupré ? « Nos ancêtres sont arrivés par bateau, pis sainte Anne les attendait. » Maman s'extasie à la seule pensée d'aller voir sa sainte Anne chez elle. Papa, lui, anticipe cette occasion en or de voir du monde d'ailleurs, « pas riche, habillé comme nous autres ». Il y aura aussi des cousins américains « qui cassent leur français mais qui nous ont pas lâchés, pis des sauvages venus des bois d'à côté ».

En fin de compte, il s'agit pour maman et pour papa d'un vrai voyage, avec l'intention de rencontrer la même Bonne Sainte Anne « d'à cause qu'avec elle on sait que le Bon Dieu est bien au courant de nos besoins ».

Départ

L'heure du départ a été fixée à sept heures du matin. Déjà accosté au quai du village Saint-Michel-de-Bellechasse, *Le Champion* attend ses pèlerins. Ça cause. Monsieur le curé réussit à dire son mot : « Allons voir notre grand-mère du ciel. Elle nous attend. La Bonne Sainte Anne nous aime beaucoup. On va lui dire des mercis... Vos foins sont finis, je suppose, ça vous fera du bien de voir des gens qui prennent le temps d'aller prier et de dire leur chapelet. »

Personne ne court. On dirait qu'on a tout le temps devant soi. Le monde est de bonne humeur. Le monde se salue. On se sent tous pareils et meilleurs que la veille ; on aime, on s'aime, on est tous aimés, attendus. Pas de politique. Pas de boisson, pas de brandy, pas de bagosse. La consigne est claire et respectée. C'est l'embarquement.

Arrivée

Partis à jeun à 7 h 10, ils arrivent à Sainte-Anne vers les dix heures. Ma mère, un peu fatiguée, reste sereine. « Même si on a souvent mal à la tête en traversant le fleuve — l'air marin nous donne la faim — on aime ça. Le long du voyage on chante des cantiques, on dit des chapelets et aussitôt descendus du bateau, en appétit ou pas, on entre dans l'église en chantant : "Vive sainte Anne ! elle est notre patronne." On en braille de joie tellement c'est beau ; on se croirait tous au ciel. »

Ce que papa préfère de cette aventure mi-sacrée, mi-profane sur le fleuve : « C'est pieux, pis on s'en va loin. Au commencement, j'trouvais que le bateau allait pas tellement vite, mais plus tard je me suis aperçu qu'i' allait plus vite que ma jument noire. »

Dans la grande église, ma mère, avec les pèlerins de Saint-Michel, en profite pour dire le chapelet, se confesser, allumer des lampions, suivre la grand-messe, écouter le sermon d'un Père capable de faire peur et qui parle fort pour y arriver. Dans l'après-midi, il y a la bénédiction des malades, la vénération de la relique, la visite du musée. «Des fois, on écrivait un petit mot à sainte Anne pour lui demander des grâces, aussi pour lui dire merci.»

La gestuelle

À Sainte-Anne-de-Beaupré nos gens font et refont, mais d'une manière généralement plus appliquée, les gestes habituels de leur piété: le signe de la croix, la génuflexion, la prière à genoux-les-mains-jointes, l'inclination, le battement de poitrine et finalement la vénération de la relique de sainte Anne. Peut-être un chemin de croix. Qu'ils les aiment, ces gestes! L'acte essentiel du pèlerin est un acte de fidélité à la coutume.

Le signe de croix

Or la coutume la plus élémentaire, la plus généralisée, la plus conventionnelle et presque la plus naturelle, à Sainte-Anne comme à Saint-Michel, est celle du signe de la croix. Un signe de croix, c'est sacré! À preuve: «Monsieur le curé nous bénit en faisant un signe de croix.» Partout et toujours, et pas seulement en pèlerinage, le signe de la croix est ce qui nous identifie, à l'église, à la maison, en voyage. Il est là au lever, au coucher, avant et après les prières, avant et après les repas, à l'occasion d'un orage ou de la bénédiction du curé lors de la visite paroissiale. Déjà, à l'église, durant la messe, le curé fait tant de signes de croix qu'on peut se demander s'il n'exagère pas un peu.

Notre mère, qui aime prier à genoux, mains jointes et yeux clos, fait avec le plus grand respect son signe de croix dès qu'elle entre à l'église Sainte-Anne; elle s'arrête au bénitier, se signe dévotement. «Un signe de croix, c'est dire bonjour au Bon Dieu.» Ses signes de croix, elle n'hésite pas à les multiplier, à tel point que notre père est d'avis que, si elle gagne autant d'indulgences qu'elle fait de signes de croix dans sa journée, «elle pourrait ben se permettre toutes les folies possibles sur terre et aller quand même au ciel». Disons qu'elle n'est pas d'accord, surtout si elle pense à la manière dont les hommes en général se signent: «On dirait qu'ils n'ont jamais appris à faire leur signe de croix comme du monde. Qu'est-ce qu'ils ont à être si pressés?... Le Bon Dieu est capable de les attendre. Ils n'arriveront pas plus vite au ciel pour tout ça.» Elle n'aime pas davantage ces signes de croix à la sauvette que font les jeunesses en effleurant le bénitier. «Comment peuvent-ils prier s'ils ne savent même pas faire un signe de croix?»

À propos des signes de croix, qu'il a l'habitude de raccourcir, même en pèlerinage, papa est quasi intarissable. Il nous rappelle les signes de croix de son père sur le pain; il raconte à propos d'une vieille cousine riche de la ville de Québec qu'il a visitée après des funérailles, qu'il lui a fallu «attendre tous les pipis d'enfants exécutés» avant de pouvoir faire le signe de croix pour dire le béné-dicité en famille, parce que Monsieur le curé de la ville dans son sermon avait proclamé: «Pas de bénédicité, pas de soupe!» «On voit ben que les curés de là-bas connaissent pas leur monde. I' savent pas que pendant ce temps-là la soupe r'frédit. C'est pas un signe de croix qui va la réchauffer!» Le seul signe de la croix que lui, papa, apprécie jusqu'à en être ému est celui de sa bénédiction pater-nelle du jour de l'An. «Bénir tes enfants, c'est sérieux en diable!»

Prier à genoux

Être chrétien, à l'époque, c'est non seulement faire son signe de la croix, mais aussi prier à genoux. Ce geste, nous le pratiquons à la prière du matin, du soir et à l'église. «Tu confesses tes péchés à genoux, tu communies à genoux.» «C'est une affaire de confiance», répète maman. «C'est une question de respect», ajoute papa qui estime qu'«un garçon qui est pas capable de s'mettre à genoux, le Bon Dieu, qui est plus fin que le diable, le rattrapera ben un jour». Tous les deux s'accordent pour penser et dire que «la prière, ça se fait à genoux, à moins d'être pas mal malade...» À Noël, au *Minuit, chrétiens!* on chante: «Peuple, à genoux! attends ta déli-vrance». Il ne serait venu ni à ma mère ni à mon père, que ce soit à Saint-Michel ou à Sainte-Anne-de-Beaupré, l'idée de prier debout. «On est pas des chevaux pour prier debout. Debout, c'est comme si t'attendais ton tour pour prier. Debout, t'écoutes ton député, tu regardes, tu marches, tu pries pas ; tu fais le train debout, pas ta prière. »

Maman a pour son dire « qu'il faut faire à la maison comme à l'église : tu es devant ton Dieu comme devant le roi de France. Il faut habituer les enfants. Toi, Caïus, si tu étais à genoux plus souvent, peut-être que tu parlerais moins. » Tout de suite il a répondu : « Et toé, tu t'ennuierais à mort ! » D'autre part, il pense que punir les enfants en les faisant mettre à genoux, c'est comme punir le Bon Dieu.

La génuflexion

Aussitôt entrés à l'église, que ce soit à Sainte-Anne-de-Beaupré ou à Saint-Michel, il eut été inconvenant de ne pas faire, et tout de suite, notre génuflexion : « Ne pas faire ta génuflexion en arrivant à l'église est aussi polisson que garder ton chapeau pour parler à ton père. » Maman est convaincue d'ailleurs que ses génuflexions sont plus complètes, plus élégantes que celles de papa qui, encore une fois, éprouve une tendance irrépressible à tout abréger. Un jour qu'elle lui reprochait d'avoir écourté devant tout le monde sa génuflexion à Sainte-Anne-de-Beaupré, il a répondu mi-repentant, mi-ironique : « I' faut que j'fasse vite si j'veux saluer en même temps la Bonne Sainte Anne, la Sainte Vierge et le Bon Dieu. »

Les mains jointes

Agenouillés, bien accoudés, nous joignons les mains. Maman d'abord ; nous, par imitation, et seulement quelques instants. « De vrais anges ! Sages comme des images ! » « Regardez le prêtre, disait maman, comme il est beau quand il prie avec ses mains jointes ! » Pour ma part, j'ai compris la beauté des mains jointes comme signe de foi quand j'ai aperçu ma mère dans son cercueil, mains jointes et chapelet entre les doigts. C'était, me semble-t-il, sa foi à son meilleur. Inoubliable ! Elle continuait à prier, même morte.

L'inclination de tête

Un autre geste bien affirmé durant le pèlerinage tout autant qu'à l'église Saint-Michel, c'est l'inclination de tête à la consécration. Au son de la clochette du servant de messe, une inclination profonde de tête s'ensuit. Au moment même où l'on devrait contempler l'hostie consacrée, toutes les têtes se penchent, personne ou presque ne la regarde. Papa ne comprend pas que le prêtre prenne autant de temps à montrer l'hostie et que tout un chacun s'incline pour ne point la voir. « Y a ben des choses comme ça à la messe, c'est arrangé pour que tu comprennes pas. »

Le battement de poitrine

Un geste que nous affectionnons, nous les petits garçons plus souvent portés aux poings qu'aux mains tendues, est celui du battement de poitrine : « Par ma faute, par ma faute, par ma très grande faute ! » Avec quelle ferveur nous fermons le poing et passons à l'attaque. « Si mes garçons mettaient autant d'entrain à sarcler le jardin qu'à s'frapper la bedaine à l'église, y aurait jamais de mauvaises herbes », maugrée mon père. Ce à quoi ma mère acquiesce facilement : « Voyons ! les enfants, c'est au Bon Dieu que vous parlez. Pas nécessaire de faire tant de simagrées, il n'est pas sourd… » C'est avec beaucoup de dévotion et de contrition, et je le crois, qu'elle-même se frappait la poitrine au *Confiteor*. Le geste extériosait ses mots. Mon père y allait plutôt du bout des doigts : « Pourquoi une bonne fois ça suffirait pas ? On devrait s'frapper plutôt la tête, c'est là que commencent tous nos péchés. »

La vénération de la relique

La cérémonie finale du pèlerinage est marquée par un autre rite, un rite collectif, coutumier : la vénération de la relique de sainte Anne, qui signifie aussi le retour prochain à la maison, retour assez désirable à la fin d'une journée tellement bien remplie. Ma mère n'est pas, contrairement à son mari, ce qu'on appelle communément une gesteuse. Réservée, assez prude, un peu timide, hésitant même à dire, par des gestes précis, une affection pourtant évidente pour nous tous, elle ose à peine s'approcher et baiser la relique comme elle ose à peine baiser le crucifix de son chapelet. Pourtant, la même femme nous avoua un jour qu'elle a souvent voulu embrasser la lunule de l'ostensoir, « à cause de l'hostie » !

Ô surprise ! papa est celui qui se soumet le plus volontiers, et avec entrain dirait-on, à cette cérémonie de la vénération de la relique. Il aime s'avancer à la balustrade, « embrasser la Bonne Sainte Anne, notre grand-mère d'en haut », en faisant remarquer qu'il ne comprend pas trop pourquoi les prêtres veulent qu'on embrasse la relique et qu'ils refusent que l'on touche à l'hostie, au ciboire, au calice. « À part l'eau bénite, on touche pas à grand-chose dans notre religion. »

Son chemin de croix

Entre-temps, maman a trouvé le moyen de faire un chemin de croix privé à la Bonne Sainte Anne, comme pour lui prouver… et se prouver que cette méditation en quatorze étapes avec prières et génuflexions, qui lui va comme un gant, est une merveilleuse occasion de dire sa reconnaissance en même temps que de gagner d'autres indulgences pour ses enfants.

Retour

Aussitôt finie la cérémonie des reliques, c'est le retour vers Saint-Michel. Départ de Sainte-Anne à trois heures précises. Quelque peu bercés par les vagues, les enfants, qui ont couru autour de l'église Sainte-Anne tout le matin, s'endorment. Nous redisons le chapelet… « Je vous salue, Marie… Sainte Marie, Mère de Dieu », jusqu'au moment religieusement attendu où, en face de Lauzon, Monsieur le curé déclare solennellement : « Assez prié. Reposons-nous ! » En un instant les femmes se sont regroupées pour parler de leur lavage-ménage-habillage qui les attend. Les hommes s'interrogent sur les récoltes : « Si la Bonne Sainte Anne est honnête, elle y verra ben », conclut papa qui, avec Monsieur le curé, avait veillé adroitement à la bonne conduite du pèlerinage.

Journée réussie. Debout sur le pont en avant du bateau, nous regardons les Laurentides s'éloigner peu à peu de nous. L'Île d'Orléans contournée, à mesure que nous enfilons les vagues, le clocher de Saint-Michel semble venir à notre rencontre pour nous accueillir. Nous avons l'impression, sinon la certitude, que nous habitons un pays sacré, le plus sacré qui soit, le plus beau pays du monde.

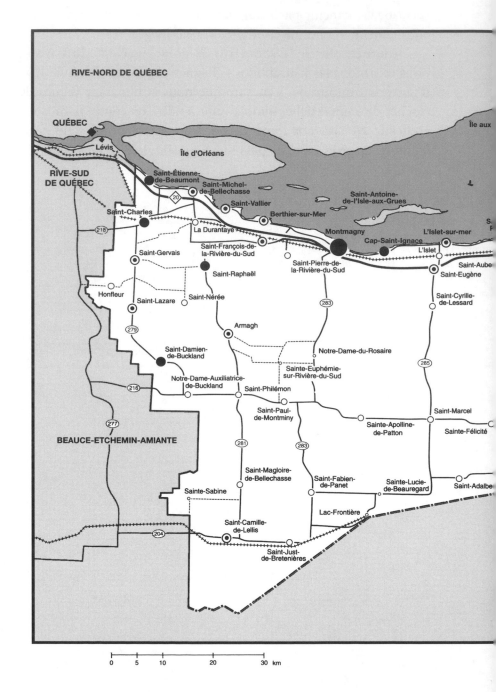

10. Carte de la Côte-du-Sud contemporaine

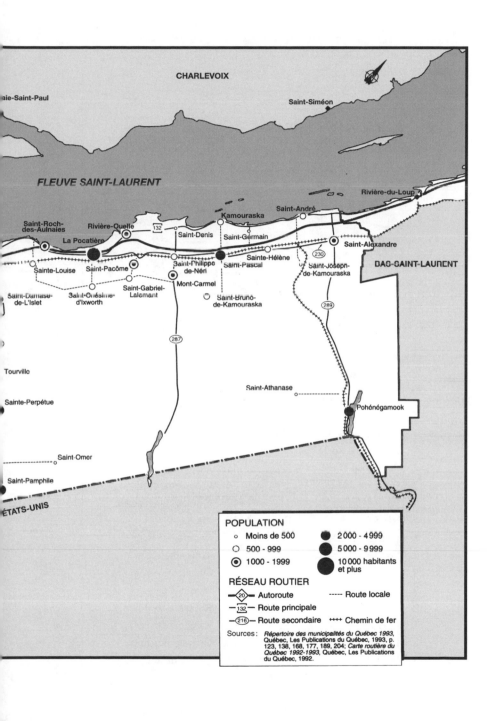

CHARLEVOIX

aie-Saint-Paul

Saint-Siméon

FLEUVE SAINT-LAURENT

Rivière-du-Loup

Kamouraska

Saint-André

Saint-Roch-
des-Aulnaies

Rivière-Quelle

132

Saint-Denis

Saint-Germain

Saint-Alexandre

La Pocatière

230

Sainte-Louise

Saint-Pacôme

Saint-Philippe
de-Néri

Saint-Pascal

Sainte-Hélène

Saint-Joseph-
de-Kamouraska

BAS-SAINT-LAURENT

Mont-Carmel

Saint-Damase-
de-L'Islet

Saint-Onésime-
d'Ixworth

Saint-Gabriel-
Lalemant

289

Saint-Bruno-
de-Kamouraska

287

Tourville

Saint-Athanase

Sainte-Perpétue

Pohénégamook

Saint-Omer

Saint-Pamphile

ÉTATS-UNIS

POPULATION

○ Moins de 500

○ 500 - 999

◉ 1000 - 1999

● 2000 - 4999

● 5000 - 9999

● 10 000 habitants
et plus

RÉSEAU ROUTIER

⬧20⬧ Autoroute

----- Route locale

—132— Route principale

—216— Route secondaire

++++ Chemin de fer

Sources : *Répertoire des municipalités du Québec 1993*,
Québec, Les Publications du Québec, 1993, p.
123, 138, 168, 177, 189, 204; *Carte routière du
Québec 1992-1993*, Québec, Les Publications
du Québec, 1992.

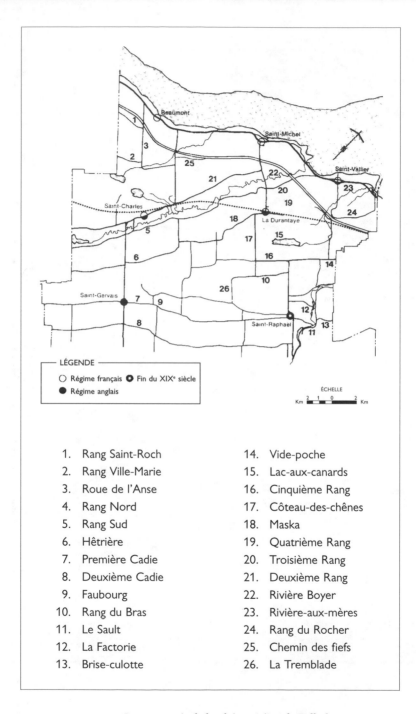

1. Rang Saint-Roch
2. Rang Ville-Marie
3. Roue de l'Anse
4. Rang Nord
5. Rang Sud
6. Hêtrière
7. Première Cadie
8. Deuxième Cadie
9. Faubourg
10. Rang du Bras
11. Le Sault
12. La Factorie
13. Brise-culotte
14. Vide-poche
15. Lac-aux-canards
16. Cinquième Rang
17. Côteau-des-chênes
18. Maska
19. Quatrième Rang
20. Troisième Rang
21. Deuxième Rang
22. Rivière Boyer
23. Rivière-aux-mères
24. Rang du Rocher
25. Chemin des fiefs
26. La Tremblade

11. La toponymie de la plaine côtière de Bellechasse.

12. L'église de Saint-Michel,
côté ouest, en été.

13. L'église de Saint-Michel, côté sud-est, en hiver.

14. *Le presbytère de Saint-Michel.*

15. *Chapelle Notre-Dame de Lourdes
à Saint-Michel.*

16. *Le banc de la famille Lacroix au premier jubé.*

17. *La nef de l'église Saint-Michel vue du banc
des Lacroix au jubé.*

*18. Chapelle Sainte-Anne
à Saint-Michel.*

*19. Couvent des Religieuses de Jésus-Marie
à Saint-Michel.*

20. Bibliothèque Benoît-Lacroix à Saint-Michel.

TROISIÈME PARTIE

LES PERSONNES
SACRÉES

CHAPITRE 11

Les personnes de l'au-delà

U N PERSONNAGE est sacré dans la mesure où son action dépasse, réalité ou croyances interposées, les normes du déjà vu et du déjà entendu. En fait, chez nos gens, la tendance générale est de se tourner vers des personnes exceptionnelles, héros merveilleux ou protecteurs miraculeux, et de leur prêter toutes les qualités possibles. À moins que, par des alchimies plus subtiles, certains en arrivent, temporairement et sous la pression de leurs élites, à adorer la raison, le progrès, la science, voire le pays. Mais, dans la majorité des situations, le peuple attribue à ses personnages préférés des paroles, des révélations. Dans les religions ancestrales, il considérera l'univers entier comme un laboratoire sacré. Par crainte, par peur, par simple respect, parfois par intérêt, des médiateurs d'exception, sorciers, magiciens, devins, êtres tout-puissants et prestigieux, apparaissent à l'horizon de l'imaginaire collectif.

DIEU DE PARTOUT

Déjà nous avons noté comment le territoire canadien, généreux en ses distances, caractérisé par de longs hivers blancs, élargit le champ du sacré. Des espaces aussi vastes appellent, les croyances aidant, de multiples personnages, réels ou imaginaires, d'origine céleste ou humaine : Dieu, la Vierge, les anges, les saints, les défunts, les âmes du purgatoire.

Eh oui! le peuple croyant a besoin de personnifier, de voir, d'entendre : il lui faut des médiateurs, des modèles. N'est-il pas normal qu'un petit peuple, isolé et sans pouvoir, prête des intentions et des actions éclatantes à ses héros ? N'est-ce pas de bonne politique dans les circonstances que de vouloir apprivoiser l'avenir jusqu'à désirer transformer des dépendances trop absolues en des sentiments d'appartenance plus raisonnés ? C'est ainsi que le peuple québécois a aimé « les gens d'en haut » avec autant de confiance que de déférence. Il a cherché au ciel des sauveurs qui lui manquaient sur la terre. Cette politesse, sacrée à bien des égards, il la gère grâce à la prédication dominicale, aux leçons de catéchisme et d'histoire sainte, aussi par la pratique des dévotions privées.

Dieu en Bellechasse

Parmi les premiers héros de la croyance populaire, il y a, bien entendu, Dieu. Le Bon Dieu ! Celui qui, à l'école, nous mérite des punitions à genoux si, par exemple, nous écrivons mal son nom. Dieu sait tout, Dieu fait tout, Dieu peut tout. Surtout, il est partout, avec l'avantage incomparable de ne jamais se faire voir « à cause qu'il est un pur esprit ». À l'école primaire, à Saint-Raphaël comme à Saint-Michel, les questions du petit catéchisme, les mêmes jusqu'en 1941, sont claires. Que les réponses le soient !

Q. Qu'est-ce que Dieu ?
R. Dieu est un esprit infiniment parfait, créateur et maître absolu de toutes choses.

Q. N'y a-t-il qu'un Dieu ?
R. Oui, il n'y a qu'un Dieu et il ne peut y en avoir plusieurs.

Q. Dieu a-t-il toujours été et sera-t-il toujours ?
R. Oui, Dieu est éternel, il a toujours été et il sera toujours.

Q. Où est Dieu ?
R. Dieu est partout ; il remplit le ciel et la terre.

Q. Dieu voit-il tout et connaît-il tout ?
R. Oui, Dieu voit tout et connaît tout, même ce qu'il y a de plus caché dans notre cœur.

Q. Dieu prend-il soin des choses de ce monde?

R. Oui, Dieu prend soin de toutes choses; il conserve tout et gouverne tout dans le monde, et rien n'arrive sans sa permission!

Q. Comment appelle-t-on ce soin que Dieu prend de toutes choses?

R. Ce soin que Dieu prend de toutes choses s'appelle la *Providence*.

De cet enseignement, bref mais ferme, nos paysans retiennent que Dieu est non seulement partout, mais qu'il se mêle de tout. Sa toute-puissance les attire autant qu'ils la redoutent. Ce Dieu d'en haut, grand-père invisible qui mène l'univers, ne vient pas toujours à bout de ses humeurs qui se manifestent par le tonnerre, par les éclairs, par des tempêtes de neige à tout immobiliser. En outre, il attend le jugement dernier pour un règlement de compte définitif et exemplaire qui favorisera en l'occurrence les seuls citoyens de bonne volonté, c'est-à-dire les catholiques bons pratiquants.

Pour dire Dieu, les mots des gens de Bellechasse, Bellechasse des Hauts et Bellechasse des Bas, sont des plus significatifs. Il ne faudrait surtout pas porter une attention défavorable à leurs *torryeux* (tort à Dieu) répétitifs. De toute façon, «le Bon Dieu ne peut pas avoir tort. Le Bon Dieu sait ce qu'il fait… S'il est content ou s'il ne l'est pas. Ça dépend de toi et non de lui.» *À la grâce de Dieu!* se dit-on souvent d'un ton résigné. Leur église paroissiale s'appelle la *Maison du Bon Dieu*. Leurs prêtres *saluent le Bon Dieu* à la croix de chemin; ils *portent le Bon Dieu* aux malades.

Par ailleurs, l'image de l'œil de Dieu scintillant, au centre d'un triangle symbolisant la Trinité, que l'on retrouve dans les presbytères, dans les sacristies, épinglée sur le mur des écoles et même des maisons, n'est pas sans questionner leur entendement. Il y a en plus les images de petit format venues d'Europe et celles d'un certain catéchisme illustré des années 1930: on y représente un Dieu juge parfois en colère, ou sereinement assis sur les nuages avec le globe terrestre dans sa main gauche. Tel est leur *Père éternel*, majestueux, tout-puissant, triomphant, éclatant de gloire. «Sous l'œil de Dieu, près du fleuve géant», un des versets de notre hymne national, *Ô Canada*, confirme qu'une certaine ambivalence prime: Dieu est bon, mais il est si puissant! Il règne! Se doit-il d'être toujours le *Bon Dieu*?

Dieu de Moïse, Dieu du Décalogue, le Grand Manitou, le Bon Dieu qui peut être à ses heures un Bon Diable, demeure en leur esprit un Dieu plutôt dominateur et sévère, si soucieux de ses ouailles qu'il est prêt à les châtier, à les avertir à l'occasion, mais surtout à toujours les surveiller. Donc, il faut dire ses prières, donc il faut aller à la messe le dimanche, donc il faut faire ses Pâques… « sinon Dieu finira toujours par te rejoindre quelque part ». Pourtant, il ne leur est jamais venu à l'idée de renier Dieu. Bien au contraire. Ils le vénèrent autant qu'ils le craignent.

Dieu de ma mère

Comprenons que ma mère, elle aussi, éprouve vis-à-vis de son Dieu des sentiments plutôt mixtes. Non qu'elle doute de lui et qu'elle désire s'en distancier. « J'ai mis cinq enfants au monde, je suis certaine que le Bon Dieu est là, toujours là, le même toujours, autrement il ne serait pas Dieu. Je suis certaine qu'il pense à chacun de nous, qu'il nous regarde un par un, qu'il nous aime comme moi j'aime mes enfants, un par un. Monsieur le curé a raison : Dieu est Dieu, il n'y en a pas d'autres sur la terre comme dans les cieux. »

Mais, à cause des images du catéchisme, à cause de certains sermons entendus au temps de la retraite, à cause de cette hantise du péché mortel qui enlève l'état de grâce et la priverait à jamais de voir le Bon Dieu, il lui arrive de frissonner de peur. Pourtant, elle croit fermement, même dans les pires épreuves. Sauf lorsqu'il tonne : « Le tonnerre, c'est le Bon Dieu fâché. Je n'aime pas ça. Pas du tout. Il faut prier dans ce temps-là. J'aimerais mieux être à l'église durant les orages parce que je serais préservée. Ici, c'est si petit à la maison. J'ai toujours pensé que le Bon Dieu est mieux à l'église. » Est-ce à cause de l'hiver, de son isolement, alors qu'elle s'ennuie tellement, qu'elle finit souvent par penser que son Dieu est lointain, voire distant, et qu'elle ne le rejoindra vraiment qu'au paradis à la fin de ses jours ? C'est long attendre ! Pour l'instant, elle se sent plus confortable à l'église : « On est si bien dans la maison du Bon Dieu. »

Il n'arrivera jamais à ma mère d'être familière avec Dieu, voire de le tutoyer… sauf en latin. En tout ce qui est langage et prescription d'Église, elle n'osera pas changer un seul mot, ni de ses *Actes* ni du catéchisme, encore moins de son livre de messe.

Mon père, lui, frondeur à ses heures, prétend que, beau temps mauvais temps, Dieu fait son affaire et qu'il est autant à la grange avec les vaches qu'à l'église avec Monsieur le curé. Elle rétorque : « Je te comprends, mon homme, tu es tellement sorteux que ça fait ton affaire que Dieu soit partout. »

Dieu de mon père

Papa croit au même Dieu que son épouse, mais pas de la même manière ni toujours pour les mêmes raisons. Son Dieu est moins le Dieu de l'église et de l'école que le Dieu de l'univers, Dieu de la création, Dieu des saisons. « De toute façon, t'as qu'à t'lever le bout du nez, tu verras ben. Y a que lui qui peut faire marcher ensemble le soleil, la lune et les nuages. Essaye-toé si t'es capable… Ta mère s'inquiète de tout, moé, j'regarde les étoiles, la nuit, le lever du jour, la tombée du soir. Quand j'vois tout ce que je vois sur ma terre et que j'en vois encore plus quand j'arrive sur la côte qui mène à l'église, j'ai pas besoin d'en savoir plus long. C'est si beau ! si grand ! cette Île d'Orléans et les Laurentides, le fleuve, le village, surtout à la Fête-Dieu. C'est facile pour moé de croire au Bon Dieu… »

Dieu, vu ou pas vu, proche ou lointain, peu lui importe ! « J'ai pas besoin de voir le pape pour croire en lui ni de voir Dieu pour savoir qu'i' existe. Pourquoi le Bon Dieu courrait-il après nous autres pour nous montrer qu'i' existe ? Le soleil, lui, a pas besoin d'atterrir pour réchauffer la terre ! » À noter cependant que mon père assimile assez bien ses leçons de catéchisme. Dieu, il le voit tout-puissant, « créateur de l'univers visible et invisible ». La représentation traditionnelle du Dieu grand-père dans les nuages le fascine ; il a toujours aimé les vieux à barbe blanche ! « Pis j'peux pas m'tromper de Dieu, y en a juste un ! » Il chante, il chante, légèrement, comme si cela allait de soi :

> Il n'y a qu'un seul Dieu,
> qui règne dans les cieux.

À la grange quand il est seul, au bois ou sur la terre à herser, il parle au Bon Dieu : « J'lui dis des choses que j'dirais jamais à ma femme. Ma terre m'fait l'école. » Avec cœur, il chante :

> L'immensité, les cieux, les monts, la plaine…
> Je crois en Toi, maître de la nature
> Semant partout la vie et la fécondité…

Bien sûr, il lui arrive parfois de dire de gros mots. Comme de raison, Rose-Anna le reprend. Mais ça recommence : « *Bonyeu de Bonyeu* ! *Torryeu de Torryeu* ! » Des mots de passe plutôt. « Non, c'est pas moé qui voudrais insulter le Bon Dieu. Lui, t'es mieux de l'avoir de ton bord. » Quand l'orage menace tous ses bâtiments ou que la pluie se fait trop fournie, ou encore qu'une sécheresse se prolonge, voire qu'une épidémie de sauterelles s'amène, il s'appuie, nous l'avons dit, sur le fait que Dieu créateur de l'univers s'en trouve le premier responsable. Un moment d'hésitation le saisit au jour de l'An au matin, quand il donne la bénédiction paternelle : « Ça m'gêne de faire le Bon Dieu et de pas être le Bon Dieu… Pour moé, y a rien de plus grand que le Bon Dieu, ni de plus fort, ni de plus majestueux. Ta mère a raison : "Dieu, c'est ce qu'y a de plus mystérieux au monde." » Plus il y pense, plus la reconnaissance l'emporte sur la crainte. Solidaire de sa terre autant que dépendant de son Créateur, il m'avoue un jour : « J'sus pas le Bon Dieu, mais j'pense qu'i' m'aime pour m'avoir donné une belle femme, cinq bons enfants, des animaux, une belle jument, de bonnes récoltes, de la vraie avoine… Qu'est-ce que j'te dirais de plus ? »

UNE RELIGION À MYSTÈRES

Jusqu'ici, Dieu aidant, tout va allègrement. Dieu est partout, il aide ses fidèles et eux font leur possible. Mais que de mystères à l'horizon : Dieu de Noël, Dieu de Pâques, Dieu de la Pentecôte, Dieu de la Trinité ! Une page du petit catéchisme apprise par cœur n'arrange pas les choses :

Q. Quelles sont les principales vérités de notre religion ?

R. Les principales vérités de notre religion sont le mystère de la Sainte Trinité, le mystère de l'Incarnation et le mystère de la Rédemption.

Q. Qu'est-ce que le mystère de la Sainte Trinité ?

R. Le mystère de la Sainte Trinité, c'est un seul Dieu en trois personnes : le Père, le Fils et le Saint-Esprit.

Q. Qu'est-ce que le mystère de l'Incarnation ?

R. Le mystère de l'Incarnation, c'est le Fils de Dieu fait homme pour nous.

Q. Qu'est-ce que le mystère de la Rédemption ?

R. Le mystère de la Rédemption, c'est Jésus-Christ mort en croix pour nous.

Q. Pourquoi appelle-t-on ces vérités des *mystères* ?

R. On appelle ces vérités des *mystères,* parce que ce sont des vérités que nous ne pouvons comprendre.

Q. Sommes-nous obligés de croire ces vérités que nous ne pouvons comprendre ?

R. Oui, nous sommes obligés de croire très fermement ces vérités, et tous les autres mystères de notre religion, quoique nous ne puissions les comprendre, parce que c'est Dieu qui les a révélées.

Q. Où sont contenus les principaux mystères de notre religion ?

R. Les principaux mystères de notre religion sont contenus dans le *Credo* ou symbole des Apôtres.

Comment vont-ils se débrouiller avec leur Bon Dieu devenu tout à coup Sainte Trinité, Père, Fils et Saint-Esprit ?

Mystère de la Très Sainte Trinité

Nous, jeunes collégiens, nous nous demandions si nos habitants de Bellechasse n'adoraient pas plutôt trois, quatre Dieux à la fois : le Bon Dieu des nuages, créateur du ciel et de la terre, maître du tonnerre et des éclairs ; le Dieu-enfant dit petit-Jésus de la crèche ; le Dieu mort en croix à cause de nos péchés ; et peut-être même un quatrième Dieu qui serait le Saint-Esprit à cause du petit catéchisme qui a tout décidé à l'avance. Pour effacer nos doutes, la réponse de Caïus Lacroix arrive ferme et directe : « Ça vaut pas la peine d'étudier le latin, mes enfants, si vous avez déjà oublié votre catéchisme. »

Q. Pourquoi dites-vous : *Je crois en Dieu le Père* ?

R. Je dis *Dieu le Père*, pour marquer que la première personne en Dieu s'appelle le Père.

Q. Combien y a-t-il de personnes en Dieu ?

R. Il y a trois personnes en Dieu : le Père, le Fils et le Saint-Esprit.

Q. Les trois personnes divines ont-elles les mêmes perfections ?

R. Oui, les trois personnes divines ont les mêmes perfections ; elles sont égales en toutes choses.

Q. Le Père est-il Dieu ?

R. Oui, le Père est Dieu.

Q. Le Fils est-il Dieu ?

R. Oui, le Fils est Dieu comme le Père.

Q. Le Saint-Esprit est-il Dieu ?

R. Oui, le Saint-Esprit est Dieu comme le Père et le Fils.

Avec les dimanches de la Pentecôte et de la Trinité, nous étions introduits, même à la maison, dans un espace spirituel assez étrange qui pouvait nous faire croire qu'il y a, en effet, trois Dieux. Dans nos « Gloire soit au Père, et au Fils, et au Saint-Esprit », l'Esprit saint placé en fin de ligne est comme annexé au Père et au Fils. Ne sachant trop comment nous situer, nous aurions voulu questionner. Ma mère n'aime pas nos discussions de collégiens pseudo-instruits sur les « saints mystères » et nous renvoie inévitablement à la même leçon de catéchisme :

Q. Il y a donc trois Dieux ?

R. Non, il n'y a pas trois Dieux : les trois personnes divines ne font qu'un seul et même Dieu.

Q. Comment cela ?

R. Parce qu'elles n'ont qu'une même nature et une même divinité.

Q. Comment s'appelle ce mystère d'un seul Dieu en trois personnes, le Père, le Fils et le Saint-Esprit ?

R. Ce mystère d'un seul Dieu en trois personnes s'appelle le mystère de la Sainte Trinité.

L'on raconte à la maison que ma sœur aînée, Jeanne, aurait répondu à la question du catéchisme posée par la maîtresse : « Que font ensemble les trois personnes de la Trinité ? » : « Elles se marient. » « Passe à la queue ! », ce fut la décision spontanée de mademoiselle Sylvain, célibataire de 50 ans et soucieuse de discipline.

Petits, nous répétons à haute voix, presque machinalement, nos leçons. Maman se tait, nous nous taisons ; papa comme toujours aime ajouter son grain de sel : « As-tu remarqué, Rose-Anna, que le curé parle plus fort quand i' parle de la Trinité ? J'dirais ben qu'i' est pas certain de son coup… Pis c'est ben mêlâillant tout ça ! C'est ben emmêlâillant ! T'as le Père en haut, le Fils en bas, pis le Saint-Esprit toujours en voyage. Comment veux-tu dire ton *Gloire soit au Père* ?… Le curé a pas l'air à en savoir plus long que moé, pis qu'i' nous mêle encore plus avec son Père éternel dans les nuages, le p'tit Jésus caché au tabernacle, le Saint-Esprit toujours parti en loup-garou. Ça fait que j'ai pour mon dire que j'vas prier le Bon Dieu qui est de l'autre bord, pis y a la Sainte Vierge, mon Bon Ange, pis les Âmes. Tout ce bon monde-là est plus de comprenure que les sermons en trois morceaux. » « Quand le catéchisme a parlé, lui répète inlassablement maman, c'est le temps de croire. »

Justement, un soir de confidence, papa, l'homme des croyances raisonnées et pas toujours prêt à endosser les sermons de son curé, a voulu se vider le cœur pendant que maman était à préparer les lits en haut : « Dans les affaires de religion, mes enfants, i' faut faire attention. Tu peux avoir ben du jasement, mais ça m'dit au meilleur de ma connaissance que pour parler du Bon Dieu, tu dois pas être trop ostineux. Si t'as de la jasette, tu y vas tranquillement. Prêcher c'est pas câler une danse carrée, c'est pas casser une parole, c'est dire la Parole, une parole d'honneur, une parole indisable… Nous autres, les pas instruits, on a pas des beaux mots comme eux autres pour dire les belles choses de la religion catholique. Même qu'on s'enfarge dans notre catéchisme. Faut pas nous demander de nous époitriner à dire qu'on sait tout, quand on sait pas. On r'garde le clocher, on tâche de garder la tête droite, haute comme lui le Bon Dieu. Dieu c'est Dieu. I' peut pas vouloir nous tromper. Faut savoir abrier la vérité. Un mystère, c'est un mystère. Plus tu l'expliques, plus tu t'embrumes. C'est mon bon ange qui m'a dit de vous dire ça. »

LE CHRIST

Parle-t-on du Christ au Troisième Rang? Disons tout de suite que, dans le vocabulaire courant, il est mal nommé et exposé à bien des jurons. Il en est qui disent: *Christ que je t'aime! Je t'aime en Christ!* D'autres pratiquent la série rude des *Maudit Christ, Christ de verrat, Christ d'hostie, Hostie de Christ, Christ de ciboire, Ciboire de Christ*, ou « Ne bouge pas, *mon Christ*, sinon je t'assomme ». Moins violents, mais pas plus évangéliques: *Mon Christ de fou, Ma Christ de folle.* Sans oublier tous les *tabarnak*! *hostie*! *ciboire*! *câlice*! *ostensoir*! qui se réfèrent indirectement au même personnage sacré.

L'enseignement proposé à l'église et à l'école n'a rien de ces polissonneries:

Q. Qu'est-ce que Jésus-Christ?

R. Jésus-Christ est le Fils de Dieu fait homme pour nous.

Q. Que veut-dire *se faire homme*?

R. *Se faire homme*, c'est prendre un corps et une âme semblables aux nôtres.

Q. Est-ce le Fils unique de Dieu, que l'on nomme aussi le Verbe divin, la seconde personne de la Sainte Trinité, qui s'est fait homme pour nous?

R. Oui, c'est le Fils unique de Dieu, la seconde personne de la Sainte Trinité, qui s'est fait homme pour nous et qui a été appelé JÉSUS.

Q. Jésus-Christ est donc le Fils unique de Dieu?

R. Oui, Jésus-Christ est le Fils unique de Dieu, et c'est ce que nous enseigne le second article du symbole, par ces paroles: *Et en Jésus-Christ, son Fils unique.*

Q. Jésus-Christ est donc Dieu et homme tout ensemble?

R. Oui, Jésus-Christ est Dieu et homme tout ensemble: il est Dieu consubstantiel à son Père, et homme en tout semblable à nous, excepté par le péché.

Q. Il y a donc deux natures en Jésus-Christ?

R. Oui, il y a deux natures en Jésus-Christ, la nature divine et la nature humaine.

Q. Y a-t-il aussi deux personnes en Jésus-Christ?

R. Non, il n'y a en Jésus-Christ que la seule personne du Fils de Dieu, ou du Verbe éternel, la seconde de la Sainte Trinité.

Q. Pourquoi le Fils de Dieu s'est-il fait homme?

R. Le Fils de Dieu s'est fait homme pour nous racheter.

Q. De quoi nous a-t-il rachetés?

R. Jésus-Christ nous a rachetés de la damnation éternelle à laquelle nous étions tous engagés par la désobéissance d'Adam, notre premier père.

Q. Que serions-nous devenus sans Jésus-Christ?

R. Sans Jésus-Christ nous aurions tous été damnés.

Q. Comment s'appelle le mystère du Fils de Dieu fait homme pour nous?

R. Le mystère du Fils de Dieu fait homme pour nous s'appelle le mystère de l'Incarnation.

L'Enfant-Jésus

Au-delà des beaux mots du catéchisme mémorisé à la maison et à l'école, on parlera plus facilement du *p'tit Jésus*, de *l'Enfant-Jésus*, ou du *Jésus mort pour nos péchés*. En entrant à l'église, on dit aux enfants de garder le silence de peur de « réveiller le petit Jésus caché au tabernacle ». La grande fête de l'année est celle du « petit Jésus » à Noël, porté en procession dans la crèche avant la messe de Minuit. En regardant une croix, un crucifix, tout enfant est appelé à l'identifier: « Regarde le Bon Jésus », « Fais un beau Jésus », « Salue le petit Jésus », « Parle au petit Jésus », « Prie le petit Jésus », « Donne ton cœur au petit Jésus », « Dis bonjour au petit Jésus », « Dis merci au petit Jésus », « Fais ta prière au petit Jésus ». Autant d'expressions typiques d'une religion populaire et domestique. Même la botanique a sa « fleur de Jésus ».

Le Christ de ma mère

À quel Christ croient-ils vraiment, nos gens de Saint-Michel? On peut se le demander, d'autant plus que leurs premiers réflexes sont pénitentiels. Oubliant dès la Chandeleur le petit Jésus de Noël ou le petit Jésus caché au tabernacle, ils pensent plus souvent au Christ mort en croix pour nos péchés. D'ailleurs, dans les écoles, on s'apitoie sur Jésus crucifié entre deux voleurs. Ce Jésus du Vendredi saint convient bien à ces gens pauvres et soumis qui, pour l'instant, semblent nés pour un petit pain.

Lectrice assidue de l'*Imitation de Jésus-Christ*, ma mère, éprouvée par une santé fragile, pense davantage au crucifix qu'au Jésus de la crèche réservé aux enfants. Quand elle nous dit de penser à Dieu, c'est vers le crucifix qu'elle se tourne. Son Jésus est un Dieu souffrant et misérable. Au temps de Pâques ou durant les veillées, avec quel respect elle aime entendre chanter *La passion du doux Jésus*.

Parce que les images du Christ ressuscité sont plus rares à l'époque que les croix et les crucifix, c'est l'aspect douloureux de la vie du Christ qui est largement mis en évidence. Elle s'est résignée : « C'est clair, la terre n'est pas le ciel, le Christ est au ciel et il ne souffre plus. Moi, je suis sur la terre, je m'intéresse à ce qu'il a enduré pour nous autres, avant nous autres. Le ciel, c'est pour plus tard. Le ciel, ça se gagne, en souffrant à cause de nos péchés. »

Le Christ de mon père

Papa pense quelque peu autrement. S'il ne cesse de réfléchir à la grandeur toute-puissante de Dieu, au Père éternel, il n'est pas trop attiré par le culte de l'Enfant-Jésus : « Un enfant c'est fait pour devenir grand. » À l'église, il est bien question de Messie, de Seigneur de gloire, de Fils de Dieu présent à la création, du Christ-Roi crucifié. Tous ces rôles l'intriguent ; c'est, à son avis, beaucoup à la fois pour une seule personne. Contrairement à ma mère, émue à la pensée de tant de souffrances, certaines questions lui trottent dans la tête. À propos du Christ mort en croix, mais encore vivant :

«Comme ça i' aurait fini de souffrir!... Que les prêtres s'décident un jour à le dire franchement: ou i' est mort ou i' est pas mort, ou i' est mort ou i' est ressuscité. Pas les deux à la fois. S'i' est ressuscité, i' nous attend. S'i' est mort, i' nous attend pas... Mais j'voudrais pas mal penser...» Pourtant, il croit fermement qu'à la fin des temps le Christ «reviendra ramasser son monde et, dans ce temps-là qu'ont dit les Pères de la retraite, tout le monde sera catholique». Sur ces derniers points lui et Rose-Anna sont totalement d'accord.

LE SAINT-ESPRIT

«Pauvre Saint-Esprit!» répète sagement maman. «Dans cette affaire-là, a dit monsieur le curé Bureau, il faut se fier à ceux qui ont étudié la question. Personne en notre paroisse n'est en mesure d'en apprendre au Saint-Esprit. Prenez-en ma parole. L'important, c'est de le prier tous les jours.» Et le sermon commence: «L'Esprit saint, c'est comme le vent sur vos champs: il flotte, il vole, vous ne le voyez pas, il est là, vous le sentez. Il voyage comme vos outardes, derrière les nuages. Pas nécessaire de tout voir pour tout savoir, Mes Chers Frères, comme pas nécessaire de tout savoir pour tout croire. Et maintenant, chantons ensemble»:

> Ô Saint-Esprit, venez en nous (bis)
> Embrasez notre cœur de vos feux,
> de vos feux les plus doux...

Grand-maman Beaupré, notre troisième voisine préférée, a raconté, soit sérieuse, soit moqueuse, que «les jeunesses du village chantaient au sortir de l'église: "Esprit saint, descendez en nous, Embrassez notre cœur de vos feux les plus fous."»

En fait, la réputation de «ce troisième Dieu», comme dit grand-père Abraham Lacroix, dépend surtout de Monsieur le curé qui, chaque année au printemps, raconte la même histoire de la grande visite d'un bel ange à la Sainte Vierge pour lui apprendre «d'un coup sec» qu'elle est enceinte par l'opération du Saint-Esprit. «C'est fort une parole bien dite», commente maman qui parfois confond la grâce sanctifiante avec l'Esprit saint ou avec son ange gardien. « Si une parole peut changer toute ta vie, pourquoi elle ne changerait pas le corps de Marie ? » Il lui arrive même de risquer devant les enfants et devant son mari l'évocation d'une complicité avec le Saint-Esprit : « Aujourd'hui, l'Esprit saint m'a dit que vous devriez faire ceci, cela. » Papa la regarde de ses yeux espiègles sans vouloir entrer dans son jeu : « Rose-Anna, fais attention ! Les enfants vont t'prendre pour le Bon Dieu, ce qui fait que tu pourras plus jamais faire de péchés. Écoute ton ange plutôt ! »

LES ANGES !

« En dehors du monde visible, Dieu a aussi créé un règne d'esprits invisibles. » Qui sont-ils, ces anges ? Que font-ils ? Le langage du Troisième Rang est révélateur ; le suprême compliment à faire à un enfant, et surtout… à un adulte, est de lui dire qu'*il est un ange*. *Être aux anges* témoigne de la joie d'un acte réussi ou d'un état euphorique. Parfois *qui veut faire l'ange fait la bête* !

Lors de l'enterrement d'un enfant, nos gens disent qu'il y a eu, non pas un *Libera des morts* mais un *Libera des anges*. En certaines paroisses du comté, il y a la Milice des Anges, l'association des Anges, la confrérie des Anges, et quoi encore ! Plusieurs portent des prénoms significatifs : Ange, Angéline, Angélique, Angèle, ou encore Archange comme mon arrière-grand-mère.

Tant d'images, de tableaux, de statues et de sculptures en leur honneur ! Il y a les anges debout, à genoux, avec des ailes, des visages d'enfant, des corps de bébé ou d'adolescent. Les anges nous racontent, paraît-il, la bonté divine et nous transmettent de beaux messages. « Il n'y en aura jamais de trop ! » disent les gens.

À la maison, une belle image d'ange en orbite est accrochée dans la cuisine. C'est tout naturel tellement nous sommes certains que l'univers est habité de toutes sortes de héros invisibles au service du Tout-Puissant et prêts au moindre signe à venir à notre secours.

La hiérarchie des anges

À la leçon de catéchisme, nous apprenons que les bons anges sont organisés, un peu comme au gouvernement, avec des ministres puissants, des sous-ministres, des députés et des subalternes. Ils forment neuf chœurs, nommés selon leur ordre d'importance : Séraphins, Chérubins, Trônes, Dominations, Vertus, Puissances, Principautés, Archanges et Anges au sens strict. Il en est qui ont de jolis noms : Raphaël, Gabriel, Michel. Ce sont même des archanges, ceux qui donneront le signal de la résurrection. Si ma mère est rassurée, mon père, le responsable de la ferme, s'interroge encore. Comment expliquer que « de purs esprits en train d'obéir aux ordres de Dieu doivent autant se multiplier et autant travailler si… le Bon Dieu est tout-puissant ? » L'attention de ma mère est ailleurs : son ange l'attend !

L'ange gardien

Déjà elle sait que de tous les anges qui peuvent exister au ciel, voyager à travers nos hémisphères, protéger les humains que nous sommes, rendre service, avertir ou prévoir, le plus spécial, le plus dépareillé, le plus poli, le plus attentif, le plus aimable, le plus discret, le plus extraordinaire et le plus disponible, c'est l'ange gardien. « Mon bon ange m'a dit… » « Je lui parle tous les jours » « Je marche à côté… » Chez les Sœurs, on a conseillé aux couventines de laisser, le soir dans leur lit, une place à leur *bon ange*. Ma mère le prie chaque matin, de même que chacun de nous… en principe :

> Ange de Dieu, qui êtes mon gardien, puisque le ciel m'a confié à vous dans sa bonté, éclairez-moi, gardez-moi, dirigez-moi et me gouvernez aujourd'hui. Ainsi soit-il.

Tantôt nous avons l'impression d'être chacun confié à cet ange, tantôt que cet ange nous est confié. Mais c'est plutôt à nous de nous fier à lui qui accomplit, par ses interventions mystérieuses, le rôle divin du Saint-Esprit ou de la grâce. Ce dont Monsieur le curé nous entretient si longuement, surtout à la Pentecôte, et que notre mère écoute avec une suprême attention. Et pour cause !

Défenseur attitré et irréfutable de l'archange saint Michel, qu'il appellerait volontiers son ange gardien, papa confirme d'une voix assurée : « Hasardeux que j'sus, j'ai jamais eu de gros accidents, ni au bûchage ni en voyage. Mon bon ange m'a toujours protégé. I' s'impose pas, lui ; i' est poli, i' a été élevé par le Bon Dieu. Si tu crois pas à ton bon ange, i' est pas obligé à toé, i' viendra pas. C'est assez simple à penser. Pourquoi vous ai-je fait instruire ? La visite vient pas quand elle se sent pas désirée. Étudiez encore, mes enfants, ça vous fera pas de tort. Mon bon ange, lui, y a longtemps qu'i' m'parle, pis saint Michel aussi. Des fois j'les pense plus instruits que vous deux du collège Sainte-Anne… »

À ce discours s'ajoutent parfois les considérations politiques de papa s'interrogeant sur l'efficacité de ces anges gardiens qui laissent les Bleus voter à leur guise. Sa Rose-Anna pense au contraire que les anges sont assez sages pour ne pas faire de politique.

Les bons et les mauvais anges

Bien sûr, nous apprenons à l'église comme à l'école que les anges nous sont supérieurs, qu'ils sont de purs esprits créés en tout premier « dans un état sublime de sainteté et de bonheur ». Mais certains d'entre eux ont fauté. À cause de leur orgueil, ils sont devenus les mauvais anges, des démons, des diables. Toujours le petit catéchisme : « Quel est l'état des bons anges ? » La réponse : « Les bons anges sont éternellement heureux dans le ciel, où ils jouissent de la vue de Dieu. » Le bonheur des anges ! Comment imaginer ? Maman essaie. « Le bonheur des anges, c'est d'être avec le Bon Dieu, comme mon bonheur est d'être avec vous les enfants. » Mon père, qui trouve tant de contentement avec ses animaux à la grange, n'ose pas comparer « de peur de faire des erreurs… »

Ma mère voudrait aussi savoir comment les bons anges peuvent être si bons. Elle se souvient encore de la réponse du catéchisme appris à Saint-Raphaël : « Dieu a créé les anges dans un état de pureté, et les a élevés par sa grâce à un état sublime de sainteté et de bonheur. » Ce qui l'entraîne à penser que c'est la vertu de pureté qui conditionnera son bonheur à elle.

Papa se doute bien qu'elle pense ainsi ; il n'aime pas cela. Que peut-il faire, sinon se taire ? En ces matières la discrétion est de mise. Ce qui ne l'empêche pas de s'interroger malgré lui sur le péché des anges. Déjà intrigué par la faute exacte d'Adam et d'Ève pourtant créés dans l'innocence, il voudrait bien rassurer Rose-Anna. L'écouterait-elle ? À moins que l'ange gardien s'en mêle. Qui sait ?

Il y aurait des mauvais anges, des anges pécheurs, des démons, des diables, « des espèces d'orgueilleux » qui ont refusé d'obéir à Dieu. Et Dieu les a chassés du paradis : « Après leur péché, répète Monsieur le curé, les mauvais anges furent chassés du ciel et précipités dans l'enfer. »

Ah ! les mauvais anges ! Surtout que peuvent-ils faire pour occuper leurs loisirs éternels ?

Q. Que font-ils en enfer ?

R. Ils y souffrent des supplices horribles dans un feu éternel, et s'emploient à tourmenter les damnés.

Q. Les démons n'ont-ils point d'autres occupations ?

R. Les démons ont encore une autre occupation, qui est de tenter les hommes et de les exciter au péché.

Q. Devons-nous craindre beaucoup les tentations du démon ?

R. Oui, nous devons craindre beaucoup les tentations du démon, à cause de notre faiblesse ; mais nous pouvons y résister facilement avec le secours de la grâce de Dieu.

Autant nous envions tous ces bons anges dont l'occupation principale consiste à louer Dieu, autant nous avons des démons la pire des impressions.

Peut-être parce qu'il compte sur son saint Michel, mon père ne craint les démons ni pour lui ni pour sa famille. Il a sur ce point le don de rassurer son épouse : « Comprends-moé, Rose-Anna, les bons anges sont plus nombreux que les mauvais. Reste calme. Les démons sont comme des abeilles : grouille pas, et i' te piqueront pas… »

Ces démons, le petit catéchisme et le folklore courant les condamnent et les conspuent plus particulièrement en la personne unique de leur chef, le Diable, adversaire attitré de chacun de nos anges gardiens.

LE DIABLE

Eh oui! deux personnages fort influents se disputent les âmes et les cœurs des paroissiens catholiques de Bellechasse : la Sainte Vierge et le Diable. Ah! le Diable! Les gens du pays ont appris à la leçon de catéchisme que le Diable est un ange qui a mal tourné. Cet ange maudit est celui qui, après avoir trompé Ève, est responsable de tous nos malheurs, ou près. Le Diable s'appelle Satan, Lucifer, l'Antéchrist, l'Adversaire, le Malin, quoi encore!

Largement évoqué dans le vocabulaire courant en ces termes : *le diable est aux vaches, le diable est partout qui bordasse, qui inquiète*, ou encore *le diable est dans la cabane*, quand ce n'est pas *un pauvre diable à plaindre ou à exorciser*. Des expressions parallèles se multiplient : *tirer le diable par la queue, être en beau diable*. Et qui n'a pas un jour ou l'autre, implicitement ou explicitement, envoyé l'autre *chez le diable*?…

Le Diable est l'être le plus détesté de Monsieur le curé et des gens de la paroisse, même si, en tant qu'ange, il est en principe supérieur aux humains que nous sommes. Cet orgueilleux, ce jaloux voyage ; il se promène surtout en des lieux suspects, à la brunante ; il vit volontiers dans des endroits ombragés et secrets comme les grandes forêts de Maska, là où justement *il fait noir comme chez le diable*. Le folklore s'en mêle : il y a l'*avoine du diable*, de la mauvaise herbe, tout comme il y a le *tabac du diable*.

Des récits

Les représentations populaires de ce « hideux personnage », *dixit* Monsieur le curé, ne sont guère avantageuses. Il s'agit d'un homme en noir qui marche à gauche par rivalité avec « mon ange gardien qui marche à droite ». Il a des cornes ou même des ailes à faire peur. Héritier des ogres, des pirates, des aventuriers d'antiques récits, animal travesti avec corps et queue, loup-garou, feu follet, il peut à l'occasion apparaître aux filles sous la forme plus agréable d'un séducteur ou d'un joli danseur. Au Troisième Rang, nous entendons parler de Rose Latulippe de Saint-Raphaël qui, un soir, avait reçu son cavalier vêtu de noir et dansé avec lui malgré la défense de Monsieur le curé qui s'opposait à toute danse dans sa paroisse. Quelqu'un par mégarde a fait un signe de croix et le diable a pris la fuite en brûlant de sa main le cadre de la porte de sortie.

On raconte aussi comment le diable — toujours le diable danseur — avait égratigné une fille de Saint-Vallier qui avait osé danser un mercredi des Cendres. Dans la chasse-galerie, le diable se fait gentil avironneur. La religion l'intéresse ! Il aurait même bâti des églises, dont celle de Saint-Jean-Port-Joli. Il a le don d'énerver Monsieur le curé et de troubler maman quand elle entend dire qu'il y aurait des gens qui font des pactes avec le diable, lui vendent leur âme, un peu à la manière des survenants qui trafiquent des prières avec les âmes du purgatoire.

Le diable joue tellement de rôles que je me souviens avoir entendu ma mère dire sérieusement qu'au moment où il pleut et fait soleil en même temps, cela signifie que *c'est le diable qui bat sa femme pour avoir des crêpes.* Elle appellerait Dieu *un vrai bon diable,* tout comme les amoureux se disent par plaisir ou par défi : « Mon p'tit démon d'amour, aime-moi ! »

On nous a aussi rapporté que le diable n'aime pas la belle musique, surtout la musique sacrée. « Rien de pire encore pour déranger ses plans, disait maman, que l'eau bénite et des signes de croix. » Pour rendre le personnage encore plus mystérieux, elle nous parle de la maison hantée du rang Vide-Poche. Autrefois on y vendait de la boisson, paraît-il ; on y dansait malgré l'interdiction du curé ; on n'allait pas à la messe, on ne faisait pas ses Pâques, « on sacrait beaucoup, on ne respectait pas les vieux. Ça fait que le soir les gens entendaient des bruits de chaîne avec des rires en pleine nuit… La maison a brûlé et plus rien ! Un bon ange a dû y mettre le feu ! »

Ma mère aurait voulu ne jamais s'occuper du diable. Elle y pense malgré elle. Même avec ses signes de croix et son eau bénite en réserve. Quant à papa, fort de son saint Michel en face de l'église, le diable ne lui fait pas peur : « Oh ! pas une miette ! C'est pas lui qui m'a enseigné mes péchés. J'sus capable d'les faire par moi-même. Le Diable, c'est un pisseux, i' marche à gauche parce qu'i' a peur. »

LES SAINTS ET LES SAINTES

Mais pourquoi avoir si peur ? « Le ciel est déjà rempli de monde qui nous aime. » Eux, les habitants du Troisième Rang de Saint-Michel, ont leurs idées faites depuis longtemps sur les saints et les saintes. Ces idées ne cadrent pas vraiment avec celles des prêtres diplômés. Intéressés par la protection immédiate d'un saint plutôt que par l'imitation du modèle, ils veulent s'émerveiller tout de suite de la puissance concrète de tel ou tel saint. C'est ce qu'ils appellent *se vouer à tous les saints* ou *prier tous les saints du Paradis*. Il faut dire que les noms de saints sont partout dans la vie courante ; peu de prénoms n'en sont pas, qui sont empruntés le plus souvent au calendrier ecclésiastique en circulation et au martyrologe de Monsieur le curé, sans oublier tous les saints bibliques possibles ! Ce petit peuple d'immigrants sédentaires, très tôt dépossédé et devant reconquérir son univers, a-t-il cherché, en dehors et plutôt en haut qu'en bas, des intercesseurs et des protecteurs ? En principe, le nom de baptême renvoie à un de ces saints protecteurs.

Chez les Bélanger, notre deuxième voisin, une famille d'une vingtaine d'enfants, les parents ne sachant plus à quel saint se vouer, sachant encore moins quel nom donner à leur dernier enfant, Monsieur le curé a dû s'en mêler : « Si le nom est approuvé par Monsieur le curé, l'enfant a plus de chance d'être heureux. » On aura entre-temps imposé au peuple le culte des Saints Martyrs Canadiens bien méritants — des Français venus de France ! — ainsi que celui de Marguerite Bourgeoys, de Marie de l'Incarnation, autres Françaises, pionnières elles aussi. Nous avons obéi à ces souvenirs. Nous avons un certain temps accepté saint Hubert, patron des chasseurs, sainte Cécile, patronne des musiciens, sainte Catherine, patronne des vieilles filles, saint Nicolas, patron des écoliers. Saint Gérard Magella aura lui aussi ses moments de gloire, tout comme sainte Philomène. Avant de s'endormir, ma sœur Jeanne aurait récité durant six mois :

> Je demande à saint Laurent
> De me faire voir en dormant
> Celui que je dois épouser.

Des préférences

Chez nous, il y a le calendrier ecclésiastique de la province de Québec qui regorge de noms de saints et de saintes. Maman aura-t-elle l'embarras du choix ? Ses préférences ne vont-elles pas plutôt à la Bonne Sainte Anne, à la Sainte Vierge et à saint Joseph, les mieux connus ? Pourtant la vie de Thérèse de Lisieux, une contemporaine, décédée en 1897, l'émeut : « Pauvre petite, au couvent à quinze ans ! Puis malade. Il paraît qu'elle a souffert le martyre mais que, pendant tout ce temps, elle aimait tout le monde. » D'autre part, notre mère ne fait pas trop la différence entre les saints patrons, les modèles, les intercesseurs, les protecteurs et les thaumaturges. « J'aime les saints pour ce qu'ils sont. » Papa, plus pratique : « Je les aime pour ce qu'ils font. » Ses explications de l'hagiographie populaire sont des plus suaves : « Le Bon Dieu, c'est comme le roi de France. À force d'aimer tout le monde et d'être aimé de tout le monde, i' risque un p'tit brin de nous oublier. Y a tant de monde à aider ! C'est pas mal de lui renouveler la mémoire de temps à autre. Y a aussi que tu parles pas au premier ministre du pays sans passer au moins par le député. Les saints sont nos députés du ciel ! Avec l'avantage sur le Bon Dieu d'avoir vécu notre vie de misère et de connaître déjà tous nos besoins. » À propos des neuvaines, des mardis de dévotion, des vendredis aussi, il flaire encore une certaine provocation : « Ta mère exagère. Les saints ont mérité de se reposer un peu. Pourquoi les achaler avec toutes sortes de demandes ? Le Bon Dieu sait ce qu'i' veut et c'est pas nous qui allons le forcer à changer d'idée. » Elle lui a répondu d'un ton plutôt sec : « Caïus, tu ferais mieux de te reposer la langue… » Et lui : « Mais c'est le Bon Dieu qui l'a créée, elle aussi. Comme toé ! »

Nos patrons

Parlant des personnes sacrées dans l'espace religieux d'ici, les historiens ont souvent noté que les Canadiens français catholiques se sont donné, en général, des patrons ou des modèles spéciaux, loin d'être spectaculaires. Tandis que les Français célèbrent le roi saint Louis et la guerrière Jeanne d'Arc, les Canadiens français semblent vouloir se contenter de saints modestes et plutôt soumis : Marie, la servante du Seigneur ; sa mère, l'inconnue Bonne Sainte Anne ; saint Joseph, son époux bien discret ; le frère André, le petit chien de saint Joseph ; saint Jean-Baptiste, accompagné d'un mouton … Manque de fierté ? Héritage mal renouvelé ? Ou confiance illimitée en la Sainte Famille ? Quoi qu'il en soit, ce sont ces personnages officiellement sans relief qui sont les préférés du peuple. Celui-ci veut-il se venger de son sort et montrer qu'il n'est pas nécessaire d'être « grand » pour être tout-puissant ? De toute manière, s'affirment ainsi, et sans prétention, des principes chers au christianisme : tout arrive par la puissance de Dieu ; dans la faiblesse humaine se manifeste souvent la force divine.

LA SAINTE VIERGE

La Sainte Vierge ! Entre tous les saints et saintes, leur premier choix va à la Sainte Vierge Marie. « Elle est la plus fiable de toutes nos *créatures*. » De toutes les femmes la plus aimée, la plus respectée, la plus prodigieuse, la plus belle, la plus dépareillée, la plus bénie. Tous les beaux noms lui vont : Notre-Dame des Victoires, Notre-Dame des Laurentides, Notre-Dame des Neiges, Notre-Dame du Cap, Notre-Dame de Lourdes. Mère, vierge, reine, dame, bonne à regarder, elle est vêtue d'une tunique à grandes manches et elle porte une couronne à la manière des reines de France.

Est-elle plus importante que le Bon Dieu ? Oui, dans la vie courante. Même si théoriquement ils pensent que Dieu seul est tout-puissant, seul créateur du ciel et de la terre, mes parents sont déjà certains qu'il a voulu que la Sainte Vierge soit plus puissante que les saints, que les anges, et surtout que le Diable, son meilleur adversaire. C'est dire à quel point ils la tiennent en haute estime. Son image est partout. Depuis qu'elle est apparue à Lourdes en France, la dame blanche à ceinturon bleu domine plus que jamais les cœurs et les imaginations des gens de Saint-Michel.

Comme ces bonnes gens ne lisent ni Bible ni livres de théologie, ne connaissant guère que leur petit catéchisme, ils ne s'inquiètent pas outre mesure de ce que veulent dire les dogmes de l'Immaculée Conception et de l'Assomption, pas plus que les apparitions de Lourdes.

Un point pourtant semble acquis : la Vierge Marie est l'avocate par excellence qui gagne toutes les causes. Un Ave, le port d'une médaille, d'un scapulaire, et tout tournera au mieux. Ce n'est pas elle qui resterait en haut dans ses nuages pour dicter des ordres à l'univers. Elle vit avec nous, en bas. Elle est là « pour arranger nos affaires ». Monsieur le curé ne cesse de le dire : « Fiez-vous à Marie. Elle est remplie de tours que le diable ne connaît pas. Avec elle, tout est possible ! » En cas de danger, « dites un Ave et vous verrez bien !… Trois Ave, c'est encore plus fort ! »

Il n'y a pas que les Ave à considérer ; nos gens croient fermement au pouvoir miraculeux des médailles et des scapulaires. « Je lui ai donné une médaille, il ne lui arrivera pas de malheur, j'en suis certaine. » Des paroles parfois étonnantes circulent : « Marie nous comprend mieux que le Bon Dieu » ; « Mets sa médaille dans ta sacoche et tu ne perdras jamais ta sacoche » ; « Avec son scapulaire, tu n'iras pas en enfer ».

Cantiques et prières

À l'église Saint-Michel, tous les honneurs sont rendus à la Sainte Vierge. Sa statue occupe une place privilégiée à gauche, près de la balustrade ; elle a son autel, ses cierges, ses fleurs… artificielles. La chapelle de Lourdes, à un kilomètre de l'église, ajoute à son prestige. Le cantique préféré de toute la paroisse est sur l'air de *God save the King* : *Nous vous invoquons tous*. Nous aimons aussi chanter *Reine des cieux, Je mets ma confiance, C'est le mois de Marie*.

À l'école, à la maison, la Sainte Vierge — son nom usuel — est largement valorisée par l'*Ave Maria*. Chaque enfant le sait par cœur. Il le faut ! C'est la prière la plus populaire après le signe de la croix et elle devance de loin le *Notre Père*. Ainsi le souhaite le petit catéchisme :

Q. Par quelle prière l'Église invoque-t-elle plus ordinairement la Sainte Vierge ?

R. C'est par la salutation angélique, appelée aussi l'*Ave Maria*, que l'Église invoque plus ordinairement la Sainte Vierge.

Q. Qu'est-ce que la salutation angélique ?

R. La salutation angélique est une prière composée principalement des paroles de l'archange Gabriel et de sainte Élisabeth à la Sainte Vierge, auxquelles est jointe une humble demande, ajoutée par l'Église.

Q. Récitez la salutation angélique.

R. Je vous salue, Marie, pleine de grâce, le Seigneur est avec vous ; vous êtes bénie entre toutes les femmes, et Jésus, le fruit de vos entrailles, est béni.

Sainte Marie, Mère de Dieu, priez pour nous, pécheurs, maintenant et à l'heure de notre mort. Ainsi soit-il.

Q. Pourquoi la commence-t-on par ces mots : *Je vous salue* ?

R. On la commence par ces mots : *Je vous salue*, pour s'adresser à la Sainte Vierge de la même manière et dans les mêmes termes que l'archange Gabriel, qui la salua par ces paroles, lorsqu'il fut envoyé de Dieu pour lui annoncer le mystère de l'Incarnation.

« Je vous salue, Marie »

Chaque mot de l'*Ave Maria* est expliqué à souhait. Comme toujours, les réponses sont apprises par cœur.

Q. Que signifie le nom de *Marie* ?

R. Le nom de *Marie* signifie *princesse*, parce qu'elle est la reine du ciel et de la terre ; et *dame de la mer*, parce qu'elle guide à travers les écueils ceux qui voyagent sur la mer de ce monde et les conduit au ciel.

Q. Qu'expriment ces mots : *pleine de grâce* ?

R. Ces mots : *pleine de grâce*, expriment l'abondance des biens spirituels et la plénitude des grâces dont le cœur de Marie a été enrichi.

Q. Qu'entendez-vous par ces paroles : *le Seigneur est avec vous* ?

R. Par ces paroles : *le Seigneur est avec vous*, j'entends que Dieu habite en Marie, comme dans son temple, à cause de son incomparable pureté.

Q. Pourquoi dit-on : *Vous êtes bénie entre toutes les femmes* ?

R. On dit : *Vous êtes bénie entre toutes les femmes*, pour reconnaître que Marie a reçu de Dieu, elle seule, plus de grâces et une plus grande dignité, que toutes les autres créatures ensemble.

Q. Pourquoi ajoute-t-on : *Et Jésus, le fruit de vos entrailles, est béni* ?

R. On ajoute : *Et Jésus, le fruit de vos entrailles, est béni*, pour dire à Marie que nous croyons que son divin Fils est la sainteté même ; et pour nous réjouir avec elle de ce qu'il est glorifié par son Père et adoré par les hommes.

Q. Pourquoi disons-nous : *Sainte Marie, Mère de Dieu* ?

R. Nous disons : *Sainte Marie, Mère de Dieu*, pour faire un acte de foi qu'elle est Mère de Dieu, puisqu'elle a conçu et mis au monde Jésus-Christ, qui est le Fils unique de Dieu fait homme pour nous.

Q. Pourquoi ajoutons-nous : *Priez pour nous, pécheurs, maintenant et à l'heure de notre mort* ?

R. Nous ajoutons : *Priez pour nous, pécheurs, maintenant et à l'heure de notre mort*, pour demander à cette sainte Mère d'intercéder sans cesse pour nous, afin de nous obtenir la plus grande de toutes les grâces, la grâce de bien vivre et de bien mourir.

« Mère de Dieu »

Il nous semble que nous n'en finirons jamais de la prier et de l'invoquer. Toutes les objections ont été prévues à l'école :

Q. Pourquoi prions-nous si souvent la Sainte Vierge ?

R. Nous prions souvent la Sainte Vierge, parce qu'elle est la plus puissante protectrice que nous puissions avoir au ciel.

Q. La Sainte Vierge offre-t-elle nos prières à Dieu immédiatement par elle-même ?

R. Non, la Sainte Vierge n'offre pas nos prières à Dieu par elle-même ; elle ne peut les offrir que par Jésus-Christ, souverain médiateur entre Dieu et les hommes ; et ce n'est aussi que par lui qu'elle nous obtient des grâces.

Les aveux de ma mère

Maman ne veut rien ajouter ni soustraire à ce qu'elle entend, sinon de penser que tout est permis avec sa Sainte Vierge, des pires aveux aux plus folles demandes : « Une maman, ça comprend tout. Ça ne refuse rien à ses enfants, ça agit toujours pour leur bien. Si la Vierge ne t'exauce pas, c'est qu'elle a vu plus loin que le bout de ton nez. Fais-lui confiance. Durant l'Avent, moi j'ajoute des Ave au chapelet. Je ne l'ai jamais regretté. Je me sens meilleure après. »

Comment perçoit-elle le mystère marial de l'Incarnation, elle qui, malgré une faible santé, a donné la vie à cinq enfants ? Nous répondrions aujourd'hui qu'elle a vécu plutôt le mystère de l'Annonciation, retenant dans son cœur, en les méditant, beaucoup d'événements personnels, dont celui de ne pas avoir épousé l'homme qu'elle aurait d'abord préféré. Elle ne s'est jamais plainte de son mari Caïus, si fantaisiste à ses heures. « La Sainte Vierge a-t-elle souffert plus que moi ? Je ne saurai jamais le dire. La souffrance, c'est si personnel. »

Les prières de ma mère

Jamais maman ne laisserait tomber son chapelet. Jamais elle ne voudrait oublier son *Souvenez-vous*, qui sera d'ailleurs inscrit sur sa carte mortuaire. Elle aime cette prière « à cause de la confiance qu'il y a là-dedans » :

Souvenez-vous, ô douce Vierge Marie, qu'on n'a jamais entendu dire que vous ayez abandonné aucun de ceux qui ont eu recours à votre protection, imploré votre assistance et réclamé votre secours. Animé d'une pareille confiance, moi aussi je viens à vous, Vierge très pure, ô ma Mère ; pauvre pécheur, je me prosterne devant vous. Mère de Jésus, ne méprisez pas ma prière ; daignez l'écouter et l'exaucer. Ainsi soit-il.

D'autres fois, quand elle en a le temps, elle ajoute une prière presque aussi populaire à l'époque le *Sub tuum præsidium*, *Sous votre garde* :

Sainte Mère de Dieu, nous recourons à votre protection ; ne dédaignez pas nos prières dans nos besoins ; mais, ô glorieuse et sainte Vierge, délivrez-nous constamment de tous les dangers.

Les prières de mon père

Quant à papa, il parlerait plus facilement à Dieu qu'à la Sainte Vierge si ce n'était encore une fois de sa chère chapelle Notre-Dame de Lourdes avec ses processions et ses beaux cantiques : *Laudate ! Laudate Mariam ! Magnificat, magnificat, anima mea Dominum ! J'irai la voir un jour.*

Ses sentiments sont-ils ambivalents ? Dès qu'il revient de la procession du 15 août, il préfère encore son « Je crois en Dieu, maître de la nature », insinuant que, même avec toutes ses qualités, la Sainte Vierge est moins puissante que le Bon Dieu, « parce qu'un député est moins fort qu'un ministre ». En la même Notre-Dame de Lourdes, il entrevoit cependant la Marie de tous les jours, Marie la quotidienne, Marie qui « sûrement comprend bien les habitants ». Alors, il est un peu troublé quand il entend parler de la Vierge « couronnée » du Cap-de-la-Madeleine : « Les reines, c'est pour les Anglais protestants ! »

Quoi qu'il pense, quoi qu'il dise, il sera chaque soir à genoux, avec nous, pour le chapelet en famille et ses cinquante Ave à la suite. Disons qu'il n'a guère le choix, car depuis longtemps le chapelet est devenu la prière idéale à la maison, à l'école, et la pénitence attendue au confessionnal, sans oublier la menace parentale souvent mise à exécution : « Voyons, les enfants ! Si vous n'êtes pas plus tranquilles, on va dire le chapelet. »

LA BONNE SAINTE ANNE

La Vierge Marie leur est si chère que les gens ne semblent pas avoir de difficulté à honorer sa mère, la Bonne Sainte Anne. Depuis 1856, la confrérie des Dames de Sainte-Anne salue en sa patronne la grand-mère idéale. Sa fête, le 26 juillet, est une des plus célèbres de notre calendrier ecclésiastique. Pourtant pressés par la saison, les cultivateurs n'hésitent pas à quitter leur fenaison pour venir à l'église se confesser, communier et s'offrir même un pèlerinage à Sainte-Anne-de-Beaupré. Certains jurons courants, sans malice, se disent comme suit : « Bonne de Bonn' Sainte Anne ! » Les plus audacieux traduisent : « Viarge de Bonn' Sainte Anne ! » Nos gens croient fermement qu'elle fait des miracles à son sanctuaire de Sainte-Anne-de-Beaupré et qu'elle pourrait en faire aussi à la maison. « On ne sait jamais avec elle ! Elle est si bonne ! » D'où tant de prières privées, de litanies spécialisées et d'invocations multipliées !

SAINT JOSEPH

Après la Bonne Sainte Anne survient le Bon Saint Joseph, honoré depuis les débuts de la Nouvelle-France : « Le culte de saint Joseph a toujours été populaire en notre pays, et c'est presque au début de la colonie, en 1624, que ce glorieux Patriarche fut choisi comme premier Patron du Canada. » L'hommage de Monsieur le curé à saint Joseph risque d'éclipser ses propos sur la Bonne Sainte Anne :

> L'Église, en ces derniers temps, a voulu rendre un hommage spécial au Père nourricier de Jésus en plaçant sous son patronage le monde catholique tout entier, et en faisant de cette fête la principale qu'elle célèbre en son honneur.
>
> Réjouissons-nous, Mes Frères, de la gloire qui couronne aujourd'hui le pauvre charpentier de Nazareth, et de l'universelle confiance dont il est l'objet. Nul saint dans le ciel, après Marie, n'est plus puissant que Joseph. Il garde, là-haut, le titre et les droits que Jésus lui reconnut ici-bas, et le Divin Enfant, qui règne maintenant au plus haut des cieux, ne saurait rien refuser à celui

qu'il appela son père, et auquel il se soumit avec une admirable humilité.

À tous les chrétiens qui cherchent les biens de la grâce et qui demandent secours et protection sur la route du ciel, l'Église redit aujourd'hui la parole de Pharaon au peuple affamé qui demandait de quoi vivre : « *Ite ad Joseph*. Allez à Joseph ! »

Tout le monde est d'accord pour reconnaître que saint Joseph est humble, pauvre, discret, « ben travaillant ». Des invocations qui vont de soi : « Jésus, Marie, Joseph, je vous donne mon cœur, mon esprit et ma vie. » « Jésus, Marie, Joseph, éclairez-nous, secourez-nous et sauvez-nous. » « Jésus, Marie, Joseph, assistez-moi dans ma dernière agonie. » « Jésus, Marie, Joseph, faites que je meure paisiblement en votre sainte compagnie. » Mais de là à faire oublier la Bonne Sainte Anne, oh ! que non !

SAINTS PRÉFÉRÉS

Maman mettrait quelquefois sur le même pied la Sainte Vierge, la Bonne Sainte Anne et saint Joseph si papa ne résistait à cette égalité pour des raisons plutôt inattendues : « Saint Joseph, c'est pour les gens de Montréal ; i' en ont ben besoin, plus que nous autres, d'à cause qu'i' sont pas tous catholiques, pis qu'i' sont excités. Mais qu'y ait plus de béquilles à Sainte-Anne-de-Beaupré qu'à la chapelle du frère André, ça veut donc dire que sainte Anne est meilleure. Moé, en tout cas, la Sainte Vierge et la Bonne Sainte Anne ça m'suffit. Ta mère a plus de temps que moé pour penser à saint Joseph ; dans ma petite tête de tireur de vaches, y a pas autant de place que dans la sienne, ça fait que saint Joseph, j'le confie à ta mère. »

Et si la Sainte Vierge ou saint Joseph ou la Bonne Sainte Anne n'accomplissent pas bien leur rôle ? Il y a les autres : « Quand je cherche un objet, je dis en premier : "Bonne Sainte Anne, mettez vos mains avant les miennes" ; si elle ne bouge pas : "Saint Antoine de Padoue, nez fourré partout, faites-moi trouver mon épingle à chapeau". »

Papa trouve parfois exagérées les dévotions de ma mère, elle qui prie les saints et jusqu'aux âmes du purgatoire pour n'importe quoi : « Pourquoi déranger tout ce beau monde d'en haut, à cause que le Bon Dieu sait déjà tout ce que tu as besoin ? » La réponse ne saurait tarder : « Si ton Laurier est si fin, pourquoi t'occupes-tu de courir aux députés quand tu as un besoin ? »

LES ÂMES DU PURGATOIRE

Quoi qu'il arrive des saints préférés de la famille et des autres saints adoptés à l'occasion, il y a toujours à l'horizon l'appui exceptionnel et fort attendu des âmes du purgatoire. En fait, il s'agit du culte des morts nourri d'une certaine perception de l'au-delà. Déjà dans le langage courant du temps comme dans la langue d'Église, reviennent souvent les mots *mort*, *âme* et *défunt*. *Âme* peut vouloir dire dans le même contexte d'anticipation *fidèle* vivant aujourd'hui, promis à un au-delà à prévoir. On dira d'un jeune enfant qu'il a une *belle âme* ; on dira d'un prêtre qu'il est *directeur d'âmes*. D'autre part, la paroisse de Saint-Michel compte, en 1933, 1430 âmes, dont 770 dans les rangs.

La croyance répandue est qu'il existe une solidarité profonde entre les vivants et les morts, entre ceux qui restent sur la terre et les âmes qui sont en route vers le ciel. Nos gens désirent arriver au ciel le plus vite possible et revendiquent le même privilège pour leurs défunts. C'est avant tout une affaire de famille : on ne saurait se sauver seul. Peut-être aussi une certaine peur de Dieu à l'horizon. Le culte des âmes du purgatoire dépend de tous ces facteurs, sans oublier la grande foi de nos gens en l'au-delà. D'où, ici et là dans les paroisses, des associations, des confréries, pour délivrer les âmes du purgatoire et les prier.

Croyances et revenants

L'avant-veille de la fête des Morts, le 31 octobre, est une soirée assez particulière. Il ne convient pas de se promener au cimetière. Il s'y trouve peut-être des morts mal enterrés, ce qui fait craindre leur apparition. Tant de récits de revenants circulent dans les rangs comme au village. Le folklore s'en mêlant, il semble qu'à mi-chemin entre ciel et terre, dans un lieu d'ombres et de mystères, évolueraient les Âmes, moins à la recherche d'un corps qu'à celle des prières pour être libérées du redoutable purgatoire. À cause de promesses non accomplies ou pour de simples rappels, elles apparaîtraient avec des corps d'emprunt, en revenants, en fantômes ou en feux follets. Certaines Âmes, plus discrètes, se contentent de manifester leur passage par un bruit, par une lueur inattendue, par une plainte, par un souffle démesuré, par un toucher surprise, comme un chatouillement des orteils d'un proche…

Un culte assidu

À l'église Saint-Michel, le dimanche avant le 2 novembre, Monsieur le curé annonce en chaire que ce jour-là l'Église fera la commémoration des Morts, c'est-à-dire des Âmes. L'heure est à la prière-souvenir.

Le culte paroissial et familial des âmes du purgatoire entre dans la perspective globale d'une union mystique entre les fidèles vivants qui prient et nos chers défunts qui ont besoin de prières en vue de l'ultime purification qui nécessite un passage au purgatoire. Depuis le 10 août 1915, tout prêtre doit dire trois messes le jour des Morts. Comme à Noël. Avec des indulgences pour les Âmes depuis le 25 juin 1914, selon la volonté de Sa Sainteté le pape Pie X :

> Le 2 novembre, c'est-à-dire depuis midi de la Toussaint jusqu'à minuit du jour des Morts, les fidèles qui, s'étant confessés et ayant communié, visiteront, dans le dessein de secourir les défunts, soit une église, soit un oratoire public ou semi-public, et y prieront aux intentions du Souverain Pontife, peuvent gagner chaque fois une indulgence plénière applicable *seulement* aux âmes du purgatoire.

La coutume durera longtemps, paraît-il, de faire tinter la grosse cloche à 8 h ou à 9 h du soir, durant tout le mois des Morts. « Nos morts, i' nous attendent, i' nous appellent. » Une autre habitude en novembre consiste à faire au moins une fois la semaine un exercice public et, si le temps le permet, un chemin de croix au cimetière.

Le tronc des Âmes

Dans les années 1930, à l'église Saint-Michel encore, il y a, comme en plusieurs églises du pays, le tronc des Âmes joyeusement surveillé par un ange de bois tout souriant :

> Dans ce tronc, fidèles,
> Déposez votre obole.
> Du purgatoire au ciel
> Une âme s'envole.

À chaque don, l'ange incline mécaniquement la tête en signe de remerciement. Cet ange minuscule — quelque dix centimètres — fait notre joie d'enfants pauvres des rangs. Pour avoir un merci angélique, qui n'aurait jeté dans le tronc tous les sous du monde ?

Pour ma mère

Les Âmes occupent beaucoup d'espace mental à la maison, sans doute à cause de ma mère : « Nos morts ne sont pas si morts qu'on dit. L'âme ne meurt pas. » Quand elle voit filer une étoile, elle fait son signe de croix pour sauver une âme du purgatoire. Une hirondelle qui s'envole, une feuille qui tombe en novembre, c'est peut-être une Âme en quête de prière ? Son petit livre de prières, nous l'avons dit, est chargé à déborder de cartes mortuaires. Rose-Anna Blais est convaincue depuis qu'elle est toute petite que les Âmes ne sont pas trop loin du Bon Dieu et encore plus près d'elle. « Je les sens, certains jours. » Elle catalogue ses cartes mortuaires. « Les morts font partie de ma vie. » Elle croit à leurs apparitions : « et des fois la peur me prend ». Mais elle a tellement confiance ! Continuité de la vie, communion, elle n'hésitera pas à négocier avec les Âmes certaines faveurs au moyen de promesses, d'échanges, de neuvaines, d'indulgences, de jeûnes et de sacrifices. Elle y va avec son cœur, largement. Elle croit fermement au paradis où tout le monde se retrouvera. Foi toute simple, amicale : « Les âmes du purgatoire sont des amies et, avec des amies comme elles, je nage dans la confiance comme mes beignes dans le sucre en poudre ; je prie pour qu'elles en sortent toutes blanches, et le plus vite possible. »

Pour mon père

Papa est plus réservé. Quand je lui parle des Âmes, je le sens songeur, même *suspectionneux*. « J'ai des saisissements quand j'pense aux âmes du purgatoire. J'voudrais être salvable comme elles. J'ai confiance aux prières de ta mère ; elle a plus de sentiment que moé. Pis elle a une si belle imagination que j'ose pas la questionner parce que moé aussi j'pense souvent à notre défunte parenté. » Il trouve cependant quelque peu étrange qu'elle, Rose-Anna, si pieuse, si priante, ait si peur des apparitions de celles pour qui elle prie tellement. « J'comprends pas… Tu verras jamais un défunt t'apparaître quand tu pries. Surtout pas en hiver. Le froid, ça r'frédit ben du monde. Même la Sainte Vierge ! elle viendra pas nous voir en hiver. » Maman ne perd pas une seconde pour répliquer : « Ce n'est pas à toi, Caïus, à te mêler des apparitions. Ça, ça appartient au Bon Dieu. Caïus, il serait peut-être bon que tu retournes te confesser. »

La criée des Âmes

Le 2 novembre, il est là, fidèlement, à la porte de l'église, tout frondeur, pour diriger lui-même la *criée des Âmes*, sorte d'encan sacré où un bon montant d'argent sera recueilli puis consacré à des messes, dites en novembre si possible, à l'intention de nos « chères âmes du purgatoire ». L'encan se termine par la prière inévitable que papa dit en la bousculant : *Fidelium animæ defunctorum, per misericordiam Dei requiescant in pace. Amen.* « Que les âmes des fidèles défunts reposent en paix, par la miséricorde de Dieu. Ainsi soit-il. »

CHAPITRE 12

Les personnes sacrées de la terre

Nous pourrions croire qu'entourés de tant de saints intercesseurs, d'anges gardiens et d'âmes du purgatoire, nos gens, nos bonnes gens, n'aient pas grand besoin de regarder ailleurs pour se trouver des appuis spirituels. Mais non ! Ce petit peuple isolé, minoritaire et fragile, se souhaite des protecteurs immédiats et des personnes sacrées plus accessibles : c'est le pape, c'est monseigneur l'évêque, ce sont les prêtres, le curé de la paroisse et son vicaire, les Bonnes Sœurs, les Bons Frères enseignants, la Maîtresse d'école, sans oublier à l'occasion les pères prédicateurs de la retraite et les missionnaires de passage. Certains personnages deviendront — par participation nous le verrons — comme sacrés à leurs yeux. Pensons au sacristain, à la servante du curé, aux enfants de chœur et aux servants de messe, à la mère de famille nombreuse, au père de famille, au médecin, au quêteux, au guérisseur et à bien d'autres que le mystère sacralise.

LE PAPE

De tous ces personnages, déjà ou presque auréolés, il n'en est pas à leurs yeux de plus grand ni de plus saint que « le Vicaire du Christ, successeur de Pierre, représentant de Dieu sur terre », « le divin prisonnier du Vatican », le pape.

À l'église, à la maison, on l'appelle communément *le Souverain Pontife, le Très Saint-Père, Notre Saint-Père le pape, le Papa de l'humanité*, ou tout simplement, chez les moins instruits, *le Saint-Siège*. Il est la personne la plus sacrée, la plus exceptionnelle qui soit. « Mieux que le roi de France », disait grand-père Lacroix.

Jusqu'à la flore et même les étoiles qui s'en mêlent : une plante a pour nom la *Monnaie du pape* ; la Grande Ourse devient *la Chaise du pape*. Les expressions populaires ne manquent pas, dont la plus connue : *sérieux comme un pape*. Elles ne sont pas toutes respectueuses. Il convient de les entendre d'une manière non formelle, et même affectueuse. Ainsi, il nous arrive de dire machinalement d'un voisin qu'il est *saoul comme un pape, gras comme un pape*.

Encore au sujet du pape, auquel nous ne pourrions jamais désobéir sans commettre un péché mortel, nous pensions qu'il était plus que le simple successeur de saint Pierre : il était bel et bien le Bon Dieu sur la terre. « Quand le pape parle, c'est Dieu qui te parle. Celui qui n'aime pas le pape n'aime pas le Bon Dieu. » Papa est du même avis que maman : « Quand le pape a parlé, tu fermes ta boîte et tu marches. Le Bon Dieu est avec lui et le Bon Dieu i' s'trompe pas. »

D'ailleurs, à la maison, nous l'avons vu, la photo de Benoît XV, don du curé lors d'une visite de paroisse, se retrouve entre les images de la Bonne Sainte Anne, de la Sainte Famille et la photo… de Laurier. Et si je demande lequel des deux portraits, de Laurier ou de Benoît XV, accrochés au mur de l'entrée du salon, est le plus important, papa réfléchit avant de répondre : « J'regarde le pape pour prier et Laurier pour voter… Fais-en autant et tu iras au ciel, mon garçon. »

Le délégué apostolique

Le prestige papal déteint sur ses émissaires, dont le plus éminent en notre pays est le délégué apostolique, à peine dissocié par le peuple du souverain pontife. On rapporte à Saint-Michel qu'un jour, en Gaspésie, le délégué apostolique faisant un faux pas en montant dans une barque, un pêcheur s'écrie spontanément : « Viarge, attention les gars ! le pape va tomber à l'eau ! »

En 1921, Saint-Michel s'honore de recevoir Mgr Pietro Di Maria, le représentant papal d'alors. S'il ne fait que passer à travers le village, le samedi 27 août, en allant à Sainte-Anne-de-la-Pocatière, il a promis de s'arrêter à la chapelle de Lourdes sur le chemin du retour, le lendemain, dimanche. Branle-bas de drapeaux. Au prône, le curé donne ses instructions : la dignité de l'hôte et l'honneur que celui-ci confère à la paroisse requièrent que toutes les demeures soient pavoisées, et que tout le village et les rangs soient là pour l'accueillir. Avec tous les enfants ! Pour prouver « à Son Excellence la vitalité de la race canadienne, son respect et son attachement au Souverain Pontife, dont il est le représentant, et son savoir-faire ». Ma mère est presque déjà émue.

Monsieur le curé organise tous ses paroissiens comme les phalanges des anges, « car il faut de l'ordre » et « la réception sera belle et prouvera à Monseigneur votre bon esprit et votre dignité ; soyez dignes comme vous savez l'être ordinairement et vous aurez contribué à donner une bonne impression des Canadiens français ». Ma mère, avec toutes les dames et demoiselles, se trouve en face de la grotte à l'ouest, mon père, en face à l'est, avec le drapeau du Sacré-Cœur et les ligueurs. Les enfants des rangs et du village forment deux haies d'honneur depuis le chemin jusqu'à la chapelle, les filles sous la houlette des Sœurs, et les garçons sous celle des Frères, avec mission de lancer des fleurs au passage du Délégué, à l'arrivée et au départ.

Après être monté à la chapelle, notre hôte papal descend pour visiter la grotte. Le chant de circonstance achevé, le curé nous avait enjoint : « Après l'oraison pour le Pape, nous crierons tous ensemble : Vive le Pape — Vive son Excellence. Criez fort et sans crainte, tous. » Ensuite, le curé presse l'Excellentissime de nous dire quelques mots, puis de nous bénir. « Nous nous mettrons tous à genoux. Que tous les hommes soient décoiffés. » Les dernières fleurs jetées, l'Excellence emportée sous l'égide d'un chant patriotique, tout rentre dans l'ordinaire.

Ma mère qui avait écouté attentivement tout le prône sur la visite du délégué — si long que le curé termina ainsi : « Afin de vous donner le temps de revenir après-midi, il n'y aura pas d'instruction aujourd'hui » — ne me reparla plus jamais du délégué.

Seulement du vrai pape et non de son fac-similé : elle avait ses préférences ! Mon père a-t-il encore rouspété qu'avec seulement cinq enfants à montrer, ce n'était pas lui qui pouvait témoigner de la vitalité de la race canadienne-française et de son savoir-faire ? Quant au jeune Joachim que j'étais, d'à peine six ans d'âge, s'il était précoce, ce n'était pas encore dans les affaires de religion. Je me souviens qu'il y avait alors de bien belles Enfants de Marie. Mais du délégué apostolique, aucune souvenance ! Je cherche toujours...

Visite des Zouaves

Pour confirmer davantage l'importance du pape à Saint-Michel, il y a la visite des Zouaves pontificaux. Nous sommes impressionnés parce que nous avons entendu dire que, dans ce régiment, certains hommes ont donné leur vie pour le pape. Nous, les enfants, avons l'impression qu'en partant pour Rome, ils mourraient tous au front, « martyrs pour Sa Sainteté », comme a dit Monsieur le curé. Pourtant, ils reviennent souvent en pèlerinage. Des survivants ? Peut-être.

À la grand-messe, ils sont là, derrière leur drapeau, debout dans la nef, en garde d'honneur, les mains appuyées sur leurs carabines. Au moment où le prêtre élève l'hostie à la consécration, ils font leur « salut à Dieu ». Les armes heurtent bruyamment le parquet, les sabres s'élèvent à l'appel des clairons sonnants et des tambours battants. Pendant que ma mère dit préférer leur prestation, plus pieuse, plus recueillie, croit-elle, que celle de la Garde Saint-Michel, mon père, lui, tout aussi impressionné et admiratif, la taquine, en faisant mine de s'inquiéter : « Tout ce beau tonnerre de Dieu a pas trop écourté tes prières ? »

L'ÉVÊQUE

Le personnage sacré le plus important après le pape, au village comme dans les rangs, est Monseigneur Sa Grandeur, Son Excellence Monseigneur l'évêque de Québec qui, en principe, représente le pape. Peu connu peu vu, il nous apparaît tel un prince étranger réfugié dans un château, à Québec. Le temps, les distances, une peur instinctive de l'autorité, peut-être aussi une certaine insubordination propre à notre peuple favorisent ces images d'une haute présence pas tellement rassurante. Après l'annonce en chaire par Monsieur le curé de la visite de « Sa Grandeur Monseigneur son Excellence le cardinal Louis-Nazaire Bégin », papa a eu au dîner cette conclusion plutôt espiègle : « C'est ben long, lui, avant d'arriver à son nom ! » Le soir, maman qui n'a que respect pour son évêque, « notre pape de Québec », lui dit dans le creux de l'oreille : « Ne te moque pas devant les enfants. Parce qu'un évêque c'est aussi un prêtre. Puis toi avec le nom que tu portes, Caïus, ça ne te ferait pas de tort d'avoir des titres comme lui avant de te nommer. » Pas un mot. Caïus sait fort bien, à l'occasion, manipuler le silence qui, dès lors, lui confère une certaine autorité.

La visite de Monseigneur

Nous apprenons que monseigneur Bégin sortirait un jour de son palais épiscopal pour venir nous donner le sacrement de confirmation. Mais c'est son auxiliaire, monseigneur Langlois, qui procédera à la confirmation de ses deux derniers enfants. Nous sommes le samedi après la Pentecôte, 6 juin 1925.

La visite de Monseigneur énerve beaucoup de gens, surtout le bedeau et les marguilliers. Et pour cause ! Une fois la visite annoncée en chaire au prône du dimanche, le curé insiste : « C'est Notre-Seigneur qui passe dans la personne de notre évêque. Donnez une preuve évidente de votre foi. » Nous sommes invités à décorer les maisons et à former un cortège de voitures aux limites de Beaumont pour y recevoir Monseigneur et l'accompagner jusqu'à l'église. Les plus beaux chevaux, les plus beaux bogheis de la paroisse sont mobilisés. Aussitôt arrivé, après les premières sonneries de cloches, les processions, bénédictions, encensements et prières, Monseigneur s'enquiert de tout. Il prend d'assaut les archives paroissiales, examine le journal des comptes, le cahier des bancs, le registre des délibérations de la Fabrique, les deux registres des baptêmes, des mariages et des sépultures, les cahiers de confirmations, les registres des diverses associations, les livres des prônes, la liste des dispenses de mariages, etc. De temps en temps, il pose des questions : nombre de paroissiens ? combien de communiants ? montant des dîmes et du casuel ? Ensuite, il visite la sacristie, constate l'état des ornements liturgiques, des linges du culte, des vases sacrés, des reliques, des saintes huiles, des fonts baptismaux. Non, rien n'échappe à son regard inquisiteur.

Nous entendons dire, à la maison, que Monseigneur peut régler toutes sortes de litiges, des chicanes de commissaires, de marguilliers, de conseillers, et quoi encore ! Même la ménagère de Monsieur le curé en appelle à l'arbitrage de l'évêque, autant que les marguilliers. Monseigneur détient en outre le droit de veiller sur la liste des péchés de Saint-Michel, jusqu'à approuver le curé Bélanger qui déclarait péché mortel la danse dans sa paroisse. Sa mission accomplie, l'évêque repartira plus simplement, pour ne pas déranger les gens des rangs aux prises avec leur quotidien irréversible.

Chez nous, l'évêque demeure un inconnu à respecter, une sorte de seigneur légendaire. Nous l'avons vu un peu, à l'église, mitré, en habits rouges, entouré des enfants de chœur, les marguilliers tournant autour de lui comme des mouches. Papa nous raconte ensuite comment, à l'église Saint-Gabriel de La Durantaye, après la prière du curé : *Oremus pro pontifice nostro…* c'est-à-dire « Prions pour notre évêque », les chantres, ne connaissant ni latin ni rubriques, avaient chanté devant Monseigneur : *Qui fecit cælum et terram*, ce qui signifie « qui a fait le ciel et la terre » ! Pour ne pas alerter ses hôtes, Monseigneur n'a pas osé rectifier et rappeler à ses chers frères, que non seulement il n'a pas créé le ciel et la terre, mais qu'il est venu à la paroisse dans un boghei emprunté !

LE PRÊTRE

Moins spectaculaire que l'évêque, *plus ordinaire* diraient nos gens qui lui accordent grande déférence et belle politesse, sans pour autant être naïfs, est le prêtre, le curé en particulier, son vicaire, les pères prédicateurs de retraites paroissiales et les missionnaires de passage.

Son prestige

Le prêtre se nomme *monsieur, monsieur l'abbé, monsieur le prêtre, monsieur le curé* et, parfois, chez les tout-petits, *monsieur le Bon Dieu, papa Bon Dieu*! C'est à croire que le prêtre entretient des rapports privilégiés avec tout le ciel, avec Dieu, avec les saints, la Sainte Vierge, la Bonne Sainte Anne. Il bénit ce que Dieu bénit, il bénit, il bénit. «On dirait ben qu'il mène le Bon Dieu par le bout du nez.» Il est l'être le plus écouté et le plus salué de la paroisse. «Si tu rencontres un ange ou un prêtre, tu salues le prêtre en premier.» Entre-t-il quelque part, la coutume veut que tous s'agenouillent: «Bénissez-nous, Monsieur le curé. Bénissez-moi deux fois: je suis en famille, bénissez mon petit. Bénissez-nous.»

Parce que le prêtre a la réputation de parler directement à Dieu, nous lui prêtons volontiers quelques dons particuliers, comme ceux de guérir les corps, d'arrêter le feu, de chasser la fièvre, de détourner le vent. Un tel pouvoir émerveille le peuple. Quel ascendant que le sien à l'époque de mes parents! Prestige hérité directement du Moyen Âge et souvent amplifié par la situation de pauvreté et de dépendance dans laquelle se trouve le peuple.

Son autorité sacrée se fait amplement visible par un habit long, une soutane noire, et la tonsure. Il possède le pouvoir quasi exclusif de toucher aux vases sacrés; il monte à l'autel, il célèbre la messe, il confesse, il porte le viatique; il n'est pas marié, donc il est disponible, il est de service, prêt à mourir pour les siens. Avec le médecin, il est la plupart du temps l'homme le plus instruit de toute la paroisse.

Son autorité morale

D'autres aspects nous aideront à percevoir l'importance parfois démesurée du personnage souvent appelé, à la manière d'un missionnaire en brousse, à accomplir toutes sortes de tâches qui finiront avec le temps par lui paraître essentielles. Une des résultantes les plus troublantes de cette situation est l'autoritarisme de certains clercs qui, dans leur milieu, font un peu la pluie et le beau temps. Des condamnations publiques pouvaient briser des réputations. Ainsi, se faire refuser l'absolution, la communion, le mariage, des funérailles catholiques, l'enterrement au cimetière, devient non seulement une malédiction, mais la suprême injure sociale, voire une sorte de déchéance. Les racontars vont bon train : « Le prêtre n'a pas voulu les marier » ; « il lui a refusé l'absolution » ; « X sera enterré en dehors de la clôture… » « Monsieur le curé va y goûter », rêvent quelques moments les plus douloureusement meurtris.

Pour ma mère

Le prêtre est l'homme de Dieu, l'homme de la prière, l'homme du dimanche à la messe, l'homme qui bénit, l'homme qui sanctifie. « Dieu sait ce qu'il fait et il sait qui il choisit. » Avoir un fils prêtre est pour elle la preuve d'une bénédiction, la certitude que Dieu l'aime et que son mariage est réussi. Elle ira sûrement au ciel, car ce prêtre qui est son fils, si puissant pour aider les autres à faire leur salut, ne saurait oublier de lui garantir le sien. En matière de chasteté, sa conviction profonde est que tous les prêtres sont des saints, même s'ils ont leurs faiblesses. Ce sont « des gens qui ne se marient pas pour prier plus souvent et qui donnent leur vie aux autres ». Ces hommes ne peuvent qu'être bons, voire sublimes.

D'autre part, le fait bien connu que le prêtre ne se marie pas donne prise à diverses réactions. Le folklore et la chanson grivoise en particulier, héritage des manières médiévales, n'ont pas manqué de s'attaquer, plus ou moins malicieusement selon les cas, à l'auréole du prêtre, en lui attribuant des distractions possibles sinon probables dans ses rapports parfois équivoques avec ses « cousines » laïques. Ainsi, ici et là, circulent des chansons, des histoires drôles, des facéties, voire des récits de diable en train de tenter le prêtre ou de Dieu châtiant le prêtre qui a oublié sa messe, son bréviaire, son chapelet.

Ma mère, elle, ne bronche pas : « Les hommes ont toujours

exagéré. » Elle croit, elle voit, elle explique : « Vous voyez, les enfants, nos prêtres sont toujours là, à leur poste, le dimanche ! » Tout autant respectueux, mon père, sans malice aucune, nous dit tendrement : « I' ont beau être prêtres, i' sont hommes comme nous autres. Mais nos prêtres sont si dévoués… »

L'habit ecclésiastique

Un signe sacré entre plusieurs impressionne maman : la soutane, ce vêtement long que les prêtres portent partout et en tout temps. Elle démontre un grand respect pour ces robes longues, noires, brunes ou blanches. Qu'un franciscain vienne quêter des œufs, que deux jeunes jésuites, en route vers une mystérieuse assignation, s'arrêtent à la maison, c'est toujours la même vénération : « La soutane, c'est sacré ! » Gênée de parler au prêtre, à cause de son habit sacré, elle n'est pas plus à l'aise lorsqu'elle entrevoit en habit de rue un cousin prêtre du New Hampshire : « Moi, ça me dit que les prêtres américains sont moins bons que nos prêtres à nous. » « Es-tu certaine de ce que tu dis ? » demande papa sans oser insister. Mais pas pour longtemps, car il reprend : « J'ai pour mon dire que la soutane fait pas le prêtre, pas plus que la barbiche fait la biche… T'es pas meilleure bête ou pire bête parce que t'as du beau poil ! Notre bedeau porte une sorte de soutane et j't'assure, Rose-Anna, qu'i' est pas plus chrétien que nous autres. » Une dernière remarque de papa un soir de discussion : « Que les prêtres s'habillent comme i' veulent ! C'est leur affaire ! Pourvu qu'i' prient, ça suffit. Pis, des fois, j'trouve ça triste à voir ces hommes toujours en noir, on dirait que c'est le Vendredi saint tous les jours. » Maman n'a rien dit.

Ce n'est pas seulement la soutane, la robe sacrée, qui impressionne notre mère. Ce sont aussi les beaux vêtements que le prêtre porte durant les cérémonies à l'église : l'aube, le surplis à dentelle, la chasuble parfois ornée. Aux grandes fêtes, devant tout ce faste, elle n'en croit pas ses yeux : « Que c'est beau ! Que c'est beau ! » Son opinion est que « tous les prêtres sont beaux quand ils prient à l'église dans leurs longues robes ».

Pour mon père

Soutane ou pas, papa est convaincu que si les prêtres prient, les habitants, eux, travaillent, et qu'ils travaillent même plus que les prêtres ne prient. « J'peux m'tromper, mais ça m'dit à moé et plus j'y pense plus j'cré qu'y a des prêtres qui sont prêtres parce qu'i' ont eu peur de faire des cultivateurs. Des fois, j'ai l'impression de croire plus que nos prêtres qui disent toujours les mêmes mots, la même messe, tous les jours, pas seulement le dimanche mais toute la semaine. L'habitude les endort, j'crérais. Moé, j'ai ma femme, mes enfants, c'est plus facile de changer de ton. Les prêtres sont trop tout seuls. » Ma mère n'accepte pas ces jugements carrés. « Ça me dit à moi que toi, Caïus, tu parles trop pour toujours dire la vérité. » Silence !

Une première messe

L'unanimité est parfaite entre papa et maman le matin du 6 juillet 1941 à 9 h 30 quand, ordonné prêtre la veille à Ottawa, je viens dire ma première messe à l'église Saint-Michel.

Toute la paroisse est là. Mes parents ont leur prie-Dieu dans la nef, en avant des bancs de la première rangée. Quel privilège pour la famille ! Quel honneur pour la paroisse ! L'ancien maire, J.-N. Roy, m'offre un calice doré. À la fin de la grand-messe, papa et maman s'agenouillent pour se faire bénir : de quoi faire trembler un enfant qui, tout petit… et même plus grand, fut si souvent mis en pénitence… par sa mère.

À cette première messe en paroisse est présent le député Louis-Philippe Picard, successeur du prestigieux honorable Oscar Boulanger, en tant que député libéral à la Chambre des communes à Ottawa. D'aucuns de la parenté ont prétendu que, les élections fédérales approchant, la piété de monsieur le Député pouvait être quelque peu intéressée. Papa lui-même le pense, sans se scandaliser pour autant : « Le député Picard est un libéral et j'sus heureux que toute la paroisse s'aperçoive qu'i' aime les prêtres. » Il faut dire qu'en tant que secrétaire de la Commission scolaire des rangs et organisateur libéral officieux dans le comté de Bellechasse, Caïus

Lacroix apprécie grandement que son garçon soit prêtre et, même mieux, que ce garçon soit son deuxième prêtre. « Mon premier, Alexandre, est maître de discipline au collège Sainte-Anne-de-la-Pocatière. Lui, i' chante mal, aussi mal qu'i' a du cœur ! Tandis que mon deuxième prêtre est père dominicain, i' est habillé en blanc et i' peut chanter son *Ite missa est* sans broncher. » La première grand-messe est aussitôt suivie d'une fête paroissiale. Il y a banquet avec discours et « adresse » composée par les religieuses du Couvent et lue par une petite cousine de Québec. Pour ces habitants, et tout le Troisième Rang, c'est comme si Dieu les approuvait de tant travailler.

LE CURÉ ET LES MOTS POUR LE DIRE

Prêtre, c'est déjà beaucoup pour eux, mais curé de Saint-Michel ! Monsieur le curé ! « Le pape de la place ! » Il règne comme le maire dans la paroisse, la Maîtresse à l'école et le député dans son comté. Dans le langage populaire, on parlera du *pain de curé*, du *tabac de curé*, de l'*orteil de prêtre* (grosse fève). Dans le chœur de l'église, il y a la *chaise du curé* ; on fait des *paquets au curé*, c'est-à-dire qu'on fait ses courses ; on parlera de *mesurer en curé*, pour donner une mesure comble.

C'est dans un contexte de sacralisation évidente que s'explique la renommée inévitable de Monsieur le curé dans sa paroisse. Le prestige personnel de l'évêque est peu de chose comparé à celui du curé, seul vrai seigneur des lieux et souvent le plus savant du canton. Sa réputation auprès du peuple provient aussi de la pratique religieuse obligatoire qui, en un sens, consacre visuellement son autorité. Il est, là où il vit et agit, roi, maître d'une église qu'il a peut-être fait bâtir. À l'époque, Monsieur le curé est l'être le plus populaire que nous connaissions en milieu rural. L'histoire montre qu'il possède une autorité morale quasi incontestée. N'est-ce pas assez significatif que le départ ou l'arrivée d'un curé de paroisse soit l'objet d'une fête, et d'un cortège plus imposant, encore en 1940, que celui habituellement réservé à l'évêque… et même au député.

Des rites à tout risque

Ce qui ratifie l'autorité paroissiale de Monsieur le curé est qu'il chante la grand-messe, qu'il bénisse, qu'il consacre, administre, baptise, confesse, visite les malades, apporte le viatique, préside les funérailles. À l'occasion, sur requête, ou non, il arrête une querelle, soulage une misère. En cas d'urgence, le voici banquier, fermier, médecin, professeur, éducateur, notaire, postier. Surtout, il habite un lieu quasi sacré, le presbytère. Aussi est-il arrivé que certains curés de Saint-Michel soient intervenus durant les élections en faveur de leur candidat préféré, jusqu'à laisser supposer que ce dernier était meilleur chrétien que son adversaire. Les gens de Bellechasse se divisent face à ces interventions. En général, ils n'aiment pas que leur curé se mêle de politique. Même papa est de cet avis : « Nos prêtres doivent prêcher la vérité ; nos politiciens sont pas obligés à toujours dire la vérité. »

À la maison

À la maison, quelle que soit la situation, le curé, en principe, devrait faire l'unanimité. « Nous avons de bons prêtres », répète maman qui, de son vivant, a connu et aimé successivement les curés Joseph-Aimé Bureau (1893-1911), Louis-Philippe Deschênes (1911-1917), Sylvio Deschênes (1917-1922), Salluste Bélanger (1922-1932), Maxime Fortin (1932-1947) et Auguste Cantin (1947-1955). Il lui arrivait parfois de nommer l'abbé François-Ignace Paradis qui fut curé à Saint-Raphaël durant trente ans (1869-1899).

Comme pour augmenter un prestige pourtant assuré, nous entendons parler à la maison de la famille Arthur Roy. Quatorze enfants, dont dix consacrés : notre préféré, le père Égide, et deux autres frères franciscains, un jésuite, trois prêtres séculiers, trois religieuses… « Que veux-tu, Rose-Anna, t'as voulu juste cinq enfants. Pour faire des curés, i' faut faire des bébés. » Embarrassée, elle ne savait que répondre.

Le grand respect de notre père pour les prêtres pouvait à l'occasion s'accompagner d'un certain sourire avec un clin d'œil malicieux, d'autant plus qu'un des curés « prenait son *p'tit caribou* un peu fort », sous prétexte qu'il en avait besoin pour faire face à certains paroissiens plus rebelles. Caïus Lacroix, presque non fumeur et tout plein sobre, même en temps d'élection, avait pour son dire — et il me l'a dit tout bas — que le curé Fortin avait déjà son coup de vin tous les matins. « J'vois pas pourquoi i' prendrait pas son p'tit coup tous les soirs… Mais i' devrait faire attention et faire des sacrifices pour expier nos péchés. » « Tais-toi », a riposté Rose-Anna Blais un peu déçue d'avoir entendu. Rien n'empêche que ce soir-là au chapelet, elle ajoute trois *Je vous salue, Marie* « pour la santé de Monsieur le curé ».

« Manger du curé, disait maman, ça te fait mal digérer. » Il est aussi grave de parler contre le curé que de travailler le dimanche, ou même que de ne pas aller à la messe. Parce qu'elle croit en Dieu, elle croit au curé. Le curé, l'homme engagé de Dieu, elle le voit prier, monter en chaire, elle lui fait confiance. Cependant, « je souhaiterais être moins gênée avec Monsieur le curé. Ton père, lui, est à l'aise. C'est vrai qu'ils sont du même parti politique. » Ce que ma mère comprend moins bien — mais elle ne s'en plaindra pas —, c'est que Monsieur le curé est plus sévère pour elle au confessionnal que pour Caïus ; à lui il donne de légères pénitences, une dizaine de chapelet, et à elle, tout un chapelet ! « Mais pourquoi ? »

Papa fait évidemment confiance au bon jugement de son curé, qu'il respecte. Ça l'impressionne qu'il monte en chaire et qu'il parle 30, 40, 60 minutes sans se tromper, sans lire, et avec un talent évident. Si donc ma mère aime plutôt chez le curé l'homme du culte et des grandes cérémonies, papa préfère nettement l'homme de la parole.

Le sermon

Il arrive qu'un des sujets litigieux à la maison soit le sermon du dimanche, à la grand-messe. Maman aime. Papa n'aime pas toujours. Ça se passe habituellement comme suit : le sermon survient après la lecture ou le chant de l'évangile ; Monsieur le curé enlève chasuble et manipule, monte en chaire. C'est d'abord la causerie familière, les annonces du prône, puis commence le sermon par un signe de croix, signe aussi d'un changement de ton et d'attitude.

Il y a toutes sortes de sermons. Des longs, des courts; des sermons pour ne rien dire, d'autres pour dire n'importe quoi. Les plus recherchés sont les sermons de circonstance, «les sermons en règle», comme les appellent nos gens; le ton est solennel, le prédicateur est parfois un invité de passage, ce qui permet de nous reposer des sermons ordinaires, surtout des trop longs sermons du curé Bélanger.

Le curé Bélanger

C'est ainsi qu'à Saint-Michel il est un point sur lequel les gens sont prêts à discuter, et même papa à l'occasion: les sermons du curé Bélanger. «Avec notre curé qui aime beaucoup parler de *son* catéchisme, c'est long, très long avant d'en arriver finalement au ciel et "à la grâce que je vous souhaite".» Homme de grand zèle et méticuleux, surtout obsédé par certaines conduites douteuses de ses paroissiens et de ses paroissiennes, le curé Bélanger s'adapte toujours ou plutôt adapte tout aux besoins de la cause. Le dimanche du récit des noces de Cana devient, nous l'avons dit, le dimanche contre *la maudite boisson*; la fête de la Sainte Famille, le temps de proclamer qu'il faut avoir beaucoup d'enfants; la fête du charpentier de Nazareth avec sa réputation de bon menuisier fournit l'occasion toute rêvée de faire l'éloge des confessionnaux et donc de l'obligation de les utiliser!

Maman aime écouter. Tous les sermons du curé Bélanger, longs ou courts, l'intéressent. «Il y a toujours du bon à en tirer... Il faut savoir écouter pour savoir croire.» Papa réagit autrement: «Comme tenant de la religion catholique, j't'dirai, ma chère épouse, que j'sus plus sensible à la témoignerie qu'aux longs parlages du haut de la chaire. J'aime un curé qui a de la tendreté pour nous autres qui sont trébuchables; j'aime un curé pas trop tousseux, qui sait finir un sermon ben timbré. Un sermon sans terminance, c'est comme une vache que t'as pas fini de tirer: ça dégoutte longtemps, c'est pas ben propre même dans une étable. En tout cas, j'en ai entendu dans mon règne des sermons et des parlailleries à n'en plus finir. Des curés qui s'font aller en chaire pis que face à face i' sont plus parlables… Si le Christ revenait, i' raconterait une petite histoire, un petit conte, pis tout le monde aurait compris. Pas vrai ? I' faut faire comme lui. »

Il adore la parole, la tradition orale, le discours d'orateur. Mais, malgré lui et comme les hommes de son entourage, il redoute les longs sermonnages trop moralisateurs et toutes ces condamnations carrées contre le *buvage*, le *sacrage* et l'*amusage*. Il préfère le prône, ce discours plus familier, varié, nourri de nouvelles, de lectures, de prières, sans oublier la publication des bans de mariage et d'autres faits qui touchent à la vie de la paroisse. Il supporte même des lectures rituelles, des ordonnances épiscopales et des statuts synodaux. « Un prône, ça s'écoute… Un sermon, ça se dort », avait dit un habitant. Le mot a fait le tour de la paroisse. Monsieur le curé n'a pas prisé.

Quand mon père a appris qu'un jour, à mon tour, je prêcherais, il m'a dit : « Parle pas longtemps. Dis l'Évangile. C'est c'qu'y a de mieux. Quand tu sais plus quoi dire, dis *Amen* et descends. »

La visite paroissiale

La visite paroissiale, une fois par année, nous permettra souvent de modifier certains de nos jugements trop sommaires sur Monsieur le curé aux sermons trop longs. Doublée de la quête de l'Enfant-Jésus, cette visite prend une importance capitale. Comme si cette fois Mahomet venait à la montagne ! Comme si tout à coup un pont était jeté entre le spirituel et le temporel, entre l'église et la maison, entre le sermon d'église le dimanche et la parole domestique !

Tout a été prévu le dimanche précédent, au prône. La visite commence au bout du Troisième Rang Ouest, donc chez nous ou presque. Le jour venu, nous nous sommes endimanchés. Le curé entre, tous à genoux nous recevons la bénédiction, puis récitons en chœur un Ave et l'invocation « Cœur Sacré de Jésus, j'ai confiance en vous ». Il s'informe des enfants et, discrètement, du couple Blais-Lacroix. Papa lui demande d'aller bénir ses nouveaux animaux. Quelques images en cadeau aux enfants de sa part et de notre part… un cadeau en argent : « C'est pour l'Enfant-Jésus ! Que chaque enfant fasse sa petite aumône. » Aucune illusion, l'Enfant-Jésus en l'occurrence est Monsieur le curé. Une demi-heure, le recensement, un petit tour à l'étable, les salutations d'usage : « Au revoir, Monsieur le curé. R'venez nous voir plus souvent ! »

La visite aux malades

Enfin, il est un point sur lequel le consensus se fait. Tous les deux, maman et papa apprécient que le curé puisse en tout temps de l'année *aller aux malades*, même en hiver. « Ah ! le curé Sylvio Deschênes ! Un vaillant qui n'a pas peur des veillements quand, la nuit, on l'appelle aux malades. Pour qu'une religion soit vivable, il faut du dévouement. Le vent n'arrête pas de venter ni le soleil de se promener parce qu'il fait noir. Un curé courageux met sa veste n'importe quand et part, hiver comme été, tempête ou pas. À Saint-Michel, on a toujours eu des curés courageux, dévoués. S'ils ne sermonnaient pas tant, ça serait parfait ! » « Comme tu as presque raison, Caïus ! »

MONSIEUR LE VICAIRE

Parmi les « messieurs prêtres » qui jouent un rôle sacré dans nos paroisses, il y a Monsieur le vicaire que nous appelons affectueusement *le p'tit vicaire* ou *le p'tit vicaire qui fait son possible*, ou *le p'tit vicaire qui ne peut pas en faire plus*. Le préjugé est favorable. Tout le monde perçoit que « c'est le curé qui mène », mais que le p'tit vicaire possède l'avantage, ou l'inconvénient selon les situations, d'être jeune, moins conformiste, plus humble et plus fragile.

De toute façon, le mot est connu dans tout le diocèse : *Les vicaires passent, les curés durent…* « Ça fait pitié, un vicaire qui arrive et qui repart aussi vite… C'est difficile de vivre sans avenir. »

À Saint-Michel-de-Bellechasse, de 1900 à 1951, il y aurait eu, à ce que racontent les anciens, onze vicaires pour six curés. Seul le vicaire Chabot a duré plus de quinze ans, soit de 1930 à 1947. Un record !

Chacun sait, comme ma mère, que le vicaire fait le catéchisme, qu'il prêche si Monsieur le curé l'y autorise, que sa parole de vicaire, même s'il lui arrive d'être plus éloquent, est moins déterminante que celle du curé. « Reste que notre vicaire, plutôt jeune, parle bien, mais on voit qu'il ne sait pas tout. Quand il aura pris de l'expérience, il pourra lui aussi se lancer en haute mer, il fera aussi bien que Monsieur le curé. » Pour sa part, et une fois de plus, maman a sa manière d'évaluer le personnage. Elle aime par exemple le vicaire Chabot pour deux raisons essentielles : « C'est un vicaire qui se respecte ; il chante mieux sa préface et son *Ite missa est* que Monsieur le curé et sa soutane est toujours propre. » Pourtant, elle n'ira pas se confesser à lui : « Il est trop jeune pour connaître nos histoires de femmes. » Papa, lui, a pour son dire que le vicaire Chabot, même meilleur que Monsieur le curé, ne fera jamais la visite de la paroisse et que c'est bon, surtout pour les femmes et les enfants, d'avoir un vicaire aussi gentil et qui chante si bien !

LES PRÊTRES DE PASSAGE

La discussion se prolonge à propos des prêtres de passage et surtout des pères prédicateurs des grandes retraites paroissiales. Des prêtres de passage ? À l'occasion des Quarante-Heures, d'un triduum spécial, pour les « concours de confession », des prêtres arrivent des paroisses avoisinantes. Ils viennent aider nos prêtres qui n'en finiraient pas de confesser « toute la paroisse tout d'une traite ». Comme le presbytère de Saint-Michel est immense — une vingtaine de chambres — et magnifiquement meublé, il est recherché des prêtres. Bon tabac, bonne nourriture, bons plats et, entre deux séances intensives de confession, l'échange des meilleures histoires cléricales de l'année, drôles, parfois épicées. Quel prêtre des environs aurait manqué les « concours de confession » à Saint-Michel-de-Bellechasse ?

Les confesseurs invités

Le confesseur doit se plier à un rituel fixé au Québec depuis monseigneur de Saint-Vallier. C'est-à-dire qu'il doit se souvenir qu'il « préside au Saint Tribunal », qu'il doit toujours revêtir soutane, surplis et étole, qu'il doit se bien tenir et ne pas fixer le visage du pénitent qui sera à genoux de l'autre côté de la grille.

Nous nous en doutons déjà, le confesseur de passage joue un rôle majeur dans la vie des gens de la paroisse. La liste des péchés est longue et la culpabilité s'y prêtant, ce confesseur invité devient un être important. Nous le voyons prier avant d'entrer au confessionnal où il entendra tous les péchés possibles. Il devra poser des questions quant au nombre, à l'espèce, aux circonstances. Et après l'accusation détaillée, le pénitent à son tour poursuit selon la formule traditionnelle : « Mon Père, je m'accuse… »

Suit une admonition circonstanciée, dont le ton et la chanson varient selon le contenu des « révélations » entendues. Pour terminer, le pénitent récite le célèbre *Acte de contrition*, que nous avons déjà cité :

> Mon Dieu, j'ai un extrême regret de vous avoir offensé, parce que vous êtes infiniment bon, infiniment aimable, et que le péché vous déplaît ; pardonnez-moi par les mérites de Jésus-Christ, mon Sauveur ; je me propose, moyennant votre sainte grâce, de ne plus vous offenser et de faire pénitence.

Les Pères de la retraite

Parmi les confesseurs spéciaux les plus attendus par la paroisse, il y a les Pères de la retraite. Leur prestige est grand à Saint-Michel. Ils parlent, paraît-il, mieux que le curé et le vicaire ; ils ont fait des vœux de religion ; ils sont propres, ils portent des soutanes impeccables. Il en est même qui sont habillés de brun, les Franciscains, d'autres de blanc, les Dominicains. Sont-ils plus parfaits que les prêtres de la paroisse? Les gens le croient. Quand arrivent ces « héros du discours », ils accomplissent divers rôles : ils prêchent la retraite, un triduum, font des sermons de circonstance à l'occasion, président la messe paroissiale. Le fait que ces pères passent, qu'ils semblent plus instruits que les prêtres ordinaires, qu'ils sont plus disponibles, qu'ils ont en outre une réputation de priants, augmente leur autorité. Mais leur réputation tient surtout, à la maison du moins, au fait qu'ils parlent haut et fort, qu'ils prêchent toutes sortes de retraites : retraite des hommes, retraite des femmes, retraite des jeunes gens, retraite des jeunes filles, retraite des enfants.

Qui vient prêcher habituellement? Ce sont, dans les années 1930 à Saint-Michel, les Rédemptoristes qui savent manipuler oratoirement toutes sortes de harangues sur la mort. Ce sont parfois les Dominicains en robe blanche et cape noire qui font de la théologie épique. Ce sont les Franciscains qui vont nu-pieds mais dont les pochettes de tunique seraient aussi nombreuses que les sables de la mer. Ce sont les Jésuites qui courent tout l'univers pour militer en faveur du martyre. Ce sont les Pères Blancs qui vont en Afrique se battre contre les lions. Ce sont les Oblats qui vivent dans la neige en Arctique. Il arrive, bien entendu, que plusieurs de ces Pères viennent autant pour quêter que pour prêcher ou confesser. Pourquoi pas? « I' ont faim, eux aussi! » Papa l'a dit!

Le passage des Pères obéit à un rituel qui, tour à tour, effraie et soulage la population. Quand les Pères arrivent dans la paroisse, on sait qu'il faut finir la journée de bonne heure pour aller en début de soirée se faire brasser à l'église.

Les gros et les petits Pères de la retraite ont leurs habitudes de paroles et de sermons. « Le premier jour, c'est pour dire ce qu'on va dire » ; le deuxième, « il faut les amener à confesse pour les 3e et 4e jours » ; alors la veille du troisième jour, « on leur parle de péchés mortels et de l'enfer ». « Moi, j'ai tellement eu peur que j'ai demandé à me confesser avant de prendre le chemin », a dit un voisin. Papa commente : « Ça nous fait peur, mais ça fait du bien. Quand t'as eu peur et que tout à coup t'as plus peur, tu revis. »

De toute façon, ces sermons renvoient la population aux grandes vérités du salut : le ciel, l'enfer, le purgatoire, les limbes, le péché. Les Pères en profitent pour instruire les gens, les fidèles comme on les appelle, de leurs devoirs conjugaux ; pour les jeunes, il y a d'autres précisions plus ou moins explicites selon l'audace du prédicateur. Le tout se termine, évidemment, par la confession individuelle qui devient une sorte de thérapie spiritualiste, avec l'avantage que tout aveu conduit normalement au pardon et à la paix d'une conscience tranquillisée.

Une distinction courante s'est faite « entre le gros Père pis le petit Père ». « Le gros Père va nous faire peur... Le petit Père est meilleur à confesse, il parle moins fort et il est moins gênant. » Par contre, le gros Père a plus d'expérience : « Si tu as de gros péchés à dire, tu ne l'énerveras pas. » Les filles vont en général se confesser au petit Père qui leur paraît plus tendre.

Ce que ma mère aime des Pères, petits ou gros, est leur prédication tonitruante, moralisante, et leur manière de confesser. « On dirait qu'ils sont moins pressés que nos prêtres ; ils ne font pas que donner des pénitences, ils nous parlent longtemps. » Papa rétorque qu'ils ont la vie facile, parce qu'ils ont affaire à du monde qu'ils ne connaissent pas. « J'pense, Rose-Anna, que tu verras pas les gros Pères s'lever en pleine nuit comme notre curé pour aller aux malades. » Maman tient à son idée : « Les Pères prient mieux, Caïus, ils disent mieux la messe que nos prêtres. Ils sont tous des saints. » Ce à quoi papa répond aussitôt : « I' sont tous des pécheurs comme nous autres. » Elle n'a pas répondu, estomaquée comme d'habitude de la réponse si rapide de son mari, mais elle ne continue pas moins d'en penser...

Les missionnaires

Maman pensera plutôt à deux héros incomparables, qui ne sont ni curé de paroisse ni prédicateur de retraite, mais nés au village, les pères franciscains Égide Roy et Michel Charette, le fils de notre bedeau. Deux missionnaires qui partiront pour les pays lointains.

Déjà, « avoir un missionnaire dans sa famille, c'est aller directement au ciel ». « Missionnaire, mes enfants, disait notre mère, ça vaut plus que tout ce que tu peux imaginer.» Il faut se souvenir qu'à l'époque les départs de missionnaires avaient de quoi ébranler tous les cœurs. Partir de son pays! Partir au loin! Ne jamais savoir si on en reviendrait!

Le père Égide s'en va

C'est ainsi que le sermon d'adieu du missionnaire Égide Roy, avant de partir pour le Japon, le dimanche 5 août 1923 en l'église de Saint-Michel, émeut toute la paroisse. Ma mère n'en revient pas qu'on aille «porter le Bon Dieu si loin… Aller à Québec, oui… mais aller dans un pays que tu ne connais pas… c'est pas beaucoup comprenable. Mais c'est admirable. Le père Égide, c'est un saint, mes enfants!» Aussi, la cérémonie du baisement des pieds de celui qui partira dans quelques heures est-elle douloureuse. La chorale chante à la Vierge:

> Partez sans crainte
> Vers d'autres cieux
> La Vierge douce et sainte
> Vous suit des yeux.
> Au fort des peines et des dangers
> Priez-la, qu'elle vienne vous protéger.

Nous défilons tous devant le père Égide, debout, stoïque. Et quand, pour terminer, celui-ci ajoute d'une voix étranglée: «Je ne sais pas si je reviendrai un jour, mais je sais que le Bon Dieu me demande le sacrifice de vous quitter pour toujours», toute la paroisse pleure. Monsieur le curé bénit une dernière fois le bon père Égide qui, tout troublé, sort en prenant le chemin de la sacristie.

Il faut dire que ma mère porte au père franciscain Égide Roy une admiration sans bornes. Elle pleure abondamment durant le sermon d'adieu; elle le voit déjà *martyr canadien* là-bas. Elle aimerait bien, comme les hommes, comme les garçons, venir à la balustrade et baiser les pieds de son missionnaire. Elle ne voudrait pas cependant que son fils parte en mission! Plus tard, en secret, elle multipliera les neuvaines pour que je ne sois pas assigné au Japon. Mon père, mi-sérieux, mi-inquiet, comme pour la rassurer:

« Énerve-toé pas la mère, i' finiront ben par revenir les pères. On va les mettre dehors. » Intérieurement, il porte, lui aussi, une grande admiration aux missionnaires : « C'est pas des feluettes que ces pères-là… Eux autres se berceraient pas toute la journée sur le perron du presbytère pendant qu'on fait nos foins. »

Des religieux quêteux

Il nous arrivera parfois d'avoir la visite de Pères quêteux. Des Franciscains qui passent par les maisons pour y recueillir leurs œufs frais. D'autres, de jeunes Jésuites, provisoirement mendiants, sont en quête de repas gratuits. Si gentils, si jeunes. Viendront aussi plus tard les Sœurs du Précurseur ou les Sœurs Missionnaires de l'Immaculée-Conception qui, moyennant légère aumône, nous promettent d'acheter un petit Chinois pas cher et de le faire baptiser.

Pour ma mère, pour mon père, pour nous tous, ces gens qui arrivent chez nous représentent un peu le Bon Dieu qui demande la charité. « I' ont l'air si maigrichins, disait papa, que les faire manger un brin peut juste leur faire du bien. Pis en même temps on fait plaisir au Bon Dieu. »

LES BONNES SŒURS DE JÉSUS-MARIE

Après Monsieur le curé, après Monsieur le vicaire, après les prêtres visiteurs, après les pères prédicateurs et les prêtres missionnaires, il y a les Frères du Collège et les Bonnes Sœurs. Ah ! les Bonnes Sœurs ! Un nom bien mérité, selon les gens du village. Dévouées jusqu'à risquer leur santé, prêtes à tout donner, d'une audacieuse générosité et d'une piété exemplaire, leurs œuvres, leurs costumes et leurs bonnes manières font qu'elles jouissent d'un prestige qui n'est comparable qu'à celui de Monsieur le curé. Le folklore s'en mêle : des biscuits roulés s'appellent *pets de sœur* ; un certain pain de ménage est nommé *fesses de sœur* ; un petit tout petit pain devient *cuisse de sœur*. L'étui à chapelet est une *poche de sœur* parce qu'il est discret et ordinairement de volume réduit. Et quoi encore ! Tout cela est à situer dans un contexte de tendresse et de reconnaissance. Oui, nous les appellerons les Bonnes Sœurs, même si certaines d'entre elles persistent à porter des noms redoutables comme Sœur du Calvaire, Sœur Xavier de la Couronne d'Épines, Sœur de la Réparation, Sœur du Divin Tabernacle, Sœur de Jésus Agonisant. Parfois, adolescents, nous nous moquions, jusqu'à vouloir imiter ces jeunes finissantes de la ville de Québec qui, à la fin de juin, chantaient, paraît-il :

> Vivent les vacances
> Au diable les pénitences
> Mettons les livres dans le feu
> Puis les sœurs dans le milieu !

Ce qui dans notre esprit n'enlève rien à leurs mérites. Au contraire. Cette familiarité trop évidente est une manière de dire notre amour, notre reconnaissance, en même temps qu'un désir normal de vacances.

Une réputation parfaite

Les Religieuses de Jésus-Marie se sont mises au service de la paroisse, sous les ordres éventuels mais assurés de Monsieur le curé qui les surnomme affectueusement les « Sacristines du Bon Dieu ». Elles sont de tous les travaux. Tout ce qu'elles savent faire ! Tout ce qu'elles font pour que les cérémonies d'église soient belles ! Elles voient méticuleusement à ce qui est directement ou indirectement cultuel : bannières, garnitures de chandeliers, bouquets, vases à fleurs, chapes, draps mortuaires, voiles huméraux, pavillons de tabernacle, de ciboire, étoles de sépulture, étoles de confession, étoles réversibles, étoles pour le Salut du Saint-Sacrement, boîtes à hosties, sacs pour les malades, sacs pour les saintes huiles, aubes, cordons d'aubes, amicts, nœuds de clef du tabernacle, signets de missels, nappes d'autels, dentelles d'aubes, de surplis, de nappes de la Sainte Table, de purificatoires, de rochets, de manuterges, de corporaux, de pâles, de frises d'autel, de voiles d'ostensoir, de chrémeau, de bourses pour la quête. Elles lavent, repassent, ravaudent, tricotent, rangent. Surtout, elles dispensent un enseignement hautement apprécié par tous les gens.

La popularité de ces religieuses à Saint-Michel, idéal de plus d'une jeune fille de la paroisse, est grande. En cas de vocation, d'*adieu au monde* et de départ pour le couvent, les journaux locaux reproduisent parfois des photos. Les garçons qui les reluquaient rechignent : « Ce sont les plus belles qui s'en vont ! »

Ma mère et les Sœurs

Ma mère n'a qu'admiration pour ces religieuses, et non sans nostalgie : « Je n'avais pas la vocation ni aussi, je le dis aujourd'hui, l'endurance. Mais rien qu'à les voir à l'église, j'ai envie de prier. Que serait notre grand-messe sans elles, ces courageuses, ces vaillantes, ces saintes ? » Peut-être est-elle aussi séduite par ces fidélités à la même heure de tous les jours ? Dans son esprit alerté par certaines moqueries, il n'est pas possible qu'une Bonne Sœur soit acariâtre à la manière de certaines vieilles dames qui ont mal vieilli : « Ce sont des femmes du Bon Dieu. Une femme du Bon Dieu, c'est bon… puis ça n'a pas d'âge. »

Mon père et les Sœurs

Quant à papa, il les aime tout autant. Ce qui ne l'empêche pas, parfois, de s'interroger sur ces femmes en noir, « toujours habillées comme en hiver, qui baissent trop les yeux pour pas avoir envie de regarder… » D'autre part, il en conclut, lui aussi : « Ce sont nos anges priants. Sans leurs prières, la paroisse irait pas loin. » Non, au grand jamais, papa n'aurait osé mal penser des Sœurs : il les défendra au premier attaquant. Si jamais il entend dire par un « morveux du village » que la Sœur est une *pisseuse*, tout de suite, comme en colère, il prédit « que celui qui a dit ça, i' va aller pisser le premier… quand j'lui aurai cassé la margoulette et défoncé le derrière ». Ce à quoi maman répond tendrement : « Ne parle pas comme ça devant les enfants. Les Sœurs n'ont pas besoin de toi pour se défendre. Leur silence parle mieux que toi. »

NOS FRÈRES MARISTES

Nos Frères Maristes sont arrivés à Saint-Michel en 1917, durant la Première Guerre. Les gens de la place ont aussitôt éprouvé une grande sympathie pour ces « beaux garçons qui donnent leur vie à des enfants qui ne sont pas leurs enfants. C'est un beau coup du curé Sylvio Deschênes de les avoir fait venir. »

Malgré tout leur dévouement, les Frères du Collège n'ont jamais eu la popularité des Sœurs du Couvent. Leurs rôles plus ingrats de directeurs d'un collège de garçons et de préfets de discipline qu'ils ont forcément joués pour venir à bout de toute cette jeunesse, leur dureté verbale à l'occasion, la pauvreté affective de leurs répliques et une certaine misogynie n'ont certes pas aidé ces hommes à se tailler une place indiscutable dans le cœur des paroissiens. Pourtant ils étaient tellement serviables !

MA MÈRE ET LES FRÈRES

Même si nous dépendons de l'école du rang, même si nous sommes sans lien précis avec les Frères du village, maman les admire. La croix qu'ils portent sur la poitrine, leur présence à l'église et leur capacité à tenir en rang, bien sages à la grand-messe, tous ces enfants turbulents, la convainquent de plus en plus qu'une paroisse sans Frères serait « comme une route d'hiver sans balises ». Elle entend aussi parler d'un certain petit frère André à Montréal qui, lui, guérit les malades. « Si on était plus riche… j'irais le voir. »

Pour elle, pour nous, à Saint-Michel, le Frère est sacré, moins à cause de son statut d'enseignant que du fait de son état religieux. Il prononce des vœux, il ne se marie pas, il s'habille en noir comme les prêtres, il a le mérite rarement jalousé de ne pas avoir le prestige du prêtre. Les gens sont étonnés par sa capacité de travail. Enseigner jusqu'à 60 heures par semaine ! Pas de vacances, même l'été ! Au prône du 8 juillet 1928, l'abbé Salluste Bélanger annonce solennellement :

Les Chers Frères ont bien voulu se charger de la surveillance des enfants plusieurs heures par jour. Que les parents leur envoient leurs enfants demain à 9 h. Comme il y a des dépenses à faire, on acceptera avec reconnaissance ce que les parents voudront donner. Les enfants de ceux qui ne veulent pas ou ne peuvent pas dédommager les Chers Frères seront admis comme les autres.

Secondons le dévouement des Chers Frères et sachons leur dire merci.

« Vos Frères Maristes sont les meilleurs citoyens de votre communauté paroissiale », dira Monseigneur l'évêque lors de la visite pastorale. La paroisse a unanimement applaudi. Avant leur départ, en 1970, papa avait déjà prophétisé à sa manière : « Des genres d'éducation comme ils nous ont donnés, on n'en aura plus jamais ! » Maman aurait sûrement approuvé.

CHAPITRE 13

Des laïcs privilégiés

CERTAINS PERSONNAGES d'église sont sacrés de par leur consé-cration, tels le pape, l'évêque, le curé, le vicaire, les religieux, les religieuses; certains laïcs le deviendront à cause de leurs fonctions, tels le sacristain, la ménagère de Monsieur le curé, le directeur de la chorale, l'organiste, l'enfant de chœur, le servant de messe, le marguillier et d'autres!

LE SACRISTAIN

De tous les laïcs de la paroisse, celui qui semble le plus sacré, le plus utile à l'église, le plus privilégié, le plus près de Monsieur le curé, est le sacristain. À l'occasion, il porte une redingote commu-nément appelée la « jaquette du bedeau ». Son rôle est déjà connu quand mes parents arrivent à l'église Saint-Michel. Qu'il s'appelle Roy, Lamontagne, Gosselin, Charette ou Bernier, il est d'abord carillonneur.

Fidélité et ponctualité

Ses devoirs sont précis:

1. Sonner l'*Angelus* le matin à six heures, et le soir à sept heures et à midi tous les jours de l'année, excepté le Jeudi et le Vendredi saint.

2. Il sonnera l'*Angelus* en tintons et en branle pendant trois minutes : on sonne pendant six minutes le midi et le soir de la veille, ainsi que le matin et le midi des jours de fêtes solennelles : savoir, de Pâques, de l'Ascension, de la Pentecôte, de la Fête-Dieu, du dimanche de la procession du Saint-Sacrement, de la fête de saint Pierre, de la Dédicace, de l'Assomption, de la Toussaint, de Noël, de l'Épiphanie, du patron de la paroisse.

3. Aux *fêtes et dimanches*, pour la messe, il sonnera trois coups en branle, à une demi-heure ou une heure de distance : pour vêpres, trois coups en branle à une demi-heure de distance : ajouter quelques tintons au dernier coup.

4. Dès qu'un décès est annoncé, il sonne les glas. Les glas se sonnent en trois volées, chacune de neuf tintons pour les hommes et de six pour les femmes, puis d'une sonnerie en branle. Le tout durera un quart-d'heure pour les laïcs ; une demi-heure pour un prêtre : une heure pour le pape ou l'évêque.

5. Il sonne une volée après l'*Angelus* du soir de la veille et après l'*Angelus* du matin du jour de la sépulture.

6. Il sonne en branle, pendant tout le *Libera*, après avoir commencé par des soupirs.

7. Après les vêpres des morts, il sonnera les glas de temps en temps, jusqu'à l'*Angelus* du soir ; et aussi depuis l'*Angelus* du matin jusqu'à la messe solennelle des morts, pour laquelle on ne sonne que cinq minutes à l'ordinaire.

8. Pour un service anniversaire il sonne le soir et le matin, comme au jour de la sépulture.

9. Aux grands-messes sur semaine, il sonne comme le dimanche.

10. Il sonne durant les processions du Saint-Sacrement, et celle de saint Marc et des Rogations.

11. Il sonne en tintons pendant les deux élévations, aux grands-messes sur semaine, et à celles des dimanches et fêtes.

12. Il sonne en tintons quand le saint Viatique est porté aux malades pendant le jour. On sonne pendant dix minutes : cinq minutes avant et cinq minutes après le départ du prêtre qui porte le Bon Dieu.

13. Pour la basse-messe, il sonne le premier coup en branle, suivi de quelques tintons : le second coup en tintons.

Bien entendu,

il sonnera l'angélus aux heures fixées, réglant à cette fin l'horloge de la sacristie. Il sonnera les baptêmes selon l'usage, les glas des défunts et autres cérémonies, offices, instructions… Pendant la Semaine sainte, il utilisera la crécelle pour avertir les fidèles à la place de la cloche.

À cette corvée quotidienne de carillonneur, qui suppose une fidélité et une ponctualité à toute épreuve, s'ajoutent, pour le sacristain toujours :

1. D'avoir soin que les parements, vases sacrés, livres, cierges, ornements, etc., soient conservés dans la propreté convenable : il avertit le curé lorsque les ornements ont besoin d'être réparés ou que les linges sont sales ou déchirés.
2. Il veille à ce que la plus grande propreté règne sur l'autel, et à ce que tout ce qui sert dans l'administration de la Sainte Eucharistie soit bien entretenu.
3. Il tient allumée la lampe du sanctuaire et la fait nettoyer à l'occasion.
4. Il a soin des reliques saintes honorablement.
5. Il lave les bénitiers tous les mois et renouvelle l'eau bénite chaque semaine : il tient dans une grande propreté l'église et les chapelles.
6. Il voit aux parures suivant la direction du curé.
7. Il prépare d'avance les autels, les crédences, le chœur, les ornements et les autres choses nécessaires, de manière que l'office ne soit point retardé.
8. Il fait sonner la cloche aux heures fixées pour les offices.
9. Il surveille le tableau des messes et anniversaires qui doivent être célébrés à des jours fixes.
10. Il remet les ornements à leur place après les offices et plisse les surplis et les aubes.
11. Fossoyeur à ses heures, il entretient le cimetière, et jusqu'à creuser les fosses dès que la saison le permet.

Il arrive, selon les saisons, que le sacristain accomplisse des tâches plus ordinaires. Par exemple, il doit se munir de balais, d'époussetoirs et de pleumas, et dès que les grands et petits ménages d'église commencent, il « fait » ses planchers en les recouvrant de bran de scie ou même de belle neige blanche ; il époussette bancs, sièges, châssis, balustrades et tous les murs à la hauteur du bras. Selon les conventions déjà formulées et signées entre lui et le curé :

> Chaque fois, il passera un linge humide pour ôter la poussière soit sur les gradins ou marches de l'autel, soit sur les tablettes ou meubles de la sacristie ; il fait disparaître les toiles d'araignées : sur les accoudoirs et sièges des bancs d'église ; il tient proprement et en ordre le grenier, les décharges, le chemin couvert, les entrées.
>
> De même, il tiendra le cimetière dans un grand état de propreté, il veille aux portes et clôtures, il cloue les barreautins s'il en tombe, relève et redresse les croix, tient les portes convenablement fermées, fauche l'herbe une fois par été en temps convenable, distribue les fosses d'après les ordres et sous la direction du curé.
>
> Il prendra soin des effets de l'église comme si c'était à lui-même, veillant aux cloches et au clocher, huilant les ferrures quand il le faut, prévenant les marguilliers s'il y a quelques réparations à faire, etc. Cela inclut de laver le corbillard, de le graisser, de huiler les roues, de le réparer si nécessaire.
>
> Il prendra soin des bénitiers, des lustres de Noël, des fanaux, corbeilles, bannières, mettant en lieu sûr les cierges, les fleurs aux chapelles de procession, préparant les reposoirs de la Semaine sainte et de la Fête-Dieu. La sacristie ne devra pas être oubliée, ni les tapis, ni les draps mortuaires.
>
> Il devra nettoyer pour Pâques, la Fête-Dieu, la Saint-Michel, Noël, ou dans tout autre temps à demande, et tenir dans une grande propreté les meubles des autels, les encensoirs, bénitiers, burettes et autres argenteries, la lampe du Saint-Sacrement…

Encore l'ordre et la propreté !

> Il sonnera et servira ou fera servir par un clerc approuvé la messe sur semaine : celle du curé ou de tout autre prêtre étranger. Il plissera les aubes, surplis des prêtres et mettra tous les ornements en lieu sûr. Il plissera aussi les surplis des chantres, soit après les vêpres, soit le lundi matin. Il servira ce qui est requis pour purifier les linges sacrés.
>
> L'hiver, il devra pelleter les bancs de neige sur le perron de l'église et de la sacristie, entretenir le chemin qui va de la sacristie au presbytère et celui du cimetière pour les enterrements.

Il allumera toutes les fois que ce sera nécessaire, une heure avant l'angélus du matin, les poêles des sacristies et de l'église. Dès l'automne, il entassera le bois de chauffage dans la sacristie infé-rieure, destinée à cette fin, et il veillera à ce que les feux des poêles, s'il y a lieu réchauds, encensoirs et autres lumières de l'église — celle du sanctuaire exceptée — soient toujours soigneusement éteints après un office par crainte de l'incendie. Il lui sera cependant donné un aide pour monter les poêles.

Il préparera les cendres, les rameaux, qui devront être des que-nouilles, les graines et tout ce qui est nécessaire pour les bénédictions.

Il assistera assidûment aux offices, baptêmes, prières sur semaine, et préparera les ornements pour porter le saint Viatique aux mala-des, tout ce qui est nécessaire aux autels pour la visite de l'évêque ou du grand vicaire. Comme un bon serviteur doit le faire, il ne s'absentera qu'avec la permission du prêtre et après s'être assuré d'un remplaçant…

Respect et réserve

Maman a le plus grand respect pour cet homme à tout faire au service de Monsieur le curé, et qui a la double permission de se promener dans le sanctuaire et de toucher aux vases sacrés. « Sans lui, il n'y aurait même pas de grand-messe ! » Papa a quelques réserves : « Un bedeau qui rôde toujours autour du presbytère, ça m'dit qu'i' faut un p'tit peu beaucoup s'en méfier. I' a le nez fourré partout et pour s'faire valoir i' va bavasser au curé. I' pourrait courir un peu moins dans le sanctuaire. » D'autre part, papa trouve admirable que le même bedeau Charette prenne souvent son cheval, sa voiture, et conduise Monsieur le curé pour porter le viatique à un malade. « En plein hiver même. Ça c'est du courage ! »

LA MÉNAGÈRE

Si le bedeau a parfois la réputation d'être un peu écornifleux, rien ne surpasse la toute-puissante ménagère du presbytère. Elle s'appelle aussi la *servante du presbytère*, la *bonne à Monsieur le curé*, la *servante du curé*, *Madame la femme-Curé*, *Madame Curé*, l'*espionne* et plus tard le *téléphone du curé*. Elle est, avec le sacristain, le personnage le plus en vue de la paroisse. « Attention ! les gens ! »

Cohabitation réglementée

Sacralisé par procuration, son pouvoir tient moins à sa compétence et à son instruction qu'à sa proximité du prêtre. Les curés le savent, ou l'apprennent vite. Ils sont avertis dès le séminaire que la cohabitation du curé avec la servante du presbytère est soumise à une législation plus que prévenante :

> Les clercs ne peuvent cohabiter qu'avec des femmes qui en raison de liens de parenté sont au-dessus de tout soupçon, comme la mère, la sœur, la tante ; ils ne le peuvent avec des étrangères que si l'honnêteté manifeste de celles-ci et leur âge avancé écartent toute présomption défavorable. Par âge avancé ou canonique, on entendra ordinairement celui de quarante ans. Aucun prêtre ne pourra retenir à son service une personne étrangère ou une nièce âgée de moins de trente ans, excepté lorsque pour une raison impérieuse l'Ordinaire l'aura permis par écrit.
>
> Les chambres des femmes ou filles qui habitent le presbytère doivent être isolées de celles des prêtres.
>
> Les intérêts du saint ministère et la bienséance réclament du prêtre qu'il ne laisse point envahir sa maison par des membres de sa famille, qu'il n'en fasse pas non plus une pension pour des laïcs ; qu'il n'admette pas à sa propre table les personnes qui font le service du presbytère, ni même ses proches si d'autres ecclésiastiques sont ses commensaux ; qu'il ne tolère point que son personnel laïque s'immisce dans les choses du ministère ou de l'administration.

Réputation

En général, les femmes comprennent. Les hommes, moins. « Pauvre elle ! » Car elle n'est pas qu'à la cuisine et au bureau ; elle fait le petit et le grand ménage de tout le presbytère ; elle fait et défait le lit de Monsieur le curé ; souvent elle explique ou justifie que Monsieur le curé soit ici ou là ou pas là, à la sacristie, en visite aux malades, en sieste, et quoi encore! Il lui arrive bien sûr de dépasser la mesure et de dicter au curé certaines attitudes pastorales, certains rites de la visite des prêtres et même de l'évêque. Ces derniers se résignent : « Celle-là, elle s'appelle touchez-y-pas. Elle nous mène par le bout du nez ! »

Tout le monde, par ailleurs, se doute que la ménagère n'a pas la vie facile. Le curé est parfois fatigué, il a ses humeurs, ses désirs ; il doit répondre à toutes les demandes, voir aux sacrements, au catéchisme, à la visite des écoles, sans oublier les deuils, les querelles à apaiser, les jeunes à modérer, bref à intervenir dans toute la vie paroissiale. « J'comprends qu'avec une paroisse et trois rangs à s'occuper en plus du village et des chapelles, Monsieur le curé et sa ménagère en aient gros sur les épaules et que ça paraisse ! » Telle est la pensée habituelle de la majorité des paroissiens de Saint-Michel.

Deux opinions

Maman, qui n'a rien de la *punaise de sacristie*, nom plutôt désavantageux donné aux indiscrètes de la paroisse qui placotent à propos du curé et de son aide, n'a jamais osé penser jouer un jour le rôle d'une servante de presbytère ; néanmoins, elle porte un grand respect envers « la ménagère de notre Monsieur le curé » : « Elle est si avenante. » Papa, qui la craint, a une autre version : « J'la trouve un peu belette. » Et maman de répondre : « Mais tu sais bien que Monsieur le curé ne choisit pas toujours. » « En tout cas, a-t-il répliqué, si ça continue, mademoiselle Roy est à la veille de chanter la grand-messe. » Silence ! Faute de preuve, mieux vaut se taire !

NOS ENFANTS DE CHŒUR

Parmi les autres personnages les plus connus de l'entourage de Monsieur le curé… et de la ménagère, il y a « nos chers enfants de chœur ». Tous garçons de 6 à 15 ans, donc d'âge scolaire, nous les appelons communément, parce qu'ils portent des soutanelles avec surplis blancs : *petits prêtres*, *petits curés* et, au meilleur, *petits anges.* D'autre part, si nous disons : *ne fais pas ton enfant de chœur,* c'est pour faire appel à plus de franchise et de simplicité ; ou encore : *ce n'est pas un enfant de chœur,* pour désigner une personne qui n'aurait de sagesse que les apparences.

Les enfants de chœur, rangés, disciplinés, provisoirement sages, habillés en prêtre, pénètrent dans le chœur, tout près de l'autel, tout à coup transformés en ministres du culte. Quel privilège ! Ils font à l'occasion la procession à l'intérieur ou à l'extérieur de l'église, dans les rues du village ; certains sont porte-flambeaux ou thuriféraires. Pour plusieurs parents, surtout ceux des rangs, il s'agit d'une distinction sociale hautement appréciée.

Consignes et devoirs

N'est pas enfant de chœur qui veut. Encore dans les années 1930, soit en 1937, dans la *Discipline diocésaine,* la consigne est claire :

> Il faut choisir pour enfants de chœur des sujets recommandables par la bonne conduite et la piété, et voir ensuite à ce que toujours ils aient les mains très nettes, des chaussures convenables et propres, un habit de chœur ni trop court ni trop long, ni sale, ni déchiré, ni froissé.
>
> Le costume des enfants de chœur est la soutane noire avec le surplis, c'est-à-dire celui des clercs.

Ces recommandations sont littéralement les mêmes depuis le milieu du XIXᵉ siècle. La seule rubrique qui manque à l'édition du rituel de 1937 est d'avoir « les cheveux modestement tenus ». Les conditions officielles pour être promu enfant de chœur et devenir comme un personnage sacré, peut-être servant de messe, sont uniformes et impératives :

1. Savoir les répons de la messe et être capable de servir aux offices.
2. Assister régulièrement à la messe et aux vêpres, les dimanches et fêtes d'obligation, et aux exercices des cérémonies qui se font au temps le plus convenable.
3. Se bien tenir au chœur, n'y point parler, n'y jamais rire, n'y pas tourner la tête de côté et d'autre, s'occuper à lire, à prier, à chanter.

4. Ne point sortir du chœur pendant les offices sans la permission de celui qui est chargé de surveiller.

5. Ne parler dans la sacristie que par nécessité et à voix basse.

6. Avoir bien soin de ses habits de chœur qui doivent être de dimensions convenables, et ne jamais les laisser traîner à terre. N'en point porter de sales ou de déchirés.

7. Être très soumis au maître des cérémonies ou à celui qui est chargé de les enseigner ; montrer un grand zèle pour profiter de ses leçons.

8. Être disposé à servir aux différents offices et s'efforcer de se bien acquitter de ses fonctions.

Un groupe à discipliner

Chaque dimanche se déroule le même rituel de la grand-messe à Saint-Michel. Il n'est aucun paroissien qui n'aime voir entrer tout à coup de chaque côté de l'autel « nos chers enfants », recueillis, les mains jointes, marchant deux par deux et faire une *vraie* génuflexion au tabernacle, puis se rendre gravement à leur place. De quoi rassurer tous les parents du monde. Le Frère assigné aux enfants de chœur obéit aux directives reçues. Il les connaît par cœur :

Il fera marcher les enfants deux à deux : leur fera faire la génuflexion à quelque distance des degrés de l'autel et un salut réciproque lorsqu'ils se séparent pour aller à leurs places.

Lorsque le chœur devra se lever, s'asseoir ou se mettre à genoux, il en donnera le signal, en frappant légèrement sur son livre.

Il surveillera le chœur afin que tous les enfants s'acquittent bien de leurs fonctions et se conduisent avec édification ; il signalera au curé ceux qui sont dissipés ou se comportent mal au chœur.

Si quelqu'un se conduit mal, il tâchera de le rappeler à l'ordre sans bruit par quelque signe ; sinon, il ira l'avertir.

Il tiendra un catalogue des enfants de chœur, et donnera à Monsieur le curé les noms des absents.

Il aura soin que tous se tiennent droit sans s'accouder nonchalamment lorsqu'ils sont debout ; qu'ils ne tournent point la tête vers la nef ; qu'ils obéissent avec précision aux signaux donnés ; enfin qu'ils observent fidèlement le règlement et ne fassent rien qui ne convienne à la sainteté du lieu.

Maman en croit à peine ses yeux. « On a beau rester loin, être pauvres, on aime les belles cérémonies, on aime voir nos enfants sages, surtout dans une église. » Aussi, quand pour la première fois elle a vu son grand Alexandre en soutane à l'église, elle en a pleuré de joie… ou d'orgueil ! « Ah ! s'il pouvait faire un prêtre, celui-là ! » Papa renchérit : « Comment i' font pour le faire tenir droit, ce grand flanc mou ? »

Les servants de messe

Une caste spéciale, les servants de messe. Recrutés chez les enfants de chœur pour accomplir la fonction que désigne leur nom, servir la messe, ils sont choisis moins selon leur mérite que pour leur ponctualité et leur voisinage de l'église. Ils doivent déplacer le missel, et le replacer, présenter les burettes, apporter l'encensoir, sonner la clochette au *Sanctus*, à la consécration et à la communion. Certains vont jusqu'à servir deux, trois messes chaque matin. Après la régularité, une régularité toute monastique, l'important est d'avoir une tenue propre, de porter une soutanelle noire, rouge pour les grandes cérémonies, qui descend aux talons plutôt qu'à *haute marée* ou à mi-jambe. À genoux ou debout, en principe les servants de messe ne regardent ni à gauche ni à droite, ils s'occupent de leurs affaires, tel qu'ils en ont été soigneusement avertis.

Une formation de base

La formation que reçoit le servant de messe est exigeante et méticuleuse, ainsi que l'indique un communiqué adressé à tous les curés de Bellechasse paru dans la *Semaine religieuse de Québec* du 20 octobre 1914 :

> Le servant doit apprendre *par cœur* les répons de la messe. Il doit toujours répondre à voix haute, distinctement et sans précipitation et attendre que le prêtre ait fini. — Quoique le prêtre emploie le ton médiocre et la voix haute, le servant répond toujours à voix haute, sur le ton des prières récitées au bas de l'autel. Le servant

doit s'efforcer d'harmoniser sa voix haute avec celle du prêtre ; il ne convient pas qu'il *crie* ses répons ou qu'il enjambe sur les paroles du prêtre. Couvrir en bardeau est impoli.

Le servant doit être revêtu de l'habit de chœur, qui consiste en une soutane et un surplis. En vertu d'un usage très respectable, nos collégiens peuvent servir la messe basse avec leur *capot*.

À faire et à ne pas faire

À propos des prières au bas de l'autel, la coutume veut qu'après le *Confiteor* récité par le prêtre, le servant se tourne un peu vers lui, sans déplacer les pieds, et qu'il incline la tête pour dire *Misereatur tui*. Après que le prêtre a répondu *Amen*, le servant se retourne vers l'autel et, incliné, récite le *Confiteor* pendant lequel, à *tibi Pater*, il se penche un peu vers le prêtre, toujours sans déplacer les pieds. Il reste incliné pendant que le prêtre récite *Misereatur vestri*, puis il répond *Amen* et relève la tête. Le servant s'incline de nouveau à *Deus tu conversus*, etc. À l'épître, il arrive que le chant ou le jeu de l'orgue empêche le servant d'entendre la voix du prêtre ; dès lors il se rend d'avance auprès de lui pour répondre *Deo gratias*. À l'offertoire, quand il revient de la crédence avec la burette du vin et celle de l'eau, le servant se place au bout de l'autel, tient la burette du vin par la partie inférieure et, dès que le prêtre l'a reçue, fait passer dans sa main droite la burette de l'eau, puis reçoit celle du vin dans la main gauche.

Attention ! Un servant bien éduqué ne doit jamais mettre ses mains sur la nappe de l'autel ou faire de génuflexion au milieu de l'autel. À l'*Orate fratres*, le servant ne doit pas répondre en marchant, il doit être déjà agenouillé pour répondre *Suscipiat*, sans s'incliner. Il le sait par cœur ! Vite :

Suscipiat Dominus sacrificium	Que par vos mains le
de manibus tuis, ad laudem	Seigneur reçoive ce
et gloriam nominis sui, ad	sacrifice, pour sa louange
utilitatem quoque nostram,	et sa gloire, pour notre bien
totiusque Ecclesiæ suæ sanctæ.	et celui de toute son Église.

À l'élévation, quand le prêtre élève l'hostie, le servant soulève de la main gauche le coin de la chasuble pour faciliter le mouvement du prêtre. Lorsque le prêtre communie, le servant incline la tête et, s'il y a communion des fidèles, il va s'agenouiller au coin de l'épître sur le plus bas degré ou sur le pavé. Si le servant communie lui-même, aussitôt après avoir répondu *Amen* à *Indulgentiam*, il prend la patène et s'agenouille sur le palier, devant l'autel, du côté de l'épître. Après la communion du prêtre, aux ablutions, le servant verse du vin et de l'eau sur les doigts du prêtre et transporte aussitôt le missel du côté de l'épître. Tout est ordonné, rangé.

Peu pour beaucoup

À l'arrivée de mes parents à Saint-Michel, en 1902, le servant de messe reçoit cinq sous par messe. Selon les directives des années 1930, il aura désormais dix sous par messe. Salaire bien mérité : que de commandements à observer pour un seul petit homme ! On lui redit souvent qu'il doit « avoir toujours des chaussures propres et convenables, et les mains nettes », « être bien attentif à suivre les différentes parties de la messe avec recueillement, avoir un livre ou un chapelet pour retenir l'attention, bien faire les génuflexions, porter avec respect et précaution le missel et les burettes », enfin « se souvenir dans tous ses mouvements et ses actes qu'il remplit une fonction sainte, que les anges eux-mêmes seraient honorés de remplir à sa place ».

La sonnerie disciplinée

La *Discipline du diocèse de Québec* publiée pour la première fois en 1879 sera entièrement refondue et la nouvelle version entrera en vigueur le 1er janvier 1937. Elle mérite d'être largement citée, car rien n'est laissé au hasard, au point que la sonnerie des clochettes qui, cette fois, ne relève pas du sacristain, paraît tout autant exigeante :

> Pour les sonneries qui se font dans l'église, c'est une clochette qu'il faut avoir. Le gong d'airain est nommément prohibé. Le timbre,

les cylindres, les tubes, etc., ne répondant ni à la tradition liturgique ni à la lettre de la rubrique, il faut les bannir des cérémonies du culte.

La sonnerie est obligatoire après la préface et à l'élévation : à l'*Hanc igitur*, elle est très recommandable. On pourra garder la coutume de sonner aussi au *Domine, non sum dignus*.

On n'omettra la sonnerie que dans les cas prévus par les rubriques : à la messe du Jeudi saint après le *Gloria*, aux messes célébrées pendant une exposition du Saint-Sacrement, pendant une procession, une absoute. Le manque d'assistants à la messe ne peut à lui seul dispenser de sonner.

Lorsque plusieurs messes sont dites en même temps dans la même église ou chapelle, on fait la sonnerie complète à la messe principale seulement ; pour les autres, on ne sonne qu'après la préface et aux élévations.

Les Jeudi et Samedi saints et la veille de la Pentecôte, un acolyte sonne la clochette après que le célébrant a entonné le *Gloria*, et jusqu'à ce qu'il ait fini de le réciter.

Au *Sanctus*, il faut sonner trois coups avec court intervalle entre eux ; à l'*Hanc igitur*, un seul coup ; à chacune des élévations, un coup à la première génuflexion, un coup à l'élévation, un coup à l'autre génuflexion : à chaque *Domine, non sum dignus*, un seul coup : aux saluts du Saint-Sacrement, au moment de la bénédiction, quelques coups quand l'officiant se tourne vers le peuple et quand il se détourne.

Des commandements

Tant de détails ont suscité ici et là des adaptations, des parodies : ces lois sont si nombreuses que certaines institutrices ont imaginé — à la manière des dix commandements de Dieu et de l'Église — d'autres dix commandements destinés aux servants de messe. Dans les « papiers » d'Émilie Lamontagne, une paysanne lettrée de Saint-Michel, nous en avons trouvé deux versions, dont l'une originerait d'une religieuse enseignante des Religieuses de Jésus-Marie à Saint-Michel, Sœur Marie Sainte-Julienne :

*Commandements d'un enfant de chœur
devenu servant de messe*

1. À la sacristie arriveras
   Bien à l'heure exactement.

2. Prêtre et sacristain salueras
   par un « bonjour » bien poliment.

3. Ta soutane tu prendras
   Pour t'habiller modestement.

4. Ton livre tu prépareras
   Pour servir pieusement.

5. Le célébrant tu attendras
   Et non pas inversement.

6. Le silence tu garderas
   Et marcheras tout doucement.

7. À l'autel tu serviras
   Avec un grand recueillement.

8. Sur l'encensoir tu veilleras
   Mais souffleras modérément.

9. Ta tête tu ne bougeras
   Comme une girouette au vent.

10. Les cérémonies tu feras
    Avec « lenteur », très « dignement ».

Pour ma mère, les servants de messe sont tous beaux, tous bons, tous pieux; ils iront au ciel. Tout ce qu'elle entend dire sur eux comme sur les enfants de chœur l'intéresse au plus haut point. Elle sait que la même Émilie Lamontagne, femme d'Ernest, au bout du Troisième Rang, celle qui lui montre ses archives, a aussi gardé dans ses tiroirs une seconde version des *Dix commandements* réservés aux servants de messe, qui serait venue, cette fois, d'une cousine de Saint-Prime au Lac-Saint-Jean. Elle aurait été composée par un certain abbé V. Simard. Maman veut voir, elle veut lire, elle nous les lit si souvent qu'elle finit elle-même par les savoir par cœur.

Les dix commandements du servant de messe

1. Pour Jésus tu serviras
   Et jamais pour de l'argent.

2. Aux offices tu viendras
   Un quart d'heure avant le temps.

3. Tes deux mains tu blanchiras
   Et tes ongles sûrement.

4. Tes cheveux tu peigneras
   Au miroir modestement.

5. Tes souliers tu noirciras
   En arrière et en avant.

6. Ton missel apporteras
   Pour y suivre l'officiant.

7. Le bon Dieu tu recevras
   À l'*Agnus* royalement.

8. La patène tu tiendras
   Sous l'Hostie sûrement.

9. Le bonheur tu demanderas
   Pour le monde et tes parents.

10. Ton Église tu honoreras
    Jusqu'à l'âge des vieux ans.

« Pardonnez-moi ! »

Pendant qu'elle prie, maman trouve le temps d'observer les comportements parfois peu conformistes des servants de messe du village. Elle n'est donc pas étonnée que la même Sœur Sainte-Julienne ait aussi prévu un formulaire de confession, sorte de prière versifiée pour les enfants de chœur et les servants de messe contrits, prière qui a peut-être été empruntée de quelque revue :

Mon Dieu, pardonnez-moi d'avoir à la grand-messe
Dormi pendant le prône un jour du mois dernier,
Et repris en cachette, oubliant ma promesse,
Du pain bénit dans le panier.

Pardonnez-moi d'avoir, sur la place où l'on joue,
Laissé l'office pour les billes, et, le soir
Où s'était posée une mouche sur ma joue
Failli renverser l'ostensoir.

Pardonnez-moi d'avoir, en penchant la burette
Taché mon surplis neuf et le tapis du chœur ;
Et si je vous peinai d'autres fois, je regrette
Mes offenses de tout mon cœur.

Mais pensez, s'il vous plaît, que j'ai coupé des roses
Pour l'autel, aux rosiers de mon pauvre courtil
Et donnez-moi un jour la plus douce des choses :
Un peu de votre ciel… Ainsi soit-il.

Papa n'a jamais servi la messe. Il n'a jamais été enfant de chœur. « On demeurait trop loin de l'église. » Puis, il poursuit : « Ce que j'aime des enfants de chœur de Saint-Michel, c'est qu'i' sont capables de rester tranquilles durant une heure… Ce que j'aime des servants de messe, c'est quand i' sonnent du grelot à la consécration ; i' font mieux que le bedeau qui a toutes les peines à finir son angélus… C'est vrai que lui, i' est un peu traîneux sur les bords. »

LES CHANTRES

Pendant que par instinct maman s'acharne à observer les enfants de chœur, papa, lui, homme de tradition orale, accorde plutôt son attention aux chantres. S'il en a entendu de ces chantres d'église qui ont accompli leur rôle durant vingt, trente, quarante, cinquante ans, *jouqués* au jubé de l'orgue ! Ils chantent souvent en latin, ce qui a pour effet d'augmenter leur prestige. Bien entendu, ils s'accordent, maman et papa, autour des principes et des coutumes en cours prévues par des rituels ancestraux.

Des choix et des fonctions

Les fonctions de chantre, de maître de chapelle et d'organiste sont confiées à des paroissiens reconnus comme d'honnêtes gens et qui, par leur tenue à l'église, se montrent dignes du rôle sacré qui les attend, selon les règles tracées par l'Église, qui obligent le curé à faire un choix judicieux des personnes qui doivent constituer le chœur de chant de son église. Ces chantres devront être recrutés parmi les hommes, les jeunes gens ou les enfants. Pas de femmes encore ! « À la tribune de l'orgue, ils se rappelleront le respect dû au saint lieu en y observant aussi le silence ou en n'y parlant que par nécessité, de façon à ne pas malédifier les fidèles. »

À la fin du XIXe siècle, la consigne enjoint de se signer avant de commencer l'*Introït*, « se souvenant que c'est par les seuls mérites de Jésus-Christ, mort en croix, que nous pouvons nous présenter avec confiance devant le Seigneur ». Il arrive que le curé en personne donne à ses chantres quelques leçons de diction et de solfège, eux qui ont à se souvenir qu'ils font l'office des anges en chantant les louanges du Seigneur…

Maman aime la musique, elle apprécie les chantres ; elle aime écouter : « Quand ils sont au jubé et qu'ils chantent leurs beaux cantiques, je me penserais au ciel… Mais je n'aime pas toujours les entendre chanter en latin. On dirait qu'ils se trompent souvent et en même temps. » Papa, lui, aime tout. Il n'a que de l'admiration pour ces chantres d'église ; il va même jusqu'à les imiter à la maison dans leur latin douteux, autant que le sien. « Tu passes pas ta vie à chanter des messes, comme Colas Roy à La Durantaye, sans qu'i' te reste du Bon Dieu dans le cœur… Nos chantres ont ben de l'aplomb pour chanter des messes tous les matins que le Bon Dieu amène. » Ma mère est exactement du même avis.

Autres directives

Les directives, venues de l'archevêché de Québec, sont claires :

Les chantres doivent prononcer les mots avec soin, ne jamais les couper ; il faut ralentir et adoucir les finales sans traîner d'une manière exagérée sur la dernière note… Chantres et musiciens se rappelleront que l'harmonie des voix doit avoir pour effet d'exciter la piété, et pour cela ne doit ressentir en rien l'emphase, la légèreté et la mollesse, afin de ne pas détourner l'esprit des assistants de la contemplation des choses saintes.

C'est au premier chantre, à Joseph Lamontagne par exemple, à commencer les différents morceaux de la messe, sauf à vêpres où chaque chantre entonne son antienne et son psaume. « Savoir chanter à l'église, a dit le curé Deschênes, c'est d'abord savoir qu'on chante pour le Bon Dieu. Lui, il comprend tout. Mieux que vous… Vous ne savez pas le latin. Il faut chanter pareil ! C'est la langue du Bon Dieu. Dimanche prochain, il y aura un petit exercice pour la grand-messe, pour le salut du Saint-Sacrement, pour les vêpres. » Ma mère accepte qu'il en soit ainsi : « Le Bon Dieu mérite bien qu'on lui fasse des belles cérémonies avec de la belle musique. »

Fierté rurale

Il faut ici préciser que les gens de Saint-Michel ont la réputation d'être fiers et parfois de le dire un peu trop. Comme eux, avec eux, mon père dira souvent que les Lamontagne et les Morissette du Rang du Fleuve sont les meilleures voix du Comté. Il le dit sans broncher même si lui a la réputation moins enviable de fausser… D'ailleurs, le jubé de l'orgue — le deuxième jubé — le fascine. Il aurait aimé y chanter, surtout à Noël, en profiter pour écornifler un peu « d'à cause qu'au jubé y a du monde que j'connais ben ». Simplement pour voir Morissette chanter son *Minuit, chrétiens* il donnerait tout. Qu'arrive une fête et que Morissette entonne son *Introït*, tous les gens de la nef, malgré les avertissements de Monsieur le curé, se retournent pour admirer celui qui chante si bien.

Si, à Noël encore, il arrive que, pour la deuxième messe dite de l'*Aurore*, la chorale soit supplantée par un ou deux violons, voire une égoïne, tous veulent voir et savoir. Maman a le mot qui rassure : « C'est de bon cœur, et quand on joue pour le Bon Dieu, c'est toujours beau. »

Des femmes-chantres ?

La plupart des règlements pour les chantres observés à l'église Saint-Michel furent réédités en 1937, quatorze ans avant la mort de maman. À la même époque, se pose d'une façon nouvelle la question des femmes-chantres. En principe : non ! non !

Les femmes ne peuvent pas être admises à chanter avec les hommes aux offices liturgiques.

Le maître de chapelle et l'organiste seront de même sexe que les chantres, quand ce sera possible. C'est la pensée de l'Église. Lorsque par nécessité une femme ou une fille remplit la fonction de maître de chapelle ou celle d'organiste, le curé doit exiger qu'elle ait une tenue rigoureusement modeste.

Le rôle de chantre d'église est une fonction liturgique que la femme ne peut ordinairement remplir parce qu'exclue des fonctions de cette nature. Pour avoir des voix de soprano ou de contralto, il faut donc recourir aux jeunes garçons, selon le très antique usage de l'Église.

Les femmes et les filles peuvent chanter seules aux offices extraliturgiques, par exemple ceux du mois de Marie. Les Enfants de Marie pourront chanter au mariage ou aux funérailles d'une cosociétaire, pourvu que leurs voix ne se joignent pas à celles des chantres ni n'alternent avec elles.

En quelque circonstance qu'elles chantent à l'église, les femmes et les filles doivent ne se point trouver à la vue de l'assistance, pas même les religieuses dans leur chapelle.

Des chœurs mixtes?

Surtout pas de chœurs mixtes au jubé, répétaient les curés surveillés par l'évêque. Surtout pas! À moins d'une permission spéciale!

> Les chœurs mixtes sont prohibés. Quand à cause de la pénurie ou du manque total de chantres, il faut inviter provisoirement des femmes ou des filles à chanter aux offices liturgiques, on doit se pourvoir de la permission de l'Ordinaire, et le curé doit se hâter de préparer des hommes et des jeunes gens à chanter intégralement et convenablement ces offices.

En tout cela, Rose-Anna Blais ne semble pas tellement préoccupée que ce soit un homme ou une femme au jubé, ni que ce soit défendu aux femmes d'être chantres: «Nous autres, les femmes, nous savons que le Bon Dieu ne fait pas de différence et Monsieur le curé doit avoir ses raisons.»

L'ORGANISTE

Au deuxième jubé encore, loge un personnage quasi essentiel, et aussi surprenant que cela paraisse, il s'agit la plupart du temps d'une femme. Assez isolée, face à un vieux miroir, le dos tourné au peuple et même à la chorale, l'organiste apparaît comme une personne sacrifiée. Des règlements rigides l'attendent, dont ma mère connaît quelques bribes hors-contexte.

En plus d'être catholique et pratiquante, l'organiste doit s'engager à « jouer de l'orgue tous les dimanches et fêtes de l'année, excepté durant l'Avent et le Carême, où il n'est permis de s'en servir que pour accompagner le chant. Elle peut cependant faire entendre des pièces d'orgue le 3e dimanche de l'Avent et le 4e du Carême, à la messe seulement. »

Permis et défendu

Il est défendu à notre organiste d'accompagner les mélodies propres au célébrant et aux ministres sacrés, telles que la *Préface*, le *Pater* et l'*Ite missa est*. Durant la messe, l'organiste peut jouer après l'*Alleluia* s'il y a du temps libre avant le chant de l'évangile ; de même à l'offertoire, après le *Sanctus*, et même pendant l'élévation mais d'une façon grave et discrète, et après l'*Agnus Dei* jusqu'au chant de la communion. À la messe et aux offices chantés des morts, de même qu'aux féries de l'Avent et du Carême, nous l'avons vu, l'orgue joue un rôle minime. Enfin, l'organiste ne doit jamais faire attendre le célébrant.

Si, pour l'accompagnement de certaines messes, on veut se servir des instruments dits d'orchestre, il faudra en demander l'autorisation à l'Ordinaire. De plus, « les fanfares ne doivent pas être admises à jouer dans les églises ». Encore en 1937, les règlements rappellent que la musique propre de l'Église est la musique vocale. « La musique instrumentale n'est pas complètement bannie des offices religieux, surtout celle de l'orgue. Mais toujours le chant doit primer, être soutenu et non dominé par la musique instrumentale, et celle-ci, soit en accompagnement soit en solo, doit toujours participer du vrai caractère de la musique sacrée. » Telle est la consigne officielle! En réalité, on fait ce qu'on peut!

L'Église tolère

En effet, « l'Église tolère dans ses temples le violon, le violoncelle, la contrebasse, la flûte, la clarinette, dans des cas exceptionnels avec la permission de l'Ordinaire et aux mêmes conditions que l'orgue pour ce qui est du genre de musique ». Les autres instruments, piano, harpe, mandoline, guitare, les phonographes et appareils du genre ne peuvent être admis.

Concrètement, et parce qu'ils sont mieux écoutés que ses musiques de circonstance, chaque organiste de paroisse redoute, pour ne pas dire boude, ses grands rivaux si souvent en visite de politesse à la grand-messe : les fanfares et les clairons des « prétentieux musiciens de la ville de Québec » qui s'imposent au curé, qui s'imposent aux gens du village et par ces derniers à toute la paroisse. « Si au moins ils savaient leurs morceaux par cœur, mais ça lit comme des enfants d'école. »

D'ailleurs, toutes ces lois, connues ou non, sont presque unanimement contournées au jubé puisque l'archevêché de Québec tolère par exception « des instruments de fanfare en nombre proportionné à l'ampleur de l'édifice sacré » pour « accompagner le chant, ou exécuter des morceaux aux mêmes conditions que l'orgue ». Notre organiste n'est pas d'accord. Ça se comprend : « Notre bel orgue Déry, ça vaut mieux que tous les clairons de Québec. » À la maison, nous nous entendons tous pour dire que ces fêtes d'église avec « un petit rigodon, ça fait pas de tort! »

Fanfare ou pas, maman qui « a beaucoup de sentiment » devine vite « à sa manière de jouer », si l'organiste est satisfaite ou pas. « Je la plains, avec tous ces hommes qui donnent le ton et veulent tout mener. » Papa prétend que si, ici comme ailleurs, les curés ne s'en mêlaient pas, « ce serait la chicane au jubé… »

Mademoiselle Cléophée

Mademoiselle Cléophée Languedoc n'entretiendrait pas avec Monsieur le curé Bureau des liens de grande tendresse. Elle lui fait dire, à temps et à contretemps, qu'il n'a pas le droit de retarder les cérémonies avec ses longs sermonnages. Monsieur le curé lui fait dire qu'elle n'a pas le droit de «faire attendre le célébrant avec ses vieilles tounes du temps d'Adam… C'est moi qui dis la messe, pas elle!»

«Chère mademoiselle Cléophée!» Éternelle mademoiselle Cléophée! Les gens disent qu'elle ira sûrement au ciel, elle qui a tellement joué de musique… presque gratuitement. Elle récapitule ainsi sa vie: «J'ai accompagné à l'église si longtemps, j'ai toujours joué pour le Bon Dieu. Les gens m'ont toujours respectée. Pour moi, accompagner c'est sacré, aussi sacré que dire mes prières.» Celle qui aura passé la plus grande partie de sa vie au jubé avec son orgue a du mal à accepter de voir les prêtres de l'archevêché de Québec légiférer sans la consulter, elle, «la plus vieille organiste du Comté».

Entre-temps, ma mère, qui l'apprécie, concède que notre musicienne du jubé joue toujours les mêmes morceaux; mais «quand c'est beau une première fois, pourquoi ça ne serait pas toujours beau?» Papa, lui, considère plutôt que Cléophée ne serait rien sans les chantres: «Pis la semaine à nos messes sans orgue, on prie quand même. Pour qui elle se prend, la cousine?» «Non, rétorque maman, c'est une femme qui ne pense qu'à sa musique, comme toi tu penses toujours à tes vaches.» Silence!

LES MARGUILLIERS

Laissant les jubés pour la nef, nous y rencontrons les marguilliers, ces laïcs qui, avec Monsieur le curé, administrent les biens ecclésiastiques de la Fabrique. Il sont si importants que l'évêque, en cas de litige, est appelé à la rescousse. Plus que maman, si peu soucieuse de pouvoir, papa connaît bien l'organisation temporelle de toute la paroisse. Il pourrait la résumer en quelques secondes:

d'un côté, la municipalité, entité civile présidée par le maire; de l'autre côté, la Fabrique dirigée par Monsieur le curé.

« C'est écrit, Mes Chers Frères »

En matière religieuse et pour ce qui a trait à la Fabrique, Monsieur le curé a le premier... et le dernier mot. Comme il le dira en chaire: «C'est prévu par nos règlements, c'est clair, Mes Chers Frères, c'est écrit.»

Comme conséquence de ses prérogatives spirituelles, le curé a seul le droit de choisir les enfants de chœur, les chantres et *les autres employés* de l'église, tels que sacristain, bedeau, organiste, constable et autres qui coopèrent directement à la célébration du culte divin. Il a également le pouvoir de les révoquer. Dans bien des cas cependant, il sera prudent de laisser à la fabrique le soin de faire ces nominations pour ce qui regarde les employés salariés, sans aucun préjudice des droits du curé.

D'après le droit alors en vigueur dans la province de Québec, les affaires de la fabrique sont administrées par un bureau ordinaire et par un bureau extraordinaire.

Le curé seul, en vertu du droit, peut présider les assemblées du bureau ordinaire ou extraordinaire de la fabrique ou celles de la paroisse. À son défaut, ces assemblées ne peuvent être présidées que par l'Ordinaire ou un prêtre spécialement délégué par lui.

Le bureau *ordinaire*, chargé de l'administration des affaires courantes de la fabrique, se compose du curé et *des marguilliers du banc*. Il a le droit: a) de concéder des bancs ou chaises, des chapelles, caves, tombes et épitaphes, ainsi que des places de sépulture dans les cimetières; b) d'autoriser le marguillier en charge à faire des dépenses journalières et n'excédant pas le montant fixé en l'assemblée générale; c) d'autoriser les poursuites pour le recouvrement des revenus ordinaires de la fabrique, l'exécution des baux et l'obtention de nouveaux titres; d) d'autoriser la location des immeubles de la fabrique; e) de pourvoir aux salaires des employés de l'église et de la fabrique, et aux dépenses ordinaires du culte qui sont l'acquit des fondations et charges, l'achat des registres, des livres de prônes et de comptes, l'exécution des menues réparations de l'église, de la sacristie et du cimetière, et le versement des primes d'assurance sur les édifices paroissiaux.

Des paroissiens attentifs

Croyez-le ou non, personne ne dort durant ces énoncés, si austères soient-ils. Au prône, le dimanche précédant les élections de « ses hommes de confiance », Monsieur le curé en profite pour aller au bout de son idée :

> Il faut prendre les marguilliers parmi les paroissiens prévoyants, aptes à gérer, bien famés, sobres, remplissant leurs devoirs de religion ; et le curé doit favoriser le choix de tels hommes autant qu'il le peut sans manquer à la prudence. Il faut en outre qu'ils résident et tiennent feu et lieu dans la paroisse, qu'ils soient majeurs, non interdits, capables de contracter, assez riches pour n'avoir pas besoin de caution.

L'élection du marguillier à Saint-Michel donne souvent lieu à quelques manigances subtiles auxquelles Monsieur le curé n'est pas nécessairement étranger, ni papa, déjouant parfois l'agressivité des uns et nourrissant la vanité des autres.

Papa est là !

Lucide, avide de nouvelles, surtout sensible aux orientations politiques de tout un chacun, papa surveille nerveusement l'assemblée dite générale de la paroisse ; surtout si elle a trait au bien de tout le monde, à son avis du moins. Ma mère voudrait le calmer, le rappeler à ses devoirs de cultivateur. Rien à faire. Il prétend qu'il convient de veiller à la réputation de sa paroisse, que les règlements sont toujours en vigueur et qu'il ne faut pas que les rangs soient oubliés, surtout pas le Troisième Rang. Doué d'une mémoire prodigieuse, il connaît presque tout par cœur. Une fois entendu, plus jamais oublié.

« En tant que franc-tenancier, j'ai mes droits… », insiste-t-il. Comme s'il voulait se donner de l'importance : « Oubliez pas, mes garçons, que l'assemblée ordinaire de paroisse se compose de tous les paroissiens tenant feu et lieu. J'connais la loi. Et la loi, c'est la loi. » Il sait sûrement qu'en 1906 son propre père Abraham fut élu marguillier à Saint-Raphaël. Noblesse oblige !

Pendant que notre mère s'inquiète, s'étonne, papa, exhibitionniste sur les bords et quelque peu bagarreur par nature, entend assister à l'assemblée générale annuelle de décembre qui élira les nouveaux marguilliers. Par exemple, la mise en candidature d'un certain Victor Breton, « un maudit Bleu », fut houleuse pour des raisons peu sacrées. Breton fut défait par deux voix et, tout heureux, papa nous expliqua plus tard à la maison que Victor Breton, « ce vieux ratoureux », aurait fait un mauvais marguillier : trop gêné, il aurait eu du mal à faire « la quête comme du monde, pis i' avait les jambes croches ». Voilà qui ne parle guère en faveur de quelqu'un qui doit s'arrêter à chaque banc ! « Nous avons fait notre devoir », proclamait glorieusement papa au sortir de la sacristie.

Le marguillier élu devient personne sacrée ; il reçoit un mot de félicitations au prône, il loge au banc d'œuvre orienté de telle façon qu'il puisse voir toute l'assistance et remarquer quiconque causerait du désordre. À Saint-Michel, l'usage obligea longtemps les marguilliers à se vêtir de noir.

Ma mère respecte

Ma mère respecte les marguilliers qui sont « des hommes qui doivent surtout donner l'exemple, appuyer le curé et protéger la paroisse ». À Beaumont, jusqu'en ces dernières années, le marguillier portait un costume de brigadier. Ainsi, avant et après la quête, celui qui pourtant n'a jamais fait de service militaire et qui n'a jamais porté d'autre arme que sa pelle ou sa fourche à foin fait, comme il se doit, salut et génuflexion à la balustrade. Quelques gestes gauches et comiques. « Mais c'est de bon cœur », dira ma mère toujours prête à comprendre et à excuser.

Caïus Lacroix : jamais !

Nommé conseiller de la municipalité dès 1924, longtemps secrétaire-trésorier de la Commission scolaire des rangs à partir de 1928, secrétaire de la Société d'Agriculture et du Cercle agricole Saint-Michel pendant vingt-sept ans, organisateur-né d'expositions agricoles du comté, pourquoi papa n'a-t-il jamais été élu marguillier ? À la maison, cela nous humilie un peu. Ma mère dissimule mal sa déception en moralisant sur la situation, prétextant que Caïus Lacroix fait trop de politique dans le comté pour être associé à des affaires religieuses à Saint-Michel. « Je ne vois pas pourquoi tu serais marguillier et ferais la quête, tu es chauve, tu n'as pas d'instruction, tu n'as pas d'argent, tu dors pendant les sermons… » Ce à quoi il répondait invariablement : « Mais j'sus un citoyen comme les autres. Pis j'volerais pas une cent de la quête. Ce que j'aimerais, ça serait d'être au banc d'œuvre et de voir le monde de partout. Moé, j'ai besoin de voir du monde pour prier. Oui, j'en sus ben certain, j'aurais fait un bon marguillier. »

L'HUISSIER-CONSTABLE

L'autre personnage qui accomplit un rôle particulier à l'église, et que papa serait prêt à glorifier aux dépens du bedeau, est l'huissier, le « Suisse », constable à l'occasion. Le choix de notre cher huissier est subtilement déterminé par nul autre que Monsieur le curé et du fait même approuvé par toute la paroisse… rarement mise au courant. « Une affaire de village », en concluent les habitants.

L'huissier occupe un banc spécial à l'arrière de l'église ; ce banc, plus élevé que tous les autres de la nef, lui permet de mieux observer ; au besoin, il doit peut-être forcer les retardataires à entrer à l'heure dans l'église. Il peut aussi faire taire les paroissiens aux portes ou repousser les jeunesses trop agitées. En plus, il est un porte-drapeau idéal dans les processions et même porte-croix aux funérailles. En cas de nécessité, il pourra remplacer le marguillier en charge, voire faire la quête.

Notre « Suisse » à Saint-Michel, revêtu d'une sorte de costume-redingote à galons rouges, ne se donne pas des airs de propriétaire, contrairement au bedeau qui en est jaloux. Papa adore l'huissier : « C'est un homme d'ordre. » Maman le connaît moins, pour la bonne raison qu'elle entre à l'église avant l'heure requise et qu'elle n'a pas besoin qu'un constable vienne lui rappeler d'aller prier, elle !

TANT DE PERSONNES À NOMMER !

L'univers des personnes sacrées à Saint-Michel-de-Bellechasse, au début du siècle, est très riche. Outre les personnes déjà nommées et selon les catégories de l'époque, le sacristain, la ménagère du presbytère, les enfants de chœur, les servants de messe, la chorale et le maître-chantre, l'organiste, les marguilliers, l'huissier, il y a les parrain et marraine au baptême, le conducteur de corbillard, le thuriféraire, le porte-croix, le porte-dais. D'autres personnes participent, en un sens souvent mal affirmé, à une certaine auréole, entre autres la mère de famille, la sage-femme, le médecin de famille, l'institutrice, le quêteux, le Père Noël, le forgeron, le ramancheux, le *sauvage*, le charlatan, le guérisseur.

PARRAIN ET MARRAINE

Le prestige des parrain et marraine de baptême vient moins de la naissance du nouveau-né que du baptême. Il faut dire que le baptême, événement si fréquent à l'époque, aura donné lieu à des coutumes moins nobles et peu susceptibles de faire de cet enfant un enfant de Dieu. Par exemple, *Baptême!* reste un des jurons courants des Québécois. *Sacrer*, jurer, c'est *baptêmer*, tout comme *bêtiser*. Un bûcheron de Maska aurait dit à son petit gars après le baptême, à La Durantaye: « Mon p'tit gars t'es un petit chrétien, tu peux *baptêmer* maintenant et faire des vrais péchés. »

Le parrainage, on le sait, est relié à d'anciennes coutumes et à des rites quasi féodaux. Témoin, garant du sérieux du sacrement, le parrain sera le premier à signer d'une croix le front du futur baptisé, le premier à renoncer à Satan en son nom et à le recevoir comme oint dans l'Église. Les parrain et marraine, ceux qui sont dans les *honneurs*, ou compères, sont responsables de l'éducation religieuse de cet enfant au cas où, pour une raison ou pour une autre, il serait privé de ses parents. Bien entendu, tous ne peuvent pas être parrain ou marraine; ne peuvent y prétendre ceux qui n'ont pas fait leurs Pâques, qui ne se sont pas confessés durant l'année, qui ne vont jamais à l'église, les pécheurs publics, les usuriers, les ivrognes, les concubinaires, les blasphémateurs, les fous, les femmes et filles légèrement vêtues, ainsi que… les religieux et les religieuses « à cause qu'ils ont quitté le monde ». Il va de soi que les parrains sont croyants, de sexe différent, âgés d'au moins treize ans.

La présence du parrain et de la marraine — une obligation rituelle grave — signifie que le baptême est public, qu'il est une affaire d'Église, qu'il est obligatoire pour être chrétien autant qu'*aller à la messe* le dimanche et *faire ses Pâques*.

« Être dans les honneurs »

Pour résumer le sentiment de nos familles à ce propos, il est convenu, sans aucune discussion, que parrain et marraine contractent une sorte de parenté spirituelle avec l'enfant et que leur présence à l'église démontre le sérieux de leur rôle. Même si le choix de tel ou tel « compérage » reste quelque peu conventionnel et parfois arbitraire, *être dans les honneurs* représente un certain prestige qu'il est plus facile d'évoquer que de définir. Maman a expliqué : « Sans ton parrain et sans ta marraine, tu ne serais même pas baptisé, tu serais un païen, et un païen ça va où ? »

Un baptême à l'époque

Comment se passe un baptême à l'époque ? Aussitôt le nouveau-né arrivé à la sacristie, le curé se lave les mains, enfile un surplis, met une étole violette, prend sa barrette, et commence par les inévitables questions : « Un garçon ? une fille ? Son nom ? La date exacte de sa naissance ? » De sexe masculin, il s'appelle d'abord Joseph ; de sexe féminin, Marie. Après une longue exhortation tout imprimée, que Monsieur le curé lit plutôt rapidement, il interroge brièvement l'enfant par l'intermédiaire du parrain et de la marraine, souffle trois fois sur le visage du nouveau-né, fait une croix sur son front, sur sa poitrine, met la main sur sa tête ; il bénit le sel, en met un petit brin sur sa langue, étend la main droite sur l'enfant, trace un signe de croix avec son pouce sur son front, glisse un pan de son étole violette sur l'épaule du futur baptisé. Dans une courte procession, on se rend aux fonts baptismaux pour la récitation du *Credo* et du *Pater*. Au baptistère, le prêtre étend encore sa main droite sur l'enfant, prend un peu de salive et touche les narines et les oreilles du petit. Par trois fois le prêtre interroge : « Renonces-tu à Satan ? » « Et à toutes ses œuvres ? » « Et à toutes ses pompes ? » À chaque fois, le parrain ou la marraine répond en principe : *Abrenuntio*, ce qui veut dire « J'y renonce ». Ensuite, le prêtre prend un peu d'huile des catéchumènes pour faire une onction en forme de croix sur la poitrine et sur l'épaule du bébé, change d'étole pour une blanche, puis interroge : « Veux-tu être baptisé ? » « Donc je te baptise. » Le parrain et la marraine tiennent l'enfant ou le touchent de la main droite pendant que le prêtre verse trois filets d'eau sur sa tête : « Je te baptise, au nom du Père… » Après une onction du saint chrême sur le front de l'enfant, le prêtre prend le chrémeau, le met sur la tête de l'enfant, présente un cierge allumé aux parrain et marraine, offre ses derniers souhaits, puis c'est la signature des registres. On sonnera gratis si possible les cloches de l'église.

Rappelons que le baptême a lieu à l'église et le plus vite possible pour que le bébé ne soit pas exposé aux limbes. Ainsi, maman n'a jamais assisté au baptême de ses enfants, qui prenait presque l'allure d'une cérémonie privée. Papa tout au plus se souvient de mon propre baptême : « J'étais là, tout était en latin, tu braillais, le curé parlait fort, j'comprenais rien. Que veux tu que j'en pense ? »

Le rite à tout prix

En fait, le baptême aura été un événement assez ordinaire : à cause de la fréquence des natalités et parce que la mère encore alitée n'y assiste pas. D'ailleurs, certains chemins d'hiver en faisaient comme une cérémonie pénitentielle. « S'il n'y avait pas les limbes, disaient nos gens du Troisième Rang, on attendrait les beaux jours du printemps. » Pour nous de la famille Lacroix, aucun enfant, sauf Alexandre de la mi-avril, n'aura été obligé d'affronter un retard à cause d'une tempête.

Il faut en convenir, ni maman ni papa ni la famille ne semblent se souvenir, sinon en théorie, que le baptême de leurs «petits diables» les rend enfants de Dieu, frères ou sœurs du Christ, habités par l'Esprit, appelés à la résurrection, solidaires de la grande communauté chrétienne à travers le monde. Ont-ils jamais su le sens exact de l'échange de l'étole violette, signe du péché, pour l'étole blanche, signe de la gloire de Dieu et de la résurrection? Que plusieurs des rites du baptême, rites du souffle, du sel, du toucher, de l'imposition des mains, sont une adaptation de certains rites pratiqués par Jésus, tels que rapportés dans les évangiles? Nous avons plutôt l'impression qu'ils accomplissaient un rite ancestral, conservé par une fidélité à toute épreuve envers un passé aussi prestigieux que lointain. Comme pour se résumer, ma mère disait: «Sans le baptême, nous n'irions même pas à l'église, ni à confesse ni à la messe.»

LA MÈRE DE FAMILLE

Le rôle sacré des mères de famille au Troisième Rang est acquis, d'autant plus que la maternité leur accorde dans les mœurs courantes une place de choix. Avec tout ce que notre mère fait pour éduquer ses enfants aux bonnes manières, pour voir à ce qu'ils fassent leurs prières du matin et du soir, d'avant et d'après les repas, pour qu'ils aillent se confesser aux jours requis, pour qu'ils portent leur scapulaire et certaines médailles, sans oublier les neuvaines à faire et les jeûnes à observer, et quoi encore, il n'y a à nos yeux aucun doute: «C'est une sainte dépareillée.» Même si elle n'a que cinq enfants!

À propos des familles de dix, quinze, vingt enfants et plus, la tradition veut que le vingtième ou le vingt et unième enfant tombe directement sous la responsabilité sociale et financière du curé. «Celui-ci, c'est à vous», avait dit Jules Morisset de son vingtième. De toute façon, toute la tradition orale en Bellechasse honore la mère de famille quelle qu'elle soit. «Nos femmes sont comme le Bon Dieu, elles aiment la vie, disent les gens, et plus tu aimes, plus tu veux donner!»

LA SAGE-FEMME

Un autre personnage dont nous n'entendions guère parler à la maison, mais qui n'en était pas moins secrètement respecté, est la sage-femme. Il paraît que madame Édouard Letellier, connue dans tout le Canton d'en haut, s'est fait bénir par le curé Bureau pour exercer sa fonction; à cette occasion il lui a remis deux médailles spéciales, l'une de la Sainte Vierge et l'autre du Sacré-Cœur. On racontait aussi à voix basse qu'elle pouvait baptiser dans les cas extrêmes, et aller jusqu'à introduire de l'eau bénite dans le « devant » de la malade. « C'est parce qu'elle a affaire à la vie, puis que la vie est sacrée. » Ma mère a dit à une voisine qui l'a répété à ma sœur Jeanne que madame Letellier « aime tellement voir sortir les enfants qu'elle le fait en priant et qu'elle doit être une grande sainte pour *délivrer* de cette façon-là ».

Pourtant réservée, prude jusqu'au scrupule en ces matières de la transmission de la vie et de la naissance, ma mère a pour madame Édouard Letellier une admiration quasi inconditionnelle. « Elle n'est pas gênante », disait-elle. Papa qui va, lorsque l'occasion l'exige, chercher madame Letellier, nous raconte qu'en route cette dernière ne parle presque pas, « comme si elle nous apportait le Bon Dieu! Fallait pas la déranger. »

LE MÉDECIN

Le médecin qui lui aussi aime la vie, au point d'y consacrer la sienne, répond à chaque appel de menace de maladie. Il est à nos yeux largement sacralisé, à cause de son savoir mystérieux, de son pouvoir évident sur le mal et surtout à cause de sa disponibilité. Confiance sans égale. Même Monsieur le curé n'en reçoit pas autant à la fois.

Omnipraticien, conseiller à tous égards, d'une autorité morale unique, « pas chèrant », le docteur J.-Edmond Ouellet est pour nous le saint laïque, « presque plus généreux que le curé », prétendent certaines personnes du village : « Lui, Ouellet, il travaille jour et nuit, il connaît son monde, il n'a pas peur des femmes, il sait comment on met des enfants au monde. » Le docteur Ouellet est fiable : « Si tu es trop malade, il avertit le curé. » « Des fois, en plein hiver, il prend cheval et borlot tout fin seul et monte au Troisième Rang. » Tout comme les docteurs Beaudry et Veilleux à Saint-Raphaël, le docteur Ouellet à Saint-Michel ferait un bon député, sauf que papa ne sait pas à quoi s'en tenir sur leurs options politiques, à sa profonde humiliation d'ailleurs, lui qui veut tout savoir de tout le monde. Ma mère a beau lui rappeler que le docteur Ouellet va toujours à la messe et qu'un médecin qui doit soigner tout le monde ne doit pas faire de politique, papa maintient que, médecin ou charretier, en santé ou en maladie, un Bleu restera toujours un être dangereux !

LE MAIRE ET LES CONSEILLERS

Saint-Michel possède son conseil municipal et ses conseillers élus, ceux des rangs, comme ceux du village. La nomination des conseillers par les francs-tenanciers est une affaire importante. Il est rare qu'il n'y ait pas d'incidence politique. Monsieur le curé veille. Papa surveille.

On élit sept conseillers pour trois ans et, parmi eux, un maire est choisi pour deux ans. Maire et conseillers constituent le conseil municipal. Tout au plus papa sera élu conseiller, mais jamais maire : ce qui le choque d'autant plus que son grand-père Bram I fut maire à Saint-Raphaël de 1872 à 1879. Ma mère cherche à le rassurer en lui rappelant que les gens de Saint-Michel, plus près de la ville, sont plus capricieux que ceux de Saint-Raphaël. « Le Bon Dieu veut peut-être de toi un acte d'humilité. » Silence ! Au fait, en 1927 il avait fait la donation de sa terre à son fils Léopold et dès lors ne pouvait plus occuper un poste de maire.

MONSIEUR LE SECRÉTAIRE

En plus de la municipalité civile avec ses conseillers, dirigée par monsieur le Maire, il existe en même temps une municipalité dite scolaire avec ses commissaires élus en vue d'assurer le bon fonctionnement des écoles. Là aussi, les élections donnent lieu à des rivalités évidentes. Papa préfère être secrétaire de la Commission scolaire des rangs plutôt que conseiller du maire de Saint-Michel. Ses raisons sont claires. En tant que secrétaire de la Commission scolaire, et il le fut longtemps, il voit ce qui se passe, il connaît les potins. Heureusement que maman tient ses livres. Sans elle que serait-il arrivé? « Elle est plus que mon ange gardien ! » Les commissaires toujours aussi édifiés, en concluaient à l'unanimité que « la femme à Caïus, c'est une sainte pour voir à toutes nos affaires sans que ça paraisse ». Disons que notre père excellait plutôt dans la parlette ouverte que dans la vérification des chiffres fixes.

LA MAÎTRESSE D'ÉCOLE

Elle s'appelle aussi *l'enseignante, l'institutrice.* La poésie populaire s'en mêle :

> Ange gardien de la fragile enfance
> Institutrice au noble dévouement
> Sans te lasser tu répands la semence
> Dans le sillon de ces jeunes printemps.

La tradition orale veut que la plus haute autorité féminine de la paroisse, du moins dans les rangs, porte un chignon pour se grandir, pour mieux s'imposer.

Tour à tour choyée et admirée des parents, crainte des élèves, évaluée par les commissaires d'école, surveillée par la population, l'institutrice a beaucoup de prestige. Pour ce peuple pauvre et sans trop d'instruction, elle représente l'éducation à son meilleur, le savoir-faire et la réussite. Femme en plus, elle offre à l'avance des garanties de dévouement inlassable.

Il est entendu que notre institutrice sera recommandable par sa piété et la pureté de ses mœurs autant sinon plus que par ses diplômes et sa générosité. Il est aussi de règle que les hommes n'enseignent pas aux filles, tout comme les religieuses ne devaient pas enseigner aux garçons âgés de plus de douze ans. Autant de règlements qui rassurent nos parents… et la population toujours aussi sensible à la réputation de ses élus.

Une réputation à protéger

À Saint-Michel, les gens, surtout ceux des rangs, ont toujours pensé que leur maîtresse d'école devait être une femme exceptionnelle. Elle enseigne toutes les matières et veille à la discipline. Elle vit seule. Et l'hiver donc! Monsieur le curé l'a dit une fois en chaire: «Vos maîtresses des rangs, Mes bien Chers Frères, c'est un don du Bon Dieu, il faut les respecter et les remercier tous les jours.»

Il y a d'ailleurs une entente à la maison sur le fait que la maîtresse d'école des rangs doit être protégée autant dans son travail d'enseignante que dans sa vie privée. D'autres peuvent critiquer, pas nous, puisque, pour maman, le plus beau cadeau qu'une femme puisse faire à un enfant, c'est l'instruction.

Parce que maman a pour l'éducation une admiration sans bornes, elle ne peut que faire confiance à la Maîtresse d'école, l'aimer et la soutenir. «Notre maîtresse est un ange de bonté.» Papa, lui: «J'cré que la maîtresse est une sainte. Mais on sait jamais… Comme dit souvent Monsieur le curé: la chair est faible, surtout de la belle chair!» «Tais-toi, Caïus!»

Ma sœur aînée, Jeanne, après de courtes études, devint comme par hasard notre maîtresse d'école. Situation troublante pour ma mère qui apprend les limites de notre conduite hors de la maison. Plus désagréable à supporter qu'elle prenne officiellement la défense de «mademoiselle» qui n'est pour nous que Jeanne. Maman ne tolère surtout pas — et jamais! — que nous allions fouiller dans les livres de classe de Jeanne afin d'apprendre à l'avance… si possible les prochaines questions d'examen, surtout si la visite de monsieur l'Inspecteur paraît imminente.

L'inspecteur d'école

Monsieur l'Inspecteur : la terreur ! Surtout pour elle, la Maîtresse, qui nous communique tout naturellement sa frousse. Pourtant, monsieur l'Inspecteur ne vient pas souvent. Mais ses visites, même rares, deviennent comme un fardeau en surplus. « C'est pire qu'aller à confesse », avait dit mademoiselle Lacroix.

En poste dans Bellechasse, l'inspecteur Émile Gosselin, conduit par un commissaire d'école, entrait à l'école sans frapper. « Asseyez-vous les enfants. » Elle, l'enseignante, devait demeurer debout à nous regarder au cas où il y aurait quelque indiscipline. Nous devions être sages, avait dit ma mère, pour la bonne raison que « monsieur l'Inspecteur parle directement au Gouvernement ». De sa visite, dit-on, dépendait souvent le renouvellement des engagements professionnels de notre bonne mademoiselle Lacroix. Pire, il pouvait nous interroger sur n'importe quel sujet au programme. Notre réputation était en jeu. Nos parents sauraient si…

Monsieur l'Inspecteur se présente toujours bien vêtu. Cravate, veston, des pantalons fraîchement pressés. Ce qui augmente le sens du sacré ! Même avec la peur ! Aussitôt su que monsieur l'Inspecteur a terminé son tour d'écoles, c'est la respiration générale, d'autant plus que maman a pour son dire et dit effectivement que monsieur l'Inspecteur est moins bon que Monsieur le curé. « Monsieur le curé, il pardonne toujours. Pas lui ! » Papa se demandait : « Avec lui, on se croirait toujours à l'église… Un inspecteur, est-ce que ça rit ? »

L'HOMME ENGAGÉ

À certains égards nécessaire, sûrement plus familier, est l'homme engagé. S'il fait sa prière et récite bien son chapelet, il est, selon ma mère, par le fait même qualifié pour bien travailler. Papa, lui : « Quand t'engages un homme, c'est pas pour prier, c'est pour travailler. Mieux vaut un diable à l'ouvrage qu'un paresseux pieux… À tout travail, i' faut du finissement et du forçage ! Pour avoir de la fiance dans un homme engagé et connaître la formance d'un bon travaillant, faut que tu choisisses ben. Y en a qui ont de la fringue, d'autres pas… Moé en tout cas, et malgré tout ce que pense ta mère, j'choisirai pas un homme engagé parce qu'i' prie, j'aime mieux le juger au champ et à la grange.» Sèchement, ma mère a répondu : «C'est ton point de vue. Tu n'es pas le Bon Dieu qui nous demande de le prier tous les jours.»

LE QUÊTEUX

Prière ou pas, le plus populaire de tous les étrangers qui, parti peut-être de l'*Enfer* à Montmagny, un rang assez mal famé, arrive à l'improviste à la maison est sans conteste le quêteux. Ce mendiant, qui a le courage de passer de porte en porte, et ainsi de marcher toute la journée à travers les rangs, a quelque chose de sacré. L'important, pour ma mère du moins, est que le quêteux qui s'amène dise : «Je demande la charité au nom du Bon Dieu.» «Sans ça pas une cenne !…» Et encore ! «C'est peut-être un protestant.» Quand le quêteux veut souper et coucher à la maison, il devra dire le chapelet avec nous tous, sinon il ira dormir à la grange. Papa aime les quêteux «d'à cause qu'i' nous donnent des nouvelles du Canton et qu'i' nous racontent des histoires, des contes, des proverbes : c'est pas toujours vrai mais c'est toujours intéressant. Quand c'est un sauvage, i' peut en plus nous guérir.»

LE FORGERON

Il est toujours très apprécié, voire indispensable. Pour nous, ce sont les forgerons Adélard Brochu au Troisième Rang de Saint-Michel et Émile Bolduc à La Durantaye. Quelle vénération ! Est-ce à cause du feu de forge, quelque peu sacré pensions-nous, ou tout simplement à cause des multiples services rendus qu'ils sont devenus pour nous des êtres si exceptionnels ? Papa résume : «Nos forgerons, c'est des hommes d'avenance. Comme le Bon Dieu. Toujours prêts à aider.» Ma mère est absolument du même avis.

L'HOMME AUX DONS PARTICULIERS

Nous éprouvons aussi pour les hommes forts une sorte de fascination. Ma mère a son explication : « La force, c'est comme la religion, c'est un don de Dieu. Ces hommes forts, je suis certaine qu'ils prient. » La tradition orale le confirme : le géant Beaupré, Victor Delamarre, Louis Cyr, les frères Baillargeon de Saint-Magloire, les Aubin et Goulet de Saint-Gervais, Jean-Marie Landry la Mâchoire, le père Labrosse, Alexis le Trotteur qui court plus vite que les trains, et les autres, ils sont tous, paraît-il, des protégés de Dieu. « Sais-tu que Delamarre fait son signe de croix avant de lever ses blocs de ciment ? » Papa rectifie : « I' sont déjà forts avant de prier mais la prière les aide. »

Comme en toute société traditionnelle, Bellechasse abrite des jeteurs de sorts, une tireuse de cartes, des possédés, des malades d'esprit, le sorcier Barré Latulippe de Saint-Raphaël. Ici et là se retrouve celui ou celle qui a le don d'arrêter le sang ou de corriger le parcours d'une maladie bénigne. Un principe énoncé solennelle- ment par maman : « Ce sont des gens de pouvoirs divins… Disons rien, ça pourrait nous attirer un malheur. » De même, au sujet des revenants, prudence s'impose : « On ne sait jamais. » Même papa : « J'en ai vu dans le bois pendant que j'bûchais tout fin seul. J'ai prié et j'les ai jamais revus. »

Et puis les ramancheurs, les guérisseurs, par exemple le gué- risseur d'érésipèle et de la grosse picote ? Celui qui prie et fait prier son patient a acquis notre confiance. « Pas de prière, pas de vrai guérissage », dira maman. Papa prétend que si le ramancheur Corriveau de Saint-Vallier a un don, « i' a un don, un point, c'est tout ! Si ce don vient de Dieu, j'vois pas pourquoi on demanderait des prières pour qu'i' réussisse sa besogne. C'est comme si on doutait encore du Bon Dieu. » Maman lui a vite mis les points sur les « i » : « Toi, Caïus, tu pourrais faire ramancher ta langue, ça ne te ferait pas de tort. »

LE VOYAGEUR

Dans un pays aussi vaste que le nôtre, bâti pour des voyageurs, habité par des chasseurs nomades, des coureurs des bois, l'aventure représente un pouvoir, et un certain respect est accordé au lointain et à l'inconnu. Dès lors, facilement admiratifs, les gens de Saint-Michel sont prêts à sacraliser non seulement ceux et celles qui jouent des rôles surnaturels, qui occupent des fonctions surprenantes, qui accomplissent des exploits rares, mais aussi ceux qui, laïcs en majorité, habitent des lieux plus risqués. À cause de l'éloignement, à cause du danger aussi, les professions de pilote au long cours, les métiers de garde-chasse, de garde-forestier, de gardien de phare, de garde-feu, d'hommes de chantier, de canotiers, de draveurs, les voyageurs de l'Ouest, les trappeurs, les pêcheurs d'anguilles, les braconniers sont quelque peu auréolés. Déjà, quand ils reviennent des chantiers et de la drave, « nos hommes » sont choyés ; ils boivent, ils sacrent peut-être un peu trop, mais toutes les excuses sont bonnes. Surtout à Noël, Monsieur le curé leur pardonne secrètement : il connaît la bonté première de son monde.

LE PILOTE AU LONG COURS

À la maison tout comme dans la paroisse, mais davantage au village, nous avons une admiration inconditionnelle pour nos pilotes, capitaines et marins au long cours. Les Morisset, Santerre, Bernier ! Des personnages quasi sacrés, et d'autant plus que nous apprenions que la plupart risquaient leur vie en traversant l'océan. Ma mère nomme souvent le capitaine Bernier qui, paraît-il, n'a peur de rien, prie le Bon Dieu et vient à la messe le dimanche entre deux navigations. Papa, tout aussi admiratif : « Nos pilotes de Saint-Michel sont des braves. Pas des lâcheux ! I' en ont vu des marées et des vagues dans leur vie. » Il faut savoir qu'une autre et longue tradition veut que le désir de tout pilote au long cours soit, si Dieu lui prête vie, de finir ses jours à Saint-Michel, surnommé à cause d'eux « la patrie des braves ».

LE PÈRE NOËL

Un personnage séduisant à nos yeux d'enfants, pareil au Bon Dieu : le Père Noël. Joyeux, généreux, il vient de loin, du Grand Nord ; il voyage la nuit en sleigh traînée par des rennes et portée par les nuages. Il est vieux, il a barbe blanche, et il est si généreusement habillé ! Sorte de surhomme. Il entre par les cheminées des maisons la nuit, apporte des cadeaux, remplit bas et souliers.

Il nous arrivait d'écrire au Père Noël pour lui dire que nous étions sages, très sages, que nous lisions ses lettres dans la gazette, que les compagnies Paquet et Pollack l'attendaient... « Et moi je voudrais un petit camion, des bonbons, et plus tard un train électrique. »

> Père Noël j'veux des bebelles comme les années passées,
> La promesse que je t'avais faite, je l'ai toujours gardée,
> Mon papa et ma maman j'ai toujours écouté,
> Père Noël, oublie-moi pas : laisse-moi pas le cœur brisé.

Au village, où certains enfants sont moins polis que dans les rangs, on chante :

> Père Noël
> Apporte-moi des bebelles
> J'en ai eu, j'en veux pu...
> Fourre-toé-les dans le cul !

Le Père Noël nous apparaissait un peu comme une sorte de grand-oncle américain, riche, cachottier à ses heures, plein de générosité, prêt à tout donner, mais si mystérieux dans sa façon de nous faire des cadeaux ! Sans doute, pour toutes ces raisons, il répondait à nos rêves d'être protégés, aimés, cajolés. Rêves d'enfants pauvres : les plus beaux qui soient ! Rêves-désirs ! Rêves-besoins !

Mais pourquoi maman nous encourage-t-elle tant à écrire au Père Noël ? Sans doute pour être mieux informée de nos goûts. Elle intercepte nos lettres, expliquant que si le Père Noël ne répond pas à chaque enfant, il viendra sûrement nous apporter des étrennes qui nous seront remises au premier de l'An, selon l'habitude des gens des rangs.

Il n'est pas le Bon Dieu

À mesure que nous grandissions, nous ne savions plus si le Père Noël ou Santa Claus, à qui nous écrivions, était le délégué attitré du petit Jésus lui-même, ou engagé par la maison Eaton de Montréal. Maman aimait dire comme Monsieur le curé et nous mettre en garde : « Le Père Noël n'est pas le Bon Dieu et le p'tit Jésus nous aime plus que le Père Noël, même si le Père Noël vient à la maison et que le p'tit Jésus reste dans sa crèche. »

Quant à notre père, il nous a confié un soir du 25 décembre que, tout petit, lui aussi avait rêvé d'un Père Noël riche et grand voyageur : « À la Deuxième de Saint-Raphaël nous étions si pauvres, nous n'avions pour étrennes qu'un petit sac de bonbons secs. Le Père Noël n'était pas riche dans ce temps-là. » Et maintenant ? « Je laisse à votre mère l'administration des étrennes. Elle aime tellement faire plaisir ! » Vers l'âge de six ans, nous avons eu nos premiers doutes : « Si c'était elle, le Père Noël ? »

CHAPITRE 14

Associations pieuses
et groupes

D ES ASSOCIATIONS, des groupes, des personnes remplissent des
fonctions si particulières que, dans l'esprit des gens de Saint-
Michel, quelque chose de sacré est rattaché à leur rôle. Ce sont ici
et là, à Lévis, à Québec, dans les campagnes, les Dames de Sainte-
Anne, les Enfants de Marie, le Cercle des Fermières, la confrérie de
la Sainte-Famille, le Tiers-Ordre de Saint-François, les Ligueurs du
Sacré-Cœur, la confrérie de la Bonne Mort, la société de Tempérance, les Œuvres du Cimetière, l'Ouvroir de la Sainte-Enfance,
l'Œuvre des Tabernacles, l'Œuvre des Retraites Fermées, d'autres
groupements encore.

Les associations les plus appréciées à la maison sont, bien sûr,
les Dames de Sainte-Anne, les Enfants de Marie et le Cercle des
Fermières.

LES DAMES DE SAINTE-ANNE

À Saint-Michel, depuis 1887, elles sont omniprésentes, ces
chères Dames de Sainte-Anne! On les retrouve alignées dans toutes
les processions du village. Pourquoi une telle popularité? Disons
que le goût associatif est naturel, que ces femmes ont souvent des
tâches communes, des questions à discuter, à propos de l'éducation
des enfants par exemple. Elles entendent à l'occasion des appels
pour les pouvoirs intermédiaires, voire pour la hiérarchie des rôles.

Ces dames écoutent pieusement leur aumônier, qui est fatalement Monsieur le curé ; elles prient, elles se réunissent à la sacristie après la grand-messe. Elles se donnent des fonctions temporaires de présidente, de vice-présidente et de secrétaire, qui ne sont pas sans prestige local. Jeunes ou moins jeunes, ces dames représentent aussi un pouvoir, mieux, la générosité sociale et la fidélité à la tradition religieuse. Monseigneur l'évêque les bénit chaque fois qu'il vient à Saint-Michel.

Maman n'a jamais pu devenir présidente des Dames de Sainte-Anne, car on craignait, paraît-il, que « Caïus mette encore son nez là-dedans au temps d'élection ». Papa ne prise guère une association de « dames trop faibles » pour ne pas élire sa femme. Maman prie : ça lui suffit. Papa parle : ça ne lui suffit pas pour venger son humiliation ! « Ma femme est plus intelligente et plus travaillante que leur présidente, Rachel Bolduc, une bonne à rien faire, une Bleue en plus ! Tu sais, le curé craint les femmes qui ont des idées. » « Tais-toi, Caïus, nous autres les femmes des rangs on a le Bon Dieu de notre bord, et c'est assez ! Puis moi, je ne suis pas née comme toi pour la domination. »

LES ENFANTS DE MARIE

Mes parents s'entendent à merveille pour faire l'éloge des Enfants de Marie. « Tu vois ben que les femmes sont pas si dangereuses pour les prêtres, regarde nos Enfants de Marie ! » « La crème de la paroisse, qu'a dit Monsieur le curé du haut de sa chaire de vérité. » Enfants de Marie : enfants du Paradis ! Même si des garçons frustrés les appellent des *filles de curé* ou des *cierges à procession*, il demeure en principe qu'elles sont ou devraient être des filles modèles, pieuses, réservées, habillées modestement, priantes surtout, peut-être un jour religieuses ! En outre, elles font des promesses, elles assistent à la messe ; elles écoutent les prédications ; elles se présentent fidèlement aux réunions mensuelles ; elles préparent les reposoirs des grandes processions. Que demander de mieux ? Il leur arrive à l'occasion des grands événements paroissiaux de porter voile sur la tête, ruban bleu sur l'épaule, bannière et drapeau à la main. Leur aumônier, encore le curé, garde un « œil jaloux sur ses futures mamans ». Leur participation assidue à des activités religieuses paroissiales en fait ses troupes d'élite !

Ma mère, qui encourage ses deux filles à le devenir, ne fut jamais, faute de temps, Enfant de Marie ; elle admire ces jeunes femmes en rang soigné qui marchent pieusement derrière leur bannière aux processions de la Fête-Dieu et de Notre-Dame de Lourdes. Pour papa, observateur hors pair : « Ces Enfants de Marie sont trop sages à mon goût ; ça m'dit rien de bon... J'aimerais mieux les voir tout sales tirer les vaches... En tout cas, moé, j'préfère les Fermières ; c'est plus de notre monde et ça prie tout autant ! » Un autre point soulevé par papa à la maison et qui surprit quelque peu ma mère : « S'i' y a des Enfants de Marie, pourquoi y aurait pas des Enfants de Saint-Joseph ? » Elle lui a répondu : « Les garçons sont les enfants de chœur, ils peuvent servir la messe... même si les filles feraient mieux. Il ne faut pas plaindre les garçons ni déranger saint Joseph. En tout cas, je ne te vois pas Enfant de Saint-Joseph... » « Pourquoi ? » « Joseph était un silencieux. Toi qui as tellement le goût du dernier mot ! » Pour lui donner raison, il conclut : « Si Joseph avait pas parlé d'aller en Égypte, le p'tit Jésus aurait été ben mal pris ! »

LE CERCLE DES FERMIÈRES

Une autre association préférée dans les rangs est le Cercle des Fermières. La valorisation de ce groupe de femmes d'habitants, « sauvegardes de la patrie », vient du fait qu'il honore la femme rurale, soigneuse, généreuse, bien active à la maison. Ainsi le proclame un chant enthousiaste qui deviendra peu à peu, en plusieurs paroisses du comté, presque un hymne national :

> Bonne fermière canadienne
> De nos foyers sois la gardienne
> Jésus, mets aux mains de tes enfants
> Le sol sacré que tu défends (bis).

Même si ma mère n'appartient pas officiellement au Cercle des Fermières, elle en épouse tous les sentiments, toutes les causes, avec fierté et conviction. Papa aussi, à sa manière : « Nos femmes d'habitants sont des femmes dépareillées. Plus fermières qu'elles, t'en trouves pas. » Un grand rire partagé exprime une entente doublée d'une admiration croissante à mesure que Marie-Anna Lemieux, une nièce talentueuse, pilote toutes les fermières du pays.

LA LIGUE… ET PLUS

Le 25 février 1917, la municipalité est officiellement consacrée au Sacré-Cœur de Jésus. La paroisse est d'accord. Maman aussi. Quant à la Ligue du Sacré-Cœur, elle reste « une affaire d'hommes ». Mais comme dit papa, « on est déjà assez catholiques comme ça, pis les rangs sont loin du village ; y a les chemins d'hiver, les travaux d'été ; i' faut pas faire ce qu'on est pas capables de ben faire ». Même s'il en est membre depuis sa création le 5 mars 1916, il n'ira pas toujours aux réunions de la Ligue, dont il est pourtant vice-président plusieurs années et chef de section à plusieurs reprises. Il appartient plus volontiers à la confrérie de la Sainte-Famille qui se spécialise dans la prière familiale, surtout qu'il n'y a aucune réunion attachée à cette affiliation. Quant à la Société de Tempérance, « j'bois pas, j'sacre pas, j'aime ma famille… pourquoi en ajouter à ma vie ? » Rose-Anna ne répondant pas, il en conclura : « Qui ne dit mot consent. » De toute façon depuis le célèbre Congrès de la Tempérance de 1910, une croix noire est accrochée au mur de la cuisine.

Faut-il rappeler que toutes ces associations ont le même aumônier qui est Monsieur le curé et que leurs réunions statutaires se tiennent mêmement à l'église ou à la sacristie.

FACE AUX GROUPES SOCIAUX

En examinant la manière de réagir de nos parents à l'égard des groupes sociaux, des enfants par exemple, des jeunes, des vieux, des malades, des femmes, surtout les femmes à l'église et en rapport avec les prêtres, peut-être apprendrons-nous comment la foi colore leurs réflexes. Nous pourrions aussi nous demander si ma mère croit les femmes plus courageuses que les hommes. Croit-elle les paysans plus saints, ou plus sains, que les gens de la ville? Les gens des rangs sont-ils meilleurs que ceux du village? Que pense-t-elle des Anglais, des Américains, des Français, des Juifs, des Micmacs et des Abénakis? Que dit-elle en particulier des malades, voire des gens qui ont perdu l'esprit? Même les animaux: jusqu'à quel degré certains lui inspirent-ils le sens du sacré?

NOS ENFANTS

Toutes ces questions n'ont de valeur au nom de la foi de ma mère que si nous tentons en tout premier d'évaluer le groupe social qui lui semble le plus important: les enfants. « Sans les enfants, pas de raison de travailler! » Papa est absolument d'accord: « Nos enfants, ils nous sont donnés, mais nos femmes, on les choisit... Ça fait toute la différence. »

Non, rien ne remplace l'amour sacré que ces habitants portent aux petits. « Un bébé, c'est Dieu avec nous. » Monsieur le curé n'arrête pas de faire leur éloge... « Mes bien Chers Frères, il faut avoir des enfants... La vie, c'est un cadeau du Bon Dieu. Qui refuserait un cadeau? Les enfants, c'est l'amour. Qui refuserait l'amour? Il paraît qu'en ville il y a moins d'enfants qu'ici. J'espère que ces gens changeront d'idée avant de mourir... Non, Mes Frères, il n'est pas si difficile de faire des enfants, même les oiseaux en font en plein ciel. » Mais le plus ardu, c'est de les éduquer. Papa croit que si son curé parle si souvent des enfants, « c'est pour deux raisons: i' aurait voulu en faire, pis qu'i' sait pas comment c'est difficile de ben les élever ».

Les enfants sont si précieux que nous entendons dire que, dans les Hauts du comté, en plusieurs cantons, on confie, au plus jeune de la famille, la mise en terre des grains bénits. On raconte que les mains d'un enfant « sont des mains innocentes », « qu'un enfant est pur » et « qu'il a plus de pouvoir qu'un adulte », « que plus il est jeune, plus il est saint ». « C'est qu'on ne pèche pas tellement avant l'âge de raison. »

La naissance cachée

Pourtant, il y a dans tout le canton et même à la maison, comme une gêne sociale, arrière-plan de culpabilité ou pudeur héréditaire, pour tout ce qui touche à la naissance des enfants. Des femmes font tout pour cacher à leur entourage qu'elles sont enceintes. Et quand il s'agit d'en parler, les mots pour le dire sont des mots quasi confidentiels, prononcés à voix basse, entre femmes : *elle est en famille*; *elle est partie pour la famille*; *elle attend du nouveau*; *elle va acheter*; *elle va déborder*; *elle attend encore de la visite*; *les sauvages sont passés*; *les mi-carêmes sont passés*; *le p'tit Jésus est venu faire son tour*. Quand arrive le bébé tout frais-né : *il est né dans le champ de patates*; *les sauvages l'ont apporté*; *la sage-femme est venue le porter, c'est un cadeau du petit Jésus*.

Des petits anges

D'autre part, une croyance est ferme. Les enfants baptisés qui meurent avant l'âge de raison sont des petits anges. « I' entrent au ciel sans passeport »; ils n'ont pas besoin de prières; ils n'ont encore contracté aucune souillure; ils jouissent aussitôt après leur mort de la vie éternelle. Aussi à l'église Saint-Michel, le jour des funérailles d'un enfant est un peu un jour de joie et de louange à Dieu. Les anciens rituels disent que la blancheur est de mise : chape blanche, étole blanche. On chante des cantiques et des psaumes. Pas de glas ce jour-là, ni de drap noir. S'il faut une couverture à tout prix, elle sera blanche. Le cercueil et les brassards des porteurs doivent être blancs. Et ce, même les Jeudi, Vendredi et Samedi saints.

Quand les funérailles de l'enfant ont lieu le matin, il est même permis de célébrer la messe votive des Saints Anges ou de la Toussaint ou encore une messe d'action de grâces. Quand elles ont lieu l'après-midi, on peut chanter les vêpres du petit office de la Sainte Vierge.

Après les funérailles du petit Adrien décédé à douze mois, de retour à la maison, maman nous dit : « Moi, en tout cas, si j'avais eu la santé j'aurais eu vingt enfants comme la femme à Émile Bélanger. » Papa n'a pas répondu. Il croit sincèrement qu'elle aurait pu faire mieux que cinq enfants. De ce point de vue, il a malgré lui comme du ressentiment. Il aime tellement les enfants qu'il s'efforce de ne pas trop nous le manifester devant ma mère, de peur qu'elle ne le tourne en reproche. Aussi, question délicate du partage des pouvoirs !

Garçons ou filles

Ont-ils désiré des garçons plutôt que des filles ? Pas facile à déterminer. S'il est de bon ton de « prendre les enfants du Bon Dieu comme ils viennent », garçons ou filles, il existe déjà dans le rang quelques croyances relatives au sexe de l'enfant. Si, en la surprenant, l'on demande à une femme enceinte ce qu'elle a aux mains, et si elle regarde le dessus de ses mains, c'est qu'elle va *acheter* un garçon ; si elle regarde dans ses mains, elle va *acheter* une fille. Quand un enfant commence à parler, s'il dit « papa », le prochain enfant sera un petit garçon ; s'il dit « maman », ce sera une petite fille…

LES JEUNES

Et quand ces enfants grandissent ? « C'est la jeunesse ! » À la fête de la Saint-Jean, le député libéral déclare que les jeunes sont notre richesse nationale, qu'il convient de les bien éduquer et même de faire instruire les plus doués d'entre eux, que le gouvernement les aidera si justement ils sont prêts à voter du bon bord. Les habitants de Bellechasse estiment plutôt « qu'avec la jeunesse il faut de la poigne ». « C'est beau, c'est fou la jeunesse ; ça rit, ça crie, ça chante, ça fait rien, ça mange trop, ça fête et tout ça dans la même journée. Il faut tenir les cordeaux. »

Maman les aime, les respecte. Même s'ils sont, à leurs heures, fragiles et frondeurs. Il lui suffit d'une Fête-Dieu où elle voit les petites filles du Couvent jeter des fleurs de lilas au Saint-Sacrement et les enfants de chœur marcher pieusement les mains en pignon, pour la convaincre que la jeunesse, même la plus turbulente, est promesse d'avenir. Papa réfléchit à haute voix : « Les p'tits bougres ! S'i' étaient pas si fanfarons !... Ça passera ! Plus t'es jeune, plus t'es un ange, plus tu vieillis, moins tu l'es. » « Tu as peut-être raison, Caïus, parce que tu vieillis. » « Toé, itou ! »

Il est un point sur lequel ils pourraient longtemps discuter et ils le font : l'éducation. Papa croit que les travaux de la ferme forment mieux la jeunesse que le « nez enfermé dans un livre ». Maman s'objecte : « Un enfant pas instruit, c'est un manchot. » Et lui revient à la charge : « C'est-tu un manchot qui fait vivre ta famille ? »

LES VIEUX

Si les enfants sont les bienvenus à la maison, si les jeunes ont droit à une meilleure éducation, les vieux, eux, sont acceptés et généralement vénérés, ainsi nos grands-parents de Saint-Raphaël. Aussi longtemps qu'ils peuvent travailler à la maison ou sur la ferme, il va de soi qu'ils restent là. Ce sont des personnes sacrées. Sacrées elles le sont parce qu'héritières des traditions qui font, par exemple, que Damase Blais cultivateur est le fils de Joseph Blais, lui « vrai défricheur de bois et de forêt ». Papa est ému simplement à dire le nom des ancêtres : « Les vieux, ça s'remplace pas... Sans les vieux, et tout le monde le sait, pas de rangs, pas de paroisses, pas d'églises, pas de pays. Un vieux qui meurt, c'est comme un arbre qu'on coupe, toute la forêt pleure. » Papa aime épiloguer pendant que maman acquiesce : « Vieux, vieille, tu le deviens un jour et plus vite que tu penses. Tu ne sais pas quand tu prendras un coup de vieux ! Les années, ça passe plus vite que les outardes. La mort, c'est comme la débâcle, tu ne sais pas quand... »

Pourtant, on dirait parfois que les vieux n'ont pas d'âge, à un point tel que, lorsque nous entendons que Jos Lamontagne est « décédé tout à coup mortellement » à… 99 ans et onze mois, nous ne pouvons nous empêcher d'être surpris et même tristes. La famille Lacroix accorde un si grand respect aux vieux, qu'elle les intègre dans ses rangs et n'en fait jamais, au grand jamais, des êtres à part. Ainsi, nos parents vieillissants prirent la décision de demeurer à la maison sur la ferme avec leur fils aîné et ses enfants. La vie continua, leurs jeunes enfants partirent et eux, les parents, restèrent. Une erreur? Comme disait maman qui le regrettait : « Le Bon Dieu a séparé les pruniers des pommiers. Nous aurions dû agir autrement et partir au village. Le courage nous a manqué. » Elle aurait tellement voulu rejoindre les femmes de son âge, partager des souvenirs, vivre près de l'église, aller à ses prières, à la messe, au salut du Saint-Sacrement, aux vêpres. Mais papa, lui, plus attaché à la terre, semblait moins connaître sa vraie vieillesse. « Si j'étais malade, j'penserais peut-être autrement. »

NOS MALADES

Il y a, en effet, un groupe dont Monsieur le curé aime parler dans ses sermons et au prône : « nos malades ». Quel respect ! « Nos malades ! Ils sont plus importants qu'on pense. Sans nos malades, la paroisse prierait moins, Dieu nous protégerait moins. Il faut prier pour nos malades. N'importe quand, Mes Frères. Le jour. La nuit. Matin-midi-soir. Moi, en tout cas, si je n'avais pas mes malades à visiter, je me sentirais souvent bien seul. » « Aller aux malades » est sacré. Maman est tellement d'accord avec Monsieur le curé que, si elle s'écoutait, elle prierait surtout pour eux.

Les malades mentaux

Tous les paroissiens, ou presque, maman la première, partagent un certain respect pour les gens qui sont retombés en enfance. Égarés, perdus, « ce sont des gens qui ont des idées, mais ils ne pensent plus comme nous autres. Faut pas oublier qu'ils ont beaucoup travaillé. Pense au grand-père Tellier perdu dans ses rêves, à cause qu'il a tellement aimé sa terre; il faut le respecter jusqu'à la fin. » « On dirait qu'il y a quelque chose de sacré dans ce monde-là, répète maman, il faut en prendre bien soin. » « La famille, c'est la famille, i' en faut de tous les genres », répète papa. Dans la vie courante, il n'y aurait à *enfermer* que les violents.

LES FEMMES

Il est étrange de constater que ce sont les femmes surtout qui, à l'époque, font problème! Comme si elles pouvaient être un obstacle, elles les plus croyantes qui soient.

Nous savons déjà que les femmes ne doivent jamais franchir à l'église l'espace au-delà de la balustrade, qu'elles ne doivent jamais entrer dans le sanctuaire où se trouvent pourtant des statues et des peintures de saintes femmes; qu'elles ne portent pas le dais. On les oblige cependant à porter des chapeaux à l'intérieur de l'église, alors que les hommes y sont tête nue. Dire qu'elles ne peuvent être sacristines, elles qui fabriquent tant d'ornements sacrés et de surplis à dentelle destinés aux prêtres! Parce qu'il s'agissait de lois d'Église, ma mère, drôlement informée on ne sait trop comment, n'osera ni douter ni commenter. Papa en conclura un jour : « Pauvre Monsieur le curé!… les prêtres devraient apprendre à aimer les femmes pour mieux les respecter. »

Et les prêtres

Partout, nous entendons dire que les prêtres doivent se méfier des femmes même si elles ont bonne réputation. À moins d'une nécessité de ministère, ils doivent les éviter et, s'ils visitent une malade, ils verront à laisser la porte de chambre ouverte. D'ailleurs, le prêtre ne devrait recevoir à sa chambre ni femme ni fille. S'il est malade à l'hôpital, il devrait préférer l'infirmier à l'infirmière. La seule femme permise par l'évêque est la ménagère du presbytère. Et encore!

En plus, il est interdit aux prêtres d'aller seul, à pied ou en voiture, avec des femmes, fussent-elles parentes, ménagères de presbytère. Surtout, il ne faut pas avec elles se montrer trop familier, converser trop longuement à la vue des voisins ou des passants. Les femmes ne peuvent se confesser qu'au confessionnal. Elles ne peuvent chanter à l'église, sinon à l'occasion et à la basse-messe, et seulement des cantiques. Dans les sermons, elles sont souvent invitées à la modestie dans l'habillement, en même temps qu'accusées, implicitement ou explicitement, d'être cause de péché !

La discipline diocésaine

Un jour, le petit vicaire Chabot, un peu surpris de ce que le curé Fortin lui racontait à propos des femmes, ouvre *La Discipline diocésaine* (1937) et quelle ne fut pas sa surprise d'y lire en toutes lettres ce que nous avons déjà lu :

> Les clercs doivent éviter de se trouver souvent avec les personnes de l'autre sexe, quelque vertueuses qu'elles soient, fussent-elles des religieuses. Ils ne les rencontreront que par nécessité de ministère ou de réelle convenance, jamais par seul attrait, jamais au-delà du temps absolument nécessaire. Quand ils visitent une malade, la porte de la chambre doit être ouverte.
>
> Le prêtre ne recevra à sa chambre ni femme, ni fille, ni enfant même de sexe masculin ; il doit recevoir dans un parloir, muni, la porte au moins, de vitre transparente. Il réservera pour le confessionnal la direction spirituelle. Il rompra sans retard toute attache naturelle naissante.
>
> Lorsque les circonstances ont conduit un clerc malade dans un hôpital où il y a des infirmières, religieuses ou séculières, ce clerc doit être très réservé à l'égard de ces personnes, appeler de préférence l'infirmier, l'appeler toujours quand la pudeur le conseille.
>
> Le prêtre ne peut visiter une femme ou une fille qui est seule dans sa demeure que par nécessité et à condition qu'il soit accompagné.
>
> Il est interdit aux clercs d'aller seul, à pied ou en voiture, avec des femmes, même avec leurs parentes ou leur ménagère ; de converser longuement et familièrement, de se récréer avec elles, surtout à la vue des voisins, des passants.

Il appartient à l'Ordinaire de juger si la présence ou la fréquentation des femmes, même de celles dont la conduite n'éveille aucun soupçon, peut être, dans un cas particulier, une occasion de scandale ou d'incontinence; si l'Ordinaire juge qu'une telle occasion existe, il a le droit de défendre la cohabitation ou la fréquentation, et le prêtre doit se conformer aussitôt à ce jugement, sous peine, s'il est contumace, d'être puni selon les saints canons.

Les clercs ne peuvent cohabiter qu'avec des femmes qui en raison de liens de parenté sont au-dessus de tout soupçon, comme la mère, la sœur, la tante; ils ne le peuvent avec des étrangères que si l'honnêteté manifeste de celles-ci et leur âge avancé écartent toute présomption défavorable. Par âge avancé ou canonique, on entendra ordinairement celui de quarante ans. Aucun prêtre ne pourra retenir à son service une personne étrangère ou une nièce âgée de moins de trente ans, excepté lorsque pour une raison impérieuse l'Ordinaire l'aura permis par écrit.

Les chambres des femmes ou filles qui habitent le presbytère doivent être isolées de celles des prêtres.

HOMMES OU FEMMES?

Reste à savoir si les hommes sont supérieurs ou inférieurs aux femmes, et de même les maris aux épouses. Pourtant, ni maman ni papa ne se posent de telles questions. Mais nous, les enfants, nous pensons que notre mère est plus importante que notre père et donc que les femmes sont plus essentielles que les hommes. Pourquoi? Parce que maman nous a donné la vie, parce qu'elle prend soin de nous, parce qu'elle est toujours à la maison pour nous aider, parce qu'elle nous apprend mieux la religion que papa.

Ma mère pense

Pour nos gens, la vérité est dans les faits plutôt que dans les théories. Maman sait que les femmes ne disent pas la messe, qu'elles ne seront jamais enfants de chœur, encore moins servantes de messe, mais est-ce que cela la dérange? « Nous autres, les femmes, on est des prêtres par le cœur, on ne prie pas au vu du monde comme font nos prêtres mais dans notre maison ; dans les églises on y est la majorité. C'est nous qui, toutes les semaines, habillons les enfants pour les amener à l'église. Et Monsieur le curé l'a dit : "Si les femmes démissionnaient de la religion, il n'y aurait plus d'église, plus de paroisse, plus de Saint-Michel !" » « Et plus de pays », a une fois de plus ajouté papa. « Les femmes par icitte, jeunes ou vieilles, ont le sentiment sûr. Tu les trompes pas avec des mots. Elles te devinent toujours. Toé, t'es mieux d'être du côté de ta mère si tu veux être heureux. Pis insulte jamais une femme, surtout pas une vieille, d'à cause qu'au ciel les derniers seront les premiers. »

Mon père parle

En fait, papa a tellement d'estime pour les femmes, il les aime de toute évidence, qu'au lieu de réfléchir en termes de pouvoir, il s'exerce à lire les faits en termes de générosité. « La plus importante à la maison, à l'église, c'est votre mère. » Un jour, en la regardant dire ses prières, il avoue candidement : « Les femmes sont plus dévotes que nous autres les hommes. Elles étaient là le Vendredi saint au pied de la croix. Les hommes, eux, avaient sacré le camp. » Un soir, à Édouard Letellier qui trouve que sa femme est, elle aussi, « ben trop dévotionneuse », il commente : « Tu sais, Édouard, on a chacun notre manière. Elles, elles aiment beaucoup de prières à dire, comme beaucoup de robes à porter. Nous autres, on pourrait porter la même paire de culottes toute l'année… Non, Dieu nous a pas faits pareils. C'est pour ça qu'on prie pas de la même façon. »

LA VIEILLE FILLE ET LA JEUNE VEUVE

Dans la paroisse et à la maison, à cause d'une certaine mentalité, une sorte de soupçon non avoué règne malgré tout à propos de la fille non mariée ! Surtout si elle arrive à la trentaine. Le mariage sacralise automatiquement époux et épouse, mais il n'existe aucun rite privilégié pour la «fille laïque». Jean Lamontagne a dit en ricanant : «L'as-tu vue, la belle Ruth, toute seule, avec ses yeux en biais. Moé, j'pense qu'elle a déjà des idées… » Maman l'a fait taire : «Jean, ne parle pas. Tu ne connais pas le cœur d'une femme qui est toute seule.»

Ainsi, la vieille fille porte parfois le fardeau d'une opinion défavorable. Certains surnoms manquent nettement de finesse et de tolérance : *grenouille de bénitier, poule d'église, punaise de sacristie.* Maman proteste encore : «J'en connais qui sont des saintes. Au ciel, elles auront une meilleure place que nous d'à cause qu'elles ne se sont pas mariées.» Papa nuance : «Rose-Anna, des vieilles filles, ça fait des anges ou… des diables. Moé, j'cré ben qu'elles font plus de bien que nos vieux garçons du village.»

Par ailleurs existe ici et là, sans que nos parents paraissent alertés, un préjugé encore moins favorable envers la jeune veuve. «C'est pourtant pas de sa faute.» Mais attention ! Celle qui a déjà goûté «aux joies du mariage», comme disent pieusement les prêtres, pourrait-elle s'en priver si tôt quand son âge et son récent passé l'invitent à l'action ? Or ces veuves paraissent avoir un traitement de faveur de la part de Monsieur le curé. Nous ne savons trop pourquoi. La population, elle, reste à leur égard plutôt réservée. Certaines gens parlent des petites veuves en souriant ou pour souligner leur héroïsme à élever leur famille ; d'autres, en ironisant, parce qu'elles seraient plus que menaçantes.

LES VIEUX GARÇONS

Les plus célèbres vieux garçons à la maison sont le frère de notre voisin Aimé, Angenard Lacroix, sans lien de parenté, et à la frontière du même Troisième Rang, première maison de Saint-Vallier, Alphonse Rochefort. Deux braves hommes. Pas mariés. Travailleurs hors pair. «Mais pas forts en religion.» Le respect que nous leur portons est instinctif : ces hommes sans prétention n'ont d'autre fonction que celle d'aider à la ferme. Librement. Gratuitement. Ils font tout, ils font de tout depuis le matin très tôt à la grange jusqu'au soir au hangar à remettre en place les outils et les instruments aratoires. Maman disait : « Être bon comme Angenard ça ne se peut pas. » Et papa de renchérir : « Qu'est-ce que feraient le père Antoine Lacroix et Aimé sans Angenard toujours prêt à tout faire ? Pis le père Arthur Rochefort, quand i' est pas dans son assiette, sans son frère Alphonse qui va faire le train tout seul ? » Notre mère ne leur porterait une admiration plus grande que s'ils allaient à l'église un peu plus souvent : « Je ne peux pas croire qu'ils n'ont pas besoin du Bon Dieu. »

GENS DES VILLES, GENS DES CAMPAGNES

Nous devrions dire qu'à la maison des Lacroix, la discussion sur les vieilles filles et les vieux garçons a moins d'importance théorique et pratique que la distinction qui oppose les gens des villes et les gens des campagnes, les habitants des rangs et les gens du faubourg ou du village. Éternelle confrontation entre l'univers rural et l'univers urbain ou même villageois. Deux mondes. Deux mentalités. Nous sommes avant la grande révolution des mœurs et des réflexes des années 1960.

Pour ma mère qui, déjà à quinze ans, entendait dire à l'école de Saint-Raphaël que la ville est un lieu de perdition, surtout pour les jeunes filles, il n'y a aucun doute dans son esprit. Il est pour elle significatif que « les gens de la ville mangent à cause des habitants qui leur apportent la nourriture… Ça veut dire que le Bon Dieu est plus chez lui à la campagne où l'on travaille qu'en ville où l'on discourt… et mange. » Papa complète : « Ben sûr, pas de ville sans nos terres. Les campagnes existaient avant les villes. Quand même ! le Bon Dieu est bon, i' doit être bon partout et pour tout le monde, même pour les gens de Montréal ! » Maman clôt la discussion : « Bon pour tout le monde, oui, mais tout le monde n'est pas bon pareil. »

GENS DES RANGS, GENS DU VILLAGE

Leur résistance aux mœurs de la ville va parfois jusqu'à leur faire croire et même leur faire dire ouvertement que le village, le faubourg, cette petite ville miniature, est moins pur que les rangs : « Au village, on trotte, on parlote ; dans les rangs, on travaille, on prie. » Donc, les gens des rangs sont meilleurs ? Monsieur le curé ne voudrait pas pour autant diviser la paroisse, mais il n'en pense pas moins : « Les gens des rangs font moins de péchés mortels que les gens du village. » Simon Breton, qui à 80 ans habite encore les rangs, mais qui connaît le pouls de la paroisse, a entendu une discussion sur le sujet. Il a l'intention ferme d'aller finir ses jours au village et en conclut : « Ça ne se discute pas, une affaire de pays. Chacun sent qu'il est dans son pays quand il se sent bien chez lui ! Ton pays, tu le fais à mesure que tu l'habites. Il n'y a que les *sans-dessein* qui n'ont pas de pays. »

Éloge de l'habitant

D'où vient cette admiration quasi inconditionnelle de mes parents pour les cultivateurs des années 1930 ? À l'église, ils ont entendu leurs curés parler du noble Adam, premier habitant du monde qui a commencé par cultiver un jardin ; ils ont entendu parler des bergers qui furent les premiers avertis de la naissance de Jésus, contrairement aux riches mages venus de la ville et arrivés en retard pour adorer l'Enfant-Jésus. À la salle paroissiale, les Fermières chantent allègrement, sur l'air de *La Marseillaise*, les bienfaits de la terre :

> Debout, robustes habitants
> Alignons-nous, combattants,
> Des ancêtres nous crient :
> Debout pour Dieu et la Patrie !

Sur une mélodie d'Oscar O'Brien avec les paroles d'un certain Maurice Morissette dont le Troisième Rang disait, mais sans preuve, qu'il était de Saint-Michel, l'on chanterait dans les salons nationalistes de Montréal :

> Hébert a jeté dans nos cœurs
> La force qui nous rend vainqueurs.
> De ce géant suivons la trace
> Soyons l'honneur de notre race.
> Un épi d'or à nos chapeaux
> Saluons le drapeau !

Papa en rougissait de fierté !

> Montcalm a transmis aux aïeux
> La vaillance des anciens preux.
> Nous poursuivons son épopée
> Mais la charrue est notre épée !
> Des fleurs à nos chapeaux
> Saluons le drapeau !

Le pays de ma mère

Qu'on parle de pays, ma mère ne semble pas s'énerver. Pour elle, le pays, c'est en tout premier Saint-Raphaël où elle a été baptisée, là où son père et sa mère sont enterrés; c'est aussi Saint-Michel: « Mon pays, c'est mon église, le cimetière, l'école, ma maison, ma cuisine pour manger et dire le chapelet, le salon pour la visite, la chambre à coucher où j'ai eu mes enfants… » Mais c'est surtout, nous nous en doutons, le ciel en haut, là où vivent et survivent tous ceux et toutes celles qu'elle a aimés et qu'elle aime encore. Si elle avait à choisir entre les gens d'ici et les gens du ciel, je ne suis pas certain que ma mère ne choisirait pas d'abord ses ancêtres du ciel qui sont avec le Bon Dieu, la Sainte Vierge, la Bonne Sainte Anne, ses parents, ses grands-parents « et les autres de la famille Blais qui sont partis et qui ont fait leur religion de leur mieux ».

Le pays de mon père

Pour papa, le pays ce sont les *Canadiens* vivants qui ont de la race, de la fierté et du cœur, qui aiment la terre, le fleuve, les montagnes; ce sont les ancêtres de France; c'est la France, « c'est tout le monde que j'voudrais connaître, aimer, aider ». « Un pays, ça se vit, ça se bâtit sur place, comme une grange, avec des marteaux, des madriers, des travées, des corvées, et surtout du monde pour travailler… Beaucoup de monde. »

Pendant que maman revoit en rêve ses parents de Saint-Raphaël, papa répète : « Sur la terre, y a pas que nous autres, y a aussi les autres, de Québec, de Montmagny, de Lévis. » Les autres ! Parfois proches, parfois lointains. À Saint-Michel, nous entendons parler des Français de France, des Irlandais, des Américains, des Juifs, et beaucoup des Abénakis et des Micmacs dont plusieurs se sont installés dans le Comté, à Saint-Gervais et, plus près, à Maska de La Durantaye.

LES FRANÇAIS DE FRANCE

Notre amour pour les Français est inconditionnel. Simplificateur, émotif, instinctif. Papa nous chante souvent avec cœur et d'une voix toujours aussi convaincante :

> Jadis, la France sur nos bords
> Jeta sa semence immortelle,
> Et nous, secondant ses efforts,
> Avons fait la France nouvelle !

Avec ce refrain quasi épique :

> Ô Canadiens, rallions-nous,
> Et près du vieux drapeau,
> Symbole d'espérance,
> Ensemble crions à genoux,
> VIVE LA FRANCE !

« Tu as raison, répondait souvent maman, même si je ne chante pas, j'aime la France aussi bien que toi, Caïus ; je prie pour elle tous les jours que le Bon Dieu me donne, mais j'ai entendu dire que les Français ne sont pas tous des anges et qu'ils ne font pas tous leur religion. » Ce à quoi papa a vivement répliqué : « Rose-Anna, mélange pas les questions, c'est au Bon Dieu à décider et pas à nous autres de savoir qui est bon et qui est moins bon. »

Quand, par hasard, un Français passe à la maison, mon père est toujours ému. Maman tout autant, mais sans vouloir trop le faire voir. De toute façon, ils sont d'accord : « Un Français chez nous, c'est de la très grande visite ! »

LES AMÉRICAINS

Après les Français, notre premier amour va aux Américains. Nous avons tous de la parenté là-bas : « Ils sont tellement généreux quand ils viennent nous visiter. » « De vrais rois mages », dit maman en admiration devant un de ses frères du New Hampshire qui à chaque visite annuelle nous distribue allègrement des 25 cents. Grâce à lui, nous nous sentions riches. Et ma mère en profitait pour préciser : « Votre oncle en a arraché beaucoup dans sa jeunesse, à cause qu'il n'y avait pas de travail à Saint-Raphaël. Quand il a quitté la maison, il pleurait. Aujourd'hui, mon frère Joseph est à l'aise, il a un *char*, il peut voyager. C'est un débrouillard. Dans la vie il faut travailler… »

LES ANGLAIS… PROTESTANTS

Ce qui l'attriste quelque peu, bien qu'elle n'ose le dire carrément, est que l'oncle devenu américain casse son français et qu'il parle même anglais : « Ça me chicote ! » Les Américains, qu'elle aime, elle les supporterait mieux s'ils ne parlaient pas anglais. En fait, le malaise vient de ce que ma mère croit fermement que tous les gens qui ne parlent que l'anglais sont des protestants. « Je prie tous les jours pour leur conversion ; ils sont protestants, ils iront en enfer. »

Papa, qui n'aime pas l'idée de voir partir les autres en enfer, réagit fortement : « Y a des protestants qui sont meilleurs catholiques que nos bons catholiques. J'en connais des Anglais, moé, qui auraient jamais fait de mal à une mouche. Faut dire qu'i' comprennent pas trop notre affaire de vouloir rester catholiques… Tu m'feras pas accraire que Dieu peut pas sauver les bons protestants… » Tranquillement, afin d'éviter d'argumenter, elle a répondu : « Tous les jours je prie pour que les protestants se convertissent. Toi ?… » Silence !

En effet, papa a des doutes. Il lui suffit de rencontrer ici et là un Anglais gentil pour qu'aussitôt son cœur espiègle fonde d'amitié. Comme il disait : « Avec l'amour, on a pas le temps de juger… Pis que Dieu a créé tout le monde, pis i' distingue pas comme nous autres. » S'il peut permettre à un Bleu d'aller au ciel, quitte à le faire passer par le purgatoire, il peut tout aussi bien sauver un Anglais… avec un peu plus de temps au purgatoire. « On verra ben ! Le Bon Dieu est respectueux. J'prie, moé, pour que les protestants parlent un jour français, pis qu'après i' deviennent catholiques… et pis s'i' parlent français, i' vont sûrement aller au ciel avec ta mère. »

LES IRLANDAIS

Alors, les Irlandais ? S'ils parlent français, il n'y a pas de réticence possible. S'ils ne parlent que l'anglais, comme ça se passe à Montréal, les gens croient que « ce ne sont pas de vrais catholiques » ! Papa, prêt à se rétracter : « J'pense qu'on s'trompe. Dans les vieux pays, y a, paraît-il, des catholiques qui parlent l'allemand, l'italien, l'espagnol. Pourquoi pas l'anglais ? J'cré que le Bon Dieu juge mieux que tout nous autres, petits habitants du Troisième Rang Ouest. » Elle : « Moi, je pense d'après ce que je sais, je ne sais pas tout… Tant mieux pour le Bon Dieu s'il y a des Irlandais anglais catholiques ! »

LES AMÉRINDIENS

Et les Micmacs, les Abénakis, ou les Amérindiens comme on dit aujourd'hui ? Les gens du Troisième Rang ont conclu depuis longtemps que « nos Sauvages sont des gens comme nous autres, mais plus pauvres ». Nous les aimons, nous les craignons. Sans trop savoir pourquoi. « Ce ne sont pas de méchantes gens. Mais tu ne les vois pas à l'église. Pas souvent en tout cas », précise maman. Et papa de dire : « Leur église, c'est le bois de Maska et jusqu'aux terres d'en haut. S'i' travaillaient un peu, ça leur ferait pas de tort. I' aiment trop la chasse. » « En tout cas, reprend maman, vous ne me ferez jamais accroire qu'on peut passer toute sa vie dans le bois. Le bois, c'est pour les animaux. » Par contre, les habitants du Troisième Rang ont noté que, pour soigner les animaux de toutes sortes de maladies plus ou moins étranges, rien ne remplace les tisanes des Abénakis de Saint-Gervais. « Ils sont remplis de secrets. Le Saint-Esprit les inspire peut-être… »

LES JUIFS

Et les Juifs ? Dans ce temps-là circule, on ne sait trop pourquoi ni comment, une légende voulant que quiconque entre dans une synagogue, ou dans une « mitaine », de l'anglais *meeting*, temple protestant, commet un péché mortel. En outre, il y a des expressions courantes pour fustiger ces Juifs trop friands d'argent. « Espèce de petit Juif ! » désigne toute personne près de ses sous. Malgré ces jugements hâtifs, il y a envers eux à la maison et même dans le comté un préjugé plutôt favorable. À ceux qui disent et répètent : « Ils ont tué Jésus », le curé répond : « Laissons-les tranquilles, ils ont tellement expié depuis… »

Nos gens achètent souvent à Québec et le prix de la marchandise décide quel est l'achat le plus « évangélique », ou chez Pollack, un Juif, ou à la compagnie Paquet et Cie, magasin chèrant… catholique ! De plus, nos parents ne cessent de faire l'éloge du marchand général qu'ils ont connu à Saint-Raphaël, un certain monsieur Zaki que tous prenaient pour un Juif à cause de son petit accent et du fait qu'il n'allait pas à la messe le dimanche. En fait, nous l'avons appris plus tard, le cher monsieur Zaki était un Syrien, homme poli, avenant, toujours de bonne humeur et d'une charité exemplaire. Quand Jos Latulippe *a brûlé de grange*, c'est monsieur Zaki qui a organisé la corvée et qui l'a le plus aidé à la rebâtir, quitte à travailler le dimanche, avec la permission du curé, pour finir avant les foins. Monsieur Zaki donnait des biscuits aux enfants. Alors « tout le monde aimait les Juifs à cause de monsieur Zaki ». Et quand on rappelle à ma mère que les Juifs ont tué Jésus, elle répond tout de suite : « C'est pas monsieur Zaki qui aurait fait ça. Puis Jésus, puis Marie, c'étaient, eux aussi, des Juifs. Moi, tous les jours, je dis trois *Je vous salue, Marie* pour les Juifs afin qu'on se retrouve tous ensemble au paradis. »

DES ANIMAUX SACRÉS

Un peu surprenant, mais il arrive à l'époque, à la maison, à l'église, et selon une très antique coutume, que certains animaux soient considérés à l'occasion comme des êtres sacrés. C'est ainsi que nous avons tous une affection particulière pour les petits moutons qui vont mourir sans se plaindre. Sans doute parce que Jésus est mort comme un agneau, sans presque dire un mot. De même est sacré le cheval qui sert à porter le viatique, la croix, à tirer le corbillard ; il ne devrait jamais être échangé ni vendu. Notre chien aussi est à respecter à cause de sa fidélité, et c'est à noter, paraît-il, qu'il ne jappe pas durant le chapelet. Le chat, qui obéit à nos ordres de chasser les rats et les souris, mérite des compliments épisodiques. Comme disent les ruraux : « Voilà de sacrés maudits bons animaux ! »

Nous apprenons en outre qu'à Noël, à minuit, les animaux se mettent à genoux à la grange pendant qu'à l'église on chante *Minuit, chrétiens* ! « Et pis, crois-le ou non, moque-toé si tu veux avec tes gros mots du collège, j'me souviens d'avoir vu un Vendredi saint après-midi toutes mes bêtes à cornes à genoux. Toutes, ben presque toutes, disons au moins le tiers, et peut-être la moitié du tiers ! »

De toute manière, ma mère considère comme vraiment sacrés les animaux qu'elle voit sur les images saintes, l'agneau… de Dieu, le mouton de saint Jean le Baptiste, la colombe du Saint-Esprit, et quelques poissons brodés par les religieuses sur les nappes d'autel. Papa qui n'a pas tellement d'attention pour les « petites bêtes » si chères à son épouse : « Ça m'dit rien, j'aime mieux les chevaux, les bêtes à cornes, des animaux vrais. » D'autre part, il semble éprouver des sentiments moins sacrés quand il chasse les lièvres et les perdrix.

Ma mère, encore plus pratique, s'intéresse aux poules et aux petits veaux tout naturellement sacrifiés aux appétits de chacun. Une de ses justifications est que ces animaux nous donnent leur vie.

Tel fut donc l'univers global de nos chers parents du Troisième Rang Ouest : univers de solidarité et tout autant de préférences personnelles, inégalement justifiables.

CHAPITRE 15

Rose-Anna et Caïus
deux univers

Dʜ ɪsons ᴏᴜᴇ le temps est venu de comparer mon père et ma mère dans leur quotidien, jusque dans leur vie de couple. Sujet délicat! Deux univers! Homme et femme. Époux et épouse. L'un exubérant, l'autre, ma mère, intimiste. Ont-ils été heureux? Pourquoi se sont-ils mariés? Par amour? Par devoir? Maman faisait tout par devoir; elle a dû y trouver un jour l'amour.

LES FRÉQUENTATIONS

Ils n'avaient pas vingt ans quand ils se sont épousés. Il fallait faire vite: la terre attendait. Ma mère m'a raconté qu'hésitante à s'exiler à Saint-Michel elle avait demandé l'avis du vicaire de Saint-Raphaël. Il lui avait conseillé de faire le saut, même si son petit cœur de Blais avait une préférence pour le jeune Bernard du Rang du Sault qui, lui, n'était pas prêt à se marier. «Oh! que tout s'est fait vite! Caïus et moi, on est sortis six mois ensemble. On ne s'est pas vus souvent. J'étais sa *blonde* même si j'étais brune, j'étais la blonde du p'tit habitant, premier fils d'Abraham Lacroix marié à Alphonsine Bélanger. Mon cavalier s'appelait Caïus. La jeunesse l'appelait Caïn! Il avait dix-huit ans. J'en avais dix-neuf. Il n'avait eu que de petites amourettes, en passant, à la cachette.»

Lui, mon père, raconte que tout jeune qu'il était, il n'avait de pensées et d'yeux que pour sa belle Rose-Anna tout élégante avec son chignon habilement retroussé et son allure de paysanne humblement décidée. « Ta mère, c'était la plus belle fille de la paroisse. Pour moé, en tout cas… J'avais juste dix-huit ans, une terre nous attendait au Troisième Rang de Saint-Michel, pis c'était pas dans les habitudes de faire durer les apprivoisements. »

L'heure des confidences venue, tandis que maman est aux bleuets, papa épilogue : « Moé, j'voulais, comme les garçons de la Deuxième, que ma femme m'arrive au mariage blanche comme une première neige, j'me souhaitais qu'elle soit accommodante, qu'elle ait de l'avenance, bien atriquée, surtout le dimanche à la grand-messe, et qu'elle soit toujours ben appareillée. Pas une catin ni une enfargée dans son jupon ou éhanchée de la dernière façon ! Qu'elle soit pas trop maline, pas trop maganée, capable de cuisiner, de balayer la place, d'accoupler des bas et de se laisser étriver sans s'emmalicer. J'ai été exaucé. »

Un vocabulaire adapté

N'attendons pas de détails sur les rites amoureux de leurs courtes fréquentations. Maman refuse d'en parler. Papa, comme d'habitude, ne refuse pas de parler : « Nous autres, les Lacroix, les Blais encore pire, on est pas des embrasseux, pas non plus des taponneux ni des enjôleux. Quand on va voir les filles, c'est pour les voir, pas pour les embarquer. Un cavalier qui colle trop sa blonde, ça promet rien de bon. Pis on est catholiques. »

En ce temps-là, à Saint-Raphaël comme à Saint-Michel, le vocabulaire amoureux est assez pittoresque : « Tu as un cavalier, tu sors *steady*, tu flirtes, tu es frémillant, tu risques de manger de l'avoine ou de te faire retourner par ta blonde. Pour mieux lui égratigner l'œil, tu regardes par-dessus la clôture jusqu'à sauter la clôture : c'est que tu es amoureux, tu es tombé en amour. » Une fois en amour, les mots fusent : *je t'aime à mort, je t'adore, tu es un trésor ; mon bijou, mon cœur en or, mon bébé, ma belle crotte, ma belle crasse, ma belle carcasse, mon ange, mon roi, ma reine, mon grand fou, ma grande folle… L'amour c'est fou, je voudrais te manger, je m'adonne avec toi, mon petit pain de sucre.* Mots et délices des amours paysannes !

À eux seuls, les baisers donnent lieu à un vocabulaire assez spécifique, moins traditionnel peut-être mais aussi expressif. Si mes parents ne s'embrassent jamais devant nous, ils n'en tolèrent pas moins certains mots plus risqués : *se kisser, se béquer, un bec à pincettes, un bec à surette, un bec sucré, un bec aplati*. Quant au baiser français, le *french kiss*, immigré au Québec dans les années 1940, il fut vite l'objet de grandes inquiétudes morales, à tort ou à raison, parce qu'il signifierait des intentions moins nobles que la plupart des autres baisers.

Une sexualité « privée »

Nous pourrions discourir longtemps sur la vie amoureuse de nos gens, sur les mots contournés, les silences gênés. Comme si le corps était source immédiate de péché ! La religion y est sûrement pour quelque chose, elle qui laisse entendre dans la prédication courante que la sexualité est le fruit du péché originel. En même temps circulent ouvertement en Bellechasse beaucoup d'histoires à ne pas raconter devant les femmes et les enfants. Beaucoup de chansons grivoises aussi, d'autant plus que « lorsque c'est chanté, ce n'est pas péché ».

Pourtant, la même sexualité les conduit à avoir beaucoup d'enfants. La morale religieuse les y encourage. Sans oublier la consigne politique : « Faites des enfants et les Anglais ne pourront jamais nous avaler tout rond. » Moins secrets que leurs femmes, les hommes du Troisième Rang ont trouvé pour exprimer leurs rapports conjugaux de jolis verbes comme *fourniquer, enfourner, fourbiller, fougailler, fourgotter, taponner, galetter, labourer les terres d'en bas*, voire l'élégant *cupidonner*, ou encore la question que pose à sa femme l'ouvrier-mécanicien à savoir si le temps ne serait pas venu de se *ploguer*. Les moins scrupuleux iront jusqu'à dire qu'*ils seraient ben aise à soir de mettre le petit Jésus dans la crèche*. D'autres, plus respectueux, s'entrediront qu'*à soir on pourrait ben appareiller. Veux-tu, i' fait fret, on va allumer le feu, chauffer le four* ou *mettre du bois dans le fourneau, on va chausser pour se réchauffer*. Cela dit d'un ton confidentiel et sans vulgarité. « S'aimer, c'est sacré ! »

Une pudeur naturelle

À la maison, la discrétion est de stricte rigueur. Même au jour de l'An, une poignée de main tout au plus. Jamais nous n'avons vu notre mère spontanée, démonstrative en matière d'amour gestuel. Quelquefois, comme pour se moquer ou par frustration, papa l'appelait sa « sainte réserve ». Il la connaissait, il l'avait épousée à dix-huit ans. « Ta mère est un peu farouche. C'est pas une minou-cheuse, pas une toucheuse, mais y a rien qu'elle ferait pas pour tout nous autres. Cours pas après, elle va prendre le bois. Que veux-tu, elle a été élevée comme ça, pas licheuse pour une miette ! »

Fait-elle tout par devoir ? Trouve-t-elle dans l'accomplisse-ment du devoir l'expression de son affectivité à notre égard ? C'est possible. Peur d'aimer ? Peur d'être aimée ? Par gestes explicites, assurément. Mais, encore une fois, que ne ferait-elle pour nous soigner, pour nous éduquer, pour nous envoyer aux études, pour recevoir nos amis ! Son hospitalité est totale, elle n'est jamais à court d'initiatives. Son dévouement est complet, évident.

Nous ne savions rien de leur vie sexuelle. Jusqu'au jour où, plus âgés, nous avons voulu taquiner papa sur le nombre restreint de ses enfants. Maman a quitté la cuisine et papa, seul, a répondu en souriant : « Tu sèmes quand c'est la saison, quand la terre le souhaite. Pas plus, pas moins. Pis tu laisses aller la nature. » Quant à maman, nous avions l'impression, fausse ou vraie, que, pour elle, l'important avait été moins de venir au monde que d'être baptisée, moins d'épouser que d'élever une famille, moins de faire des enfants que d'en faire des chrétiens. Ce qui expliquerait quelque peu qu'elle se souvienne de son mariage religieux comme d'un jour d'adieu. Un jour triste. Un jour de départ.

AU MATIN DE LEUR MARIAGE

Très tôt, selon la coutume, au matin du 13 mai 1902, ils se sont épousés. La sorte de « prône » de monsieur le curé Cyriac Bérubé, ils ne l'ont pas compris. « C'était long, j'me souviens », a dit papa. Puis :

D. Ne voulez-vous pas avoir Rose-Anna Blais qui est ici présente, pour femme et légitime épouse?

R. Oui, Monsieur le curé.

D. Ne voulez-vous pas avoir Caïus Lacroix qui est ici présent, pour mari et époux?

R. Oui, Monsieur le curé.

Plus tard, maman voudra comprendre exactement ce qui s'est dit au matin de son mariage. Le curé Deschênes lui a redit mot pour mot ce qu'elle, Rose-Anna Blais, et lui, Caïus Lacroix, avaient répété à l'appel du curé Bérubé:

> Je vous épouse et prends pour ma femme, Rose-Anna Blais, et je vous jure que je vous serai fidèle mari, et que je vous assisterai de tout mon pouvoir en toutes vos nécessités, tant qu'il plaira à Dieu de nous laisser ensemble, ainsi que lui-même le commande, et que notre Mère la sainte Église l'ordonne.

> Je vous prends pour mon mari et mon légitime époux, Caïus Lacroix, et je vous jure que je vous serai fidèle épouse, et que je vous assisterai de tout mon pouvoir en toutes vos nécessités, tant qu'il plaira à Dieu de nous laisser ensemble, ainsi que lui-même le commande, et que notre Mère la sainte Église l'ordonne.

Ma mère se souvient que « Monsieur le curé s'est mis à parler en latin, et moi pendant tout ce temps-là, je pensais qu'aujourd'hui j'allais quitter ma famille. Ça me faisait très mal. Et j'entendais déjà malgré moi les mots de la chanson *C'est le jour du mariage*, qui allait tous nous faire craquer après le déjeuner. »

1

C'est le jour du mariage,
C'est le seul jour de bonheur.
C'est dans ce précieux ménage,
Que j'ai engagé mon cœur.
Oh! le moment le plus triste,
C'est de m'y voir partir
Séparée de ma tendre mère,
Pour ne plus jamais revenir.

2

Mon amant me seras-tu tendre
Comme tu me l'as toujours dit ?
Le serment fait la promesse
De cette alliance bénie.
Souviens-toi de tes promesses ;
Conserve-moi tes amours.
Loin des bras de ma tendre mère,
Tu m'amènes c'est pour toujours.

3

Aujourd'hui ma mère pleure,
C'est de m'y voir partir
Dans un état étranger,
Dans un douloureux navire…

Papa nous confie que, durant toute la messe, il pensait à sa terre qui l'attendait pour le hersage ; il ne se souvient ni d'avoir été promis, bénit, sermonné, ni de l'anneau mis à la main gauche de Rose-Anna. Rien ! rien ! Elle nous explique : « Nous étions si jeunes… Est-ce que nous savions ce que nous faisions ? » Et papa de renchérir : « Nous savions que nous pourrions nous aimer, avoir des enfants, leur apprendre à aimer la terre. »

DEUX MANIÈRES DE CROIRE

Tous les deux vivent de la même ambiance de foi familiale et paroissiale. Ils aiment leur église et les cérémonies qui s'y déroulent. Ma mère, nous l'avons vu, a pour le culte, les sermons et les objets bénits des attirances plus évidentes que mon père davantage distrait dans ses dévotions.

En fait, l'un et l'autre représentent deux manières de croire. Pour ma mère, la religion est beaucoup une affaire de fidélité. Pour papa, il s'agit d'un univers de transmission de paroles. Ma mère cherche des affirmations. Mon père trouve des questions. Ma mère vénère le prescrit qui la conduit à l'intégration de la réalité. Mon père préfère l'expérience de vie qui le force à penser.

La foi de ma mère

Au-delà de toutes considérations immédiates, si nous comparons leurs croyances et leurs habitudes essentielles, nous nous rappellerons que Rose-Anna Blais est reine à la maison autant que Caïus Lacroix est roi sur sa terre. Ma mère peut se dire qu'elle a réussi sa vie puisque, sur cinq enfants, deux garçons sont prêtres et sa fille cadette, religieuse missionnaire, pendant que les deux autres continuent la lignée. Eh oui, à la maison, elle règne! Elle y prépare les repas, frotte, et surtout trouve le temps d'épousseter les statues, les bénitiers, les cadres religieux. Chaque matin elle sort ses livres de piété, voit à ce que tous fassent leurs prières, portent leurs médailles-scapulaires, partent à temps pour l'école, ou pour l'église. C'est encore ma mère qui s'occupe de voir à ce qu'il y ait ici et là, en temps et lieu, des rameaux bénits, dans chaque bâtiment, sous chaque crucifix. Elle veille sur les cartes mortuaires, surveille nos signes de croix, nos façons de prier. « Ta mère, dit papa, c'est le curé de la maison, et moé son vicaire. Mais pas à la grange ! »

Qu'elle a prié! Chapelets, litanies, invocations inventées ou imprimées au revers des images saintes ou des cartes mortuaires, oraisons jaculatoires, prières apprises par cœur. Que dire de son vieux livre de piété qu'elle prend soin d'apporter même à Sainte-Anne-de-Beaupré, lieu où elle synthétise toutes ses dévotions! Jamais, au grand jamais, elle n'a manqué ses indulgences dites de la Portioncule, ni ses entrées et sorties de l'église à la Toussaint. Petit, je lui ai demandé pourquoi elle priait autant et si souvent. « Je prie pour les autres. Ça fait beaucoup de monde à s'occuper. »

À l'église on prie et on chante surtout en latin. Elle ne comprend pas… et elle ne s'en fait pas. « Pourvu que le Bon Dieu comprenne, lui! » Dans les années 1960, au temps des premières liturgies en langue du pays, papa avait dit: « J'pense que ta mère, plus pieuse que moé, aurait ben aimé la messe d'aujourd'hui. Mais elle est au ciel; là, tout le monde comprend toutes les langues, parce que tout le monde s'aime. »

Inquiète, rigide, authentique, profonde, droite, la foi de ma mère se nourrit surtout de piété et d'obéissance. Il serait inconvenant pour la comprendre dans sa courageuse naïveté de multiplier les théories et les hypothèses dites socio-politico-religieuses pour la mesurer à la foi de mon père qui opère davantage au niveau social.

En fait, la foi de maman est une foi globale, et sans réticence. Ce n'est pas ma mère qui distinguerait entre foi personnelle et foi collective, entre foi de Caïus et foi de Rose-Anna, entre foi première et foi seconde. Pour elle, les deux font loi parce que d'héritage. « De toute façon, c'est le même Bon Dieu qui nous mène. »

Est-ce toujours la foi encore qui guide ma mère, ou les encouragements de Monsieur le curé, ou tout simplement l'intuition, sans compter son grand amour de l'instruction ? Elle accomplit ce qu'aucune femme du Rang Trois n'a réussi à l'époque : quatre de ses enfants poursuivent leurs études et ses deux filles apprennent le piano. Mon père est d'accord et s'honore à l'occasion de la perspicacité de celle qui, il le sait, est à l'origine de ce souci d'une éducation supérieure.

La foi de mon père

Bien entendu, il croit au même Dieu que sa Rose-Anna, il aspire au même ciel, il craint le même enfer, il veut éviter le même purgatoire. Sans doute parce qu'il vit plus près de la nature, dans les champs et avec les animaux, sa religion est plus cosmique et par là plus fataliste. Dans ce pays démesuré qui est le sien, le Canada, le Grand Nord, l'Est, l'Ouest, tout est facilement théâtral et mystérieux, inaccessible même. Le fleuve, l'interminable fleuve, ces immenses forêts dont il entend souvent parler par les hommes de chantier et les voyageurs de passage, des lacs partout, si nombreux que plusieurs n'ont pas encore de nom : tous ces lieux l'invitent à l'étonnement et à l'adoration. « Et dire que Dieu est partout ! »

Tout l'impressionne. Les montagnes à cause de leur hauteur, le firmament à cause de son immensité, la forêt de Maska à cause de son opacité. À la grange, comme les voisins quand ils reviennent des champs en fin d'après-midi et comme Monsieur le curé parfois face à l'Île d'Orléans, il aime chanter *Le Credo du paysan* qu'il appelle joyeusement son « hymne national » :

Dans les sillons creusés par la charrue,
Quand vient le temps, je jette à large main
Le pur froment qui pousse en herbe drue.
L'épi bientôt va sortir de ce grain ;
Et si parfois la grêle ou la tempête
Sur ma moisson s'abat comme un fléau
Contre le ciel, loin de lever la tête,
Le front courbé, j'implore le Très-Haut !

Son bonheur fait le nôtre. Déjà, il nous charme parce qu'il est fantaisiste, imprévisible, défricheur et voyageur, toujours prêt à partir, toujours heureux de revenir. D'autre part, il est ambitieux, il accepte mal l'échec social, par exemple une défaite libérale, ainsi que sa destitution de ses fonctions de secrétaire « permanent » de la Commission scolaire des rangs. Nettement attiré par le perron d'église, là où l'on parle à souhait avant les cérémonies, il adore discourir. « La meilleure gueule du comté ! » a-t-on dit. Bien sûr, il prie, il dit son chapelet, il est même assez radical : « Moé, j'crois à la religion ; j'sus certain qu'i' faut aller à l'église, se faire baptiser, se confesser, communier. I' faut y aller aussi pour être avec les autres et c'est bon de s'rencontrer. Pis, le curé a besoin de nous pour parler, parce que si on était pas là pour l'écouter i' pourrait jamais parler à personne. » Comprenons que, par ailleurs, il n'aime pas tellement les silences d'église ni les silences à la maison. Le Bon Dieu a parlé, le Christ aussi. Pourquoi se tairait-il ?

Plus questionneux que ma mère, ce n'est pas qu'il doute de son catéchisme, le même pour tous, mais il a pour son dire que « dans les affaires de religion, y a ben des manières de faire ». Dans toute vie, « y a du creyable, du fiable, du doutable et pis de l'increyable. Partout, y a du vrai avant comme après… Pis y a des vérités que tu crois pas tout de suite. C'est à apprivoiser à force d'y penser. » L'Immaculée Conception, par exemple : « Je crois que Dieu a une parole assez puissante pour faire ça. » L'Assomption ? « La Vierge est grimpée au ciel avec tout son beau corps pur. C'est correct, mes enfants ! » Ma mère s'émeut parfois à l'entendre dire ces choses parce qu'elle aussi aime la Sainte Vierge. Elle trouve cependant que son mari en dit trop pour ce qu'il sait. « Tu raisonnes trop, Caïus, prie un peu plus, parle un peu moins, ça ne te fera pas de tort. »

Fidélité aux ancêtres

La religion pour mes parents est moins une affaire de croyances qu'une affaire de famille : toute la famille va à la messe, jeûne, prie, va se confesser. Les normes à observer ne semblent pas trop perturber mon père puisqu'il obéit, à sa manière. Le plus important serait la continuité des rites partagés.

Comme ils admirent les ancêtres ! leurs coutumes ! leurs mots sacrés ! « Chaque fois qu'i' prenait un nouveau pain, le père Bram II y faisait une croix avec son couteau avant de le trancher. Bram I, ton arrière-grand-père, n'a pas souvent manqué son angélus… Beau temps mauvais temps, c'était la messe, les premiers vendredis du mois, pis des prières à la croix de chemin… Ben entendu, j'sus moins prieux que ta mère… Mais des fois j'pense qu'elle a trop de croyance. J'ai malgré moé comme des doutances. Les femmes achalent trop le Bon Dieu… »

Il trouve que faire un chemin de croix dans le temps de Noël, « c'est comme conduire Jésus à la mort avant qu'i' grandisse ». Et pourquoi à l'*Agnus Dei* se frapper dur la poitrine ? « Prier, c'est pas se punir. » « Rose-Anna, t'exagères… Quand t'as faim tu manges, et c'est ben. Mais tu manges pas tout le temps. Tu pries trop. » Elle saura lui répliquer à l'occasion : « Je prie trop ? Toi, tu parles trop. Tu es chanceux de ne pas avoir besoin du Bon Dieu comme moi. »

Une seule fois, il m'a avoué : « J'aimerais avoir la foi de ta mère ! En tout cas, mon garçon ben instruit, si tu veux savoir mon idée sur la vraie religion, va voir ta mère. Elle prie mieux que moé, mieux que le curé ; elle prie plus souvent, elle aime aller se confesser. La différence entre elle et moé est la même différence qu'y a entre sa maison toujours propre et belle et ma terre toujours en demande. »

MA MÈRE PART…

Le 10 janvier 1951. Maman est sur ses derniers milles. Nous en avons été avertis. Elle va mourir. Il faut aller chercher le docteur et le curé. Premier arrivé, le médecin confirme : « C'est la fin… Mais quand ? »

Depuis longtemps, pour ne pas dire depuis toujours, tout a été prévu par Rose-Anna Blais. Les petits-enfants ont reçu l'ordre de frotter les meubles dans la chambre déjà toute propre et bien balayée. Tout est prêt.

Elle, la secrète, surprend par ses propos brefs mais combien significatifs. « J'arrive au bout de mon fuseau… Le Bon Dieu viendra quand il voudra. J'ai souvent dit à la Sainte Vierge : *Et à l'heure de notre mort*, elle va comprendre. Je voudrais bien la voir avec le Bon Dieu et son Fils, puis toute la parenté de mes cartes mortuaires. Je pense que le bonheur ça se partage. Mes enfants, c'est important quand le Bon Dieu vient te chercher pour traverser de l'autre bord. Vous ferez dire des messes pour que je ne naufrage pas en route. »

Voir le prêtre avant de mourir a toujours été son rêve. Ce qu'on appelle *faire une belle mort*. « Ça veut dire que le Bon Dieu est content. » « Elle filera ainsi tout droit au paradis », disent les gens. À cause de tant d'indulgences plénières accumulées dans sa vie, à cause du rite des derniers sacrements, elle croit vraiment à cette grâce possible de ne pas passer par le purgatoire.

Monsieur le curé s'en vient. Une clochette à la main gauche du premier marguillier en avertit les gens. Il traverse le Troisième Rang Ouest. Quand, sur son passage, se trouve un habitant, neige ou pas, froid ou pas, ce dernier s'agenouille. « Quand le Bon Dieu est là, disait papa, faut du respect, pis de la politesse. Si t'as pas mal aux pattes, mets-toé à genoux ! Le Bon Dieu, i' mérite ben ça lui qui a pas eu peur de mourir pour nous autres sur une croix à la fin de l'hiver. »

Papa l'a entendu venir du bout du rang : « Le temps est écho. » Que d'émotion ! Que d'attention ! Le curé Cantin a tout fait, et c'est au pire de l'hiver, pour offrir à la mourante l'extrême-onction et toutes les prières possibles dans la circonstance.

Ce que papa m'a cent fois raconté — car je n'étais pas là — est tout simple et tout vrai à la fois. Aussitôt arrivé et pendant que mon frère Léopold est allé dételer le cheval, Monsieur le curé est entré ; il a causé, une minute à peine, monté l'escalier, et s'est tout de suite dirigé vers la chambre où était maman, tout heureuse d'une telle visite. Sur une table recouverte d'une nappe blanche, il y a un crucifix, deux chandeliers, deux cierges, l'eau bénite, un aspersoir, deux plats, sept pelotons de coton, des miettes de pain dans une assiette à utiliser après l'onction, une aiguière d'eau et une serviette.

Allongée sur son lit, recueillie, chapelet en main, maman n'a qu'un mot à dire : « Merci ». Elle est déjà bien affaiblie. Après quelques prières en latin, Monsieur le curé dépose les saintes huiles sur la table, il asperge la chambre avec l'eau bénite. Les cierges sont allumés. Papa, mon frère aîné et ma sœur aînée, seuls présents, ont quitté la chambre un instant. « Ça va de soi : c'est la confession. » Puis ils reviennent pour les onctions rituelles avec l'huile des infirmes : onctions en forme de croix sur les yeux, les oreilles, les narines, la bouche, les mains, sur la poitrine près du cou, puis sur les pieds. Ensuite, Monsieur le curé s'essuie les mains avec le pain, les lave dans un plat bien propre ; il demande qu'on jette l'eau de l'ablution dans le *signe*.

Il prie, il récite le prologue de l'évangile de saint Jean, présente le crucifix à ma mère, la bénit encore, lui offre l'indulgence plénière de la Bonne Mort, reprend lentement le *Notre Père*, le *Je vous salue, Marie*, puis *Jésus, Marie, Joseph…* Il demande à maman si elle est fatiguée, trop fatiguée. Au signe négatif de tête, il enchaîne avec la récitation des *Actes de foi*, *d'espérance*, *de charité*, *de contrition*, et le *Souvenez-vous* qu'elle aime tant. La fin approche ! Émus, à genoux, papa, Jeanne et Léopold prient avec tout le ciel. Ce sont les *Litanies des Saints*, pendant que les cierges brûlent toujours. Finalement, maman s'endort de fatigue et chacun retourne à son travail. Il est quatre heures de l'après-midi.

Le mardi 16 janvier 1951

Maman meurt un mardi matin à neuf heures, le 16 janvier 1951. Comme elle l'a souhaité, elle s'éteint à la maison dans sa cuisine qui fut à la fois son lieu de travail, son ermitage et l'« oratoire » témoin de ses prières privées. Accompagnée de sa petite-fille Aline, infirmière, de passage à la maison, pour elle toujours attentive, tendre et généreuse, elle meurt d'une insuffisance cardiaque provoquée par de fréquentes crises d'asthme. Elle mourra, assise dans sa berceuse brune, les yeux comme perdus dans les nuages, avant le printemps qu'elle espère peut-être revoir. Une mort à son image, à l'image de sa foi sobre et douce. Elle a soixante-huit ans, six mois et six jours. Elle était née le 10 juillet 1882.

Il paraît qu'au village, la nouvelle est arrivée par des informateurs interposés. Les glas ont sonné, par tintements rituels : deux coups par cloche, à commencer par la petite cloche. Après trois séries successives de deux coups de tintements par chacune des trois cloches, c'est la volée. Le soir même, les gens sont *venus au corps*, à la maison, mais peu nombreux, à cause de la tempête. Ce fut calme, normal pour une personne effacée et si discrète. L'humilité même, maman n'aurait pas aimé qu'on se trouble parce qu'elle meurt, elle qui n'a jamais voulu déranger qui que ce soit durant sa vie.

Le samedi 20 janvier 1951

Avec deux fils prêtres et sa cadette religieuse chez les Sœurs Missionnaires de l'Immaculée-Conception, le « service à l'église » se doit d'être grandiose, de première classe. Mais ce jour des funérailles, un samedi 20 janvier, coïncide avec la pire tempête de l'hiver. Il faut le matin ouvrir les chemins à deux reprises, louer une *snowmobile*, une autoneige, pour transporter le cercueil jusqu'à l'église. À la suite de l'autoneige, une première carriole pour le porte croix, Joseph Bélanger, un voisin. Suivent de peine et de misère un premier traîneau pour les porteurs, nos voisins encore ; un autre traîneau pour papa et la famille immédiate, puis quelques voitures au ralenti, dispersées à cause de la tempête qui ne cède pas. Dans les traîneaux, nous sommes souvent encantés et toujours menacés de dérive. Pénible ! Pénible ! Nous arrivons à l'église avec trente-cinq minutes de retard. Il est 11 heures 4 minutes quand les cloches se mettent à sonner les glas des funérailles. Elles sonnent presque cinq minutes, le temps de ranger les voitures et de dételer les chevaux.

Malgré la tempête, nous nous retrouvons dans une église « bondée de monde ». Ébranlé, sans paroles, après avoir regardé tout autour, de ses deux yeux mouillés notre père fixe éperdument le catafalque enveloppé de noir. « Ma Rose-Anna partie… Non, ce sera plus jamais pareil… »

Monsieur le curé en terminant son sermon : « Madame Caïus Lacroix, c'était une croyante dépareillée… Avec des femmes comme elle, toute la paroisse ira au Paradis… C'est la grâce que je vous souhaite au nom du Père et du Fils et du Saint-Esprit. Ainsi soit-il. »

La cérémonie achevée, les glas ont resonné durant quelques minutes, alors que nous descendons au charnier sous la sacristie. Ce n'est qu'en mai que notre mère sera enterrée dans le cimetière, sans cérémonie spéciale comme c'était l'habitude.

…PUIS MON PÈRE, LE SAMEDI 13 SEPTEMBRE 1969

Papa s'en va à son tour, à la suite d'une paralysie cérébrale qui dure quinze jours. Il meurt à l'hôpital Notre-Dame-de-Lourdes, au village de Saint-Michel-de-Bellechasse, le samedi 13 septembre 1969, à quatre-vingt-cinq ans, neuf mois et quatre jours, donc dix-huit ans après la mort de son épouse. Caïus Lacroix avait face à sa propre mort des propos plutôt nostalgiques. N'ayant plus sa Rose-Anna pour le ralentir, il y allait de mille et une réflexions.

« Dans tes vieux jours, tu t'accalmies, tu galopes pas, t'arrives moins vite, t'es moins sûr de toé, t'es quelques miettes moins sautilleux. Pis quand t'es vieux, t'es rempli de défauts : tu t'entêtes, tu t'attendris, tu veux rien laisser, tu vois plus l'air de finir tes histoires, tu dis la même chose parce que tu vis les mêmes choses. Vieillir, c'est perdre des pelures. Ben entendu, on bardasse encore un peu, on picosse, mais on saute pu les clôtures. Tu laisses ça à tes garçons qui sont dans leur âge d'entreprenance… La vieillesse, c'est comme une maladie mortelle. Tu peux plus mentir avec la vie, la mort finira ben par te rattraper un jour. En tous les cas, j'sais, moé, que mon voyage est presque fini… J'le sais. J'le sens. Aujourd'hui que je m'en vas sur mes quatre-vingt-cinq ans, je r'garde moins le fleuve que la belle érable d'à côté : un arbre, ça se feuille, ça se défeuille. Comme moé avec les années ! Le fleuve, i' va continuer son chemin, et tout le monde, comme lui, va nous oublier… »

Un jour que je lui demandais pourquoi il ne s'était jamais remarié : « Ça aurait été comme changer de mémoire. Ça se fait pas. » « Maintenant que ta mère est partie — déjà 18 ans ! — j'sais mieux ma destinée. Comme un vieux cheval, ce vieux cheval qui me ramenait après la veillée lorsque j'allais la visiter le dimanche soir, je connais le chemin de retour à la maison. J'peux m'endormir en paix. »

Un de ses derniers avertissements, comme il aimait en faire à ses heures : « La mort ! Elle arrive toujours à l'heure. Tu le sais, elle a du pouvoir. I' faut être poli avec elle. Elle a toujours le dernier mot. Moé, j'essaierai de lui dire *Bonjour* ! I' est temps que j'aille revoir ma Rose-Anna… »

Il n'oubliera jamais. Il ne voudra jamais oublier, jusqu'à sa mort à lui, sa vie avec Rose-Anna Blais. Il n'a jamais oublié ce 20 janvier, au fin fond du Troisième Rang Ouest à Saint-Michel-de-Bellechasse, ce jour de vent, de neige et de fortes poudreries, le jour le plus triste de nos vies, bien que je me souvienne de ne pas avoir assez pleuré ce jour-là ! Maman partie, nous serons seuls. Lui. Moi.

Lui aussi s'en est allé. Me voilà deux fois plus seul. Chacun son tour ! Patience ! « Il faut être poli avec la mort ! »

21. *Calvaire du cimetière de Saint-Michel.*

22. *La croix de chemin
du Troisième Rang Ouest
de Saint-Michel.*

23. *Statue de saint Michel Archange,
patron de la paroisse
de Saint-Michel.*

Rose-Anna Blais, épouse
légitime de [...] Lacroix,
décédée en cette paroisse, le
seize précédemment munie des
sacrements de l'église, à
l'âge de soixante-trois ans
et six mois. Étaient présents
à l'inhumation, [...] Lacroix,
Léopold Lacroix, le P. Benoît
Marie O.P., l'abbé Alexandre
Lacroix, Émile Gagnon, plusieurs
parents et amis dont quelques-
uns ont signé avec nous.
Lecture faite

[signatures:]

Armand Déry ptre
Aimé Lacroix
Émile Gagnon
Ernest Fournier
Alexandre Lacroix fils
P.E. Bélanger m.d.h.
Léopold Lacroix
Capt Émile Boilard
Alphonse Blais
Ernest Lagacé
Paul Benoit
Aimé Lacroix
Benoît Marie Lacroix, O.P.
Alphée Blais
Th. André Am g.t. o.p.
René Godeau o.p.
Michel Côté O.P.
                    Joseph Lacroix, ptre
        Le vingt-sept janvier

24. *Acte de sépulture de Rose-Anna Blais.*

25. *Acte de sépulture de Caïus Lacroix.*

26. *Stèle funéraire de Rose-Anna et Caïus
au cimetière de Saint-Michel.*

27. L'une des trois cloches du carillon de l'église Saint-Michel.

28. Orgue de l'église Saint-Michel construit par Napoléon Déry.

29. Crucifix géant de Saint-Michel.

30. Pieta de Saint-Michel.

31. Confessionnal de Saint-Michel.

32. *Enfant Jésus en cire, figurine très ancienne de la crèche de Saint-Michel.*

33. *Âne et bœuf, figurines en plâtre de la crèche de Saint-Michel.*

34. *Petit ange de la crèche, en plâtre, dont la tête s'incline au dépôt d'une pièce d'argent.*

35. *Ciboires, calices, burettes et boîte à*
hosties, œuvres en argent massif
de Laurent Amyot.

36. *Ancien ostensoir*
de Saint-Michel.

37. *Encensoir, navette et cuillère, bénitier et goupillon,*
œuvres en argent massif de Laurent Amyot.

38. Vue aérienne du village de Saint-Michel en septembre 1993.

ANNEXES

Blais-Lacroix

Ascendance de Rose-Anna Blais[1]

Mathurin BLAIS
f. de Jacques &
Louise PENIGAUD
(s.2/12/1629 Melleran)
Hanc, arr. Niort
évêché d'Angoulême
(Deux-Sèvres)

30 avril 1634[2]
Melleran, arr. Niort

Françoise PENIGAUT(D)
f. de Pierre († av. 1630) &
Michelle TAFFOIN

paroisse Saint-Sulpice, Paris
archevêché de Paris

PREMIÈRE GÉNÉRATION

Pierre BLAIS
(v.1639-1642–16/02/1700)

12 octobre 1669
Sainte-Famille, Île d'Orléans

Anne PERROT (PERRAULT)
(v.1643-1646–29/06/1688)
f. de Jean & Jeanne VALTA
Saint-Sulpice, ville et
archevêché de Paris
(fille du Roi)

DEUXIÈME GÉNÉRATION

Pierre BLAIS
(b.18/02/1673–s.22/12/1733)

9 novembre 1695
Saint-François, Île d'Orléans

Françoise BEAUDOIN
(12/06/1676–1733ss)
f. de Jacques & Françoise
DURAND
(c.m. Vachon 24/03/1671)

TROISIÈME GÉNÉRATION

Louis BLAIS
(b.29/09/1705–s.25/08/1793)

17 août 1733
Berthier-sur-Mer

Marie-Anne MERCIER
(b.1713–s.17/01/1772)
f. de Pascal &
Madeleine BOUCHER
(c.m. n. Jacob 16/02/1705)

QUATRIÈME GÉNÉRATION

Louis(Michel) BLAIS
(b.6/01/1736–s.16/03/1802)

14 novembre 1757
Saint-Pierre-du-Sud

Geneviève GAULIN
(v.1739–s.15/07/1779)
f. d'Antoine &
Brigitte GAGNÉ
(c.m. n. Michon 13/11/1735)

1. av.: avant; b.: baptême; c.m.: contrat de mariage; f.: fille ou fils; m.: mariage; n.: notaire; s.: sépulture; v.: vers; vf: veuf.

2. Il s'agit de son deuxième mariage. Il avait épousé en premières noces Marie Auchier, le 9 février 1630 à Melleran.

CINQUIÈME GÉNÉRATION

Louis BLAIS
(b.17/11/1766–s.29/10/1842)

8 avril 1793
Saint-François-du-Sud

Marie-Marthe LEMIEUX
(v.1774–s.8/11/1861)
f. de Guillaume & Marthe
DION
(m. Berthier 1/02/1773)

SIXIÈME GÉNÉRATION

Joseph BLAIS
(13/3/1808–s.27/05/1892)

22 juillet 1828
Saint-Gervais

Marguerite TURGEON
(29/09/1808–s.24/11/1887)
f. de Jean-Baptiste &
Marguerite MERCIER
(m. St-Charles 3/07/1804)

SEPTIÈME GÉNÉRATION

Damase BLAIS
(1/01/1836–22/03/1920)

7 septembre 1858
Saint-Raphaël

Philomène PILOTE
(4/05/1842–21/09/1914)
f. de François &
Christine BOLDUC
(m. St-Michel 26/11/1839)

HUITIÈME GÉNÉRATION

Rose-Anna BLAIS
(10/07/1882–16/01/1951)

13 mai 1902
Saint-Raphaël

Caïus LACROIX
(9/12/1883–13/09/1969)

Philéas Blais
(15/08/1862–19/12/1906)

19 juillet 1883
Saint-Raphaël

Aurélie Boulet
f. de David & Émilie Fidèle

Adélard Blais
(12/08/1863–?)

Olympe Blais
(5/10/1867–s.15/02/1958)

9 avril 1888
Saint-Raphaël

1) Xavier Côté
(1863–s.11/11/1922)
f. de Gédéon & Marie
Gosselin

15 janvier 1927
Saint-Raphaël

2) Ludger Dion
(1863–s.9/12/1944)
vf de Marguerite Carbonneau

Joseph Amédée Émile Blais
(17/05/1874–† aux É.-U.)

Demoiselle Royer

Angélina Blais
(20/01/1876–26/02/1931)

7 janvier 1901
Saint-Raphaël

Adélard Nadeau
(b.11/08/1874–s.13/02/1950)
f. de Théophile & Geneviève
Proulx

Théophile Blais
(26/05/1878–28/03/1880)

Ascendance de Caïus Lacroix

Jacques de LACROIX
Confolens
Évêché de Poitiers, Poitou
(Charente)

Antoinette CHAMBON

PREMIÈRE GÉNÉRATION

David-Joseph de LACROIX
(b.1644–3/10/1712)

20 janvier 1681[3]
L'Islet

Barthélémie MAILLOU(X)
(v.1661–entre 14/01/1714–
15/07/1716)
f. de Michel & Jeanne
MERCIER
Brie-sous-Matha, arr. Saint-
Jean d'Angély, évêché Saintes
(Saintonge)

DEUXIÈME GÉNÉRATION

Louis LACROIX
(v.1691–17/02/1726)

14 janvier 1714
Beaumont

Suzanne LABRECQUE
(14/09/1694–s.10/05/1780)
f. de Mathurin &
Marie-Marthe LEMIEUX
(m. Lauzon 5/11/1693)

TROISIÈME GÉNÉRATION

Joseph LACROIX
(b.29/03/1717–s.19/08/1778)

25 mai 1739
Saint-Michel

Marie-Louise BRIDEAU
(8/05/1719–s.3/10/1793)
f. de Jean-Hilaire &
Marie-Josephte PAQUET
(m. N.-D. Québec 3/09/1716)

QUATRIÈME GÉNÉRATION

Charles LACROIX
(b.24/10/1747–s.7/05/1828)

4 octobre 1779
Saint-Michel

**Marie BA(C)QUET dit
LAMONTAGNE**
(b.11/09/1752–?)
f. de Jean-Baptiste &
Angélique QUÉRET
(m. St-Michel 3/11/1750)

---

3. Il s'agit de son second mariage. Il avait d'abord épousé, à Notre-Dame de Québec le 19 octobre 1671, Antoinette Bluteau, fille de feu Louis Bluteau et d'Antoinette Legrand, de Condé-sur-Escout, arr. Valenciennes, évêché de Soissons (Picardie Nord). Dans le contrat de mariage devant le notaire Becquet le 13 octobre 1671, son nom est orthographié « David de la Croix » et il est dit « habitant de la Durantaye ». Antoinette Bluteau décédera à La Durantaye entre le 27 janvier 1675 et le 18 janvier 1681. Sans postérité.

CINQUIÈME GÉNÉRATION

Pierre LACROIX | 22 février 1802 | **Marguerite LABRECQUE**
(15/11/1781–s.16/01/1871) | Saint-Gervais | (26/05/1783–s.2/03/1858)
f. de Joseph & Marie-Anne
LACASSE
(m. St-Michel 8/10/1770)

SIXIÈME GÉNÉRATION

Abraham (Thomas) LACROIX | 13 octobre 1846 | **Archange BOLDUC**
(v.1824–s.17/02/1898) | Saint-Vallier | (v.1822-s.19/02/1884)
f. de Pierre & Geneviève RATÉ
(m. St-Michel 2/10/1810)

SEPTIÈME GÉNÉRATION

Abraham LACROIX | 14 août 1877 | **Alphonsine BÉLANGER**
(2/08/1854–28/02/1936) | Saint-Raphaël | (14/10/1860–28/01/1929)
f. de François-Xavier &
Florence DUGAL
(m. St Michel 27/11/1849)

HUITIÈME GÉNÉRATION

Caïus LACROIX | 13 mai 1902 | **Rose-Anna BLAIS**
(9/12/1883–13/09/1969) | Saint-Raphaël | (10/07/1882–16/1/1951)

Alphonsine Lacroix
(15/06/1878–16/02/1879)

Anaïs Lacroix | 14 janvier 1902 | Alphonse Lemieux
(16/01/1880–29/10/1961) | Saint-Raphaël | (10/1878–23/11/1951)
f. de Charles & Marie
Beaudoin

Marie-Éva Lacroix
22/05/1882–13/07/1882)

Amédée Lacroix | 29 septembre 1908 | 1) Ludivine Isabelle
(1/11/1887–s.29/08/1973) | Saint-Gervais | (29/07/1886–9/06/1920)
f. de Joseph-Cléophas & Adèle
Roy

19 octobre 1920 | 2) Maria (Stella) Fradette
Saint-Raphaël | (10/03/1902–11/12/1998)

Joseph Lacroix, prêtre
(3/12/1891–20/09/1979)

Descendance de Rose-Anna Blais et de Caïus Lacroix

Rose-Anna BLAIS		13 mai 1902	**Caïus LACROIX**
10 juillet 1882–		Saint-Raphaël	9 décembre 1883–
16 janvier 1951			13 septembre 1969

I	**Jeanne LACROIX**	1	Paul-André GAGNON	7 novembre 1928
	9 mai 1903–	2	Lucienne GAGNON	22 janvier 1930
	16 avril 1989	3	Rose-Anne GAGNON	28 février 1931
		4	Jeannine GAGNON	4 juin 1932
	5 septembre 1927	5	Léo GAGNON	17 octobre 1933
	Saint-Michel	6	Lucille GAGNON	1er décembre 1934–
				19 septembre 1937
		7	Simone GAGNON	21 janvier 1936
	Émile GAGNON	8	Benoît GAGNON	14 novembre 1937
	1er juillet 1896–	9	Albert GAGNON	20 janvier 1939
	3 novembre 1974	10	Jean-Marie GAGNON	31 juillet 1940
	f. de Damase &	11	Joseph GAGNON	6 septembre 1942
	Georgianna Corriveau	12	Alexandre GAGNON	27 mars 1944
	(m. St-Vallier 4/03/1878)	13	Henri GAGNON	2 novembre 1945
		14	Lucille GAGNON	11 juillet 1947
II	**Léopold LACROIX**	1	Thérèse LACROIX	8 novembre 1929
	11 novembre 1904–	2	Robert LACROIX	24 novembre 1931–
	19 août 1979			5 octobre 1978
		3	Aline LACROIX	20 janvier 1933
	11 juillet 1928	4	Rolande LACROIX	8 mai 1934
	Saint-Vallier	5	Benoît LACROIX	28 juillet 1935
		6	Cécile LACROIX	8 janvier 1937
	Marie-Louise ROCHEFORT	7	Raymond LACROIX	6 avril 1938
	20 septembre 1905–	8	Arthur LACROIX	17 mai 1942
	9 juillet 1991	9	Monique LACROIX	13 juillet 1944
	f. d'Arthur &	10	André LACROIX	16 février 1946
	Alexandrine Breton	11	Jean-Paul LACROIX	17 février 1947

III **Alexandre LACROIX**
19 avril 1909–23 avril 1983
prêtre séculier, 15 juin 1935 (ordination), Québec

IV **Joachim LACROIX**
8 septembre 1915–
Père Benoît, dominicain, 5 juillet 1941 (ordination), Ottawa

V **Cécile LACROIX**
18 octobre 1918–
Sœur Thérèse du Sacré-Cœur, sœur Missionnaire de l'Immaculée-Conception
5 août 1943 (vœux perpétuels), Pont-Viau, Laval

Donation de Rose-Anna Blais
et de Caïus Lacroix

L'an mil neuf cent vingt-sept, le vingt-neuvième jour d'août, Devant Mtre Art. Martineau, Notaire, pour la Province de Québec, résidant et pratiquant en la paroisse de St-François de Montmagny. Ont comparu : Sieur Caïus Lacroix, cultivateur, de la paroisse de St-Michel, Co. Bellechasse. Et son épouse Dame Rose-Anna Blais autorisée pour agir dans les présentes par son époux ici présent et l'autorisant. Lesquels font donation entrevifs actuelle et irrévocable à leur fils Léopold Lacroix, gentilhomme, du même endroit, ici présent acceptant, et se tenant la présente pour signifiée, savoir :

1) Une terre avec bâtisses dessus construites circonstances et dépendances contenant deux arpents de front sur quarante arpents de profondeur, plus ou moins, connue et désignée sous le numéro quatre cent douze (412) aux plan et livre de renvoi officiels du cadastre de St-Michel, Co. Bellechasse.

2) Un circuit de terre contenant trois quarts d'arpent de front sur vingt arpents de profondeur, plus ou moins, connu et désigné sous le numéro quatre cent cinquante neuf (459) aux plan et livre de renvoi officiels du cadastre de St-Michel.

3) Un autre circuit contenant deux arpents de front sur un arpent et demi de profondeur, plus ou moins, connu et désigné comme lot numéro quatre cent soixante et un (461) aux plan et livre de renvoi officiels du cadastre de St-Michel, Co. Bellechasse.

4) Tout le roulant de la propriété comprenant : animaux, voitures, instruments aratoires, foin, grain, harnais, en un mot tout ce qui sert à l'exploitation de la ferme. Les donateurs se réservent l'usufruit et jouissance de tout ce que dessus donné d'ici au premier mai mil neuf cent trente deux et d'ici là, le donataire sera tenu de travailler pour le bénéfice des donateurs suivant ses forces et capacités et de leur côté les donateurs s'obligent de garder avec eux, loger, nourrir, entretenir, vêtir le donataire, durant le délai d'usufruit et d'en prendre soin en bon père de famille, lui et son épouse, s'il vient à se marier, et les descendants.

Il est entendu que les donateurs se réservent le droit durant l'usufruit de vendre, aliéner ou échanger des articles de roulant sus indiqués, au fur et à mesure que la chose sera nécessaire, pourvu que la valeur totale n'en soit pas diminuée, si ce n'est par force majeure.

À charge pour le donataire de payer pour ce qu'il reçoit, les taxes cotisations locales et foncières pour l'avenir à courir de la prise de la possession de ce que dessus donné.

Les donateurs se réservent l'usufruit et jouissance de la moitié de la maison sus donnée, partie sud-ouest, leur vie durant et celle du survivant d'eux, laquelle partie de maison devra être chauffée aux frais du donataire. La présente donation est faite en outre à charge pour le donataire de payer aux donateurs, leur vie durant et celle du survivant d'eux, une rente viagère de deux cents piastres par année, payable semi-annuellement, le premier paiement devant se faire au premier novembre mil neuf cent trente deux pour ainsi se continuer de six mois en six mois consécutivement.

Le donataire aura la propriété de ce que dessus désigné lui ou ses représentants aux conditions émises et d'ici au parfait paiement ce que dessus donné demeurera hypothéqué.

Fait et passé à St-Michel les jour mois et an susdits sous le numéro huit mille six cent cinquante des minutes du Notaire sous signé. Lecture faite, les comparants ont signé (signe) Caïus Lacroix, Rose-Anna Blais, Léopold Lacroix, Art. Martineau, N.P. Vraie copie de la minute demeurée en mon étude. Art. Martineau, N.P.

(Copie au Bureau d'enregistrement de Saint-Raphaël de Bellechasse, enregistrée le 9 septembre 1927, sous le numéro 54127)

Terres de Rose-Anna Blais
et de Caïus Lacroix

21 décembre 1901   Abraham Lacroix de Saint-Raphaël achète d'Édouard Letellier, oncle de Caïus (qui les avait reçus en don de Joseph Letellier), les trois lots du Troisième Rang de Saint-Michel (n°s 412, 459 et 461) pour la somme de 2500 $. Il doit entrer en possession de la terre le 1er mai 1902.

1) Lot n° 412 : Une terre de 2 arpents de front sur 40 arpents de profondeur avec les bâtisses dessus construites ; « De figure irrégulière, borné au Nord par la Rivière Boyer, au Sud par le N° 459, à l'Est par le N° 411 & à l'Ouest par le N° 413 ; contenant en superficie soixante-trois arpents & quatre vingt dix perches. (63.90) »

2) Lot n° 459 : Un circuit de terre de 3/4 arpent de front sur 20 arpents de profondeur (4e Concession) ; « De figure irrégulière, borné au Nord par le N° 412, au Sud par le N° 460, à l'Est par le N° 462 & à l'Ouest par le N° 413 ; contenant en superficie cinq arpents & soixante-dix perches (5.70) »

3) Lot n° 461 : Un circuit de terre de 2 arpents de front sur 1½ arpent de profondeur ; « De figure irrégulière, borné au Nord par le N° 460, au Sud par la ligne limitative entre cette paroisse-ci et la paroisse de St-Raphaël, à l'Est par les N°s 462 & 464 & à l'Ouest par les N°s 457 & 458, contenant en superficie onze arpents & dix perches (11.10) » Corrigé plus tard pour « 7.5 h[ect]a[res] ».

8 octobre 1905   Acte de donation d'Abraham Lacroix et d'Alphonsine Bélanger à leur fils Caïus des trois lots ci-haut. Caïus doit s'engager à leur remettre 550 $ payable sur six ans. La quittance est datée du 25 mars 1910.

26 mai 1913   Achat par Caïus du lot n° 413 de son voisin Georges Brochu, qui l'avait acquis lui-même de Joseph Corriveau le 18 août 1894, et du lot n° 179 de Saint-Raphaël, au montant de 3150 $, dont 150 $ comptant :

4) Lot n° 413 : Une terre du 3e Rang Ouest de Saint-Michel avec bâtisses dessus érigées. « De figure irrégulière, borné au Nord par la Rivière Boyer, au Sud par les N°s 451, 453 & 455, à l'Est par les N°s 412, 469 & 470 & à l'Ouest par le N° 414 ; contenant en superficie soixante-dix huit arpents (78). »

5) Lot n° 179 : Une terre à bois de Saint-Raphaël.

29 août 1927   Donation de Rose-Anna Blais et de Caïus Lacroix à leur fils Léopold des trois lots N°s 412, 459 et 461.

Repères chronologiques

Saint-Michel/Bellechasse*

par Giselle Huot

1672

29 octobre – Cession par l'intendant de la Nouvelle-France, Jean Talon, d'une seigneurie à Olivier Morel de La Durantaye, capitaine au régiment de Carignan : deux arpents de front sur deux arpents de profondeur, en bordure du fleuve Saint-Laurent, depuis le saut de Charles Couillard, Sieur des Islets, qui a reçu la seigneurie de Beaumont, jusqu'à l'anse de Bellechasse, soit le territoire correspondant aux paroisses de Saint-Michel et de Saint-Vallier. Voir 1693 et 1696.

1678

30 octobre – Érection canonique par Mgr François de Laval d'une grande paroisse sans titulaire contenant plusieurs seigneuries : La Durantaye (Saint-Michel et Saint-Vallier), Berthier, Cap Saint-Ignace, L'Île-aux-Oies, La Bouteillerie, Saint-Denis, La Combe et Rivière-du-Loup. L'abbé Pierre Thury en est le prêtre desservant.

Au début, les offices se font dans la maison du capitaine de milice Jacques Corriveau, puis dans une ancienne laiterie transformée en chapelle dédiée à sainte Anne.

1681

Au recensement, les premiers tenants du sol sont au nombre de seize familles, pour un total de 59 personnes. David Lacroix, 34 ans, et Barthélémie Mailloux, 20 ans, possèdent treize arpents en valeur et trois bêtes à cornes. Seul Nicolas Le Roy dépasse ce nombre d'arpents en valeur : 20 arpents, alors que Julien Boissel possède aussi 13 arpents.

1er janvier – Ouverture du premier « Registre des baptêmes, mariages, sépultures de la Côte Sud ».

1692

26 septembre – Érection de la paroisse de Beaumont et ouverture des registres.

1693

Agrandissement de la seigneurie de La Durantaye : trois lieues de profondeur sur trois lieues de largeur entre les terres de Beaumont et de Berthier, comprenant la pinière de la rivière Boyer.

La seigneurie de La Durantaye est constituée en paroisse sous le vocable de Saint-Laurent de La Durantaye.

Premier curé, le père Guillaume Beaudoin, récollet, jusqu'en 1697.

9 janvier – Ouverture des registres paroissiaux.

1696

7 mai – Nouvel agrandissement de la seigneurie de La Durantaye : deux à trois autres lieues attenantes à la rivière Boyer, à la côte de Lauzon et à la seigneurie de Beaumont. La superficie totale de la seigneurie est alors de 70 560 arpents.

---

* Sauf indication contraire, il s'agit toujours de la paroisse de Saint-Michel-de-Bellechasse. Renseignements tirés des livres cités dans la bibliographie, ainsi que des archives de la Paroisse ou de la Fabrique de Saint-Michel et des archives de la Municipalité de Saint-Michel-de-Bellechasse.

1698

Pour éviter toute confusion avec la paroisse de Saint-Laurent de l'Île d'Orléans, la paroisse de La Durantaye porte désormais le nom de Saint-Michel de La Durantaye (qui comprend Saint-Michel et Saint-Vallier jusqu'en 1713).

août – L'abbé Germain Morin, troisième curé, est le premier prêtre canadien.

1700

Arrivée de l'abbé Martin Turpin, curé jusqu'en 1701. Il s'installe chez le paroissien Jacques Corriveau.

21 septembre – Le nom de Saint-Laurent de La Durantaye est mentionné pour la dernière fois dans les actes paroissiaux.

1701

7 février – Le nom de Saint-Michel est utilisé pour la première fois dans les actes paroissiaux.

1702

Jacques Corriveau cède au curé une laiterie qui est convertie en chapelle-presbytère.

3 avril – Première messe dans la première chapelle de la seigneurie de La Durantaye, la chapelle Sainte-Anne (située dans la partie correspondant à Saint-Vallier).

17 avril – Premier marguillier : Noël Le Roy.

30 mai – Première croix de chemin sur la terre de Jacques Corriveau donnant sur le chemin du Roi.

1706

Au recensement, la seigneurie de La Durantaye est peuplée de 225 âmes.

1712

1er mars – Louis Lacroix fait don d'un terrain d'un arpent carré pour la construction d'une église, d'un presbytère et d'un cimetière. Voir 1732 et 1782.

Septembre – Début de la construction de la première église en pierre, très petite. Voir 1733.

1713

Automne – Les offices religieux se tiennent à l'église non encore terminée.

Érection par Mgr de Saint-Vallier de la paroisse de Saint-Vallier sous le patronage de saint Philippe et saint Jacques.

1714

29 octobre – Mandement épiscopal de Mgr de Saint-Vallier qui divise officiellement la paroisse de La Durantaye en deux paroisses distinctes. Tout le territoire à l'est de la rivière Boyer forme désormais une paroisse autonome sous le vocable des saints Philippe et Jacques, et prendra plus tard le nom de Saint-Vallier. Le territoire situé à l'ouest de la rivière Boyer conserve le nom de Saint-Michel-de-La-Durantaye.

1715

Construction du premier presbytère.

1716

Mort du premier seigneur, Oliver Morel de La Durantaye. Son fils aîné, Louis-Joseph, hérite de la moitié du fief, la partie aujourd'hui connue sous le nom de Saint-Vallier.

1719

Le nouveau seigneur voulant retourner en France offre sa seigneurie à Mgr de Saint-Vallier qui l'achète au nom des religieuses de l'Hôpital Général de Québec. La seigneurie de La Durantaye prend le nom de Saint-Vallier.

1720

Le manoir de La Durantaye devient la propriété des Dames religieuses de l'Hôpital Général de Québec.

1722-1726

Construction de la première église de Saint-Vallier.

1724

26 septembre – Cloche de 135 livres fondue à Saint-Michel.

1732

29 décembre – Nicolas Morrisset et André Lacroix, frère de Louis (voir 1712), donnent une autre parcelle de terrain à la Fabrique.

1733

24 juin – Pose et bénédiction de la première pierre de la seconde église. Voir 1806.

1736

Inauguration de la seconde église.

1739

L'abbé Joseph-Marie de La Corne, neuvième curé, jusqu'en 1747. C'est lui qui fait construire le presbytère actuel en pierre (50 pieds de longueur sur 35 pieds de largeur), l'un des plus anciens en Amérique. Voir 1790.

1740

Érection de la paroisse de Saint-François-de-la-Rivière-du-Sud.

1745

Le moulin à eau de la rivière Boyer, de la seigneurie de La Durantaye, est délaissé, puis démoli vers 1745. Il sera reconstruit sur la rivière à Mailloux.

1745-1747

Arrivée à Saint-Michel de Micmacs du Cap-Breton et d'Abénakis ou Malécites de l'Île Saint-Jean (du-Prince-Édouard).

1747

Une école élémentaire existe dans la seigneurie de La Durantaye. On y enseigne le catéchisme, ainsi que les notions d'écriture, de lecture, de grammaire et d'histoire.

1748

Érection de la paroisse de Saint-Pierre-de-la-Rivière-du-Sud.

1749

Érection de la paroisse de Saint-Charles.

1754

Établissement d'un bourg d'artisans à Saint-Michel.

1755

Arrivée des Acadiens chassés de leur pays.

1757

Les frères Levasseur, célèbres sculpteurs de Québec, achèvent la décoration de l'église de Saint-Michel. Ils exécutent trois retables et deux tabernacles pour les autels latéraux, ainsi que des cadres pour les peintures. Voir 1806.

1759

La plupart des maisons à Saint-Michel saccagées ou brûlées par les Anglais. L'église et le presbytère, préservés de l'incendie, sont fort endommagés. La cloche a été emportée par l'ennemi. Les frères Levasseur sont mandatés pour restaurer l'église : « raccommoder les tabernacles qui étaient brisés pour avoir passé le temps du siège de Québec dehors et pour plusieurs autres réparations à l'église toute défaite ».

1765

Au recensement, Saint-Michel compte 170 familles, une population de 909 personnes réparties dans 155 maisons. Beaumont compte 398 âmes et Saint-Vallier, 676.

1766

L'abbé Antoine Lagroix, curé jusqu'en 1788.

1775

1er octobre – Les Américains rebelles tentaient de gagner à leur cause les Canadiens français pendant que le clergé leur prêchait la soumission et la fidélité à l'Angleterre. Ce dimanche, alors que le jésuite Lefranc prêche l'obéissance au gouverneur Carleton, un paroissien se lève pendant le sermon pour proclamer : « C'est assez longtemps prêcher pour les Anglais ! » Mgr Briand exige le nom du coupable. Mais c'est cinq révoltés qui refusent tout repentir.

Excommunication des cinq révoltés de Saint-Michel, dont Pierre Cadr(a)in, lointain parent de Rose-Anna. Les autres sont Marguerite Racine, Laurent Racine, son cousin, Jean-Baptiste Racine, père de Laurent, et Félicité Doré. Ils le resteront toute leur vie. Voir 1880.

1776

Le rapport d'une enquête civile instituée cette année-là sur les troubles durant l'insurrection américaine dit de Saint-Michel : « Cette paroisse a été généralement opposée aux ordres du Roi et affectionnée au parti des Rebels. »

1780

Érection par Mgr J.-Olivier Briand de la paroisse de Saint-Gervais sous le patronage des saints martyrs Gervais et Protais.

1782

8 décembre – Vente d'une autre parcelle de terrain à la Fabrique par Jean Lacroix.

1790

20 juin – On décide qu'une annexe de 25 pieds sera ajoutée au presbytère, pour faire deux salles, l'une pour les femmes et l'autre pour les hommes, où l'on se retire avant et après les offices religieux.

Au recensement, la population de Saint-Michel est de 1337 âmes, contre 561 à Beaumont et 1160 à Saint-Vallier.

1795-1797

Érection de la sacristie.

1803

13 octobre – Naissance à Saint-Michel d'Auguste-Norbert Morin. Voir 1830 et 1834.

1806

20 février – Arrivée de l'abbé Thomas Maguire, curé jusqu'en 1827.

13 juin – L'église de Saint-Michel est ravagée par les flammes. Les retables et tabernacles exécutés par les frères Levasseur sont détruits.

La troisième église est construite sur les murs de l'église incendiée et sera terminée en 1808. Voir 1858.

18 octobre – Naissance à Saint-Vallier de Marie Geneviève Fitzbach qui, plus tard, veuve de François-Xavier Roy, deviendra la fondatrice (Mère Marie du Sacré-Cœur) des Sœurs du Bon-Pasteur de Québec en 1850.

1807

17 août – Première messe dans la nouvelle église.

1808

Achat d'une cloche à Londres. Amis et paroissiens amasseront la somme de 2859 livres (plus de 10 000 $), qui servira aussi à l'achat de sculptures pour l'église.

1809

Été – Élargissement et allongement du cimetière.

1814

La population est de 1670 âmes.

1815

Saint-Michel possède le seul village de la Côte de Bellechasse entre Saint-Joseph de la Pointe-Lévy et Saint-Thomas de Montmagny. L'arpenteur Joseph Bouchette le décrit ainsi : « Il y a une église et un presbytère entourés d'environ une douzaine de maisons, occupées principalement par des artisans et des ouvriers […] » Voir 1832.

1817-1820

Acquisition à un coût minime de tableaux envoyés de France : *Saint Jérôme* (Boucher), *La mort de la Sainte Vierge* (Gaulay), *La Nativité* (École du Corrège), *Le Christ* (Romanelli), *Jésus à la Colonne* ou *La Flagellation* (Chales), *La mort de sainte Claire* (Murillo), *Saint Bruno* (Philippe de Champagne), *Saint Augustin* (Louis de Boulogne). Tous ces tableaux seront brûlés dans l'incendie de l'église en 1872.

1819

La population est de 1803 âmes.

v. 1820

Une école qui relève de la Fabrique assure l'instruction aux enfants pendant les années 1820.

1827

La population est de 1803 âmes, dont 434 au 3e Rang.

1830

L'Honorable Augustin-Norbert Morin est député du Comté de Bellechasse (qui s'appelle comté de Hertford avant 1840) à Ottawa jusqu'en 1838. Voir 1834 et 1844.

22 mars – Autorisation de Mgr B.-C. Panet pour que, « chaque année, en la solennité de sainte Anne, vous fassiez une procession solennelle à sa chapelle […] pendant laquelle on chantera les litanies de cette grande sainte et le *Te Deum* au retour […] Nous permettons aussi que le dimanche où l'on fait la fête de S. Joachim, vous fassiez une semblabe procession à sa chapelle […] pendant laquelle on chantera *Iste Confessor* avec le *Te Deum* au retour ».

v. 1830

Deux chapelles en pierre à Saint-Michel, qui ne servent que pour les processions : la chapelle de Saint-Joachim et la chapelle Sainte-Anne.

1832

Dans sa description, l'arpenteur Joseph Bouchette dit que le village ne comprend « aucun collège, couvent, ni d'école publique […] C'est le seul village situé près de l'église, dans lequel sont deux auberges ; il contient 30 maisons, toutes construites en bois excepté celle appartenant au Dr Maguire [démolie en 1989], laquelle a deux étages, construite en pierre […] Il n'y a qu'une église avec deux chapelles de dévotion ; il y a quatre moulins à scie […] » Voir 1815.

1834

Augustin-Norbert Morin rédige en grande partie les « 92 Résolutions ». Avec Denis-Benjamin Viger, il s'embarque pour Londres pour défendre les vues du Bas-Canada.

1836

Il y a cinq écoles élémentaires à Saint-Michel.

4 décembre – Le curé et les marguilliers décident que les bancs seront désormais loués chaque année au plus haut enchérisseur, plutôt qu'achetés à vie pour une somme minime. Voir 1849.

1839

9 octobre – Érection d'un chemin de croix à l'église de Saint-Michel.

Assemblée pour la création d'une paroisse de Saint-Raphaël, qui est d'abord une mission et une desserte. Le premier desservant est l'abbé Michel Dufresne. Les offices religieux sont célébrés dans la maison de Michel Lacroix, père, premier sacristain, et donateur d'une partie du terrain pour la construction de l'église et du presbytère. La moitié de cette maison qui existe toujours, voisine du presbytère, était spécialement aménagée à cet effet.

1840

7 février – Naissance à Beaumont, d'Élisabeth Turgeon, lointaine parente des Lacroix, plus tard fondatrice (Mère Marie-Élisabeth) de la communauté des Sœurs des Petites-Écoles (aujourd'hui Sœurs de Notre-Dame du Saint-Rosaire) à Rimouski.

1842

Construction d'une chapelle à Saint-Raphaël.

26 août – Naissance à Saint-Vallier d'André-Albert Blais, futur évêque de Rimouski (1891-1919).

1844

L'église est dans un état si lamentable qu'on parle de la reconstruire. Mais les habitants des 4ᵉ, 5ᵉ et une partie de ceux du 3ᵉ Rang réclament une église dans les concessions plutôt que sur la rive du fleuve. Ce qui conduira à la création de la paroisse Saint-Raphaël. Voir 1851.

L'Honorable Augustin-Norbert Morin, député du Comté de Bellechasse de 1830 à 1838, est de nouveau député jusqu'en 1851. Voir 1830.

1046

8 juin – Fondation de la confrérie du Très Saint Cœur de Marie.

1049

2-9 septembre – Adoption du projet de la location des bancs à rente annuelle, après beaucoup d'opposition : la question de la tenure des bancs aura duré 13 ans. Les marguilliers avaient exigé que le banc du seigneur soit vendu comme les autres, ce que le seigneur contesta en cour. Il eut gain de cause le 23 janvier 1847. Voir 1836.

1851

20 janvier – Donation par Michel Lacroix d'un demi-arpent de terre pour construire l'église de Saint-Raphaël.

15 avril – Érection d'un autre chemin de croix à l'église de Saint-Michel.

25 octobre – Décret de Mgr Turgeon pour l'érection de la paroisse de Saint-Raphaël. Saint-Michel perd ainsi ses 5ᵉ et 6ᵉ rangs. En plus, Saint-Michel donne une contribution de 100 livres (400 $) pour aider les nouveaux paroissiens à se bâtir une église et un presbytère.

16 novembre – Engagement du premier bedeau à Saint-Raphaël, Michel Lacroix.

1852

1er avril – Naissance à Saint-Raphaël de Philomène Labrecque, lointaine parente des Lacroix, fondatrice (Mère Marie de la Charité) en 1887 de la congrégation des Dominicaines de l'Enfant-Jésus (aujourd'hui Dominicaines de la Trinité) au Séminaire de Québec.

21 octobre – Requête des paroissiens de Saint-Michel à l'évêque pour obtenir une nouvelle église, les murs de la leur menaçant de s'écrouler. Voir 1857.

21 décembre – Bénédiction de l'église sous le vocable de Saint-Raphaël, terminée en 1853, église de Rose-Anna et de Caïus jusqu'à leur départ pour Saint-Michel en 1902.

1853

Fondation du Collège de Saint-Michel, école modèle pour garçons, par l'abbé Narcisse-Charles Fortier, curé de 1829 à 1859. Dirigé au début par F.-X. Toussaint, auteur de plusieurs manuels étudiés dans les écoles de la province de Québec. Y feront des études les cardinaux Bégin et Rouleau, ainsi que Mgr J.-Omer Plante et Mgr Égide Roy.

31 janvier – Mgr Turgeon, archevêque de Québec, accède à la requête du 21 octobre 1852, tout en offrant mille louis (4000 $) pour la nouvelle église.

1854

Le nombre d'élèves au Collège de Saint-Michel s'élève à 130, dont 70 au cours élémentaire et 60 au cours supérieur.

1855

23 juillet – Première réunion du Conseil municipal de Saint-Michel dans la salle publique.

23 juillet – Première réunion du Conseil municipal de Saint-Raphaël.

1856

Construction du quai.

1857

25 septembre – Bénédiction de la pierre angulaire de la nouvelle église, la quatrième, par Mgr Baillargeon, administrateur du diocèse de Québec. L'église (79 x 36 pieds, sans sacristie) sera ouverte à partir de 1858, mais l'intérieur ne sera terminé qu'entre 1865 et 1870. Voir 1860 et 1872.

1858

Saint-Michel, chef-lieu du comté de Bellechasse jusqu'en 1898.

Inauguration de la nouvelle église.

4 juillet – Saint-Michel offre gratuitement au Gouvernement du Québec deux terrains pour l'érection d'une Cour de justice régionale. Voir 1859.

1859

Nouveau curé, l'abbé Cyprien Tanguay, jusqu'en 1862. Généalogiste de réputation internationale, Mgr Tanguay publiera le *Dictionnaire généalogique des familles canadiennes* en sept volumes.

18 juillet – Chèque de 50 $ du Gouvernement en vue de la construction imminente d'une Cour de justice à Saint-Michel.

1860

Léger Launière, seigneur, maire jusqu'en 1863.

8 mai – Bénédiction solennelle de la nouvelle église, non terminée, par Mgr l'Administrateur de Québec. Voir 1857.

24 juin – L'ancienne église est vendue à l'enchère pour 200 $. Le cultivateur Joseph Goupil s'engage « à tout démolir dans l'espace d'un an et à réserver la pierre de maçonnerie pour l'enclos du cimetière ».

1864

25 juin – Décision pour l'érection d'un nouveau clocher.

1865

22 septembre – Arrivée de trois Religieuses de Jésus-Marie dans une vieille maison que leur a donnée la paroisse. Agrandissement du couvent en 1872, démoli en 1889.

28 septembre – Ouverture du couvent avec six élèves pensionnaires et 34 externes.

8 décembre – Première réception d'Enfants de Marie au Couvent.

1869

L'abbé François-Ignace Paradis, curé de Saint-Raphaël jusqu'en 1899.

12 août – Bénédiction de trois cloches par l'archevêque de Québec, Mgr Baillargeon, en présence de l'honorable Augustin-Norbert Morin, natif de la paroisse, de Mgr Laflèche, administrateur du diocèse de Trois-Rivières.

18 novembre – Contrat pour les bancs de l'église.

1872

9 janvier – Léger tremblement de terre.

28 avril – L'entrepreneur Louis Dion déclare avoir terminé tous les travaux de l'intérieur de l'église.

8 août – Au cours d'un orage électrique, à 11 h 15 du soir, la foudre frappe le clocher. Le feu se communique à l'église qui est complètement rasée : on ne peut rien sauver. On parvient cependant à sortir de la sacristie vases sacrés, registres, ornements et meubles. « Il a fallu des efforts presque surhumains pour soustraire à l'élément destructeur le couvent attenant presqu'à l'église, le presbytère et le village qui renferme environ trois cents maisons. » Voir 1817-1820.

L'église, la cinquième, celle qui existe toujours aujourd'hui, est reconstruite sur les murs incendiés. Œuvre de l'architecte Joseph Ferdinand Peachy.

Statistiques : 402 familles, 2152 âmes, 334 maisons et 14 080 acres cultivées.

1873

29 mai – Bénédiction de l'église, dont l'intérieur ne sera terminé que bien des années plus tard. Voir 1885-1889.

1874-1875

Agrandissement de l'église de Saint-Raphaël.

1876

5 octobre – Arrivée de l'abbé Charles Trudelle, curé jusqu'en 1878, premier historien de Saint-Michel.

23 décembre – Érection et bénédiction du chemin de croix de l'église de Saint-Raphael.

1877

28 octobre – Bénédiction de trois cloches à l'église de Saint-Raphaël.

1878

L'abbé Jean-Baptiste Napoléon Laliberté, curé jusqu'en 1885, qui créera un cercle littéraire, l'Institut Saint-Michel.

6 février – Vente de l'emplacement de la chapelle de Saint-Joachim démolie vers 1880.

27 juin – Bénédiction des trois cloches, dont la première s'appelle Marie, la seconde, Joseph-Anne, et la troisième, Jean-Baptiste et Marie de l'Incarnation.

1879

1er mai – Début de l'érection de la chapelle Notre-Dame de Lourdes, d'après le modèle du sanctuaire français, par le curé Jean-Baptiste Napoléon Laliberté. La statue de la Vierge a été bénite à Lourdes.

17 août – Bénédiction solennelle de la chapelle Notre-Dame de Lourdes par Mgr Antoine Racine, le premier évêque de Saint-Michel de Sherbrooke.

1880

Vers 1880, démolition de la chapelle de saint Joachim.

13 avril – Achat d'un orgue par la Fabrique de Saint-Raphaël.

1er août – Érection d'un chemin de croix sur le site de la chapelle de Lourdes.

1er octobre – Construction sur le terrain de la chapelle de Lourdes d'une maison (70 x 34 pieds) pour héberger les pèlerins et d'une maisonnette pour un gardien.

11 octobre – Exhumation des cercueils des cinq excommuniés enterrés au 4e Rang sur la terre Cadrain (réputée être hantée), puis inhumés dans le cimetière des enfants morts sans baptême. Voir 1775.

1881

Narcisse-Henri-Édouard Faucher de Saint-Maurice, conservateur, député de Belle-chasse à Québec jusqu'en 1890.

Guillaume Amyot, conservateur, député à Ottawa.

10 juillet – Le presbytère de Saint-Raphaël est détruit par le feu et reconstruit presque aussitôt.

1882

Premier vicaire, l'abbé Arthur Gouin.

Fondation d'une compagnie d'assurance contre l'incendie, sous la responsabilité du Conseil municipal, la Compagnie d'assurance mutuelle de Saint-Michel, qui ne vivra que jusqu'au 18 avril 1887.

1885

19 novembre – Érection d'un chemin de croix à la sacristie de Saint-Raphaël.

Décembre – Protestation du Conseil municipal contre la pendaison de Louis Riel : « Considérant que l'exécution capitale n'est plus dans les mœurs de notre époque et que, dans le cas actuel, ni la sécurité de l'État, ni le rétablissement de l'ordre au Nord-Ouest ne requéraient cet acte de rigueur excessive [...] Qu'il n'y eut à la mise à exécution de la sentence de mort d'autre nécessité apparente que celle de donner satisfaction à la haine des sectaires orangistes, amis de sir John A. McDonald, il est résolu unanimement que : Dans l'opinion de ce Conseil, l'exécution de Louis Riel a été un acte injuste, impolitique, inhumain, barbare, et que ce Conseil la réprouve comme il condamne énergiquement le Gouvernement de la Puissance qui s'en est rendue coupable, le Canada [...]. »

1885-1889

Les travaux de l'intérieur de l'église sont poursuivis et terminés. Voir 1873.

1886

4 janvier – Le Conseil municipal de Saint-Raphaël condamne la conduite du Gouvernement envers Louis Riel.

19 mars – Érection d'un chemin de croix à la sacristie.

22 août – Bénédiction de quatre nouvelles cloches (notes fa, sol, la, do) d'un poids de 5300 livres de la maison Chanteloup de Montréal ; les trois premières sont destinées à l'église et la quatrième à la chapelle de Notre-Dame de Lourdes. Les parrains et marraines sont au nombre de 90, dont les députés Guillaume Amyot et Faucher de Saint-Maurice.

8 décembre – La chapelle de Notre-Dame de Lourdes devient propriété de la Fabrique par un legs du curé Laliberté.

1887

La chapelle Notre-Dame de Lourdes devient un lieu officiel de pèlerinage ; 5000 personnes participent à la procession aux flambeaux de l'Assomption.

24 avril – Confrérie des Dames de Sainte-Anne à Saint-Raphaël.

1888

La chapelle de Notre-Dame de Lourdes est terminée. Plusieurs pèlerinages y sont organisés, de paroisses de Québec (Saint-Roch, Saint-Sauveur, Sillery), de Saint-Édouard de Lotbinière.

Fondation de la Société d'Agriculture du comté de Bellechasse, dont le siège social est à Saint-Michel.

26 mai – Établissement de la confrérie des Dames de Sainte-Anne à Saint-Michel.

29 juillet – Installation de la cloche à Notre-Dame de Lourdes.

8 décembre – Établissement de la Congrégation des Filles de l'Immaculée-Conception, dites des Enfants de Marie.

1890

Adélard Turgeon, libéral, député du comté à Québec jusqu'en 1909.

30 janvier – Érection d'un chemin de croix au couvent neuf.

9 octobre – Bénédiction solennelle par le cardinal Taschereau de l'actuel couvent des Religieuses de Jésus-Marie. Voir 1865.

1891

7 décembre – Le curé démontre au maire les inconvénients qui découlent de la tenue des assemblées du Conseil municipal à la sacristie.

19 décembre – Le Conseil municipal obtient la permission de siéger à la salle d'audience de la Cour de circuit ou de justice. Voir 1899.

1892

27 janvier – Indulgence de 100 jours accordée pour la récitation de prières devant la statue de sainte Anne à Saint-Raphaël.

17 juillet – Visite pastorale à Saint-Raphaël.

1893

Joseph-Aimé Bureau, curé jusqu'en 1911.

Achat d'un nouveau corbillard.

1894

19 août – Bénédiction du maître-autel dû à l'architecte David Ouellet, fabriqué et sculpté aux ateliers Ferdinand Villeneuve de Saint Romuald, par Mgr Bégin, évêque coadjuteur de Québec.

1895

Début de l'agrandissement du cimetière.

1er septembre – Arrivée des Religieuses de Saint-Damien à Saint-Raphael pour diriger l'école du village.

1896

Onésiphore-Ernest Talbot, libéral, député à Ottawa jusqu'en 1911.

Alfred Larochelle, maire jusqu'en 1907.

5 août – Visite pastorale à Saint-Raphaël.

1897

12 octobre – Résolution du Conseil municipal de Saint-Raphaël adressée à la Législature du Québec pour demander de déplacer le chef-lieu pour le placer au centre du comté de Bellechasse, à Saint-Raphaël.

30 octobre – Bénédiction de la chapelle Saint-Antoine de Padoue à Saint-Raphaël et érection du chemin de la croix.

Statistiques : 316 familles, 1737 habitants.

1898

L'abbé Édouard Bourassa, vicaire.

Saint-Michel cesse d'être le chef-lieu du comté au profit de Saint-Raphaël.

4 septembre – Le Conseil municipal de Saint-Raphaël vote les crédits nécessaires pour la construction du chef-lieu et demande que la Cour de circuit soit fixée au chef-lieu.

1899

Février-mars – Achat par la Municipalité de la maison ayant abrité la Cour de circuit à Saint-Michel, l'actuelle bibliothèque Benoît-Lacroix (1987), pour servir de salle du Conseil municipal et de salle publique. Voir 1858, 1859, 1891.

18 août – Nomination de l'abbé Cyriac Bérubé, curé de Saint-Raphaël, jusqu'en 1904.

1900

Au début du siècle, la statue de saint Michel sculptée dans le bois par Louis Jobin (1845-1928).

4 juin – Les séances municipales de Saint-Raphaël se tiennent désormais à la salle du chef-lieu.

1er juillet – Engagement d'un organiste à Saint-Raphaël au salaire de 100 $ par année.

8 juillet – Bénédiction par Mgr C.-A. Marois, grand vicaire du diocèse de Québec, d'un nouveau carillon de trois cloches pesant 7425 1/2 livres de la compagnie Paccard, d'Annecy, en France, au coût de 3415,44 $ (une cloche du carillon de 1886 étant déjà fêlée). Les cloches sont baptisées Jésus, Marie, Joseph, et sont toujours en exercice au clocher de Saint-Michel.

17 juillet – Visite pastorale à Saint-Raphaël, au cours de laquelle l'archevêque demande que soient faites des réparations intérieures et extérieures à l'église.

1902

L'abbé Jules Rémillard, vicaire.

1903

L'abbé Adolphe Michaud, vicaire.

Règlement municipal pour interdire l'octroi de licences pour la vente d'alcool. Prohibition totale qui va durer pendant longtemps. Voir 1941.

1904

L'abbé Louis-Philippe Laverdière, vicaire jusqu'en 1907.

1905

Érection de l'actuelle chapelle Sainte-Anne, ornée d'un autel en bois datant du Régime français, ainsi que des statues en plâtre de la Vierge, de saint Joseph, de sainte Anne, de la lampe du sanctuaire et du chemin de la croix qui proviennent de l'ancienne chapelle Sainte-Anne.

23 juillet – Érection d'une tribune pour le crieur public à la porte de l'église de Saint-Raphaël.

20 août – Fêtes mariales pour célébrer le 25e anniversaire du sanctuaire de Lourdes.

1906

14 octobre – Achat d'un carillon de trois cloches pesant 5620 livres pour le clocher de Saint-Raphaël, au coût de 2036,50 $.

1907

Émilius Michaud, vicaire jusqu'en 1910.

Amédée Forgues, maire de 1889 à 1892, de nouveau maire jusqu'en 1910.

4 août – Bénédiction des trois cloches de Saint-Raphaël.

14 novembre – Érection d'un chemin de croix à la chapelle Sainte-Anne.

1909

Antonin Galipeault, libéral, député à Québec jusqu'en 1930.

1910

Louis Breton, maire jusqu'en 1914.

Érection de la paroisse Saint-Gabriel de La Durantaye. Saint-Michel perd ainsi son 4ᵉ Rang et la partie dénommée Maska.

Joseph Lamontagne est chantre aux messes matinales de 6 h 30, et ce, jusqu'en 1930.

1911

Joseph-Octave Lavallée, conservateur, député à Ottawa.

Septembre – Arrivée de l'abbé Louis-Philippe Deschênes, curé jusqu'en 1917.

Émile Giguère, vicaire.

Recensement : 279 familles, 1522 personnes dont 855 dans les rangs.

1912

Sylvio Deschênes, frère du curé, desservant jusqu'en 1917.

1913

Un Cercle de Jeunesse fondé par l'abbé Sylvio Deschênes, où l'on s'exerce tant aux travaux littéraires qu'aux jeux de billard et de cartes.

Fin novembre – Triduum de la Tempérance et du Jubilé prêché par Mᵍʳ Paul-Eugène Roy.

1914

Phydime Vézina, maire jusqu'en 1916.

24 mai – Grand concert de musique sacrée par l'Union philharmonique Haydn de Québec à l'église de Saint-Michel à l'occasion des noces d'argent de la Congrégation des Enfants de Marie.

15 octobre – Contribution par la Municipalité de Saint-Michel de 150 $ (emprunté à 4 %) pour l'Hôpital canadien à Paris.

1915

6 avril – Un article de *La Presse* sur l'Hôpital de Paris fondé grâce à la générosité des municipalités canadiennes, dont Saint-Michel. On encadre cette page pour « orner » la salle publique.

1916

François Pouliot, maire de 1876 à 1884, est de nouveau maire jusqu'en 1920.

5 mars – Établissement de la Ligue du Sacré-Cœur par l'abbé Sylvio Deschênes. Tous les ligueurs, mais plus particulièrement les chefs de groupe, doivent « veiller à l'application de la tempérance, veiller aux grands dangers qu'offrent la plage et la natation, veiller aux soins des pauvres de la paroisse ». Leur insigne est la croix de Malte, portée par chaque ligueur, et leur organe officiel, *Le Messager du Sacré-Cœur*.

Statistiques : 279 familles, 1326 personnes, dont 163 familles, 634 personnes dans les rangs. Au 3ᵉ Rang : 48 familles, 269 personnes.

1917

Charles-Alphonse Fournier, libéral, député à Ottawa.

L'abbé Sylvio Deschênes, curé jusqu'en 1922.

Henri Falardeau, vicaire.

25 février – La municipalité de Saint-Michel est consacrée officiellement au Sacré-Cœur de Jésus à l'église, sous l'impulsion de l'abbé Sylvio Deschênes.

5 mars – Adoption par le Conseil municipal de Saint-Michel de la résolution « de consacrer officiellement notre paroisse au Sacré-Cœur de Jésus. Nous nous engageons à introniser son image dans la Salle publique et à enregistrer cet acte de consécration aux délibérations du conseil. »

2 avril – En présence du curé, à qui l'on cède la parole au début de la séance du Conseil, on intronise la statue du Sacré-Cœur dans la salle du Conseil municipal.

10 avril – Création d'un chemin de croix dans le cimetière.

11 août – Entente entre les Frères Maristes et la Commission scolaire pour la venue de quatre Frères Maristes qui prennent la direction du Collège de Saint-Michel. En septembre, ils ont 71 élèves répartis en trois classes et l'enseignement couvre tout le primaire jusqu'en 7e année. Ils quitteront en 1970.

1918

Reconstruction par le curé Sylvio Deschênes du Pavillon de l'Exposition, où se tiennent les expositions agricoles annuelles en septembre, organisées par la Société d'agriculture.

« Parmi les hommes clairvoyants de l'époque, il faut également citer David Roy, membre du Conseil de l'Agriculture, Gaudiose Pouliot, vice-président, Louis Asselin, président, J. Breton, et surtout Caïus Lacroix, secrétaire de l'Association pendant 27 ans, qui stimulèrent les artisans du sol par la tenue d'expositions agricoles et de concours de toutes sortes. » (Guy Laviolette, *Saint-Michel de Bellechasse*, p. 192)

1919

L'abbé Henri Pâquet, vicaire.

Le collège Saint-Michel dirigé par les Frères Maristes devient académie.

1920

Journal mensuel, le *Bulletin de Saint-Michel* ne paraîtra que six fois.

Joseph-Narcisse Roy, maire jusqu'en 1932.

1921

Joseph Touzin, vicaire.

6 juin – Requête pour la constitution d'un cercle agricole, le Cercle Saint-Michel, signée par : Joseph-Narcisse Roy, Caïus Lacroix, Gaudiose Pouliot, Ernest Roy, Joseph Goupil, David Roy, Eugène et Louis-Philippe Dumas, Edmond Morisset, Étienne Bégin.

12 juin – Grande fête paroissiale pour souligner le 25e anniversaire sacerdotal du curé Sylvio Deschênes, qui a reçu une bénédiction du pape pour lui et ses paroissiens. À l'église, la chorale exécute la messe de Sainte-Thérèse de l'Enfant Jésus de La Hache. La messe est suivie d'un banquet au couvent. Le soir, vêpres solennelles et Salut du Saint-Sacrement. Lundi et mardi fête dans les écoles.

28 août – Visite du délégué apostolique, Mgr Pietro Di Maria, à la chapelle Notre-Dame de Lourdes.

1922

Apparition de l'électricité à Saint-Michel. En tout premier lieu, à l'église.

Saint-Michel, qui avait tenu des expositions agricoles par le passé, devient site permanent pour ces expositions agricoles annuelles. Les terrains de l'exposition sont situés en face de la chapelle Notre-Dame de Lourdes.

8 mars – À la séance du Conseil municipal, il est dit que « le Conseil du comté de Bellechasse approuve le choix qu'a fait la Société d'Agriculture de Saint-Michel comme site permanent des Expositions "A" de Bellechasse ».

10 avril – Arrivée de l'abbé Salluste Bélanger, curé jusqu'en 1932.

27 août – Au prône, pour sympathiser avec une famille durement éprouvée, celle de Zéphirin Gagnon, dont cinq filles sont mortes empoisonnées : « Dans la mort des fillettes Gagnon, il y a : a) Épreuve qui déchire le cœur des parents et attire la sympathie des paroissiens ; b) Consolation : enfants mortes en la fête de l'Assomption de la Bienheureuse Vierge Marie, après la neuvaine faite aux pieds de la grotte de Lourdes; c) Leçon: âmes des enfants à nourrir de la Sainte Eucharistie comme l'a été l'âme de ces enfants, assistant à la messe et communiant tous les jours. Pourquoi les enfants n'imiteraient-ils pas ce bel exemple? Pourquoi les parents ne les y aideraient-ils pas?»

1922-1929
Projet de route Lévis-Rimouski passant par Saint-Michel. Le maire prie les contribuables d'assister aux séances du Conseil et de s'exprimer librement. Les esprits s'échauffent.

1923
L'abbé Robert Turcotte, vicaire.

Juillet – Établissement d'une fraternité du Tiers-Ordre franciscain pour les hommes et les femmes par le père Égide Roy, o.f.m., avant son départ pour le Japon.

5 août – Après la grand-messe, prise d'habit (scapulaire et cordon) des nouveaux Tertiaires de Saint-François au nombre de 198.

Le soir à 7 h, cérémonie d'adieu (du baisement des pieds) au père Égide Roy, o.f.m. Le père Égide est issu d'une famille de 14 enfants qui compte 3 prêtres séculiers, 3 franciscains, un jésuite et 3 religieuses, du Précieux-Sang, Ursuline et Religieuse de Jésus-Marie. Voir 1927.

11 août – Installation de l'électricité à l'Académie (Collège Saint-Michel).

1er décembre – Le Conseil municipal se prononce sur le travail le dimanche: «Attendu que certains employeurs, surtout dans la fabrication de la pulpe et du papier, obligent leurs ouvriers à travailler le dimanche, que cette habitude tend à se répandre, et qu'il importe d'enrayer un si grand mal au plus tôt, le Conseil municipal de Saint-Michel de Bellechasse prie avec instance l'honorable premier ministre et procureur général de cette Province de prendre les mesures nécessaires pour protéger la famille et la société en y faisant observer scrupuleusement la loi touchant le travail du dimanche».

1924
24 août – Au prône: «Dans les écoles de la paroisse, on apprendra le catéchisme *Pour les petits et… les grands*. On pourra se le procurer au Collège et au presbytère. Prix: 25 sous. Nous en donnerons un exemplaire à chaque famille à l'occasion de la visite de la paroisse en septembre.»

31 août – Avant chaque rentrée scolaire, le curé Salluste Bélanger prodigue au prône, comme en ce dimanche, des «Conseils à l'occasion de l'ouverture des classes: a) Envoyez vos enfants en classe; b) Faites-leur faire leurs devoirs; c) Soutenez maîtres et maîtresses.»

28 décembre – Au prône: «Bénédiction paternelle à donner à vos enfants. Belle et sainte coutume qu'il faut conserver ou reprendre. Bénédiction ratifiée par le Bon Dieu quand donnée avec grâce en son âme. Bénissez vos enfants à l'occasion du jour de l'An. Belle tradition qu'il faut conserver. Elle rappelle au père la grandeur de sa mission et à l'enfant la nécessité du respect. Donnez des étrennes utiles à vos enfants.» «Calendriers diocésains distribués après la grand-messe le jour de l'An.»

1925
L'abbé Avila Joncas, vicaire.

1er janvier – Avant la grand-messe, le cantique *Ça, bergers* et après la grand-messe, *Les anges dans nos campagnes.*

En ce jour de fête, l'«Instruction» porte sur «les Fêtes» pendant lesquelles il ne devrait pas y avoir «de boisson» ni «de danses».

6 janvier – En ce jour de l'Épiphanie ou des Rois, l'instruction porte sur Notre-Seigneur «qui s'est manifesté aux Mages par l'étoile miraculeuse, par la foi», alors qu'il «se manifeste à nous par l'Église, phare lumineux, par la foi».

11 janvier – Lors de la fête de la Sainte Famille, au prône : « Si les femmes voulaient, comme elles feraient aimer leur maison et mettraient leurs maris et leurs enfants à l'abri de nombreux dangers ! » L'instruction porte sur « Les trois éléments d'une famille chrétienne : a) L'autorité du père ; b) L'amour de la mère ; c) L'obéissance des enfants. »

1ᵉʳ février – « Examens des écoles terminés. Nous croyons pouvoir dire qu'il y a progrès dans toutes les classes. Les enfants semblent mieux comprendre ce qu'ils ont appris. Aidons-les à la maison. Faites-leur raconter à leur façon leurs leçons de catéchisme, d'histoire, de géographie, etc. Cherchez à savoir non pas les mots qu'ils ont appris mais les choses qu'ils ont comprises. L'enfant a besoin d'être aidé, encouragé, stimulé. »

25 février – Tremblement de terre.

5-6 juin – Visite de Mᵍʳ Langlois. Au prône, le dimanche précédent, recommandations du curé : « a) Que tous les paroissiens soient à l'église !... b) Les enfants dans le parterre du presbytère. c) Après l'arrivée de Mᵍʳ Langlois, sermon à l'église. d) Après le sermon, entrée solennelle. Les enfants viendront de nouveau se placer dans le parterre. e) Décorez vos maisons. f) Mettez-vous à genoux pour recevoir la bénédiction de Mᵍʳ. g) Départ de Mᵍʳ Langlois samedi à 2 30 h. Assistez-y ! N.B. Grâces de la visite. Profitons-en. C'est Notre-Seigneur qui passe dans la personne de notre évêque. Donnez une preuve évidente de votre foi. h) Sa Grandeur désire qu'on se confesse en grand nombre dans l'après-midi de vendredi et dans la soirée. »

7 juin – Au prône, en ce dimanche de la Sainte-Trinité : « Remerciements et félicitations pour la manière dont vous avez profité de la visite de Mᵍʳ Langlois. N'oublions pas ses graves enseignements. »

1926

Oscar-Lefebvre Boulanger, libéral, député à Ottawa jusqu'en 1940.

29 août – Au prône : « Catéchisme "Pour les petits". On a, pour les enfants de 7 à 10 ans, fait une édition spéciale du Catéchisme *Pour les petits et… les grands*. On a conservé le même texte, mais on a supprimé 300 questions et raccourci 200 [réponses]. Ce catéchisme suffit aux enfants qui se préparent à la communion solennelle. Dans le Catéchisme *Pour les petits* on a raconté la vie de Jésus en cinquante-quatre tableaux. Les catéchistes doivent, pour graver leurs enseignements dans l'esprit des enfants, raconter la vie de Jésus. Ils n'auront qu'à bien expliquer chacune des images qui se trouvent à la fin des chapitres. »

24 décembre – Le curé souligne en chaire : « Grâce au concours dévoué des chers Frères Maristes, le chœur des hommes et des enfants chantera la messe à deux voix de Chassang, dite de Sainte Thérèse de l'Enfant-Jésus. Vous remarquerez la supplication du *Kyrie*, les accents de joie du *Gloria*, la force expressive du *Credo*, la gravité pieuse du *Sanctus*… »

1927

La barrière ornementale, selon un dessin du vicaire Joncas, est installée à Notre-Dame de Lourdes.

Juillet – Le franciscain Égide Roy, né à Saint-Michel, nommé premier Préfet apostolique de Kagoshima au Japon. Voir 1923.

14 août – Au prône, appel aux paroissiens pour une requête à l'Honorable L.-A. Taschereau au sujet de « la fermeture des théâtres et des cinémas le dimanche et exclusion des enfants de moins de 16 ans, accompagnés ou non. C'est le désir de Mᵍʳ l'Archevêque que tous les voteurs signent cette requête et donnent au premier ministre de la province de Québec l'appui dont il a besoin pour faire respecter la loi du dimanche. »

1ᵉʳ septembre – Exposition agricole. Au prône du dimanche précédent : « a) Importance d'exposer les produits de la ferme, de faire des comparaisons, de chercher les causes du succès. b) But : mieux connaître pour mieux aimer la terre. c) Désordres à éviter : intempérance, libertinage, toilettes indécentes. »

22 septembre – Consécration épiscopale du chanoine Joseph-Omer Plante, né à Saint-Michel, fils du boulanger Célestin, qui devient évêque de Dobéro, auxiliaire de l'archevêque de Québec, le cardinal Raymond-Marie Rouleau, o.p.

8-9 octobre – Réception grandiose à Saint-Michel de Mgr Plante. Samedi, pèlerinage solennel à la chapelle Notre-Dame de Lourdes à la construction de laquelle il a travaillé lorsqu'il était adolescent. Le dimanche, messe pontificale célébrée par le nouvel évêque qui porte la mitre de 310 $ offerte par ses coparoissiens.

1928

Le 250e anniversaire de l'érection canonique de Saint-Michel. Voir 1929.

Le 50e anniversaire de la fondation de la chapelle de Lourdes.

8 juillet – Ouverture d'une « garderie » par les Frères Maristes. Le curé annonce au prône : « Les Chers Frères ont bien voulu se charger de la surveillance des enfants plusieurs heures par jour. Que les parents leur envoient leurs enfants demain à 9 h. Comme il y a des dépenses à faire, on acceptera avec reconnaissance ce que les parents voudront donner. Les enfants de ceux qui ne veulent pas ou ne peuvent pas dédommager les Chers Frères, seront admis commes les autres. Secondons le dévouement des Chers Frères et sachons leur dire merci. »

29 juillet – Première grand-messe d'un enfant de la paroisse, le père Michel (Alexandre) Charette, o.f.m., futur missionnaire au Japon où il va rejoindre Mgr Égide Roy.

Un autre franciscain donne des conférences sur le Japon.

26 août – Funérailles gratuites de première classe offertes à Narcisse Roy, sacristain de la paroissse pendant 48 ans, et père du maire Joseph Narcisse Roy.

27 août – Pèlerinage à la chapelle de Lourdes de Mgr J.-O. Plante, auxiliaire de Québec.

2 septembre – Jour du départ du père Michel Charette, o.f.m., pour le Japon ; le soir, cérémonie du baisement des pieds.

18 novembre – Au prône, appel aux parents pour la surveillance de leurs jeunes : « Jeunes gens à surveiller à l'occasion des parties de cartes qui se donnent dans diverses paroisses. Parents gravement coupables de laisser leurs jeunes filles accompagner les jeunes gens, sans surveillance. »

25 novembre – Au prône : « À l'occasion de la Sainte-Catherine, faites donc une petite fête de famille. Ces fêtes sont trop rares. Plus nombreuses elles resserreraient les liens de la famille. Parents et enfants s'y trouveraient mieux et aimeraient davantage leur foyer. »

Statistiques pour l'année : 263 familles, 1393 âmes ; 40 baptêmes, 4 mariages et 31 sépultures.

1929

Fêtes du 250e anniversaire de Saint-Michel. Création de sept comités pour les préparer.

Janvier – Décision de restaurer complètement l'église et la sacristie : travaux de dorure, de peinture et de vernissage.

Février – Emprunt pour faire réparer les planchers de l'église et de la sacristie, remplacer les portes extérieures de l'église, pour réparer l'orgue et autres travaux.

4 mars – À la réunion du Conseil municipal, il est question d'installations indignes du P'tit Train de La Durantaye : « Étant donné que la gare de La Durantaye, bâtie depuis plusieurs années, n'offre plus d'accommodations au public voyageur qui augmente sans cesse : exiguïté des locaux, salle des dames qui n'est plus chauffée ; appartements tenus dans un état de malpropreté contraire aux règles les plus élémentaires de l'hygiène ; hangar qui ne répond plus aux exigences du trafic [...]

« Tout cela cause un grave préjudice aux habitants de Saint-Michel. En conséquence, le Conseil municipal prie M. Oscar Boulanger, le député fédéral, d'user de son influence auprès du ministre des Chemins de fer à Ottawa pour obtenir la reconstruction de la gare et de ses dépendances ou leur restauration complète avec agrandissement ».

Publication de *Saint-Michel de la Durantaye. Notes et souvenirs, 1678-1929*, par le père Marie-Antoine Roy, o.f.m., enfant de Saint-Michel.

28 juillet – Le cardinal Raymond-Marie Rouleau, o.p., archevêque de Québec, président des fêtes, célèbre la grand-messe du dimanche, assisté par Mgr J.-Omer Plante, son auxiliaire, et Mgr J.-Alfred Langlois. La chorale exécute la messe à trois voix de Perosi. Le père Adélard Dugré, s.j., résume les 250 ans de l'histoire de Saint-Michel.

29 juillet – Clôture officielle des fêtes, par une procession solennelle le long du village décoré et illuminé jusqu'à la chapelle Notre-Dame de Lourdes. La soirée se termine par un feu d'artifice et une promenade sur le fleuve.

13 octobre – Appel du curé auprès de ses ouailles pour la Crèche de Saint-Vincent-de-Paul des Sœurs du Bon-Pasteur de Québec, appelée aussi l'Œuvre des Berceaux, pour leurs 652 protégés, qui récoltera 137,95 $. Les quêtes se répéteront en 1930 (125 $) et 1931.

1930

Pierre-Auguste Chabot, vicaire jusqu'en 1947.

Robert Taschereau, fils de Louis-Alexandre, premier ministre du Québec (1920-1936), libéral, député à Québec.

Janvier – Au prône, le curé note que « tous veulent le relèvement de l'agriculture, qui ne se fera pas sans le concours de tous les agriculteurs intelligents. On ne sauvera pas l'agriculture sans eux… Instruisez-vous! Instruisez vos enfants… », avant de les inciter à suivre les cours qui se donneront en février.

11-14 février – Cours d'agriculture à Saint-Michel : 400 inscrits, de tous les âges.

15 mars – Nouvelle requête du Conseil municipal dans l'affaire de la gare de La Durantaye, allant jusqu'à demander de se présenter devant la Commission des Chemins de fer nationaux pour exposer les griefs des gens de Saint-Michel, car un rapport du 5 février 1930 recommandait de ne pas faire de travaux à cause du petit nombre des voyageurs. Voir 1929.

30 mars – Au prône de ce 4e dimanche du Carême : « À l'avenir, personne ne devra se tenir en arrière de l'église durant les offices. Ni sur le terrain de l'église. Trop d'enfants entendent mal la messe ou n'y assistent pas du tout. Le constable devra voir au respect de cette défense du bureau ordinaire de la Fabrique. Cette défense sera affichée en arrière de l'église. Nos enfants dont l'ignorance est déplorable ont besoin d'entendre les instructions du dimanche. Désordres au jubé. Jubé fermé à la messe basse. »

20 avril – Jour de Pâques, au prône, annonce que dorénavant « M. Jules Bourget [sera] chargé de maintenir l'ordre au jubé. » Il y avait déjà deux constables : Charles Breton, 1er constable, et Raymond Laverdière, 2e constable, qui possèdent les mêmes pouvoirs.

1931

Installation de l'électricité à la chapelle Notre-Dame de Lourdes.

Janvier – Au prône, avant les élections municipales en début d'année, ces conseils du curé : « Le principal devoir d'un Conseiller municipal, c'est de faire disparaître tous les désordres, surtout l'intempérance, le blasphème et l'immoralité… Élisez qui vous voulez, pourvu que ce soit des citoyens dignes de votre confiance, honnêtes, respectables. De grâce, n'introduisez pas la politique dans le domaine municipal. »

31 mai – Le sermon ou l'instruction sur « La Sainte Trinité » : « a) Le Père nous a créés ; b) Le Fils nous a rachetés ; c) Le Saint-Esprit nous a sanctifiés. »

Juin – Pendant le mois du Sacré-Cœur, il y a des exercices tous les soirs à 7 h.

16 août – Au prône, appel du curé à la bonne conduite en période électorale : « Demain, appel nominal des candidats à l'élection provinciale. Nous vous supplions de vous conduire comme des hommes intelligents, honnêtes, chrétiens. De grâce, que notre paroisse ne voie pas la répétition des scènes si profondément regrettables de l'an dernier ! Pas de veillées de famille électorales, respectez vos foyers, vos enfants et vos épouses. Pas d'alcool : il en a tant coulé dans notre paroisse l'an dernier. Prouvez donc que vous n'êtes pas à acheter ni par alcool, ni par argent ! Pas de médisance ni de calomnie. Ce qui est défendu en tout temps, l'est encore durant la lutte électorale. Faites un jugement éclairé des Actes publics des candidats. Respectez leur vie privée. Ne leur prêtez pas d'intentions criminelles, injustes ou ridicules. "Ne faites pas aux autres ce que vous ne voulez qu'on vous fasse à vous-mêmes !" »

30 août – Admonestation et supplication du curé en chaire : « Nous supplions les parents d'envoyer à l'école les enfants qui sont d'âge scolaire. Beaucoup trop de nos enfants du village abandonnent trop tôt les classes ou ne les fréquentent pas régulièrement. La plupart de nos filles du village ne dépassent pas la 6ᵉ année : c'est un désordre qu'on ne voit nulle part et qui ne peut avoir que de tristes conséquences. Par les mauvais jours que nous traversons, la jeune fille a besoin de sérieux, de caractère, de volonté pour n'être pas le jouet et la victime de ceux qui la veulent perdre. "Pour déchristianiser le monde, il faut pervertir la femme" (vœu d'un conseil maçonnique). Ce sérieux, ce caractère, cette volonté, la jeune fille les trouvera à poursuivre ses études. Mais si elle n'en a pas le courage, comment voulez-vous qu'elle puisse réagir contre les excentricités de la mode, contre les dangers de toutes sortes dont elle est entourée ? »

Le député Boulanger prévient le Conseil municipal que le Canadien National envisageait de fermer la gare de La Durantaye et de n'y laisser qu'un concierge. Il suggère au Conseil de protester avec toute la vigueur possible.

20 septembre – Au prône, annonce des Quarante-Heures : « Triduum eucharistique, prêché par le Révérend Père Roberge, c.s.s.r., vendredi, samedi et dimanche. Instruction le matin après la messe de 8 h et heure d'adoration le soir à 7 h. Assistez-y aussi régulièrement qu'aux exercices de la retraite annuelle. "Il y a au milieu de vous quelqu'un que vous ne connaissez", disait saint Jean-Baptiste. Vous le connaîtrez en entendant parler de lui. »

Le prône est suivi d'une instruction du père Roberge sur la définition des Quarante-Heures et sur la manière de les célébrer.

25 septembre – Début des Quarante-Heures, prédication du matin sur la « Présence réelle » et le soir sur la « Sainte communion ».

26 septembre – Prédication du matin, sur la « Sainte communion ; ses effets » et le samedi soir sur la « Sainte messe ».

27 septembre – Au prône, le curé note : « Beaucoup de bonne volonté pour faire les Quarante-Heures. 2300 communions. Belle assistance malgré mauvais temps et travaux des champs. Riches décorations. Honneur et merci à tous. »

Fin des Quarante-Heures par une prédication du père Roberge sur l'« Amabilité de Jésus » (sa Beauté, sa Bonté et sa Générosité).

27 septembre – Au prône : « Un mot du chant populaire. Il serait possible de l'établir à Saint-Michel. Chant au *Kyrie*, *Gloria*, *Credo*, *Sanctus* et *Agnus*. Notre Saint-Père le pape ne veut pas qu'on célèbre la messe devant une assistance muette. Nous essaierons prochainement et réussirons cette noble entreprise. »

24 décembre – Nouvelle protestation du Conseil municipal dans l'affaire du P'tit Train, car on annonce pour le 10 janvier 1932 la suppression des trains du matin et du soir Rivière-du-Loup–Lévis–Rivière-du-Loup : « Une telle suppression, en cette saison de l'année où les chemins de fer sont les plus utilisés, sera très mal appréciée du public [...] Aussi le Conseil municipal proteste-t-il énergiquement et prie-t-il ardemment les autorités du CN de maintenir de tels trains pour le bénéfice et l'accommodation des gens d'affaires, des voyageurs de commerce et du public en général.»

24-25 décembre – Cantiques chantés selon le prône du 20 décembre: «a) Avant messe de minuit: *Minuit, chrétiens*; Après messe de minuit: *Nouvelle agréable*; b) Messe de l'aurore: *Ça, bergers, Il est né, le divin Enfant* et *Les anges dans nos campagnes*; Messe du jour: *Ça, bergers* et *Dans cette étable*. N.B. a) Couplets par la chorale des Enfants de Marie; b) *Minuit, chrétiens* chanté en entier. Après, reprise: «Peuple, à genoux»; c) Refrain chanté une 1ʳᵉ fois par la chorale des Enfants de Marie quand il précède le couplet.»

Cette année, les écoles de Saint-Michel sont au premier rang pour leur générosité en faveur de la Sainte-Enfance: 158,10 $.

Recensement: 262 familles, 1324 personnes.

1932

Joseph Gagnon, maire jusqu'en 1933.

17 janvier – Au prône, remarque sur la location des bancs: «Tous les cultivateurs, moins 2, ont un banc. Merci et félicitations à eux. Ils comprennent leurs vrais intérêts. De même plusieurs paroissiens du village. Il y en a trop qui n'ont pas de banc. La pauvreté n'en est pas la cause: les plus pauvres en ont. Avons fait la liste de paroissiens du village qui n'ont pas de banc et devraient en avoir. Faisons appel à leur bonne volonté. Le Bon Dieu les récompensera.»

27 janvier – À l'hôtel de ville de Lévis, enquête sur la suppression du train local du matin entre Rivière-du-Loup et Lévis.

10 avril – Au dixième anniversaire de son arrivée dans la paroisse, le curé Salluste Bélanger fait le bilan: «Les œuvres missionnaires ou apostoliques, au Japon, notamment, ont produit 8000 $, et les œuvres de charité, 4673 $. Il y eut aussi la salle du collège aménagée au grenier de la vieille institution. En dix ans, les dons faits à la paroisse s'élèvent à 6436,55 $, dont près de 1500 $ par le curé lui-même.

«On croit pouvoir noter une assistance plus considérable à la messe quotidienne, des communions plus nombreuses, le chant populaire de l'ordinaire de la messe plus suivi, une belle assistance aux mois du Sacré-Cœur, de la Sainte Vierge, de saint Joseph; une toilette plus décente des dames et demoiselles à l'église.

«Par contre, il existe encore trop de liberté dans les fréquentations, pas assez de surveillance des jeunes. Dans nombre de familles, la tempérance n'est pas en honneur. Ajoutez les désordres des dernières élections et le reste qui est le secret de Dieu…»

28 avril – Soirée récréative au Collège ou à l'Académie Saint-Michel dans la «Salle Bélanger» pour honorer le curé qui a fait aménager à ses frais cette salle «spacieuse, éclairée, riante et gaie» dans le grenier de l'édifice.

29 août – Arrivée de l'abbé Maxime Fortin, aumônier général des Syndicats catholiques de Québec, appelé pour remplacer le curé Bélanger, forcé de démissionner pour des raisons de santé, qui restera curé de Saint-Michel jusqu'en 1947. Le curé Bélanger presse ses paroissiens d'aller à la rencontre du nouveau curé et de décorer leur maison en son honneur.

7 septembre – Le cultivateur de Saint-Michel, Eugène Dumas, ami de Caïus et de Rose-Anna, dont la terre appartient à sa famille depuis 150 ans, est décoré de la médaille d'or du Mérite agricole. Le ministre Godbout de l'Agriculture déclare: «Les lauréats de cette année méritent plus spécialement nos félicitations, car pour réussir en ces heures de dépression, il fallait plus de travail, plus de dévouement. Or le concours de 1932 a surpassé ceux des années passées par l'excellence de la préparation des fermes…» Il cite en exemple M. Eugène Dumas «qui est également l'un de nos meilleurs producteurs de sucre d'érable».

18 septembre – Procession solennelle au sanctuaire de Lourdes pour demander à la Vierge d'éloigner le fléau de la paralysie infantile qui vient de faire son apparition dans la paroisse.

2 octobre – Après sa première visite paroissiale en septembre, le curé Fortin note : « J'ai rencontré chez vous des maisons de catholiques où trônent la croix de la Tempérance et l'image du Sacré-Cœur ; de bons Canadiens où se retrouvent les vieilles traditions, les vertus de la race ; des maisons où la bonne tenue des mamans et de leurs grandes filles est remarquable [...] Merci de votre générosité pour la quête de l'Enfant-Jésus qui a rapporté 217,63 $. »

1933

Joseph-L. Lamontagne, maire jusqu'en 1937.

Janvier – Liste fournie au ministère de l'Agriculture des fils de cultivateurs âgés de 18 à 30 ans ou de jeunes couples, désireux de s'installer sur une terre, mais dans l'impossibilité de le faire. Voir 1934.

22 mai – À la une du journal *L'Action catholique* de Québec : « Ouverture de la journée agricole à Saint-Michel ». Autre article dans l'édition du 23 mai. Organisée par l'Union catholique des cultivateurs (Cercle Saint-Michel).

30 juillet – Journée catholique à Lévis sous le patronage du cardinal Villeneuve. Pèlerinage à la chapelle de Lourdes de Saint-Michel.

21 octobre – Le Conseil municipal se montre toujours le fidèle défenseur du P'tit Train : « Attendu que la gare de La Durantaye connait de nouveau une ère de prospérité comme par les années passées ; que le chiffre d'affaires est plus élevé qu'en 1932 ; que le tonnage de fer dépasse de beaucoup celui de l'an dernier ; que la spacieuse cour est encombrée de bois prêt à être expédié ; que ce commerce du bois va tripler l'an prochain [...]

« Attendu que de nombreux patrons et solliciteurs ayant à cœur de voir la gare de La Durantaye ouverte indéfiniment, ont pris l'initiative d'attirer le trafic à cet endroit et ont vu leurs efforts couronnés de succès en réussissant à faire expédier de là, par la voie du CN, de grandes quantités de bois qui, autrefois, étaient transportées au quai de Saint-Michel pour être chargées sur des barges [...]

« Attendu que l'envoi d'arbres de Noël sur différents points de la Nouvelle-Angleterre est aussi l'œuvre des mêmes solliciteurs ; que les marchands des paroisses desservies par La Durantaye étant mieux organisés, font aujourd'hui des affaires sur une base plus étendue [...]

« Attendu que la production du lait étant la principale industrie agricole de la région, et que l'expédition du lait de La Durantaye vers les hauteurs de Québec atteint un montant élevé dans le chiffre d'affaires de la gare du CN [...]

« Enfin, attendu que, par sa lettre du 12 septembre 1933, M. N.J. Atkinson, surintendant du CN pour la division de Lévis, recommande de garder la gare de La Durantaye, le Conseil municipal de Saint-Michel se faisant le fidèle interprète des citoyens de Saint-Michel et de la région (La Durantaye, Saint-Raphaël, Saint-Vallier) s'oppose fortement à la fermeture de la gare du CN et prie ardemment la Commission des Chemins de fer nationaux du Canada de prendre en sérieuse considération les raisons énumérées ci-dessus. »

2 décembre – Les autorités du Canadien National maintiennent leur décision de fermer la gare de La Durantaye du 1er mai au 31 octobre de chaque année. Le Conseil municipal déplore cet état de choses, surtout à cause de la Société Coopérative de La Durantaye établie le long de la voie d'évitement et parce que l'expédition des produits agricoles se faisait de plus en plus par chemin de fer.

17 décembre – Réorganisation de la Ligue du Sacré-Cœur. Réunion mensuelle le quatrième dimanche du mois.

Statistiques : 263 familles, 1480 personnes, dont 770 dans les rangs. Voir p. 446.

1934

15-18 janvier – Première retraite fermée de la Ligue du Sacré-Cœur de Saint-Michel à la Villa Manrèse de Québec.

1er mai–31 octobre – Malgré toutes les requêtes du Conseil municipal, la gare de La Durantaye est fermée durant cette période cette année et les années subséquentes.

2 juin – Règlement municipal n° 37 pour la bonne réputation de Saint-Michel : « Que le restaurant où l'on vend des rafraîchissements soit propre et bien tenu ; défense d'y faire du bruit en chantant ou autrement ; pas de paroles déshonnêtes ni de blasphèmes. Pas de conduites indécentes : défense de se baigner sans avoir revêtu un costume *ad hoc*, ni de circuler en costume de bain dans le village [...] »

Octobre – Le curé Fortin, à la demande du Gouvernement provincial, veut aller fonder une paroisse en Abitibi. Pendant ce mois, une série d'assemblées dans les sept paroisses du bas de Bellechasse : Saint-Michel, Beaumont, Saint-Raphaël... pour recruter des cultivateurs intéressés à aller s'établir en Abitibi.

29 octobre – De la Gare du Palais à Québec, premier départ de 25 colons, dont trois mariés, pour Ville-Montel en Abitibi. Une vingtaine d'autres étaient prêts à partir aussi.

1935

24 février et *10 mars* – Dénonciation en chaire de courtiers malhonnêtes et de leurs affaires « immorales » : « Il s'agit de contrats par lesquels on s'engage à l'achat de titres, d'actions industrielles, que le courtier n'a même pas en main, et cela au prix de gages excessifs. En garde !... Les gens de la campagne, sauf de rares exceptions, devraient se contenter de placer leurs épargnes dans les obligations les plus sûres, ou encore sur leurs terres. Le reste est un trop grand risque. Quant aux Compagnies qui prétendent faire un revenu net de 27 % et garantir un dividende de 12 %, le mieux à faire est de les dénoncer à la justice du pays [...] »

Mi-mai – L'Ouvroir de Saint-Michel remet les 1237 articles confectionnés pendant l'hiver pour la Crèche de Saint-Vincent-de-Paul de Québec, et les ornements sacrés destinés à la colonie de Vautrin en Abitibi.

26 mai – Fête religieuse ou grand-messe d'action de grâce pour souligner le cinquantenaire de l'arrivée des Frères Maristes au Canada. Le curé Fortin brosse un panégyrique de l'œuvre des Frères à Saint-Michel et dans le monde.

Auparavant avait eu lieu une séance-concert et la représentation d'*Une noble vengeance*, drame d'Eugène Achard.

28 juin – Pour pallier les dangers des vacances, le curé Fortin a fondé une colonie de vacances pour jeunes gens à Saint-Michel, avec confession hebdomadaire le mercredi soir et communion le jeudi matin, et demande aux Frères Maristes de s'en occuper : « Ces jeunes se réunissent au collège, et ce sont les Frères qui s'occupent de les préparer et de les amener à l'église ou à la sacristie. Si les Frères ne sont pas là, la moitié des jeunes nous échappent. Par ailleurs, nous venons de former une Association des Étudiants en vacances, y compris ceux qui fréquentent les collèges classiques, les juvénats [...] » Hélas ! ce sera impossible pour l'été 1935. Voir 1937.

Le curé se plaint aussi « de la vente de liqueurs enivrantes sur la plage publique, d'offenses à la morale » et demande à la Municipalité l'engagement d'un constable.

6 juillet – À la séance du Conseil municipal, on vote l'engagement d'un constable pour la durée des vacances, au coût de 8,50 $ par semaine.

7 juillet – En la solennité de la Saint-Jean-Baptiste, comme à tous les étés, rappel des dangers des vacances : « *Les vacances* : Bains, plages, automobiles, pique-niques, jeux, habillement, lectures, récréations, fréquentations, sorties. Là-dessus, la doctrine à savoir et à pratiquer, c'est qu'on n'a pas le droit de s'exposer au danger de péché grave ; qu'on n'a pas le droit de scandaliser son prochain; qu'on n'a pas le droit de coopérer à une œuvre mauvaise ou simplement très risquée; que nos paroisses sont des paroisses catholiques; que vous êtes tous des chrétiens et non des païens [...] »

1936

Émile Boiteau, de l'Union nationale, député à Québec.

6 décembre – En ce 2ᵉ dimanche de l'Avent, le curé fustige au prône ce qui se passe dans son église, dans le village et dans le monde: « Divers « a) Désordre au jubé pendant Vêpres. b) Les 4 ou 5 couples de jeunesses du village qui vivent comme s'ils étaient des gens mariés. c) Le mariage d'Édouard VIII avec mad. Simpson. Pas besoin d'attendre pour se fixer. Sans tenir compte du point de vue catholique qui réprouve entièrement ce projet de mariage, il n'est ni convenable, ni décent, ni moral, du point de vue de la loi naturelle, qu'un homme se marie à une divorcée 2 fois qui a encore 2 maris vivants. »

1937

Dʳ A.-N. Turcotte, maire jusqu'en 1940.

23 février – Fondation de la Caisse populaire de Saint-Michel, à la résidence de son gérant fondateur, Émile Ruelland, en présence de Cyrille Vaillancourt, président général des Caisses Desjardins. Au prône, le curé cite le discours de l'archevêque de Québec prononcé à Lévis le 26 janvier 1936: « Volontiers je fais mienne cette recommandation du cardinal Bégin qui voulait, à côté de l'église et de l'école, la Caisse populaire. L'Action catholique qui voudra viser au pratique devra s'attaquer, sur le plan économique, à l'organisation du syndicalisme catholique. C'est ce qu'a fait le clergé d'Antigonish pour les pêcheurs de la Nouvelle-Écosse, et c'est ce que nous devons multiplier dans notre Province pour l'établissement des Caisses populaires. Que dans chaque paroisse le curé fasse converger les efforts de ses apôtres vers l'organisation du crédit de la Caisse populaire, inspirée d'esprit chrétien, d'épargne chrétienne et de solidarité sociale. »

6 mars – Le Conseil municipal soutient la demande des contribuables pour que soit rétabli le train du matin supprimé en temps de crise. Sans succès.

17 mai – Le curé revient à la charge auprès des Frères Maristes pour pouvoir en garder au moins un ou deux pendant l'été: « Pour conduire nos enfants à l'église et les surveiller d'une manière générale. Vous savez, quand les Frères sont absents, on dirait que le diable en profite pour pousser les jeunes à mal faire [...] » Sa requête sera acceptée cette fois. Voir 1935.

20 juin – Au prône, le curé incite ses ouailles à venir « écouter l'abbé Turmel, l'habile propagandiste des Caisses populaires », presse les cultivateurs de rencontrer le nouvel agronome, Bruno Potvin, et va jusqu'à s'intéresser à l'enlèvement des ordures: « Tout le monde devrait se donner la main, au moins ceux qui se servent de la grève pour y déposer leurs déchets. D'ailleurs, il paraît qu'on songe sérieusement à régulariser ces dépôts de vidanges et qu'il est temps, vraiment! »

2 octobre – Requête du Conseil municipal au député fédéral Oscar Boulanger pour la réfection du quai: « Attendu que le quai de Saint-Michel est dangereux, comme l'atteste une affiche du Gouvernement fédéral placée là le printemps dernier; que ce quai est d'une grande utilité aux cultivateurs, pêcheurs, fabricants de bois de pulpe du comté de Bellechasse pour l'expédition de leurs produits [...] Attendu que, depuis plusieurs années, il n'y eut aucune réparation ni même aucun entretien au quai [...] Attendu que la construction d'un tel quai a déjà coûté plus de 100 000 $ prêts à s'envoler en pure perte si on ne prend pas les moyens voulus d'y remédier au plus tôt [...] » Voir 1938.

1938

6 août – Vote à l'unanimité du Conseil municipal pour une lettre de remerciements au député Oscar Boulanger qui a obtenu des fonds pour le quai. Voir 1937.

18 septembre – Corvée paroissiale au sanctuaire de Lourdes pour réparer les dégâts causés par des pluies diluviennes : « Plutôt que d'attendre indéfiniment, dit le curé, j'ai pensé que tous ceux qui ont une voiture ou un cheval s'amèneraient avec un bon voyage de gravelle, de gros sable ou de tuf. S'il en reste, on en mettra aussi devant le presbytère et l'église qui est en train de devenir un terrain public [...] »

1939

Valmore Bienvenue, libéral, député à Québec.

Joseph Santerre, de Saint-Michel, père de 23 enfants, pilote royal, est chargé de conduire le roi George VI et la reine Elisabeth à bord de l'*Empress of Australia* sur le fleuve Saint-Laurent.

9 décembre – Éloge au prône du Dr A.-N. Turcotte, ancien maire de Saint-Michel qui va s'installer à Québec : « Il s'est fait remarquer ici par l'étendue et la sûreté de ses connaissances médicales, son jugement, son tact et sa grande discrétion, son souci d'être toujours à son poste. Avec lui comme médecin traitant, on se sentait en sécurité. »

Le Dr Lucien Robitaille le remplace.

1940

Louis-Philippe Picard, libéral, député à Ottawa jusqu'en 1955.

Louis-Edmond Pouliot, maire jusqu'en 1942. Voir aussi 1943.

6 avril – Le Conseil municipal accepte la proposition d'Irénée Labrie de Beaumont qui veut organiser un transport en auto-neige de Saint-Michel à Lévis.

15 août – Grand pèlerinage de la paroisse de Saint-Vallier au sanctuaire de Lourdes : « Hommes et jeunes gens viendront à pied, les dames et demoiselles en voiture. Les paroissiens de Saint-Michel sont invités à s'unir à eux : messe basse, action de grâces en commun, cantiques, chant de l'*Ave maris stella* et du *Magnificat* à l'arrivée comme au départ. »

1941

Printemps – Acquisition par le curé, au coût de 800 $, du terrain voisin à l'est de l'entrée de la chapelle de Lourdes.

5 mai – Le Conseil municipal « prie le député fédéral de fermer l'accès du quai par une barrière chaque soir, avec avis bilingue. Il demande également au député provincial Bienvenue que la police des mœurs surveille les plages aux fins de semaines surtout ; que la Commission des Liqueurs se montre plus sévère pour ses permis de vente de spiri-tueux ; que les restaurateurs ferment leurs boutiques pendant les offices religieux et, sur-tout, que ces endroits ne deviennent pas un refuge pour les jeunes de la municipalité. »

Mi-juin – Pèlerinage à pied des cultivateurs de la région au sanctuaire de Lourdes.

11 août – Le 75e anniversaire de l'arrivée des Religieuses de Jésus-Marie.

14 septembre – Au prône, quête de patates pour le couvent en difficulté financière : « Au moins un sac de patates par famille ».

1942

Gaudiose Pouliot, maire jusqu'en 1943.

2 avril – Au Conseil municipal, « après discussion sur les lieux d'amusement et le maintien de l'ordre public, il est décidé qu'à l'avenir les propriétaires de salles et de bains publics seront obligés d'engager à leurs frais un ou deux gardiens acceptés et assermen-tés par le Conseil municipal qui se réserve le droit de donner à de tels agents de la paix les conseils appropriés ».

Octobre – Autre corvée au sanctuaire de Lourdes : le curé demande 500 voyages de terre à ses paroissiens.

7 novembre – Un incendie jette huit familles sur le pavé. La ville de Lévis réclame 500 $ pour le service de ses pompes. Voir 1947.

1943

Louis-Edmond Pouliot, de nouveau maire jusqu'en 1945. Voir 1940.

6 juin – Le Conseil municipal endosse la proposition de la Fédération des Ligues du Sacré-Cœur qui demande au Gouvernement fédéral d'interdire le travail de nuit aux femmes et aux filles, de refuser le travail en usine aux mères ayant des enfants de moins de 16 ans et, enfin, d'imposer une journée de travail de huit heures et une semaine de 40 heures.

v. 1944

Aménagement par le curé Fortin du sous-sol de la sacristie, qui portera désormais le nom de Salle de la Fabrique, qui se fera petit à petit à mesure que les restrictions du temps de guerre le lui permettront. Salle qui sera utilisée par les différentes associations de la paroisse. À ceux qui craignaient cette «nouveauté», le curé Fortin répliquera : «Prière à ceux et celles qui ne sont ni curé, ni marguilliers, de ne rien décider sur cette affaire de la Salle de la Fabrique!...»

1945

J.-A. Giguère, maire jusqu'en 1949.

Mi-mai – Visite du cardinal Villeneuve qui se réjouit que la paroisse n'a plus de dettes et qu'elle a même 5 000 $ en caisse.

Octobre – Autre quête pour le Couvent, organisée par les anciennes élèves ; l'on demande patates, oignons, citrouilles et aussi du savon, rare en temps de guerre.

Rapport du curé Fortin à l'Archevêque de Québec : il mentionne «l'abus des boissons enivrantes, chez les jeunes surtout, de même que la partisanerie politique qui s'insinue partout, gâche la vie économique, sociale et religieuse, au point de rendre impossible le fonctionnement des mouvements d'Action catholique.» À la question : «Que fait-on pour enrayer la désertion des campagnes ?», il répond qu'«on ne fait rien parce qu'il n'y a rien à faire».

1947

3 mai – Pour lutter efficacement contre l'incendie et pour profiter des subventions gouvernementales de 50 %, le Conseil municipal vote à l'unanimité «l'achat d'une pompe de 400 gallons d'eau à la minute, avec 1000 pieds de boyaux et les accessoires voulus», même si certains citoyens s'objectent encore à une telle dépense. Voir 1942.

Début juillet – Départ du vicaire Pierre-Auguste Chabot, que le curé Fortin louera ainsi : «Notre vicaire depuis 17 ans, le mien et le vôtre depuis 15 ans. Impossible de trouver un meilleur vicaire que lui ! Instruit comme pas beaucoup de prêtres de son âge, d'une piété sans pareille, d'une grande discrétion, patient, mortifié [...] Grand monsieur, endurant son curé parfaitement. Peut-être lui ai-je fait le dixième d'une bonne vie [...]

«Vous avez été bons, courtois, confiants en lui [...] et je m'en suis réjoui toujours. Mon vicaire a toujours passé avant moi dans votre paroisse et la mienne. Je l'ai voulu comme cela et cela devait être comme cela.

«Je suis et vous êtes bien chagrinés qu'il s'en aille. Il a 50 ans passés et 23 ans de prêtrise. S'il doit avoir un peu de liberté et vivre chez lui en paix avant de mourir, je comprends qu'il ait accepté d'être curé [...]»

14 décembre – L'abbé Auguste Cantin, curé jusqu'en 1955. Pendant quatre ans, jusqu'en 1951, il luttera pour que la nouvelle route transcanadienne ne traverse pas le terrain du sanctuaire de Lourdes.

1948

Paul-Eugène Bélanger, de l'Union nationale, député à Québec.

3 avril – Résolution du Conseil municipal : «Considérant les abus dans la vente des boissons enivrantes et l'immoralité des vêtements, il est proposé que ce Conseil défende complètement la vente de vins, bières [...] et aussi de porter des vêtements indécents. Cette résolution autorise le Secrétaire à recevoir les plaintes et le charge de faire rapport au Procureur de la Province. Adopté à l'unanimité. »

23 mai – Grande fête à l'occasion des 25 ans d'ordination du curé Cantin. Messe à dix heures, suivie d'un banquet au couvent et d'une soirée au collège où l'on montre un film sur les activités du collège.

De 1948 à 1954, plusieurs tentatives et lettres envoyées aux instances provinciales par le curé Cantin pour solutionner le problème des désordres à la Plage de Saint-Michel.

1949

Emmanuel-A. Garon, maire jusqu'en 1953. Il le sera de nouveau de 1962 à 1968.

Début de la récitation quotidienne du rosaire à l'église.

15 mai – Les diverses résolutions relatives à l'agrandissement du cimetière sont approuvées à l'unanimité lors d'une assemblée de paroisse.

Début août – Le curé Cantin demande une corvée pour l'agrandissement du cimetière.

26 octobre – Bénédiction du cimetière agrandi.

1950

Statistiques : 301 familles, 1552 personnes (dont 1251 communiants).

1951

3 mai – Au prône de l'Ascension, le curé s'inquiète des ravages de l'alcool : « Les épouses qui sont affectées par ce fléau doivent faire pression sur leurs maris pour leur faire comprendre toute leur responsabilité vis-à-vis de leurs enfants [...] C'est à vous, parents chrétiens, que ce travail appartient. C'est l'avenir de vos enfants que vous devez protéger plus que jamais [...] Le devoir, seule vraie ligne de conduite à suivre ! »

1952

Alphée Poirier, de l'Union nationale, député à Québec jusqu'en 1960.

Dans son rapport à l'Archevêque de Québec, le curé Cantin se plaint, comme il le fera également dans son rapport de 1954, que « la danse et l'alcool provoquent bien des abus, comme les vêtements indécents ».

1953

3 août – Règlement municipal n° 76 : « Le port du costume de bain est défendu sur les places publiques et n'est permis que sur les plages, bains publics [...] Il en est de même des costumes et vêtements indécents [...] sous peine d'amende n'excédant pas 20 $ ou d'un mois d'emprisonnement [...] »

1954

Nouvelle aile ajoutée au Couvent.

Mai – Visite pastorale de Mgr Lionel Audet, qui note l'excellente situation financière de la paroisse : pas de dettes, malgré des travaux de 12 000 $. D'autre part, « Il y a de l'ordre et de la propreté partout. Nous avons été bien édifié de la piété des fidèles qui ont rempli l'église à chacun des exercices de la visite. Les enfants sont remarquablement pieux et distingués. On sent ici l'influence d'éducateurs qui se dévouent pour eux, du prêtre qui les aime et s'occupe d'eux [...] »

27 mai – Une pétition, signée par le Conseil municipal, ainsi que par une centaine de contribuables, est envoyée au solliciteur général de la Province, Antoine Rivard, sur la question de l'alcool et des jeunes. On lui demande de faire fermer l'endroit connu sous le nom de Champs-Élysées où l'on sert de l'alcool à des jeunes de 15 à 19 ans.

1955

Janvier – Ouverture des Quarante-Heures dans la nouvelle chapelle du Couvent.

9 décembre – Fête au Couvent pour saluer le départ du curé Cantin.

11 décembre – Départ du curé Cantin, accompagné de plusieurs paroissiens jusque dans sa nouvelle paroisse Jacques-Cartier à Québec.

Installation du nouveau curé, l'abbé Irénée Royer.

1960

4 septembre – Bénédiction et inauguration du nouveau collège des Frères Maristes sur le terrain nommé Champs-Élysées, aujourd'hui l'école primaire.

Achat par la Municipalité du vieux collège et du terrain où se trouvent la citerne et le bâtiment abritant les pompes.

1961

22 novembre – Lettre de la Commission des Monuments au curé de Saint-Michel lui suggérant de faire classer la chapelle Sainte-Anne comme monument historique.

1962

11 février – Ouverture de l'hôpital Notre-Dame de Lourdes dans le Collège des Frères Maristes (démoli en 1966).

1965

27 juin – Fête du centenaire de l'arrivée des Religieuses de Jésus-Marie et de l'ouverture du Couvent.

28 décembre – Inauguration du nouvel édifice de l'hôpital Notre-Dame de Lourdes.

1967

Le cultivateur Maurice Vézina de Saint-Michel est décoré de la médaille d'or du Mérite agricole.

1968

Électrification des cloches.

PAROISSE SAINT-MICHEL-DE-BELLECHASSE
STATISTIQUES PAROISSIALES
1933

1)	Âmes:	Village: 710	Rangs: 770		1480
2)	Foyers:	(Tous ceux qui tiennent feu et lieu, c.-à-d. ménages, veufs, veuves et personnes seules)			263
3)	Ménages:				198

4) Cultivateurs: (Village: 9   1er rang: 41

                  2e rang: 24   3e rang: 40   Foyers: 114

5)	Autres occupations: (Chômeurs non compris)	Foyers:	119
6)	Emplacitaires:		120
7)	Propriétaires: (Cultivateurs: 114 — emplacitaires: 120)		234
8)	Locataires:		34
9)	Pensionnaires:		7
10)	Rentiers: (Personnes vivant exclusivement de leurs rentes)		88
11)	Toutes les catégories de communiants:		1240
12)	Communiants adultes:	(Village: 532 / Rangs: 514)	1046
13)	Petits communiants:	(Village: 86 / Rangs: 108)	194
14)	Non-communiants:	(Village: 81 / Rangs: 159)	240
15)	Veufs avec charge d'enfants:		16
	Veufs sans charge d'enfants:		11
16)	Veuves avec charge d'enfants:		23
	Veuves sans charge d'enfants:		22
17)	Hommes non mariés:	(Célibataires 30 ans et plus) (Village: 23 / Rangs: 20)	43
18)	Demoiselles: (30 ans et plus)	(Village: 54 / Rangs: 11)	65
19)	Jeunes gens: (17 à 30 ans)	(Village: 65 / Rangs: 102)	167
20)	Jeunes filles: (17 à 30 ans)	(Village: 63 / Rangs: 75)	138
21)	Enfants: (jusqu'à 17 ans)	(Village: 234 / Rangs: 329)	563
22)	Employés venant de l'extérieur:		14

23) Enfants fréquentant les classes de la paroisse:

a) du collège	101	
b) du couvent	96	
c) des écoles des rangs	149	346

24) Enfants de la paroisse étudiant à l'extérieur

a) à l'Université Laval	1	
b) au Grand Séminaire	2	
c) dans les collèges classiques	8	
d) à l'École apostolique	1	
e) dans les collèges commerciaux	3	
f) dans les couvents	3	
g) dans les juvénats	4	
h) dans les noviciats	2	24

25) Personnes âgées de

90 ans et plus	4	
80 ans à 90	23	
70 ans à 80	62	89

26) Les quatre personnes âgées de 90 ans et plus sont:
- a) M. Jean Morissette, né le 16 janvier 1839.
   Il commencera le 16 janvier prochain, sa 96ᵉ année.
- b) Mᵐᵉ Veuve Nazaire Corriveau, née le 27 mars 1842, âgée de 91 ans, 9 mois, 3 jours.
- c) Mᵐᵉ Veuve Samuel Brousseau, née le 20 mars 1843, âgée de 90 ans, 9 mois, 10 jours.
- d) M. François Chabot, né le 8 janvier 1844.
   Il aura 90 ans le 10 janvier 1934.

27) Baptêmes: (année 1933)   dont deux de l'extérieur   31

   Mariages: (année 1933)   6

   Sépultures: (année 1933)   20

   (14 adultes de Saint-Michel, 2 adultes de l'extérieur, 3 enfants et un anonyme)

28) Défunts: (1933)

		ans	mois	jours
1)	Sieur J.-Georges Lamontagne	60	4	2
2)	Noémi Morissette	6	6	0
3)	Dame Gaudiose Tanguay (Félixina Gagnon)	68	6	4
4)	Dame Joseph Roy (Délia Durand)	77	2	3
5)	Sieur Napoléon Bissonnette	50	3	0
6)	Sieur Ernest Goupil	27	9	0
7)	Sieur Adélard Lamontagne	79	0	18
8)	Dame Ernest Roy (Exarée Turcotte)	80	2	25
9)	Dame Jules Morissette (M.L. Roy)	49	0	0
10)	Dame Charles E. Bernier (Josephte Duquette)	75	0	0
11)	M. Thérèse Laurette Montminy	0	0	5
12)	Dame Adélard Roy (Éva Lacroix)	29	6	14
13)	Sieur Herménégilde Martin	79	8	18
14)	Mᶦˡᵉ Elmire Mercier	46	3	0
15)	Dame Joseph Mercier (Virginie Gaumond)	70	0	0
16)	Sieur Edmond Goupil	81	10	0
17)	Ernest Mercier	55	11	0
18)	Annette Bernier	8	11	0
19)	Sieur Lionel Simard	42	0	6
20)	Un anonyme	—	—	—

29) État financier de la Fabrique (notes):
- a) Surplus des recettes ordinaires sur les dépenses ordinaires (année 1933)   1194,00 $
- b) Caisse au 1ᵉʳ janvier 1934   347,15 $
- c) Dette (emprunts)   3700,00 $
- d) Créanciers de la Fabrique: MM. Régis Ménard et Émile Roy
- e) Assurances:
(sur église:	125 000 $	
sur presbytère:	10 000 $	
sur Lourdes:	10 000 $)	145 000,00 $

30) Communions en 1933   79 090

31) Abonnements à :

        a) *L'Action catholique*   62
        b) *L'Événement*   50
        c) *Le Soleil*   67
        d) *La Presse*   1
        e) 21 revues pieuses ou annales   804

32) Ouvroir St-Michel :

        a) Commencé en novembre 1930
        b) A distribué jusqu'à mai 1933
            À la Crèche (Québec) 2560 articles de lingeries diverses ;
            A donné pour Œuvres : aux Chinois, 250 morceaux divers ;
            Pour le Culte : 500 articles divers.

33) Aide aux Missionnaires de la paroisse :

        Du 1er janvier 1933 au 15 janvier 1934   496,11 $

Familles Blais–Lacroix*

par Giselle Huot

1634

30 avril – Mariage en secondes noces, à Melleran, arrondissement de Niort, évêché d'Angoulême (Deux-Sèvres), de l'ancêtre français Mathurin Blais, fils de Jacques Blais et de Louise Penigaud († 1629), à Françoise Penigaut(d), fille de Pierre Penigaud († av. 1630) et de Michelle Taffoin. Il avait d'abord épousé Marie Auchier le 9 février 1630 à Melleran. Les témoins au mariage : Jean Carrier, Pierre Allix, procureur fiscal de Melleran, en 1631, Denis Richard et Nicolas Blanchard.

v. 1639-1642

Naissance de Pierre Blais, fils de Mathurin Blais et de Françoise Penigaut, d'Hanc, arr. Niort. (25 ans au recensement de 1667 ; 40 ans au recensement de 1681, à l'Île d'Orléans). Voir 1669 et 1700.

v. 1643-1646

Naissance d'Anne Perrot (Perrault), fille de Jean Perrot et de Jeanne Valta, de la paroisse Saint-Sulpice de Paris, archevêché de Paris (35 ans au recensement de 1681 ; 45 ans à sa mort en 1688). Voir 1669 et 1688.

1644

Naissance et baptême de David de Lacroix, fils de Jacques de Lacroix et d'Antoinette Chambon, à Confolens, ville et arrondissement de l'évêché de Poitiers, au Poitou, Charente-Maritime (34 ans au recensement de 1681 ; 59 ans à sa mort en 1712). Voir 1681 et 1712.

v. 1661

Naissance de Barthélémie Maillou(x), fille de Michel Maillou (Jacques & Suzanne Arnaud) et de Jeanne Mercier de Brie-sous-Matha, arrondissement Saint-Jean d'Angély, évêché de Saintes, Saintonge, Charente-Maritime (20 ans au recensement de 1681 ; 31 ans en 1693). Voir 1681 et 1714.

1664

25 mai Arrivée à Québec de l'ancêtre Pierre Blais par le bateau *Noir* (100 tonneaux) d'Amsterdam, commandé par le capitaine Pierre Fillye de Brest. Celui-ci déclarait au Conseil souverain, le 18 juin 1664, que les sieurs Duhamel, Guenet et Cie, marchands de Rouen, avaient reçu 45,000 livres du roi pour faire venir 300 hommes de travail au Canada. Lui-même disait avoir transporté « dans son navire cinquante hommes et une fille, dix barriques d'eau de vie, quatre cents haches et six brebis ».

1667

Au recensement, Pierre Blais est à l'Île d'Orléans.
22 juin – Concession de Mgr de Laval de trois arpents de terre à Pierre Blais sur l'Île d'Orléans (notaire Vachon).

* Renseignements tirés des archives de la Paroisse ou de la Fabrique de Saint-Michel (dans les *Registres des Baptêmes, Mariages et Sépultures*, les actes manquent pour les années 1713, 1714 et de 1717 à 1730), des archives de la Municipalité de Saint-Michel-de-Bellechasse, des Archives nationales du Québec à Québec, Fonds de l'Instruction publique, des Archives de l'Université Laval, Fonds Luc-Lacourcière, ainsi que des archives personnelles de Benoît Lacroix, de la famille Lacroix et de la famille Gagnon.

1669

23 *septembre* – Contrat de mariage entre Pierre Blais, fils de Mathurin Blais et de Françoise Penigaut(d), et Anne Perrot (Perrault), fille de Jean Perrot et de Jeanne Valta, de la paroisse Saint-Sulpice à Paris (notaire Duquet). Anne Perrot signe et Pierre Blais ne sait signer. Fille du Roi arrivée au pays en 1669, Anne Perrot apporte des biens estimés à 300 livres.

12 *octobre* – Mariage de Pierre Blais et d'Anne Perrot, à Sainte-Famille, Île d'Orléans. Ils s'établissent à Saint-Jean, Île d'Orléans et auront 10 enfants. Voir 1688 et 1700.

1670

15 *août* – Confirmation à Québec de David de Lacroix.

1671

13 *octobre* – Contrat de mariage entre David de Lacroix, fils de Jacques de Lacroix et d'Antoinette Chambon de Confolens, évêché de Poitiers (Charente) et Antoinette Bluteau, fille de feu Louis Bluteau et d'Antoinette Legrand, de Condé-sur-Escout, arr. Valenciennes, évêché de Soissons (Picardie Nord). Son nom est orthographié « David de la Croix » et il est dit « habitant de la Durantaye » (notaire Becquet).

19 *octobre* – Mariage à Notre-Dame de Québec de David de Lacroix et d'Antoinette Bluteau, qui décédera à La Durantaye entre le 27 janvier 1675 et le 18 janvier 1681. Sans postérité. Deuxième mariage de David de Lacroix en 1681.

1673

18 *février* – Baptême de Pierre Blais, fils de Pierre et d'Anne Perrot, à Sainte-Famille, Île d'Orléans (2e génération). Voir 1695 et 1733.

1676

12 *juin* – Baptême de Françoise Beaudoin, fille de Jacques Beaudoin (Aunis) et de Françoise Durand (Normandie), à Sainte-Famille, Île d'Orléans. Voir 1695.

1681

Au recensement, Pierre Blais, 40 ans, détient 15 arpents de terre en valeur.

18 *janvier* – Contrat de mariage entre David-Joseph de Lacroix, fils de Jacques de Lacroix et d'Antoinette Chambon, veuf d'Antoinette Bluteau (voir 1671), de Confolens, évêché de Poitiers, Poitou, et Barthélémie Maillou(x), fille de Michel Maillou et de Jeanne Mercier, de Brie-sous-Matha, arr. Saint-Jean d'Angély, évêché de Saintes, Saintonge (notaire Gilles Rageot).

20 *janvier* – Mariage en secondes noces de David-Joseph de Lacroix (appelé Joseph lors de ce mariage) et de Barthélémie Maillou(x), à l'Islet. Ils auront 7 enfants.

14 *novembre* – Dans le « Compte rendu détaillé du recensement de l'intendant Du Chesneau, tenu le 14 novembre 1681, en regard de la population de la seigneurie de La Durantaye », ils figurent parmi les 16 familles pionnières (59 personnes au total). David Lacroix a 34 ans sur ce document (voir 1644 et 1712), Barthélémie Maillou(x), 20 ans (voir 1661). Ils possèdent 3 bêtes à cornes et 13 arpents de terre en valeur. Seul Nicolas Le Roy dépasse ce nombre d'arpents en valeur : 20 arpents, alors que Julien Boissel possède aussi 13 arpents.

1688

29 *juin* – Décès d'Anne Perrot, épouse de Pierre Blais, morte en couches de son dixième enfant, Marguerite, qui parviendra à l'âge adulte et se mariera en 1714. Inhumée le 30 à Saint-Jean, Île d'Orléans.

1689

D'après la carte Villeneuve, Pierre Blais est aux nos 29 et 30 et possède une maison et une grange à Saint-Jean de l'Île d'Orléans.

18 avril – Inventaire de la succession de feue Anne Perrot et de Pierre Blais (notaire Vachon) : 3 arpents (titres de propriété disparus dans l'incendie de leur maison ; arpentage par Jean Guyon le 5 juillet 1671).

1er juin – Contrat de mariage entre Pierre Blais, veuf d'Anne Perrot, et Élisabeth Royer, fille de Jean Royer et de Marie Targer (notaire Genaple).

5 juin – Mariage en secondes noces de Pierre Blais et d'Élisabeth Royer à Saint-Jean, Île d'Orléans. Ils auront 5 enfants.

v. 1691

Naissance de Louis Lacroix, fils de David-Joseph de Lacroix et de Barthélémie Maillou(x) (2e génération). Voir 1714 et 1726.

1694

15 septembre – Baptême de Suzanne Labrecque, fille de Mathurin Labrecque et de Marie-Marthe Lemieux à Beaumont (2e génération Lacroix). Voir 1714 et 1780.

1695

9 novembre – Contrat de mariage entre Pierre Blais, fils de Pierre Blais et d'Anne Perrot (Perrault), et Françoise Beaudoin, fille de Jacques Beaudoin (Aunis) et de Françoise Durand de Normandie (notaire Chambalon). Mariage ce même jour à Saint-François, Île d'Orléans. Ils auront 11 enfants.

1700

16 février – Décès de Pierre Blais, veuf d'Anne Perrot, époux Élisabeth Royer, inhumé le 18 à Saint-Jean, Île d'Orléans.

La même année, sa veuve se remarie à Robert Pépin.

1705

29 septembre – Baptême à Beaumont de Louis Blais, fils de Pierre Blais et de Françoise Beaudoin, né à La Durantaye (3e génération). Voir 1733 et 1793.

1709

Au recensement, les fils de David-Joseph de Lacroix, Louis et André, sont censitaires du seigneur Olivier Morel de La Durantaye.

La carte de Gédéon de Catalogne donne les renseignements suivants sur les familles Blais et Lacroix : la terre de Pierre Blais père est située à Saint-Jean, Île d'Orléans, celle de Pierre Blais, fils, dans Bellechasse ; les terres des frères Louis et André Lacroix sont situées dans Beaumont.

1712

22 août – Louis Lacroix, fils de David, l'ancêtre de la 2e génération, fait don d'un terrain d'un arpent carré pour la construction d'une église, d'un presbytère et d'un cimetière. Considéré comme bienfaiteur insigne. Au tableau des messes de fondation, on inscrira : « Une messe basse chaque année, dans l'octave de saint Michel, pour Louis Lacroix et son épouse, donateurs d'une partie du terrain de la Fabrique. » Voir 1732 et 1782.

3 octobre – Décès de David-Joseph de Lacroix, de la seigneurie de La Durantaye, à l'Hôtel-Dieu de Québec, à l'âge de 59 ans, dit-on. Voir 1644.

1713

Naissance de Marie-Anne Mercier, fille de Pascal Mercier et de Madeleine Boucher (3e génération Blais). Voir 1733 et 1772.

1714

14 janvier – Mariage de Louis Lacroix, fils de David-Joseph de Lacroix et de Barthélémie Maillou(x), et de Suzanne Labrecque, fille de Mathurin Labrecque et de Marie-Marthe Lemieux, à Beaumont. Ils auront 7 enfants.

Barthélémie Maillou(x), veuve de David-Joseph de Lacroix, est décédée dans la seigneurie de La Durantaye entre le 14 janvier 1714 et le 15 juillet 1716.

15 janvier – Contrat de mariage entre Louis Lacroix et Suzanne Labrecque (notaire Gachet).

1717

29 mars – Baptême de Joseph Lacroix, fils de Louis Lacroix et de Suzanne Labrecque, à Saint-Michel (3ᵉ génération). Voir 1739 et 1778.

1719

8 mai – Naissance et baptême de Marie-Louise Brideau, fille de Jean-Hilaire Brideau et de Marie-Josephte Paquet (3ᵉ génération Lacroix), à Québec. Voir 1739 et 1793.

1720

L'ancêtre Louis Lacroix occupe à l'église le deuxième banc du côté de l'évangile (côté nord). Les propriétaires de bancs sont au nombre de dix-huit, y compris le seigneur.

1726

17 février – Sépulture de Louis Lacroix, époux de Suzanne Labrecque, décédé à l'âge de 35 ans, à Beaumont.

1727

Suzanne Labrecque, veuve de Louis Lacroix, se remarie à Joseph-Noël Gromelin.

1732

29 décembre – Nicolas Morrisset et André Lacroix, frère de Louis (voir 1712), donnent une autre parcelle de terrain à la Fabrique de Saint-Michel.

1733

17 août – Mariage de Louis Blais, fils de Pierre Blais et de Françoise Beaudoin, et de Marie-Anne Mercier, fille de Pascal Mercier et de Madeleine Boucher, à Berthier-sur-Mer. Ils auront 15 enfants.

22 décembre – Sépulture de Pierre Blais, époux de Françoise Beaudoin, à Berthier-sur-Mer, décédé à l'âge de 60 ans, après « un an de maladie » est-il spécifié dans le registre.

1736

6 janvier – Naissance de Louis Blais, fils de Louis Blais et de Marie-Anne Mercier à Berthier-sur-Mer (4ᵉ génération). Voir 1757 et 1802.

1739

25 mai – Mariage de Joseph Lacroix, fils de Louis Lacroix et de Suzanne Labrecque, et de Marie-Louise Brideau, fille de Jean-Hilaire Brideau et de Marie-Josephte Paquet, à Saint-Michel-de-La-Durantaye. Ils auront 8 enfants.

v. 1739

Naissance de Geneviève Gaulin, fille d'Antoine Gaulin et de Brigitte Gagné (4ᵉ génération Blais). Voir 1757 et 1779.

1747

24 octobre – Baptême de Charles (Jean-Charles) Lacroix, fils de Joseph Lacroix et de Marie-Louise Brideau (4ᵉ génération). Voir 1779 et 1828.

1752

11 septembre – Baptême de Marie Baquet, fille de Jean-Baptiste Baquet dit Lamontagne et d'Angélique Quéret dit Latulippe, à Saint-Michel (4ᵉ génération Lacroix).

1757

14 novembre – Mariage de Louis (Michel) Blais, fils de Louis Blais et de Marie-Anne Mercier, et de Geneviève Gaulin, fille d'Antoine Gaulin et de Brigitte Gagné, à Saint-Pierre-du-Sud (4ᵉ génération). Ils auront 10 enfants.

1766

17 novembre – Baptême de Louis Blais, fils de Louis (Michel) Blais et de Geneviève Gaulin (5ᵉ génération), à Saint-François-de-la-Rivière-du-Sud. Voir 1793 et 1842.

1772

17 janvier – Sépulture de Marie-Anne Mercier, épouse de Louis Blais (3ᵉ génération), à Berthier-sur-Mer.

v. 1774

Naissance de Marie-Marthe Lemieux, fille de Guillaume Lemieux et de Marthe Dion (5ᵉ génération Blais). Voir 1793 et 1861.

1778

19 août – Sépulture de Joseph Lacroix, époux de Marie-Louise Brideau (3ᵉ génération), décédé à l'âge de 62 ans et 8 mois, à Saint-Vallier.

1779

15 juillet – Sépulture de Geneviève Gaulin, épouse de Louis (Michel) Blais, décédée à l'âge de 40 ans, à Saint-François-de-la-Rivière-du-Sud.

4 octobre – Mariage de Charles Lacroix, fils de Joseph Lacroix et de Marie-Louise Brideau, et de Marie Baquet, fille de Jean-Baptiste Baquet dit Lamontagne et d'Angélique Quéret dit Latulippe, à Saint-Michel.

1780

10 mai – Sépulture de Suzanne Labrecque, veuve de Louis Lacroix, remariée à Joseph-Noël Gromelin, décédée à l'âge de 85 ans, à Saint-Michel.

v. 1781

Naissance de Pierre Lacroix, plus tard surnommé Pierriche, fils de Charles Lacroix et de Marie Baquet dit Lamontagne (5ᵉ génération). Voir 1802 et 1871.

1782

Donation d'une autre parcelle de terrain à la Fabrique de Saint-Michel par Jean Lacroix.

1783

26 mai – Naissance de Marguerite Labrecque, fille de Joseph Labrecque et de Marie-Anne Lacasse, baptisée le 27 à Saint-Michel (5ᵉ génération Lacroix). Voir 1802 et 1858.

1788

27 octobre – Mariage de Louis (Michel) Blais, veuf de Geneviève Gaulin, et de Victoria Laflamme, fille de Jean-Baptiste Laflamme et de Madeleine Gagnon, à Saint-François-de-la-Rivière-du-Sud. Ils auront 10 enfants, qui viendront s'ajouter aux 10 enfants du premier mariage.

1793

8 avril – Mariage de Louis Blais, fils de Louis (Michel) et de feue Geneviève Gaulin, et de Marie-Marthe Lemieux, fille de Guillaume Lemieux et de Marthe Dion, à Saint-François-de-la-Rivière-du-Sud (5ᵉ génération). Ils auront 7 enfants.

25 août – Sépulture de Louis Blais, veuf de Marie-Anne Mercier, décédé à l'âge de 87 ans (3ᵉ génération), à Berthier-sur-Mer.

3 octobre – Sépulture de Marie-Louise Brideau, épouse de Joseph Lacroix (3ᵉ génération), décédée à l'âge de 74 ans, à Saint-Vallier.

1797

Concession d'une terre par le seigneur Launière à Pierre (Pierriche) Lacroix dans le Deuxième Rang ou la Petite Cadie. Voir 1965.

1802

22 février – Mariage de Pierre Lacroix, surnommé Pierriche, fils de Charles Lacroix et de Marie Baquet dit Lamontagne, et de Marguerite Labrecque, fille de Joseph Labrecque et de Marie-Anne Lacasse, à Saint-Gervais.

16 mars – Sépulture de Louis (Michel) Blais, veuf de Geneviève Gaulin, époux de Victoria Laflamme, décédé à l'âge de 67 ans, à Saint-François-de-la-Rivière-du-Sud.

1808

13 mars – Naissance de Joseph (Louis) Blais, fils de Louis Blais et de Marie-Marthe Lemieux (6ᵉ génération), à Saint-François-de-la-Rivière-du-Sud. Voir 1828 et 1892.

29 septembre – Naissance et baptême de Marguerite Turgeon, fille de Jean-Baptiste Turgeon, cultivateur, et de Marguerite Mercier, à Saint-Gervais (6ᵉ génération Blais). Voir 1828 et 1887.

v. 1822

Naissance d'Archange Bolduc, fille de Pierre Bolduc et de Geneviève Raté (6ᵉ génération Lacroix). Voir 1846 et 1884.

v. 1824

Naissance d'Abraham Lacroix (parfois dit Thomas-Abraham, parfois François-Abraham), fils de Pierre (Pierriche) Lacroix et de Marguerite Labrecque (6ᵉ génération), à Saint-Gervais. Voir 1846 et 1898.

1828

7 mai – Sépulture de Charles Lacroix, époux de Marie Baquet dit Lamontagne (4ᵉ génération), décédé à l'âge de 80 ans et 7 mois, à Saint-Michel.

22 juillet – Mariage de Joseph Blais, fils de Louis Blais et de Marie-Marthe Lemieux, et de Marguerite Turgeon, fille de Jean-Baptiste Turgeon et de Marguerite Mercier, à Saint-Gervais (6ᵉ génération). Ils auront 7 enfants.

1831

15 mars – Pierre (Pierriche) Lacroix et son épouse Marguerite Labrecque font une donation entre vifs à leur fils mineur Jean de leur terre « située en le deuxième rang des concessions de la Seigneurie de Saint-Michel en la dite paroisse Saint-Gervais, contenant deux arpents et plus s'il s'y trouve de front sur quarante arpents de profondeur, prenant par le Nord aux terres du premier rang et courant sur la dite profondeur, joignant au Sud'Ouest à Augustin Labreque et au Nord'Est Jean Labreque, avec les bâtisses dessus construites » et « tous les animaux, meubles de ménage, outils et instruments d'agriculture, voitures et autres » (notaire Louis Ruel). Voir 1834.

1834

27 mars – Ratification de l'acte de 1831 à la majorité de Jean Lacroix, par ses père et mère, Pierre Lacroix et Marguerite Labrecque.

1836

1ᵉʳ janvier – Naissance de Damase Blais, fils de Joseph Blais et de Marguerite Turgeon, père de Rose-Anna, baptisé le lendemain samedi à Saint-Gervais (la paroisse de Saint-Raphaël a été créée en 1851). Voir 1858 et 1920.

1842

4 mai – Ce mercredi, naissance de Philomène Pilote, fille de François Pilote et de Christine Bolduc, mère de Rose-Anna, à Saint-Raphaël. Voir 1858 et 1914.

29 octobre – Sépulture de Louis Blais, époux de Marie-Marthe Lemieux, décédé à l'âge de 76 ans (5ᵉ génération), à Saint-François-de-la-Rivière-du-Sud.

1843

24 mars – Testament de Marguerite Labrecque, épouse de Pierre Lacroix, cultivateur de Saint-Gervais : « […] quant à la propriété de tous mes dits biens, je la donne et lègue par mon présent testament à François Abraham Lacroix mon bien-aimé fils, l'instituant à cet effet mon légataire universel sans aucune autre limitation ni restrictions que celles, qu'il laissera jouir paisiblement le dit Pierre Lacroix, son père, comme je l'ai cy-devant ordonné, qu'il suivra et exécutera en tout mes présentes dernières volontés et qu'il permettra à Angèle Lacroix, sa sœur, le droit d'enlever le lit dont elle se sert actuellement lorsqu'elle laissera la maison soit par mariage ou autrement, avec en outre son coffre, hardes et linges et autres effets qui lui appartiennent actuellement.

« Cinquièmement, Je prétends que mes autres enfans se contentent et se tiennent satisfaits de ce que je leur ai cy-devant donné, soit par acte ou autrement, pour tout ce qu'ils et chacun d'eux pourroient prétendre et réclamer en ma succession future, mon expresse volonté étant aussi qu'ils ne soient aucunement troublés dans la paisible possession de tout ce que je leur ai ainsi donné.

« […] requise de signer, la dite Testatrice a déclaré ne le savoir a fait sa marque d'une croix […] » (Notaires Louis Ruel et Étienne Roy de Saint-Gervais).

1846

10 octobre – Cession et abandon par Pierre Lacroix, cultivateur, de Saint-Gervais, à François Abraham Lacroix, son fils majeur et cultivateur de Saint-Gervais, « d'une terre et habitation sise et située en ladite paroisse de Saint-Gervais, contenant trois arpens de front sur quarante arpens de profondeur prenant par le nord aux terres du premier rang et courant sur ladite profondeur, joignant au sud'ouest aux représentants Étienne Roi et du côté nord'est Augustin Labreque, avec les bâtisses dessus construites appartenances et dépendances ». « Donne en outre ledit cédant audit cessionnaire comme aussi acceptant un cheval de travail, un harnois et les voitures convenables aux saisons, une vache laitière, un cochon et une brebis et le lit qu'il se servira et son coffre. » Pierre Lacroix et Abraham Lacroix ne savent signer (notaire Jean-Baptiste Morin)

10 octobre – Contrat de mariage entre François Abraham Lacroix, fils majeur de Pierre Lacroix, cultivateur de Saint-Gervais, et de Marguerite Labrecque, et Archange Bolduc, fille majeure de Pierre Bolduc et de Geneviève Raté, de Saint-Michel. « Seront les futurs époux uns et communs en biens meubles et conquêts immeubles présents et à venir suivant la coutume de Paris et en outre communauté en tous biens immeubles acquêts et propres présents et futurs. » Le futur époux s'engage également à donner à la future épouse « la somme de trois cents livres (la livre : vingt sols chacune) de douaire ». Témoins : Jean Lacroix, frère d'Abraham, et Michel Bolduc, frère d'Archange, qui ne savent signer, non plus que le futur époux. Signent : Archange Bolduc, et les autres témoins : Louis Morin, Louis Simard et Joseph Dumas (notaire Jean-Baptiste Morin).

13 octobre – Mariage de Thomas Abraham Lacroix, surnommé Abraham Iᵉʳ ou Bram I ou encore le Grand Bram, domicilié à Saint-Gervais, fils majeur de Pierre Lacroix, cultivateur, et de Marguerite Labrecque de Saint-Gervais, et Archange Bolduc, fille de Pierre Bolduc, cultivateur, et Geneviève Raté, grands-parents de Caïus, à Saint-Vallier. Ils iront demeurer dans « la Petite Cadie », près de « la Grande Cadie », refuge des Acadiens.

1849

27 novembre – Mariage de François-Xavier Bélanger, fils de Guillaume Bélanger et de Rose Blais, et Florence Dugal, fille de Louis et de Josephte Ba(c)quet Lamontagne, grands-parents maternels de Caïus, à Saint-Michel-de-Bellechasse.

1851

20 janvier – Donation par Michel Lacroix, père, d'une terre d'un demi-arpent de front sur huit arpents de profondeur pour construire l'église de Saint-Raphaël. C'est dans sa maison, qui existe toujours, située juste à l'est du parterre du presbytère, que s'est dite la première messe à Saint-Raphaël et tous les offices religieux. La moitié de la maison était spécialement aménagée à cet effet. Il est aussi le premier sacristain de Saint-Raphaël. Une avenue porte son nom. (Sa photo dans *Album Souvenir du Centenaire de Saint-Raphaël*, p. 22 et la photo de sa maison, p. 109.)

9 novembre – Banc adjugé à François Blais : n° 2, côté de l'évangile.

Bancs adjugés aux Lacroix :

Michel : n° 5, dans la nef, côté de l'épître ;

Pierre : n° 1, dans la nef, rang du milieu, côté de l'épître ;

Prudent : n° 10, dans la nef, rang du milieu, côté de l'épître ;

Jean : n° 11, côté de l'évangile.

1854

2 août – Ce mercredi, naissance et baptême d'Abraham Lacroix, surnommé le P'tit Bram, fils d'Abraham Lacroix et d'Archange Bolduc, père de Caïus, à Saint-Raphaël. Voir 1877 et 1936.

1858

2 mars – Sépulture de Marguerite Labrecque, épouse de Pierre Lacroix, à Saint-Raphaël.

7 septembre – Ce mardi, mariage de Damase Blais, domicilié à Saint-François-de-la-Rivière-du-Sud, fils de Joseph Blais, cultivateur, et de Marguerite Turgeon de Saint-Raphaël, et de Philomène Pilote, fille de François Pilote, cultivateur, et de Christine Bolduc, parents de Rose-Anna, à Saint-Raphaël. Ils auront 7 enfants.

1860

14 octobre – Ce dimanche, naissance d'Alphonsine Bélanger, fille de François-Xavier Bélanger et de Florence Dugal, mère de Caïus, à Saint-Raphaël, baptisée le 15 par N. Beaubien, prêtre. Parrain et marraine : Magloire Morin et Marie-Anne Clarisse Roy.

1861

8 novembre – Sépulture de Marie-Marthe Lemieux, veuve de Louis Blais, décédée à l'âge de 87 ans (5e génération), à Saint-François-de-la-Rivière-du-Sud.

1862

15 août – Naissance de Philéas Blais, premier enfant de Damase Blais et de Philomène Pilote, frère de Rose-Anna, à Saint-Raphaël. Voir 1883 et 1906.

1863

12 août – Naissance et baptême d'Adélard (Damase Philémon) Blais, deuxième enfant de Damase Blais et de Philomène Pilote, frère de Rose-Anna, à Saint-Raphaël. Parrain : Georges Bolduc. Marraine : Christine Bolduc.

1867

5 octobre – Naissance d'Olympe Blais, troisième enfant de Damase Blais et de Philomène Pilote, sœur de Rose-Anna, à Saint-Raphaël. Voir 1888, 1927 et 1958.

1868

Michel Lacroix, père, président de la Commission scolaire de Saint-Raphaël jusqu'en 1870.

1871

16 janvier – Sépulture de Pierre (Pierriche) Lacroix, veuf de Marguerite Labrecque, à Saint-Raphaël.

1872

Le grand-père de Caïus, Abraham Lacroix, est maire de Saint-Raphaël jusqu'en 1879.

1874

17 mai – Naissance et baptême de Joseph Amédée Émile Blais, quatrième enfant de Damase Blais et de Philomène Pilote, frère de Rose-Anna, à Saint-Raphael.

1876

20 janvier – Naissance et baptême d'Angélina Blais, cinquième enfant de Damase Blais et de Philomène Pilote, sœur de Rose-Anna, à Saint-Raphaël. Voir 1901 et 1931.

1877

14 août – Ce vendredi, mariage d'Abraham Lacroix, surnommé le P'tit Bram ou Bram II, cultivateur de Saint-Raphaël, fils majeur d'Abraham Lacroix et d'Archange Bolduc de Saint-Raphaël, et Alphonsine Bélanger, fille mineure de François-Xavier Bélanger, cultivateur, et de Florence Dugal, parents de Caïus, à Saint-Raphaël. Ils auront six enfants dont quatre parviendront à l'âge adulte.

1878

26 mai – Naissance et baptême de Théophile Blais, sixième enfant de Damase Blais et de Philomène Pilote, frère de Rose-Anna, à Saint-Raphaël. Voir 1880.

15 juin – Naissance et baptême d'Alphonsine (Marie-Louise) Lacroix, premier enfant d'Abraham Lacroix et d'Alphonsine Bélanger, sœur de Caïus, à Saint-Raphaël. Parrain : Abraham Lacroix, écuyer, qui signe. Marraine : Angèle Lacroix de Saint-Gervais, qui ne sait signer. Le père est absent. Voir 1879.

1879

16 février – Décès d'Alphonsine Lacroix, fille d'Abraham Lacroix et d'Alphonsine Bélanger, sœur de Caïus, à l'âge de 8 mois et 1 jour, inhumée le 18 à Saint-Raphaël. Voir 1878.

1880

16 janvier – Naissance d'Anaïs Lacroix, deuxième enfant d'Abraham Lacroix et d'Alphonsine Bélanger, sœur de Caïus, baptisée le 17 à Saint-Raphaël. Sur l'acte de baptême, elle est nommée Marie-Anna Anésie. Sur son acte de mariage, elle est nommée Anaïs et elle signe Anaïse. Voir 1902 et 1961.

28 mars – Décès de Théophile Blais, fils de Damase Blais et de Philomène Pilote, frère de Rose-Anna, inhumé à Saint-Raphaël le 30 mars. Voir 1878.

1882

22 mai – Naissance et baptême de Marie-Éva Lacroix, troisième enfant d'Abraham Lacroix, cultivateur, et d'Alphonsine Bélanger, sœur de Caïus, à Saint-Raphaël. Parrain : Jean Lacroix, cultivateur. Marraine : Philomène Goulet. Le père signe.

10 juillet – Naissance de Marie Corinne Rose-Anna Blais, septième et dernier enfant de Damase Blais, cultivateur, et de Philomène Pilote, à Saint-Raphaël de Bellechasse. Baptême ce même lundi par le curé François-Ignace Paradis. Parrain : son frère, Philéas Blais, cultivateur. Marraine : sa belle-sœur, femme de Philéas, Aurélie Boulet.

13 juillet – Décès de Marie-Éva Lacroix, fille d'Abraham Lacroix et d'Alphonsine Bélanger, sœur de Caïus, à l'âge de 1 mois et 21 jours, inhumée le 15 à Saint-Raphaël.

1883

19 juillet – Mariage de Philéas Blais, fils de Damase Blais et de Philomène Pilote, frère de Rose-Anna, et d'Aurélie Boulet, fille de David Boulet et d'Émilie Fidèle, à Saint-Raphaël. Ils demeurent au 5ᵉ Rang de La Durantaye, ancien bien paternel. Ils auront 11 enfants. Voir 1906.

9 décembre – Naissance de Joseph Caïus Lacroix, quatrième enfant d'Abraham Lacroix, cultivateur, et d'Alphonsine Bélanger, à Saint-Raphaël de Bellechasse, baptisé le lendemain lundi par le vicaire Thomas Lauzé. Parrain : Louis Langlois, tanneur. Marraine : Zorella Doiron, épouse du parrain.

1884

19 février – Sépulture d'Archange Bolduc, épouse d'Abraham Lacroix, grand-mère de Caïus, décédée à l'âge de 62 ans, à Saint-Raphaël.

1886

29 juillet – Naissance de Ludivine (Marie Anna Josephte) Isabelle, fille de Cléophas Isabelle et d'Adèle Roy, baptisée le 30 à Saint-Gervais. Voir 1908 et 1920.

1887

1ᵉʳ novembre – Naissance d'Amédée Lacroix, cinquième enfant d'Abraham Lacroix et d'Alphonsine Bélanger, frère de Caïus, à Saint-Raphaël, décédé en 1973. Voir 1908 et 1920.

24 novembre – Sépulture de Marguerite Turgeon, épouse de Joseph Blais, décédée à l'âge de 79 ans, à Saint-François-de-la-Rivière-du-Sud.

1888

9 avril – Mariage d'Olympe Blais, fille de Damase Blais et de Philomène Pilote, sœur de Rose-Anna, à Xavier Côté, fils de Gédéon Côté et de Marie Gosselin. Ils auront 16 enfants dont 8 atteindront l'âge adulte. Voir 1922 et 1927.

1891

3 décembre – Naissance de Joseph Joachim François-Xavier Lacroix, sixième et dernier enfant d'Abraham Lacroix et d'Alphonsine Bélanger, frère de Caïus, à Saint-Raphaël.

1892

27 mai – Sépulture de Joseph Blais, veuf de Marguerite Turgeon, grand-père de Rose-Anna, décédé à l'âge de 81 ans, à Saint-François-de-la-Rivière-du-Sud.

18 juillet – Ce lundi, confirmation de Rose-Anna, à l'âge de 10 ans, à Saint-Raphaël, par Mᵍʳ Louis-Nazaire Bégin, archevêque de Cyrène, coadjuteur du cardinal Elzéar-Alexandre Taschereau. Marraine : Azelda, fille d'Honoré Morin.

1896

1ᵉʳ juillet – Naissance d'Émile Gagnon, fils de Damase Gagnon et de Georgianna Corriveau, futur gendre de Rose-Anna, à Saint-Michel, décédé en 1974. Voir 1927.

4 août – Ce mardi, confirmation de Caïus, à l'âge de 12 ans, à Saint-Raphaël par Mᵍʳ Louis-Nazaire Bégin, archevêque de Québec. Parrain : Prudent Lacroix, grand-oncle.

1898

Michel Lacroix, fils, président de la Commission scolaire de Saint-Raphaël jusqu'en 1900.

17 février – Sépulture d'Abraham Lacroix, surnommé le Grand Bram ou Bram Iᵉʳ, veuf d'Archange Bolduc, grand-père de Caïus, décédé à l'âge de 74 ans, à Saint-Raphaël.

1901

7 janvier – Mariage d'Angélina Blais, fille de Damase Blais et de Philomène Pilote, sœur de Rose-Anna, et d'Adélard Nadeau, fils de Théophile Nadeau et de Geneviève Proulx, à Saint-Raphaël. Ils auront 10 enfants. Voir 1931 et 1938.

21 décembre – Acte notarié : achat par Abraham Lacroix, pour son fils Caïus, d'Édouard Letellier, oncle de Caïus, du Troisième Rang Ouest de Saint-Michel des lots 412, 459 et 461 pour la somme de 2500 $ à payer au 1er mai 1902. Prise de possession : 1er mai 1902. (Notaire L. Solyme Forgues, Saint-Michel, n° 935 ; enregistré le 11 mars 1902, n° 30436.)

1902

14 janvier – Mariage d'Anaïs Lacroix, fille d'Abraham Lacroix et d'Alphonsine Bélanger, sœur de Caïus, et d'Alphonse Lemieux, cultivateur à Saint-Raphaël, fils de Charles Lemieux et de Marie Beaudoin, à Saint-Raphaël. Signature de son père sur le registre. Voir 1880.

10 mars – Naissance de Maria Fradette à Saint-Raphaël, future belle-sœur de Caïus et de Rose-Anna, décédée en 1998. Voir 1920.

13 mai – Mariage de Rose-Anna Blais, fille de Damase Blais et de Philomène Pilote, et de Caïus Lacroix, fils d'Abraham Lacroix et d'Alphonsine Bélanger, en l'église de leur paroisse natale de Saint-Raphaël de Bellechasse. Ce mardi, jour de leurs noces, ils vont s'installer au Troisième Rang Ouest de Saint-Michel sur la terre achetée par les parents de Caïus en 1901.

29 juin – Caïus Lacroix devient locataire du banc n° 4 de la première rangée du côté de l'évangile (côté nord) au jubé, pour une somme annuelle de 3,75 $.

1903

9 mai – Ce samedi, naissance du premier enfant de Rose-Anna, sa fille Jeanne, décédée le 16 avril 1989.

5 juillet – Caïus Lacroix devient locataire du banc n° 2 de la deuxième rangée du côté de l'évangile (côté nord) au jubé, pour une somme annuelle de 2,75 $.

1904

11 novembre – Ce vendredi, naissance du deuxième enfant de Rose-Anna, son fils Léopold, décédé le 19 août 1979.

1905

20 septembre – Naissance de Marie-Louise Rochefort, fille d'Arthur Rochefort et d'Alexandrine Breton, future bru de Rose-Anna, à Saint-Vallier, décédée le 9 juillet 1991.

8 octobre – Donation par Abraham Lacroix et Alphonsine Bélanger à leur fils Caïus des terres achetées en 1901, à la condition de leur payer la somme de 550 $: (100 $ au 1er mai 1907 ; la même somme à chaque année, sauf la dernière, de 50 $, au taux d'intérêt de 4 %). (Tous signent.) (Notaire Ph. Aug. Fournier, Saint-Raphaël, n° 7789 ; enregistré le 10 octobre 1905, n° 33088.)

1906

Abraham Lacroix, père de Caïus, élu marguillier à Saint-Raphaël.

5 mars – Caïus Lacroix nommé inspecteur de voirie pour le 5e arrondissement par le Conseil municipal de Saint-Michel.

11 juillet – Caïus Lacroix devient locataire du banc n° 5 de la première rangée du côté de l'épître (côté sud) dans la nef, pour une somme annuelle de 5 $.

19 décembre – Décès accidentel à Valcartier de Philéas Blais, époux d'Aurélie Boulet, frère de Rose-Anna, demeurant au 5e Rang de La Durantaye (bien paternel du père Damase Blais), à l'âge de 44 ans, inhumé le 22 décembre. Voir 1862.

1908

20 avril – Vente par Damase Blais et Philomène Pilote à Adélard Nadeau, leur gendre, mari de leur fille Angélina, de la maison natale de Rose-Anna, du lot n° 499, avec bâtisses dessus construites ; de leur vivant, ils conservent la jouissance de la moitié sud-ouest de la maison « de la cave au grenier inclusivement », gardent la moitié des revenus du jardin potager, le droit de mettre leur bois dans la grange. Vente pour la somme de 400 $. Signatures de Damase Blais et d'Adélard Nadeau. (Notaire P.C. Aug. Fournier, Saint-Raphaël, n° 8254 ; enregistré le 16 mai 1908, n° 35114)

29 septembre – Mariage d'Amédée Lacroix, domicilié à Saint-Michel, fils mineur d'Abraham Lacroix et d'Alphonsine Bélanger de Saint-Raphaël, frère de Caïus, et de Ludivine Isabelle, fille majeure de Joseph-Cléophas Isabelle et d'Adèle Roy, à Saint-Gervais. Signatures des mariés, des deux pères, du frère de la mariée et de Caïus. Ils auront 4 enfants, les deux premiers à Saint-Raphaël (Darius 10/08/1911 et Viateur 26/11/1913) et les deux derniers à Saint-Michel (Almanzor 25/11/1915 et Olivar 17/03/1918). Voir 1920.

27 décembre – Caïus Lacroix devient locataire du banc n° 1 de la quatrième rangée du côté de l'évangile (côté nord) au jubé, pour une somme annuelle de 10,50 $.

1909

19 avril – Ce lundi, naissance du troisième enfant de Rose-Anna, son fils Alexandre, décédé le 23 avril 1983.

1910

25 mars – Dernier paiement de Caïus Lacroix à ses parents pour les terres du Troisième Rang Ouest de Saint-Michel.

1911

6 janvier – Caïus Lacroix devient locataire du banc n° 6 de la troisième rangée du côté de l'épître (côté sud) au jubé, pour une somme annuelle de 4,25 $.

2 juillet – Caïus Lacroix devient locataire du banc n° 4 de la troisième rangée du côté de l'épître (côté sud) au jubé, pour une somme annuelle de 3 $.

Au recensement de 1911, Caïus est prénommé Esaüs.

1913

26 mai – Acte notarié : achat par Caïus Lacroix de Georges Brochu, cultivateur de Saint-Michel, qui l'avait acquis lui-même de Joseph Corriveau le 18 août 1894, au prix de 3150 $ dont 150 $ comptant, le reste à 4 %. (Notaire Pierre Joseph Ruel, Saint-Charles, n° 7734 ; enregistré le 28 mai 1913, n° 39393.)

1914

21 septembre – Ce lundi, décès de Philomène Pilote, épouse de Damase Blais, mère de Rose-Anna, à Saint-Raphaël, à l'âge de 72 ans, inhumée le 24 par Léon Vien, prêtre.

1915

8 septembre – Ce mercredi, naissance du quatrième enfant de Rose-Anna, son fils Joachim, baptisé Joseph Joachim François-Xavier. Parrain : Alphonse Lemieux. Marraine : Anaïs Lacroix, sœur de Caïus.

1916

5 mars – Caïus devient ligueur à la fondation de la Ligue du Sacré-Cœur.

1917

8 décembre – La fille de Rose-Anna, Jeanne, est reçue Enfant de Marie au couvent de Saint-Charles où elle poursuit ses études.

1918

4 mars – Caïus Lacroix nommé inspecteur agraire du 3ᵉ Rang par le Conseil municipal de Saint-Michel.

18 octobre – Ce vendredi, naissance du cinquième et dernier enfant de Rose-Anna, sa fille Cécile.

1920

22 mars – Ce lundi, décès de Damase Blais, veuf de Philomène Pilote, père de Rose-Anna, à l'âge de 84 ans à Saint-Raphaël, inhumé le 26 mars.

9 juin – Décès de Ludivine Isabelle, fille de Cléophas Isabelle et d'Adèle Roy, épouse d'Amédée Lacroix, belle-sœur de Rose-Anna, à l'âge de 33 ans et 10 mois, inhumée le 12 à Saint-Raphaël.

9 octobre – Mariage en secondes noces d'Amédée Lacroix, veuf de Ludivine Isabelle, frère de Caïus, et de Maria Stella Fradette, à Saint-Raphaël. Ils auront 6 enfants (Joseph 4/10/1922, Justinien 17/06/1925, Jean-Claude 2/10/1927, Simone 5/08/1929, Léopold 30/05/1930 et Normand Florian 31/03/1935), qui s'ajouteront aux 4 enfants du premier mariage. Ils habiteront Saint-Michel. Voir 1908.

1921

6 juin – Requête au Conseil municipal pour la constitution du « Cercle Saint-Michel » de la Société d'Agriculture de Bellechasse ; l'un des signataires : Caïus Lacroix. Il est le secrétaire de cette société et le restera pendant 27 ans.

« C'était un as que ce Caïus Lacroix ! Il n'avait pas son pareil pour fionner une lettre toute parsemée d'expressions pittoresques. Grâce à ses arguments convaincants, à l'emporte-pièce, il désarmait les hauts fonctionnaires et même les ministres de l'Agriculture, en sorte qu'il obtenait souvent pour la Société de substantiels octrois, merveilleux stimulants pour les agriculteurs de Saint-Michel et même de la région. » (Guy Laviolette, *Saint-Michel de Bellechasse*, p. 192.) Voir 1918, p. 432.

1922

25 juin – Caïus Lacroix devient locataire du banc n° 5 de la quatrième rangée (à partir du mur du côté nord) au jubé, pour une somme annuelle de 12 $, puis de 9 $ à partir de 1926 jusqu'en 1949. En 1949, c'est son fils Léopold qui devient locataire du banc, jusqu'en 1965 inclusivement, toujours pour une somme annuelle de 9 $. Ce banc sera resté dans la famille de Rose-Anna et Caïus pendant quarante-quatre ans.

3 juillet – Le conseiller Caïus Lacroix prêche la modération au sujet de la route Lévis-Rimouski.

5 septembre – À la séance générale du Conseil municipal, lecture de la lettre de Caïus Lacroix, secrétaire de la Société d'agriculture, demandant l'aide de la Municipalité pour la tenue de l'exposition, ce qui est accepté par le Conseil.

À chaque année, à peu près à la même date, il fera la même demande (au moins jusqu'en 1934).

11 novembre – Sépulture de Xavier Côté, époux d'Olympe Blais, beau-frère de Rose-Anna, décédé à l'âge de 59 ans et 9 mois.

1923

5 août – C'est pendant la cérémonie du baisement des pieds du père Égide Roy, que le fils de Rose-Anna, Joachim, conçut l'idée de devenir prêtre et missionnaire. Voir 1941.

1924

3 février – Assermentation de Caïus Lacroix comme conseiller de la Municipalité Saint-Michel : « Je, Caïus Lacroix, ayant été dûment élu Conseiller de cette Municipalité, fais serment que je remplirai bien fidèlement les devoirs de ma charge, et, cela, au meilleur de mon jugement & de ma capacité. Ainsi que Dieu me soit en aide. [Signature] Caïus Lacroix ». Voir 1928.

1925

28 janvier – Examens à l'école du 3ᵉ Rang Ouest que fréquentent les deux derniers enfants de Rose-Anna, Joachim et Cécile.

9 février – Plainte verbale de Caïus Lacroix contre des jeunes gens qui lui ont lancé des insultes ; demande au Conseil de réagir « afin de conserver à la paroisse de Saint-Michel la bonne renommée qu'elle a su toujours conserver ». Le maire endosse les propos de C.L. Des plaintes du même genre sont aussi portées par d'autres personnes.

1ᵉʳ juin – Début de la retraite de communion solennelle et de confirmation, suivie par les deux derniers enfants de Rose-Anna, Joachim et Cécile.

6 juin – Confirmation par Mᵍʳ Alfred Langlois, des enfants de Rose-Anna, Joachim et Cécile.

1926

23 janvier – Assermentation de Caïus Lacroix comme conseiller de la Municipalité Saint-Michel.

1927

15 janvier – Mariage en secondes noces d'Olympe Blais, veuve de Xavier Côté, sœur de Rose-Anna, et de Ludger Dion, veuf de Marguerite Carbonneau, à Saint-Raphaël. Voir 1944.

28 août – À l'église, au prône, publication des bans. « Promesse de mariage entre Sʳ Émile Gagnon, né 1ᵉʳ juillet 1896, cultivateur, domicilié en cette paroisse, fils majeur de Damase Gagnon et de Georgianna Corriveau, aussi de cette paroisse d'une part, et Marie-Jeanne Lacroix, née 9 mai 1903, institutrice, fille majeure de Caïus Lacroix et de Rose-Anna Blais, aussi de cette paroisse, d'autre part. 1 ban. Mariage le 5 septembre à 8 h. »

29 août – Donation par Caïus Lacroix et Rose-Anna Blais des terres du Troisième Rang Ouest à leur fils Léopold. Voir p. 417.

1ᵉʳ septembre – Exposition agricole organisée par Caïus.

5 septembre – Mariage de la fille aînée de Rose-Anna, Jeanne, et d'Émile Gagnon, à Saint-Michel, à 8 h. Enfant de Marie, Jeanne a droit à des conditions spéciales : « Si la mariée fait partie de la Congrégation des Enfants de Marie, la Congrégation paiera l'organiste 2 $, le Célébrant 1 $, le Chant 2 $, soit 5 $ en réduction sur le tarif régulier. »

7 septembre – Joachim devient, comme Alexandre, élève du Collège de Sainte-Anne-de-La-Pocatière.

1928

11 janvier – Nouvelles élections municipales. Caïus Lacroix n'est plus conseiller, sans doute à cause de la donation à son fils Léopold, car il n'est plus propriétaire, mais seulement « occupant ».

Caïus Lacroix devient secrétaire-trésorier, pour de nombreuses années, de la Commission scolaire des rangs de Saint-Michel.

8 juillet – Annonce au prône : « Promesse de mariage entre Sʳ Léopold Lacroix, cultivateur domicilié en cette paroisse, fils majeur de Sʳ Caïus Lacroix et de Dame Rose-Anna Blais, aussi de cette paroisse, d'une part, et Dˡˡᵉ Marie-Louise Rochefort, domiciliée à Saint-Vallier, fille majeure de Sʳ Arthur Rochefort, cultivateur, et de Dame Alexandrine Breton, aussi de Saint-Vallier, d'autre part. 1 ban. »

11 juillet – Mariage du fils de Rose-Anna, Léopold, et de Marie-Louise Rochefort, à Saint-Vallier.

7 novembre – Naissance du premier petit-enfant de Rose-Anna, Paul-André Gagnon, fils de Jeanne, à Saint-Michel.

1929

28 janvier – Ce lundi, décès d'Alphonsine Bélanger, épouse d'Abraham Lacroix, mère de Caïus, à l'âge de 68 ans et 2 mois, après 23 ans de maladie, inhumée le 31 à Saint-Raphaël.

8 novembre – Naissance de la petite-fille de Rose-Anna, Thérèse Lacroix, premier enfant de Léopold, à Saint-Michel.

1930

22 janvier – Naissance de la petite-fille de Rose-Anna, Lucienne Gagnon, deuxième enfant de Jeanne, à Saint-Michel.

1931

26 février – Décès de la sœur de Rose-Anna, Angélina Blais, épouse d'Adélard Nadeau, à l'âge de 55 ans et 1 mois, inhumée le 1er mars à Saint-Raphaël. Voir 1938.

28 février – Naissance de la petite-fille de Rose-Anna, Rose-Anne Gagnon, troisième enfant de Jeanne, à Saint-Michel.

24 novembre – Naissance du petit-fils de Rose-Anna, Robert Lacroix, deuxième enfant de Léopold, à Saint-Michel, décédé le 5 octobre 1978.

1932

4 juin – Naissance de la petite-fille de Rose-Anna, Jeannine Gagnon, quatrième enfant de Jeanne, à Saint-Michel.

1933

20 janvier – Naissance de la petite-fille de Rose-Anna, Aline Lacroix, troisième enfant de Léopold, à Saint-Michel.

17 octobre – Naissance du petit-fils de Rose-Anna, Léo Gagnon, cinquième enfant de Jeanne, à Saint-Michel.

Décembre – Caïus, vice-président de la Ligue du Sacré-Cœur, jusqu'en 1937, puis de nouveau en 1939. Il est chef de la section 15.

1934

15-18 janvier – Caïus assiste à la première retraite fermée de la Ligue du Sacré-Cœur.

3 mars – À la séance générale du Conseil municipal, Léopold Lacroix est nommé inspecteur de voirie.

8 mai – Naissance de la petite-fille de Rose-Anna, Rolande Lacroix, quatrième enfant de Léopold, à Saint-Michel.

17 juillet – Acte notarié : Modifications des conventions du 27 août 1927 entre Caïus et Rose Anna et leur fils Léopold.

1er décembre – Naissance de la petite-fille de Rose-Anna, Lucille Gagnon, sixième enfant de Jeanne, à Saint-Michel. Voir 1937 et 1947.

1935

15 juin – Ce samedi, ordination du fils de Rose-Anna, Alexandre, prêtre séculier, à la basilique de Québec.

16 juin – Première messe de son fils Alexandre en ce dimanche de la Trinité à l'église Saint-Michel, à la grand-messe de 9 h. Notes du curé Maxime Fortin dans les *Cahiers des prônes* : « Après l'*Asperges* [...] chant du *Veni Creator*. Après la messe : *Magnificat* [...] le chœur chantant chaque verset et tout le peuple chantant *Magnificat* [...] ». « Bénédiction du nouveau prêtre : Indulgence plénière aux parents jusqu'au 3e degré de 7 ans et 7 quarantaines pour les autres. »

28 juillet – Naissance du petit-fils de Rose-Anna, Benoît Lacroix, cinquième enfant de Léopold, à Saint-Michel.

1936

21 janvier – Naissance de la petite-fille de Rose-Anna, Simone Gagnon, septième enfant de Jeanne.

28 février – Ce vendredi, décès d'Abraham Lacroix, veuf d'Alphonsine Bélanger, père de Caïus, à l'âge de 81 ans et 6 mois, à Saint-Raphaël.

7 mars – À la séance du Conseil municipal du Saint-Michel, vote pour envoi d'une lettre de condoléances au conseiller Amédée Lacroix, frère de Caïus, à l'occasion de la mort de son père Abraham.

4 avril – À la séance du Conseil municipal, lecture d'une carte de remerciement de la part de la famille d'Abraham Lacroix.

1937

8 janvier – Naissance de la petite-fille de Rose-Anna, Cécile Lacroix, sixième enfant de Léopold, à Saint-Michel.

19 septembre – Décès de la petite-fille de Rose-Anna, Lucille Gagnon fille de Jeanne. Voir 1934.

14 novembre – Naissance du petit-fils de Rose-Anna, Benoît Gagnon, huitième enfant de Jeanne, à Saint-Michel.

1938

6 avril – Naissance du petit-fils de Rose-Anna, Raymond Lacroix, septième enfant de Léopold.

31 mai – Mariage d'Adélard Nadeau, veuf d'Angélina Blais, beau-frère de Rose-Anna, et de Mélina Bernard, veuve d'Arthur Roy, à Saint-Raphaël. Voir 1950.

1939

20 janvier – Naissance du petit-fils de Rose-Anna, Albert Gagnon, neuvième enfant de Jeanne.

5 février – Caïus, élu de nouveau vice-président de la Ligue du Sacré-Cœur. Achille Tellier remplace Caïus comme chef de section n° 15.

1940

4 février – Fin de la vice-présidence de Caïus à la Ligue du Sacré-Cœur.

31 juillet – Naissance du petit-fils de Rose-Anna, Jean-Marie Gagnon, dixième enfant de Jeanne.

1941

1er juin – Le fils de Rose-Anna, Léopold, est assermenté conseiller du Conseil municipal de Saint-Michel.

5 juillet – Ce samedi, le fils de Rose-Anna, Joachim, devenu le dominicain Benoît-Marie, est ordonné prêtre à Ottawa par Mgr Alexandre Vachon, archevêque d'Ottawa.

6 juillet – Première messe solennelle de son fils Joachim-Benoît à Saint-Michel à la grand-messe du dimanche à 9 h 30, en ce cinquième dimanche après la Pentecôte et en la solennité des saints apôtres Pierre et Paul. Au prône : « Grand-messe chantée par le R. Père Benoît-Marie (Joachim) Lacroix, fils de M. & Mme Caïus Lacroix, frère de M. l'abbé Alexandre Lacroix […] Souhaits au nouveau prêtre. Sermon à la grand-messe : abbé Alexandre Lacroix. »

1942

13 mai – Le fils de Rose-Anna, Léopold, est élu conseiller municipal, et sera assermenté le 1er juin.

17 mai – Naissance du petit-fils de Rose-Anna, Arthur Lacroix, huitième enfant de Léopold, à Saint-Michel.

6 septembre – Naissance du petit-fils de Rose-Anna, Joseph Gagnon, onzième enfant de Jeanne.

1943

5 août – Profession perpétuelle de la fille de Rose-Anna, Cécile, chez les Sœurs de l'Immaculée-Conception à Pont-Viau. Nom en religion : Sœur Thérèse du Sacré-Cœur.

1944

27 mars – Naissance du petit-fils de Rose-Anna, Alexandre Gagnon, douzième enfant de Jeanne.

13 juillet – Naissance de la petite-fille de Rose-Anna, Monique Lacroix, neuvième enfant de Léopold.

9 décembre – Sépulture de Ludger Dion, deuxième époux d'Olympe Blais, beau-frère de Rose-Anna, décédé à l'âge de 81 ans et 11 mois.

1945

2 novembre – Naissance du petit-fils de Rose-Anna, Henri Gagnon, treizième enfant de Jeanne.

1946

Le gendre de Rose-Anna, Émile Gagnon, est conseiller municipal.

16 février – Naissance du petit-fils de Rose-Anna, André Lacroix, dixième enfant de Léopold, à Saint-Michel.

1947

Le fils de Rose-Anna, Alexandre, est curé de Saint-Jean-Baptiste-Marie-Vianney jusqu'en 1955.

17 février – Naissance du petit-fils de Rose-Anna, Jean-Paul Lacroix, onzième et dernier enfant de Léopold.

11 juillet – Naissance de la petite-fille de Rose-Anna, Lucille Gagnon, quatorzième et dernier enfant de Jeanne. Voir 1934 et 1937.

1949

C'est le fils de Rose-Anna, Léopold, qui loue le banc n° 5 de la quatrième rangée du jubé, jusqu'en 1965 inclusivement. Voir 1922.

1950

13 février – Sépulture du beau-frère de Rose-Anna, Adélard Nadeau, veuf de sa sœur Angélina Blais et époux de Mélina Bernard.

1951

16 janvier – Ce mardi, décès de Rose-Anna Blais en sa maison du Troisième Rang Ouest de Saint-Michel, à l'âge de 68 ans et 6 mois.

20 janvier – Funérailles de Rose-Anna Blais en l'église de Saint-Michel ce samedi à 10 h 30 par une tempête de neige mémorable. Service de première classe (150 $). Son corps est déposé au charnier dans la crypte en attente de la sépulture au printemps. Signatures au registre paroissial, par ordre : Armand Beaupré, Caïus Lacroix, Émile Gagnon, Ernest Lamontagne, Alexandre Lacroix, ptre, P.-É. Bélanger, m.p., Léopold Lacroix, Capt Émile Boilard, Alphonse Blais, Ernest Lagacé, Paul Bernier, Aimé Lacroix, Benoît-M. Lacroix, o.p., Alphé Blais, Th. André Audet, o.p., René Groleau, o.p., Michel Côté, o.p., Joseph Lacroix, ptre.

La quête au service permettra de faire dire quatorze grands-messes pour le repos de son âme.

23 novembre – Décès du beau-frère de Rose-Anna et parrain de son fils Joachim, Alphonse Lemieux, époux d'Anaïs Lacroix, sœur de Caïus, à l'âge de 73 ans et 1 mois à Saint-Raphaël.

1958

15 février – Sépulture d'Olympe Blais, veuve de Xavier Côté et de Ludger Dion, sœur de Rose-Anna. Voir 1867, 1888 et 1927.

1961

29 octobre – Décès de la belle-sœur de Rose-Anna, Anaïs Lacroix, épouse d'Alphonse Lemieux, sœur de Caïus, marraine de Joachim, à l'hôpital Laval de Québec, à l'âge de 81 ans et 10 mois. Inhumée à Saint-Raphaël de Bellechasse.

1963

30 juin – Ordination sacerdotale du petit-fils de Rose-Anna, Raymond Lacroix, Père Blanc (Père Missionnaire d'Afrique), fils de Léopold, en l'église Saint-Michel.

1965

La maison et tous les bâtiments sur la terre concédée par le seigneur Launière à Pierre Lacroix en 1797 ont brûlé.

1969

13 septembre – Ce samedi, décès du mari de Rose-Anna, Caïus Lacroix, après avoir reçu les derniers sacrements, à l'hôpital Notre-Dame de Lourdes de Saint-Michel-de-Bellechasse, à l'âge de 85 ans et 9 mois.

16 septembre – Funérailles de Caïus Lacroix ce mardi en l'église de Saint-Michel. Signatures au registre paroissial : Alexandre Lacroix, ptre, curé de Saint-Gervais, Léopold Lacroix, (son autre fils Joachim-Benoît était alors en Europe), et Irénée Royer, ptre.

L'Ordinaire de la messe

Le texte qui suit est tiré du *Missel quotidien et vespéral*, de Dom Gaspar Lefebvre, o.s.b., de l'abbaye de Saint-André (Bruges, Belgique). Ce missel a été publié au Canada en 1946 par la Société liturgique canadienne.

ORDINAIRE DE LA MESSE

MESSE DES CATECHUMENES
PREMIERE PARTIE — Avant-Messe
(de l'Aspersion à l'Introït)

ACTES DE CONTRITION OU L'AMOUR QUI SE PURIFIE
"Lavez-moi, Seigneur, et je serai plus blanc que la neige."

Aspersion de l'eau bénite le dimanche, p. 967 [1]

Comme l'indiquent, le dimanche, les paroles de l'*Asperges me*, l'eau bénite, qui est un sacramental, peut effacer nos péchés par la contrition.

En semaine, pensons y également en nous signant avec de l'eau bénite à l'entrée de l'église.

Prières au bas de l'autel

Le prêtre, arrivé au pied de l'autel, se signe de la croix (✠).

IN nómine Patris ✠ et Fílii et Spíritus Sancti. Amen.

AU nom du Père ✠ et du Fils et du Saint-Esprit. Ainsi soit-il.

Aux messes chantées on commence aussitôt le chant de l'Introït. Aux messes non chantées, le servant, ou l'assistance tout entière, répond au célébrant, qui rappelle ce que va être la messe pour lui et pour nous.

Ant. ℣. Introíbo ad altáre Dei.

Ant. ℣. Je monterai à l'autel du Seigneur.

℟. Ad Deum qui lætíficat juventútem meam.

℟. Vers Dieu qui renouvelle la joie de ma jeunesse.

PSAUME 42, 1-5. — Ce psaume ne se dit pas aux messes des Défunts, ni à aucune messe du Temps de la Passion.

JUDICA me, Deus, et discérne causam meam de gente non sancta: | ab hómine iníquo et dolóso érue me.

FAITES-MOI justice, Seigneur, et plaidez mon procès; délivrez-moi d'un peuple sans pitié, de l'homme perfide et pervers.

℟. Quia tu es, Deus, fortitúdo mea: | quare me repulísti, | et quare tristis incédo dum afflígit me inimícus?

℟. Car vous êtes mon Dieu, mon rempart: pourquoi me rejeter? pourquoi dois-je marcher en deuil, pressé par l'ennemi?

℣. Emítte lucem tuam et veritátem tuam: | ipsa me dedúxerunt et addúxerunt in montem sanctum tuum et in tabernácula tua.

℣. Envoyez votre lumière et votre vérité: elles me guideront; elles me conduiront à votre montagne sainte et à vos tabernacles.

---

1. Le chant, p. 1*.

ORDINAIRE DE LA MESSE

℟. Et je parviendrai à l'autel du Seigneur, au Dieu qui renouvelle la joie de ma jeunesse.

℣. J'exulterai et vous louerai sur la cithare, Seigneur, mon Dieu. Pourquoi t'alanguis-tu, mon âme, et pourquoi gémis-tu en moi?

℟. Espère en Dieu, car je le louerai encore, le salut de ma face et mon Dieu!

℣. Gloire au Père, au Fils et au Saint-Esprit.

℟. Comme au commencement, maintenant et toujours, et dans les siècles des siècles. Ainsi soit-il.

Ant. ℣. Je monterai à l'autel du Seigneur;

℟. Vers Dieu qui renouvelle la joie de ma jeunesse.

℣. Notre secours ✠ est dans le nom du Seigneur.

℟. Qui a fait le ciel et la terre.

℟. Et introíbo ad altáre Dei: | ad Deum qui lætíficat juventútem meam.

℣. Confitébor tibi in cíthara, Deus, Deus meus: | quare tristis es, ánima mea, et quare contúrbas me?

℟. Spera in Deo, quóniam adhuc confitébor illi: | salutáre vultus mei et Deus meus.

℣. Glória Patri et Fílio et Spíritui Sancto.

℟. Sicut erat in princípio et nunc et semper | et in sæcula sæculórum. Amen.

Ant. ℣. Introíbo ad altáre Dei.

℟. Ad Deum qui lætíficat juventútem meam.

℣. Adjutórium nostrum ✠ in nómine Dómini.

℟. Qui fecit cælum et terram.

CONFESSION DU PRÊTRE, PUIS DES FIDÈLES. — Dans un grand désir de purification, avant de s'approcher de Dieu, le prêtre d'abord, puis les fidèles, s'accusent devant Dieu et tous les Saints des péchés qu'ils ont commis, et ils prient les uns pour les autres afin d'en obtenir le pardon.

Confession du prêtre:

JE confesse à Dieu, etc...

℟. Que le Dieu tout-puissant vous fasse miséricorde, qu'il vous pardonne vos péchés et vous conduise à la vie éternelle.

℣. Ainsi soit-il.

CONFITEOR Deo omnipoténti, etc.

℟. Misereátur tui omnípotens Deus, | et dimíssis peccátis tuis perdúcat te ad vitam ætérnam.

℣. Amen.

Confession des fidèles:

JE confesse à Dieu tout-puissant, | à la bienheureuse Marie, toujours Vierge, | à saint Michel Archange, | à saint Jean-Baptiste, | aux saints Apôtres Pierre et Paul, | à tous les saints et à vous, mon Père, | que j'ai beaucoup péché, par pensées, par paroles et par actions. | (On se frappe

CONFITEOR Deo omnipoténti, | Beátæ Maríæ, semper Vírgini, | Beáto Michaéli Archángelo, | Beáto Joánni Baptístæ, | Sanctis Apóstolis Petro et Paulo | ómnibus Sanctis et tibi, Pater: | quia peccávi nimis cogitatióne, verbo et ópere, | mea culpa, mea culpa, mea máxima culpa. | Ideo precor Beátam Maríam semper Vírginem, | Beátum Michaélem Archángelum, | Beátum Joánnem Baptístam, | Sanctos Apóstolos Petrum et Paulum, | omnes Sanctos et te, Pater, | oráre pro me ad Dóminum Deum nostrum.

trois fois la poitrine) : C'est ma faute, c'est ma faute, c'est ma très grande faute. | C'est pourquoi je supplie la bienheureuse Marie toujours vierge, | saint Michel Archange, | saint Jean-Baptiste, | les saints Apôtres Pierre et Paul, | tous les Saints et vous, mon Père, | de prier pour moi le Seigneur notre Dieu.

℣. Misereátur vestri omnípotens Deus, et dimíssis peccátis vestris perdúcat vos ad vitam ætérnam. ℟. Amen.

℣. Que le Dieu tout-puissant vous fasse miséricorde, qu'il vous pardonne vos péchés et vous conduise à la vie éternelle. ℟. Ainsi soit-il.

Le prêtre prononce sur lui-même et sur les fidèles, la formule d'absolution:

℣. Indulgéntiam, ✠ absolutiónem, et remissiónem peccatórum nostrórum, tríbuat nobis omnípotens et miséricors Dóminus. ℟. Amen.

℣. Que le Dieu tout-puissant et miséricordieux nous accorde le pardon, l'absolution (*signons-nous*) ✠ et la rémission de nos péchés. ℟. Ainsi soit-il.

On s'incline pour dire les versets suivants:

℣. Deus, tu convérsus vivificábis nos.

℟. Et plebs tua lætábitur in te.
℣. Osténde nobis, Dómine, misericórdiam tuam.
℟. Et salutáre tuum da nobis.
℣. Dómine, exáudi oratiónem meam.
℟. Et clamor meus ad te véniat.
℣. Dóminus vobíscum.
℟. Et cum spíritu tuo.

℣. En vous tournant vers nous, mon Dieu, vous nous donnerez la vie.
℟. Et votre peuple trouvera en vous sa joie.
℣. Montrez-nous, Seigneur, votre miséricorde.
℟. Et donnez-nous votre salut.
℣. Seigneur, écoutez ma prière.
℟. Et que mon cri parvienne jusqu'à vous.
℣. Le Seigneur soit avec vous.
℟. Et avec votre esprit.

Le prêtre monte à l'autel

En montant à l'autel, le prêtre demande encore à Dieu de le purifier de tous ses péchés:

Aufer a nobis, quǽsumus, Dómine, iniquitátes nostras: ut ad Sancta sanctórum puris mereá-

Enlevez-nous nos iniquités, Seigneur, afin que nous puissions entrer, l'âme pure, dans le Saint des Saints. Par le

ORDINAIRE DE LA MESSE

Christ Notre-Seigneur. Ainsi soit-il.

mur méntibus introíre. Per Chr. D. N. Amen.

Il baise l'autel en disant:

Nous vous supplions, Seigneur, par les mérites de vos Saints dont les reliques sont ici[1] et de tous les Saints, de daigner nous pardonner tous nos péchés. Ainsi soit-il.

Orámus te, Dómine, per mérita Sanctórum tuórum quorum relíquiæ hic sunt et ómnium Sanctórum, ut indulgére dignéris ómnia peccáta mea. Amen.

Encensement de l'autel

Aux messes chantées, le célébrant met de l'encens dans l'encensoir en le bénissant: "Sois béni par Celui en l'honneur de qui tu vas brûler". Puis il encense solennellement l'autel.

DEUXIEME PARTIE—Chants, Prières et Lectures

(de l'Introït au Credo)

ACTES DE FOI OU L'AMOUR QUI S'ÉCLAIRE

"Ils étaient assidus aux prédications des Apôtres et aux réunions communes" *(Act. des Ap. 2, 42).*

Introït

L'Introït est un chant d'entrée qui ouvre la messe solennelle. Aux messes basses, il se récite ou se lit à la manière d'une prière; il en sera de même pour tous les chants de la messe. — Voir le texte à la messe du jour.

Kyrie

Le Kyrie est une courte litanie d'origine grecque: un triple cri d'appel aux trois personnes de la Sainte Trinité. Alternons-le avec le prêtre ou les chantres[2].

Seigneur, ayez pitié.
R̰. Seigneur, ayez pitié.
Seigneur, ayez pitié.
R̰. Christ, ayez pitié.
Christ, ayez pitié.
R̰. Christ, ayez pitié.
Seigneur, ayez pitié.
R̰. Seigneur, ayez pitié.
Seigneur, ayez pitié.

Kýrie, eléison.
R̰. Kýrie, eléison.
Kýrie, eléison.
R̰. Christe, eléison.
Christe, eléison.
R̰. Christe, eléison.
Kýrie, eléison.
R̰. Kýrie, eléison.
Kýrie, eléison.

Gloria in excelsis

Le Gloria in excelsis, que les Grecs appellent la grande doxologie, est une hymne de louange faite d'acclamations et d'invocations à la Sainte Trinité. Il commence par le chant des Anges à la naissance du Sauveur. — Le Gloria s'omet aux messes des défunts, à toutes les messes propres au temps de l'Avent, de la Septuagésime, du Carême, et aux jours de semaine sans fêtes.

1. Voir p. 950.
2. La notation musicale des chants de l'ordinaire de la messe (Kyrie, Gloria, Credo, Sanctus, Agnus Dei) se trouve à la fin du missel.

MYSTERE DE LA REVELATION DIVINE

GLORIA in excélsis Deo [1]. | Et in terra pax homínibus bonæ voluntátis. | Laudámus te. | Benedícimus te. | Adorámus te. | Glorificámus te. | Grátias ágimus tibi propter magnam glóriam tuam. | Dómine Deus, Rex cæléstis, Deus Pater omnípotens. | Dómine Fili unigénite, Jesu Christe. | Dómine Deus, Agnus Dei, Fílius Patris. | Qui tollis peccáta mundi, miserére nobis. | Qui tollis peccáta mundi, súscipe deprecatiónem nostram. | Qui sedes ad déxteram Patris, miserére nobis. | Quóniam tu solus Sanctus. | Tu solus Dóminus. | Tu solus Altíssimus, Jesu Christe. | Cum Sancto Spíritu ✠ in glória Dei Patris. Amen.

GLOIRE à Dieu au plus haut des cieux. | Et paix sur la terre aux hommes de bonne volonté. | Nous vous louons. | Nous vous bénissons. | Nous vous adorons. | Nous vous glorifions. | Nous vous rendons grâces pour votre gloire immense. | Seigneur Dieu, Roi du ciel, Dieu Père tout-puissant. | Seigneur, Fils unique de Dieu, Jésus-Christ. | Seigneur Dieu, Agneau de Dieu, Fils du Père. | Vous qui effacez les péchés du monde, ayez pitié de nous. | Vous qui effacez les péchés du monde, recevez notre prière. | Vous qui siégez à la droite du Père, ayez pitié de nous. | Car vous êtes le seul Saint; le seul Seigneur; le seul Très-Haut, Jésus-Christ. | Avec le Saint-Esprit ✠ dans la gloire de Dieu le Père. Ainsi soit-il.

Collecte

Le prêtre salue l'assemblée, puis, dans la "collecte", rassemble et résume, pour les présenter à Dieu en notre nom, les aspirations et les vœux que l'Église nous suggère en raison de la fête ou du mystère que l'on célèbre. — Répondons-lui par un vibrant Amen.

℣. Dóminus vobíscum.

℟. Et cum spíritu tuo.

℣. Le Seigneur soit avec vous.

℟. Et avec votre esprit.

Voir le texte à la messe du jour. A la collecte principale, viennent quelquefois s'ajouter une ou plusieurs collectes complémentaires.

Épître

Au cours de l'année liturgique, l'Église nous fait relire les plus beaux passages des Prophètes et l'essentiel de l'enseignement des Apôtres (Voir le Propre). — A la messe solennelle c'est le sous-diacre qui chante l'Épître. Aux messes basses, on répond:

℟. Deo grátias.

℟. Rendons grâces à Dieu.

Graduel et Alleluia

Le Graduel est le plus souvent composé de quelques versets d'un psaume, qui autrefois était chanté en entier par un groupe de chantres et par l'assemblée. — Au Temps Pascal, le Graduel est remplacé par un premier Alleluia.

Alleluia est, en hébreu, une exclamation de joie; la mélodie de nos alleluia est encore comme une explosion de joie qui monte vers Dieu. On y ajoute un verset de psaume. — Pendant la Septuagésime et le Carême, l'Alleluia est remplacé par le Trait.

1. Aux messes dialoguées, toute l'assistance continue à haute voix avec le prêtre.

ORDINAIRE DE LA MESSE

Évangile du Maître

Avant de lire ou de chanter l'évangile, le célébrant récite la prière "Munda cor" et demande à Dieu de le bénir. — Aux messes solennelles, c'est le diacre qui chante l'Évangile; c'est lui qui dit la prière et il demande la bénédiction du célébrant. Aux messes des Défunts, on dit le "Munda cor" mais on omet la bénédiction.

Purifiez mon cœur et mes lèvres, Dieu tout-puissant, qui avez purifié les lèvres du prophète Isaïe avec un charbon ardent; daignez, par votre bienveillante miséricorde, me purifier, afin que je puisse annoncer dignement votre saint Évangile. Par le Christ Notre-Seigneur. Ainsi soit-il.

Munda cor meum ac lábia mea, omnípotens Deus, qui lábia Isaíæ prophétæ cálculo mundásti igníto: ita me tua grata miseratióne dignáre mundáre, ut sanctum Evangélium tuum digne váleam nuntiáre. Per Christum Dóminum nostrum. Amen.

Seigneur, veuillez me bénir. —℞. Que le Seigneur soit dans mon cœur et sur mes lèvres, pour annoncer dignement et convenablement son Évangile. Ainsi soit-il.

Jube, Domne, benedícere. ℞. Dóminus sit in corde meo et in lábiis meis: ut digne et competénter annúntiem Evangélium suum. Amen.

La lecture ou le chant de l'Évangile, qui nous rappelle un épisode de la vie ou un point particulier de la doctrine de Jésus, s'entoure d'une certaine solennité. On l'écoute debout, par respect pour la parole de Dieu. A la grand'messe, une petite procession s'organise; on porte des cierges et on encense le livre des évangiles.

℣. Le Seigneur soit avec vous.

℟. Et avec votre esprit.

SUITE du Saint Évangile selon S. . .

℟. Gloire à vous, Seigneur.

℣. Dóminus vobíscum.

℟. Et cum spíritu tuo.

SEQUENTIA sancti Evangélii secúndum...

℟. Glória tibi, Dómine.

Voir le texte de l'Évangile à la messe du jour. A la fin, on répond:

℟. Louange à vous, Seigneur.

℟. Laus tibi, Christe.

L'évangile fini, le célébrant baise le livre en disant:

Que par les paroles de l'Évangile nos péchés soient effacés.

Per evangélica dicta deleántur nostra delicta.

Credo

L'histoire de ce Credo, qu'on appelle le Credo de Nicée-Constantinople, en fait une éclatante affirmation de foi contre les hérésies que l'Église a rencontrées au cours de son histoire. C'est le triomphant Symbole de notre foi. — On le dit le dimanche, aux fêtes des Apôtres et des Docteurs de l'Église et à certaines grandes fêtes.

JE crois en un seul Dieu.

CREDO in unum Deum[1]:

1. Aux messes dialoguées, toute l'assistance continue à haute voix avec le prêtre.

MYSTERE DE LA REVELATION DIVINE

Patrem omnipoténtem, | factórem cæli et terræ, | visibílium ómnium et invisibílium.

Et in unum Dóminum Jesum Christum, | Fílium Dei unigénitum. | Et ex Patre natum ante ómnia sǽcula. | Deum de Deo, lumen de lúmine, | Deum verum de Deo vero. | Génitum, non factum; | consubstantiálem Patri; | per quem ómnia facta sunt. | Qui propter nos hómines | et propter nostram salútem descéndit de cælis. (*Hic genuflectitur:*)

Et incarnátus est de Spíritu Sancto, ex María Vírgine; | et homo factus est. | Crucifíxus étiam pro nobis; | sub Póntio Piláto passus et sepúltus est. | Et resurréxit tértia die secúndum Scriptúras. | Et ascéndit in cælum, sedet ad déxteram Patris. | Et íterum ventúrus est, cum glória, judicáre vivos et mórtuos; | cujus regni non erit finis.

Et in Spíritum Sanctum, Dóminum et vivificántem, | Qui ex Patre Filióque procédit; | Qui cum Patre et Fílio simul adorátur et conglorificátur; | Qui locútus est per Prophétas.

Et unam, sanctam, cathólicam et apostólicam Ecclésiam. | Confíteor unum baptísma in remissiónem peccatórum. | Et exspécto resurrectiónem mortuórum. | Et vitam ✠ ventúri sǽculi, Amen.

Père tout-puissant, créateur du ciel et de la terre, de tout l'univers visible et invisible.

Je crois en un seul Seigneur, **Jésus-Christ** Fils unique de Dieu, Né du Père avant tous les siècles. Dieu, né de Dieu; Lumière, née de la Lumière; vrai Dieu, né du vrai Dieu; Engendré, non créé; consubstantiel au Père, par qui tout a été fait. Qui pour nous autres hommes et pour notre salut, descendit des cieux.

(*On s'agenouille:*) **Qui s'est incarné par l'opération du Saint-Esprit dans le sein de la Vierge Marie et s'est fait homme.** Qui a également été crucifié pour nous, a souffert sous Ponce-Pilate et a été enseveli. Est ressuscité le troisième jour, selon les Écritures. Est monté au ciel et est assis à la droite du Père. D'où il viendra de nouveau dans sa gloire juger les vivants et les morts et dont le règne n'aura pas de fin.

Je crois au **Saint-Esprit,** Seigneur et vivificateur. Qui procède du Père et du Fils. Qui est adoré et glorifié avec le Père et le Fils. Qui a parlé par les prophètes.

Je crois à l'**Église,** une, sainte, catholique et apostolique. Je reconnais un seul baptême pour la rémission des péchés. J'attends la résurrection des morts. Et la vie ✠ du siècle à venir. Ainsi soit-il.

MESSE DES FIDELES
PREMIERE PARTIE — Offertoire
(de l'Offertoire à la Préface)

ACTES D'ABANDON OU L'AMOUR QUI S'OFFRE A DIEU
"Pendant qu'ils soupaient Jésus prit du pain".
(*S. Mat.* 26. 26).

Le prêtre baise l'autel; puis il salue l'assemblée et l'invite à prier:

℣. Dóminus vobíscum.

℣. Le Seigneur soit avec vous.

℟. Et cum spíritu tuo.
OREMUS.

℟. Et avec votre esprit.
PRIONS

Le prêtre lit l'Antienne de l'Offertoire (voir le Propre): vestige d'un chant qui s'exécutait autrefois pendant la procession d'offrande où chacun apportait au prêtre du pain, du vin, ou d'autres dons, symboles de l'offrande qu'il faisait de lui-même. — Toutes les prières de l'Offertoire expriment cette oblation que l'on fait à Dieu de tout soi-même [1].

Offrande du pain et du vin

Le prêtre offre le pain et le dépose sur le corporal. Offrons-nous sur la patène, petites hosties près de la grande; et ne reprenons rien de notre oblation au cours de la journée.

SUSCIPE, sancte Pater, omnípotens ætérne Deus, hanc immaculátam hóstiam, quam ego indígnus fámulus tuus óffero tibi, Deo meo vivo et vero, pro innumerabílibus peccátis et offensiónibus et negligéntiis meis, et pro ómnibus circumstántibus, sed et pro ómnibus fidélibus christiánis vivis atque defúnctis: ut mihi et illis profíciat ad salútem in vitam ætérnam. Amen.

RECEVEZ, ô Père Saint, | Dieu tout-puissant et éternel, | cette Hostie sans tache | que je vous offre, | moi votre indigne serviteur, | à vous qui êtes mon Dieu vivant et véritable, | pour mes péchés, mes offenses et mes négligences sans nombre, | pour tous ceux qui sont ici présents et pour tous les chrétiens vivants et morts, | afin qu'elle serve à mon salut et au leur | pour la vie éternelle. Ainsi soit-il.

Le prêtre bénit l'eau [2] et la mélange au vin qui bientôt sera consacré au Sang de Jésus; beau symbole de ce que doit être notre union au Christ, que la sainte Communion va réaliser.

DEUS, qui humánæ substántiæ dignitátem mirabíliter condidísti et mirabílius reformásti: da nobis per hujus aquæ et vini mystérium, ejus

O Dieu, qui avez créé la nature humaine d'une manière admirable, | et qui, d'une manière plus admirable encore, l'avez rétablie dans sa dignité première, | accordez-

1. Aux messes non chantées, l'assemblée peut lire à haute voix, en français, l'une ou l'autre de ces prières. Les | indiquent les pauses.
2. Cette bénédiction s'omet aux messes des Défunts.

ORDINAIRE DE LA MESSE

nous, par le mélange symbolique de cette eau et de ce vin, | d'avoir part à la divinité de Celui qui a daigné s'unir à notre humanité, | Jésus-Christ, votre Fils, Notre-Seigneur, qui, étant Dieu, | vit et règne avec vous en l'unité du Saint-Esprit, dans tous les siècles des siècles. Ainsi soit-il.

divinitátis esse consórtes qui humanitátis nostræ fíeri dignátus est párticeps Jesus Christus Fílius tuus Dóminus noster: Qui tecum vivit et regnat in unitáte Spíritus sancti, Deus, per ómnia sǽcula sæculórum. Amen.

Le prêtre offre le calice et le dépose sur l'autel. Petites gouttes d'eau mêlées au vin, offrons-nous à Dieu avec Jésus.

Nous vous offrons, Seigneur, le calice du salut, en suppliant votre bonté de le faire monter comme un parfum suave en présence de votre divine Majesté | pour notre salut et celui du monde entier. Ainsi soit-il.

Offerimus tibi, Dómine, cálicem salutáris, tuam deprecántes cleméntiam: ut in conspéctu divínæ majestátis tuæ, pro nostra et totíus mundi salúte cum odóre suavitátis ascéndat. Amen.

Le prêtre s'incline et dit l'humble prière des trois jeunes Hébreux dans la fournaise (Daniel 3, 39-40).

Dans un esprit d'humilité et le cœur contrit, | puissions-nous, Seigneur, être accueillis par vous, | et notre sacrifice s'accomplir aujourd'hui en votre présence de manière à vous plaire, ô Seigneur, notre Dieu.

In spíritu humilitátis et in ánimo contríto suscipiámur a te, Dómine: et sic fiat sacrifícium nostrum in conspéctu tuo hódie, ut pláceat tibi, Dómine Deus.

Puis il invoque l'Esprit-Saint et bénit les offrandes:

Venez, Sanctificateur tout-puissant, Dieu éternel, ✠ et bénissez ce sacrifice préparé à la gloire de votre saint Nom.

Veni, sanctificátor omnípotens, ætérne Deus, et béne ✠ dic hoc sacrifícium tuo sancto nómini præparátum.

Encensement des offrandes et des fidèles

Aux messes solennelles, on encense les offrandes, l'autel et tous les assistants.

Le prêtre commence par bénir l'encens, dont le parfum monte vers Dieu, symbole des prières et de l'adoration de toute l'assemblée chrétienne.

Par l'intercession du bienheureux Michel, Archange, qui se tient debout à la droite de l'Autel des parfums, et de tous ses Élus, daigne le

Per intercessiónem beáti Michaélis Archángeli, stantis a dextris altáris incénsi, et ómnium electórum suórum, incén-

MYSTERE DU SACRIFICE

sum istud dignétur Dóminus bene ✠ dícere, et in odórem suavitátis accípere. Per Christum Dóminum nostrum. Amen.

Seigneur bénir ✠ cet encens et le recevoir comme un parfum suave. Par le Christ Notre-Seigneur. Ainsi soit-il.

1. Corporal, hostie et calice. — 2. Bourse et missel. — 3. Pale et canons d'autel. — 4. Purificatoire. — 5. Voile du calice. — 6. Patène.

Il encense le pain et le vin en forme de croix:

INCENSUM istud a te benedíctum, ascéndat ad te, Dómine: et descéndat super nos misericórdia tua.

QUE cet encens béni par vous, Seigneur, monte vers vous et que sur nous descende votre miséricorde.

Il encense le crucifix et l'autel en disant trois versets du ps. 140:

DIRIGATUR, Dómine, orátio mea, sicut incénsum in conspéctu tuo: elevátio mánuum meárum sacrifícium vespertínum.

QUE ma prière monte en encens devant vous, Seigneur, et mes mains levées, en offrande du soir.

Pone, Dómine, custódiam ori meo, et óstium circumstántiæ lábiis meis:

Placez, Seigneur, une garde à ma bouche; veillez à la porte de mes lèvres.

ORDINAIRE DE LA MESSE

Ne laissez pas mon cœur s'abaisser à des paroles mauvaises, à chercher des prétextes pour commettre le péché.

Ut non declínet cor meum in verba malítiæ ad excusándas excusatiónes in peccátis.

Il rend l'encensoir au diacre, qui l'encense puis fait encenser l'assistance [1]:

Que le Seigneur allume en nous le feu de son amour et la flamme de l'éternelle charité. Ainsi soit-il.

Accendat in nobis Dóminus ignem sui amóris, et flammam ætérnæ caritátis. Amen.

Lavement des mains

Le prêtre se purifie les doigts; au-delà de cette purification matérielle, demandons avec lui celle de l'âme, évoquée par le psaume qu'il récite.

Je laverai mes mains parmi les innocents, et j'entourerai votre autel, Seigneur.

Afin d'entendre vos louanges et de raconter moi-même toutes vos merveilles.

Seigneur, j'ai aimé la beauté de votre maison et le lieu où réside votre gloire.

O Dieu, ne perdez pas mon âme avec les pécheurs, ni ma vie avec les hommes de sang.

Qui ont dans leurs mains le forfait et dont la droite est pleine de présents corrupteurs.

Pour moi, j'ai marché dans l'innocence; rachetez-moi et prenez pitié de moi.

Mon pied est demeuré ferme dans le droit chemin. Dans les assemblées, Seigneur, je vous bénirai.

Gloire au Père . . .[2]

Lavabo inter innocéntes manus meas: et circúmdabo altáre tuum, Dómine:

Ut áudiam vocem laudis, et enárrem univérsa mirabília tua.

Dómine, diléxi decórem domus tuæ, et locum habitatiónis glóriæ tuæ.

Ne perdas cum ímpiis, Deus, ánimam meam, et cum viris sánguinum vitam meam:

In quorum mánibus iniquitátes sunt: déxtera eórum repléta est munéribus.

Ego autem in innocéntia mea ingréssus sum; rédime me, et miserére mei.

Pes meus stetit in dirécto: in ecclésiis benedícam te, Dómine.

Gloria Patri . . .[2]

Prière à la sainte Trinité

Le prêtre s'incline au milieu de l'autel et dit la prière suivante:

Recevez, ô Trinité sainte, cette offrande que nous vous présentons | en mémoire

Suscipe, sancta Trínitas, hanc oblatiónem quam tibi offérimus, ob

---

1. Aux messes des Défunts, le célébrant seul est encensé.
2. Aux messes des Défunts et aux messes propres du Temps depuis le Dimanche de la Passion jusqu'au Samedi-Saint exclusivement, on omet le Gloria Patri.

MYSTERE DU SACRIFICE

memóriam passiónis, re-surrectiónis et ascensiónis Jesu Christi Dómini nostri: et in honórem beátæ Maríæ semper Vírginis, et beáti Joánnis Baptístæ, et sanctórum Apostolórum Petri et Pauli, et istórum, et ómnium Sanctórum: ut illis profíciat ad honórem, nobis autem ad salútem: et illi pro nobis intercédere dignéntur in cælis, quorum memóriam ágimus in terris. Per eúmdem Christum Dóminum nostrum. Amen.

de la passion, de la résurrection et de l'ascension de Notre-Seigneur Jésus-Christ, | et en l'honneur de la bienheureuse Marie, toujours Vierge, | du bienheureux Jean-Baptiste et des saints Apôtres Pierre et Paul, | de ceux dont les reliques sont ici et de tous les Saints; afin qu'elle les honore et serve à notre salut, | et que ceux dont nous honorons la mémoire sur la terre daignent intercéder pour nous dans le ciel. | Par le même Jésus-Christ Notre-Seigneur. Ainsi soit-il.

Orate fratres et Secrète

Le prêtre se retourne vers les fidèles et les invite à prier Dieu avec lui pour que Dieu agrée le saint sacrifice.

ORATE, fratres: ut meum ac vestrum sacrifícium acceptábile fiat apud Deum Patrem omnipoténtem.

℟. Suscípiat Dóminus sacrifícium de mánibus tuis, | ad laudem et glóriam nóminis sui, | ad utilitátem quoque nostram totiúsque Ecclésiæ suæ sanctæ. Amen.

PRIEZ, mes frères, afin que mon sacrifice qui est aussi le vôtre soit agréable à Dieu le Père tout-puissant.

℟. Que le Seigneur reçoive ce sacrifice par vos mains, pour l'honneur et la gloire de son Nom, | pour notre utilité et celle de toute sa sainte Église. Ainsi soit-il.

Puis il lit la Secrète (voir le Propre). La Secrète se dit en silence, mais pour permettre aux fidèles de sanctionner par un Amen tout l'Offertoire qui vient de s'achever, le prêtre finit à haute voix:

Per ómnia sæcula sæculórum. ℟. Amen.

Dans tous les siècles des siècles. ℟. Ainsi soit.

PATER · FILIUS · SPIRITUS SANCTUS

MESSE DES FIDELES
DEUXIEME PARTIE — Le Canon
(de la Préface au Pater)

ACTES DE CHARITÉ PARFAITE OU L'AMOUR QUI S'IMMOLE

"Il prit du pain dans ses mains saintes et vénérables, le bénit et rendit grâces".

On entre ici au cœur même de la messe. Les prières du Canon de la messe sont très anciennes; dans l'ensemble, elles remontent au-delà du Ve siècle; par leur caractère comme par leur portée, elles sont parmi les plus vénérables qui soient.

Le canon s'ouvre par la préface, précédée d'un petit dialogue où se marque l'union intime du prêtre et des fidèles dans l'acte auguste du sacrifice. Le prêtre seul sacrifie; mais il le fait au nom des fidèles, qui, de toute leur âme, s'unissent à lui.

℣. Dóminus vobíscum.

℟. Et cum spíritu tuo.

℣. Sursum corda.

℟. Habémus ad Dóminum.

℣. Grátias agámus Dómino Deo nostro.

℟. Dignum et justum est.

℣. Le Seigneur soit avec vous.

℟. Et avec votre esprit.

℣. Élevons nos cœurs.

℟. Nous les tenons élevés vers le Seigneur.

℣. Rendons grâces au Seigneur notre Dieu.

℟. Quoi de plus digne et de plus juste?

Préface commune

Se dit à toutes les messes qui n'ont pas de préface propre.

VERE dignum et justum est, æquum et salutáre, nos tibi semper et ubíque grátias ágere: Dómine sancte, Pater omnípotens, ætérne Deus: per Christum Dóminum nostrum. Per quem majestátem tuam laudant Angeli, adórant Dominatiónes, tremunt Potestátes. Cæli, cælorúmque Virtútes, ac beáta Séraphim, sócia exsultatióne concélebrant. Cum quibus et nostras voces, ut admítti júbeas, deprecámur, súpplici confessióne dicéntes: Sanctus . . . (p. 991).

IL est vraiment digne et juste, équitable et salutaire, que toujours et partout nous vous rendions grâces, Seigneur saint, Père tout-puissant, Dieu éternel, par le Christ Notre-Seigneur.

C'est par Lui que les Anges louent votre Majesté, que les Dominations vous adorent, que les Puissances se prosternent en tremblant; les Cieux, les Vertus des cieux et les bienheureux Séraphins la célèbrent dans une commune louange. Daignez ordonner, Seigneur, que nos voix soient admises à joindre nos humbles hommages aux leurs en disant.

Sanctus

SANCTUS, Sanctus, Sanctus Dóminus Deus Sábaoth. Pleni sunt cæli et terra glória tua. Hosánna in excélsis.

Benedíctus qui venit in nómine Dómini. Hosánna in excélsis.

SAINT, Saint, Saint est le Seigneur, le Dieu des armées. Les cieux et la terre sont remplis de votre gloire. (*Isaïe* 6, 3). Hosanna au plus haut des cieux. — (*Ps. 117, 21*). ✠ Béni soit celui qui vient au nom du Seigneur.

Hosanna au plus haut des cieux. (*S. Matth. 21, 9.*).

CANON DE LA MESSE

Le prêtre s'incline profondément, baise l'autel et en silence, comme il le fera au cours de tout le Canon, demande à Dieu par Jésus d'accepter nos offrandes.

Tᴇ ígitur, clementíssime Pater, per Jesum Christum Fílium tuum Dóminum nostrum, súpplices rogámus ac pétimus, uti accépta hábeas et benedícas hæc ✠ dona, hæc ✠ múnera, hæc ✠ sancta sacrifícia illibáta.

Nᴏᴜs vous supplions donc, ô Père très clément, nous vous conjurons, par Jésus-Christ, votre Fils Notre-Seigneur, d'agréer et de bénir ✠ ces dons, ✠ ces offrandes, ✠ ce sacrifice saint et sans tache.

Il prie pour toute l'Église, pour les assistants et pour tous ceux qui se sont recommandés à ses prières.

Iɴ primis quæ tibi offérimus pro Ecclésia tua sancta cathólica: quam pacificáre, custodíre, adunáre et régere dignéris toto orbe terrárum: una cum fámulo tuo Papa nostro N., et Antístite nostro N., (et Rege nostro N.) et ómnibus orthodóxis atque cathólicæ et apostólicæ fídei cultóribus.

Nᴏᴜs vous l'offrons tout d'abord pour votre sainte Église catholique, afin que vous daigniez lui donner la paix, la protéger, assurer son unité et la gouverner à travers le monde entier, et avec elle votre serviteur Notre Saint Père le Pape N..., notre Évêque N... (et notre Roi N...), ainsi que tous ceux qui font profession de la vraie foi, catholique et apostolique.

Mᴇᴍᴇɴᴛᴏ, Dómine, famulórum famularúmque tuárum N. et N. et ómnium circumstántium, quorum tibi fides cógnita est et nota devótio, pro quibus tibi offérimus vel qui tibi ófferunt hoc sacrifícium laudis, pro se suísque ómnibus: pro redemptióne animárum suárum, pro spe salútis et incolumitátis suæ, tibíque reddunt vota sua, ætérno Deo vivo et vero.

Sᴏᴜᴠᴇɴᴇᴢ-ᴠᴏᴜs, Seigneur, de vos serviteurs et de vos servantes (*le prêtre dit pour qui il célèbre*), et de tous ceux qui sont ici présents, dont vous connaissez l'attachement et la fidélité dans la foi, pour qui nous vous offrons ce sacrifice de louange ou qui vous l'offrent eux-mêmes tant pour eux que pour tous les leurs, pour la rédemption de leurs âmes, pour leur salut et leur sécurité, et pour vous rendre leurs hommages, à vous le Dieu éternel, vivant et véritable.

Il s'unit aux Saints du ciel et rappelle le souvenir de toute l'Église triomphante.

Cᴏᴍᴍᴜɴɪᴄᴀɴᴛᴇs, et memóriam venerántes

Uɴɪs dans une même communion, et vénérant la

ORDINAIRE DE LA MESSE

mémoire premièrement de la glorieuse Marie, toujours Vierge et Mère de Jésus-Christ * notre Dieu et notre Seigneur, de vos bienheureux Apôtres et Martyrs Pierre et Paul, André, Jacques, Jean, Thomas, Jacques, Philippe, Barthélemy, Matthieu, Simon et Thaddée, Lin, Clet, Clément, Xiste, Corneille, Cyprien, Laurent, Chrysogone, Jean et Paul, Côme et Damien, et de tous vos Saints, accordez-nous, par leurs mérites et leurs prières, d'être assurés en toutes choses du secours de votre protection. Par le même Jésus-Christ, Notre-Seigneur. Ainsi soit-il. (*Passer à la* p. 996).

in primis gloriósæ semper Vírginis Maríæ, Genitrícis Dei * et Dómini nostri Jesu Christi: sed et beatórum Apostolórum ac Mártyrum tuórum, Petri et Pauli, Andréæ, Jacóbi, Joánnis, Thomæ, Jacóbi, Philíppi, Bartholomǽi, Matthǽi, Simónis et Thaddǽi, Lini, Cleti, Cleméntis, Xysti, Cornélii, Cypriáni, Lauréntii, Chrysógoni, Joánnis et Pauli, Cosmæ et Damiáni, et ómnium Sanctórum tuórum; quorum méritis precibúsque concédas, ut in ómnibus protectiónis tuæ muniámur auxílio. Per eúmdem Christum Dóminum nostrum. Amen.

Prières préparatoires de la Consécration

Le prêtre étend les mains sur le calice et l'hostie, comme le faisait autrefois le Grand-Prêtre sur la victime que l'on immolait en expiation des péchés. Il montre par là que c'est Jésus qui se substitue à nous, en assumant sur lui le poids de nos crimes.

DAIGNEZ donc, Seigneur, recevoir avec bonté cette offrande de vos serviteurs qui est aussi celle de votre famille tout entière; accordez-nous * votre paix durant les jours[1] de notre vie mortelle et faites qu'arrachés à la damnation éternelle nous soyons comptés au nombre de vos élus. Par le Christ Notre-Seigneur. Ainsi soit-il.

HANC ígitur oblatiónem servitútis nostræ, sed et cunctæ famíliæ tuæ, quæsumus, Dómine, ut placátus accípias: * diésque nostros in tua pace dispónas, atque ab ætérna damnatióne nos éripi, et in electórum tuórum júbeas grege numerári. Per Christum Dóminum nostrum. Amen.

Le prêtre marque le pain et le vin de signes de croix, en demandant qu'ils deviennent le Corps et le Sang de Notre-Seigneur.

DE cette offrande, daignez faire, vous Seigneur, le sacrifice entre tous ✠ béni, ✠ agréé, ✠ ratifié, le sacrifice spirituel et susceptible de vous plaire, en sorte qu'elle devienne pour nous ✠ le Corps et ✠ le Sang de votre Fils bien-aimé Notre-Seigneur Jésus-Christ.

QUAM oblatiónem tu, Deus, in ómnibus, quæsumus, bene✠díctam, adscrí ✠ ptam, ra✠ tam, rationábilem, acceptabilémque fácere dignéris: ut nobis Cor ✠ pus, et San ✠ guis fiat dilectíssimi Fílii tui Dómini nostri Jesu Christi.

Transsubstantiation et grande Élévation

Le prêtre est arrivé au moment le plus solennel de la messe. Sur l'ordre de Notre-Seigneur, il renouvelle la dernière Cène, en prononçant, sur le pain d'abord puis sur le vin, les paroles mêmes que Jésus prononça la veille de sa passion, lorsqu'il institua l'Eucharistie, pour perpétuer et renouveler d'une manière non sanglante le sacrifice rédempteur du Calvaire. — Vénérons le Corps et le Sang de N.-S., que le prêtre présente à notre adoration.[2]

Consécration du pain

Qui, la veille de sa passion, prit du pain dans ses mains saintes et vénérables, et levant les yeux au ciel vers vous, ô Dieu, son

Qui prídie quam paterétur, accépit panem in sanctas ac venerábiles manus suas: et elevátis óculis in cælum ad

MYSTÈRE DU SACRIFICE

te Deum Patrem suum omnipoténtem, tibi grátias agens, bene ✠ dixit, fregit, dedítque discípulis suis, dicens: Accípite et manducáte ex hoc omnes, hoc est enim Corpus meum.

Père tout-puissant, vous rendit grâces et bénit ✠ ce pain, le rompit et le donna à ses disciples en disant: "Prenez et mangez-en tous, car **ceci est mon Corps"**.

Consécration du vin

SIMILI modo, postquam cœnátum est, accípiens et hunc præclárum Cálicem in sanctas ac venerábiles manus suas: item tibi grátias agens, bene ✠ díxit dedítque discípulis suis, dicens: Accípite, et bíbite ex eo omnes. Hic est enim Calix Sánguinis mei, novi et ætérni testaménti: mystérium fídei: qui pro vobis et pro multis effundétur in remissiónem peccatórum.

Hæc quotiescúmque fecéritis, in mei memóriam faciétis.

DE même, après le repas, prenant ce précieux calice dans ses mains saintes et vénérables, et vous rendant pareillement grâces, il le ✠ bénit et le donna à ses disciples en disant: "Prenez et buvez-en tous, car **ceci est le calice de mon Sang, le Sang de la nouvelle et éternelle alliance — mystère de foi — qui sera répandu pour vous et pour un grand nombre, en rémission des péchés."**

Toutes les fois que vous accomplirez ces mystères, vous le ferez en mémoire de moi.

Formules d'oblation de la Victime à Dieu

La Victime est immolée. Le prêtre l'offre à Dieu en rappelant que c'est la Victime même du Calvaire, maintenant ressuscitée et glorieuse dans les cieux:

UNDE et mémores, Dómine, nos servi tui, sed et plebs tua sancta, ejúsdem Christi Fílii tui Dómini nostri tam beátæ Passiónis, necnon et ab inferis Resurrectiónis, sed et in cælos gloriósæ Ascensiónis: offérimus præcláræ majestáti tuæ, de tuis donis, ac datis, hóstiam ✠ puram, hóstiam ✠ sanctam, hóstiam ✠ immaculátam, Panem ✠ sanctum vitæ ætérnæ, et Cálicem ✠ salútis perpétuæ.

C'EST pour cela, Seigneur, que nous, vos serviteurs, et avec nous tout votre peuple saint, faisant mémoire de la bienheureuse passion de ce même Christ, votre Fils, notre Seigneur, de sa résurrection du séjour des morts et de sa glorieuse ascension dans les cieux, nous offrons à votre suprême Majesté le don même que nous avons reçu de vous, la Victime ✠ pure, la Victime ✠ sainte, la Victime ✠ sans tache, le Pain ✠ sacré de la vie éternelle et le Calice ✠ de l'éternel salut.

Un sacrifice n'opère ses effets que s'il est accepté par Celui à qui on l'offre. Les sacrifices de l'Ancien Testament, figures de celui du

Calvaire, ont été agréés de Dieu; celui de l'autel le sera mieux encore.

QU'IL vous plaise, Seigneur, de jeter sur ces dons un regard propice et tout de bonté. Comme il vous a plu d'agréer les présents du juste Abel votre serviteur, le sacrifice d'Abraham votre Patriarche, et celui que vous offrit votre grand-prêtre Melchisédech, agréez maintenant *le sacrifice saint, l'hostie immaculée.*[1]

SUPRA quæ propítio ac seréno vultu respícere dignéris, et accépta habére sícuti accépta habére dignátus es múnera púeri tui justi Abel, et sacrifícium Patriárchæ nostri Abrahæ: et quod tibi óbtulit summus sacérdos tuus Melchísedech, *sanctum sacrifícium, immaculátam hóstiam* [1].

Évoquant l'autel céleste, le prêtre s'incline profondément et rappelle que l'hostie immolée sur l'autel de nos églises est cet Agneau "comme immolé", Jésus avec ses plaies glorieuses, qui au ciel, "devant le trône de Dieu" (*Apoc.* 8, 3), offre pour nous ses mérites passés unis à sa prière actuelle.

NOUS vous supplions, Dieu tout-puissant, de commander que ces offrandes soient portées par les mains de votre saint Ange sur votre autel sublime, en présence de votre divine Majesté, afin que nous tous qui participerons au sacrifice de cet autel par la réception du Corps ✠ infiniment saint et du Sang ✠ de votre Fils, nous soyons comblés de la bénédiction et des grâces du ciel. Par le même Jésus-Christ Notre-Seigneur. Ainsi soit-il.

SUPPLICES te rogámus, omnípotens Deus: jube hæc perférri per manus sancti Angeli tui in sublíme altáre tuum, in conspéctu divínæ majestátis tuæ: ut quotquot ex hac altáris participatióne sacrosánctum Fílii tui Cor ✠ pus et Sán ✠ guinem sumpsérimus, omni benedictióne cælésti et grátia repleámur. Per eúmdem Christum Dóminum nostrum. Amen.

Lecture des Diptyques

Le prêtre interrompt de nouveau le Canon pour prier pour les défunts. Les âmes du purgatoire sont soulagées pendant le sacrifice offert à leur intention.

SOUVENEZ-VOUS aussi, Seigneur, de vos serviteurs et de vos servantes qui nous ont précédés marqués du sceau de la foi, et qui dorment du sommeil de la paix. *(Le prêtre nomme ici les défunts pour qui il célèbre).* Accordez-leur, Seigneur, à eux et à tous ceux qui reposent dans le Christ, le

MEMENTO étiam, Dómine, famulórum famularúmque tuárum N. et N. qui nos præcessérunt cum signo fídei et dórmiunt in somno pacis.

Ipsis, Dómine, et ómnibus in Christo quiescéntibus, locum refrigérii, lucis et pacis, ut indúlgeas

1. Les mots en italiques ont été ajoutés au Ve siècle par S. Léon.

MYSTERE DU SACRIFICE

deprecámur. Per eúmdem Christum Dóminum nostrum. Amen.

lieu du rafraîchissement, de la lumière et de la paix. Par le même Jésus-Christ Notre-Seigneur. Ainsi soit-il.

Le prêtre se frappe la poitrine et ajoute au souvenir de l'Église souffrante celui de l'Église militante et triomphante.

NOBIS quoque peccatóribus fámulis tuis, de multitúdine miseratiónum tuárum sperántibus, partem áliquam et societátem donáre dignéris, cum tuis sanctis Apóstolis et Martýribus: cum Joánne, Stéphano, Matthia, Bárnaba, Ignátio, Alexándro, Marcellíno, Petro, Felicitáte, Perpétua, Agatha, Lúcia, Agnéte, Cæcília, Anastásia, et ómnibus Sanctis tuis: intra quorum nos consórtium, non æstimátor mériti, sed véniæ, quæsumus, largítor admítte. Per Christum Dóminum nostrum.

A NOUS aussi, vos coupables serviteurs, qui mettons notre espoir en la multitude de vos miséricordes, daignez donner part à votre héritage dans la société de vos saints Apôtres et Martyrs: Jean, Étienne, Mathias, Barnabé, Ignace, Alexandre, Marcellin, Pierre, Félicité, Perpétue, Agathe, Lucie, Agnès, Cécile, Anastasie, et de tous vos Saints; daignez nous admettre en leur compagnie, non en pesant nos mérites mais en nous accordant votre pardon. Par Jésus-Christ Notre-Seigneur.

Autrefois on bénissait ici les offrandes qui servaient aux agapes des premiers chrétiens.

Per quem hæc ómnia, Dómine, semper bona creas, sanctí ✠ ficas, viví ✠ ficas, bene ✠ dícis, et præstas nobis.

Par qui, sans cesse, Seigneur, vous créez toutes ces choses en leur bonté, vous les sanc ✠ tifiez, les vivi ✠ fiez, les bé ✠ nissez et nous les donnez.

Conclusion du Canon et petite élévation

Le Christ nous a unis à son sacrifice. Unissons-nous à Lui dans l'acte où il s'immole et s'offre à son Père, afin de rendre à Dieu, par lui, avec lui et en lui, tout honneur et toute gloire. — "Dans le Christ, dit le Concile de Trente, nous satisfaisons par de dignes fruits de pénitence, qui tirent leur vertu de lui, qui sont offerts au Père par lui, et par lui sont agréés du Père" (*Sess.* XIV, C. VIII).

Per ip ✠ sum, et cum ip ✠ so, et in ip ✠ so, est tibi Deo Patri ✠ omnipoténti, in unitáte Spíritus ✠ Sancti omnis honor et glória. Per ómnia sæcula sæculórum.

C'est par ✠ Lui, avec ✠ Lui et en ✠ Lui, ô Dieu Père ✠ tout-puissant, que vous sont rendus, en l'unité du Saint ✠ Esprit, tout honneur et toute gloire dans les siècles des siècles.

Le célébrant élève la voix en terminant afin que nous puissions tous répondre:

℞. Amen.

℞. Ainsi soit-il.

Que cet Amen final exprime notre participation et notre adhésion au saint Sacrifice qui vient de se renouveler.

MESSE DES FIDELES

TROISIEME PARTIE — La Communion

(du Pater à la fin)

ACTES D'AMOUR ET DE DÉSIR OU L'AMOUR QUI S'UNIT
"Jésus rompit le pain et le donna à ses disciples"
(*S. Matth.* 26, 26)

Le sacrifice est offert. Dieu est apaisé; il va se donner à nous, dans le Christ, par la sainte Communion. Le prêtre s'y prépare par la récitation du Pater. Il nous fait demander notre pain quotidien et les dispositions de charité envers Dieu et le prochain qui sont indispensables pour communier, car recevoir l'Eucharistie c'est resserrer les liens qui nous unissent à Jésus et à son corps mystique; c'est là l'effet principal de ce Sacrement.

Orémus. — Præcéptis salutáribus móniti, et divína institutióne formáti, audémus dícere [1]:

Prions. — Instruits par des préceptes salutaires et formés par un enseignement divin, nous osons dire: [1]

Le prêtre met les bras en croix et fixe les yeux sur l'hostie.

PATER noster, qui es in cælis: Sanctificétur nomen tuum: Advéniat regnum tuum: Fiat volúntas tua, sicut in cælo et in terra. Panem nostrum quotidiánum da nobis hódie. Et dimítte nobis débita nostra, sicut et nos dimíttimus debitóribus nostris. Et ne nos indúcas in tentatiónem. ℟. Sed líbera nos a malo.

NOTRE Père, qui êtes aux cieux, Que votre nom soit sanctifié. Que votre règne arrive. Que votre volonté soit faite sur la terre comme au ciel. Donnez-nous aujourd'hui notre pain quotidien. Pardonnez-nous nos offenses comme nous pardonnons à ceux qui nous ont offensés. Et ne nous laissez pas succomber à la tentation. ℟. Mais délivrez-nous du mal.

Le prêtre ajoute à voix basse:

Amen.

Ainsi soit-il.

Puis il paraphrase la dernière demande:

LIBERA nos, quǽsumus, Dómine, ab ómnibus malis, prætéritis, præséntibus et futúris: et intercedénte beáta et gloriósa semper Vírgine Dei Genitríce María, cum beátis Apóstolis tuis Petro et Paulo, atque Andréa, et ómnibus Sanctis, da pro-

DÉLIVREZ-NOUS, nous vous en supplions, Seigneur, de tous les maux, passés, présents et à venir; et par l'intercession de la bienheureuse et glorieuse Marie, Mère de Dieu, toujours Vierge, de vos bienheureux Apôtres Pierre Paul et André, et de tous les Saints, daignez dans votre

1. Ce petit préambule du Pater dit nos titres à pouvoir le réciter: nous nous réclamons, pour oser le faire, de notre baptême et de l'enseignement du Christ.

ORDINAIRE DE LA MESSE

bonté nous accorder la paix durant notre vie, pour que soutenus par le secours de votre miséricorde, nous soyons à jamais délivrés du péché et à l'abri de toute sorte de troubles. Par le même Jésus-Christ votre Fils Notre-Seigneur, qui étant Dieu vit et règne avec vous en l'unité du Saint-Esprit dans tous les siècles des siècles.

pítius pacem in diébus nostris: ut ope misericórdiæ tuæ adjúti, et a peccáto simus semper líberi, et ab omni perturbatióne secúri. Per eúmdem Dóminum nostrum Jesum Christum Fílium tuum, qui tecum vivit et regnat in unitáte Spíritus sancti, Deus. Per ómnia sæcula sæculórum.

Il élève la voix en disant ces derniers mots pour que nous puissions faire nôtre cette prière:

℟. Ainsi soit-il.

℟. Amen.

Fraction de l'hostie

Jésus "pacifie tout par son sang"; avec une parcelle de l'hostie, qu'il divise d'abord en trois parties, le prêtre fait trois signes de croix sur le calice en souhaitant aux fidèles la paix du Christ.

℣. Que la paix ✠ du Seigneur soit ✠ toujours ✠ avec vous.

℣. Pax ✠ Dómini sit ✠ semper vobis ✠ cum.

℟. Et avec votre esprit.

℟. Et cum spíritu tuo.

Le prêtre laisse tomber la parcelle de l'hostie dans le calice et continue:

Que ce mélange et cette consécration du Corps et du Sang de Notre-Seigneur Jésus-Christ que nous allons recevoir, soient pour nous un gage de vie éternelle. Ainsi soit-il.

Hæc commíxtio et consecrátio Córporis et Sánguinis Dómini nostri Jesu Christi, fiat accipiéntibus nobis in vitam ætérnam. Amen.

Agnus Dei

Le prêtre dit par trois fois, en se frappant la poitrine, l'Agnus Dei, parole de S. Jean-Baptiste désignant aux Juifs le Messie qui devait les sauver. Aussitôt que le prêtre a dit les deux premiers mots, continuons avec lui, mettant toute notre confiance en Jésus, l'Agneau de Dieu.

Aux messes des Défunts on remplace "miserére nobis" par "dona eis réquiem", et la troisième fois on ajoute "sempitérnam": donnez-leur le repos éternel.

Agneau de Dieu qui effacez les péchés du monde, ayez pitié de nous.

Agneau de Dieu qui effacez les péchés du monde, ayez pitié de nous.

Agneau de Dieu qui effacez les péchés du monde, donnez-nous la paix.

Agnus Dei, qui tollis peccáta mundi: miserére nobis.

Agnus Dei, qui tollis peccáta mundi: miserére nobis.

Agnus Dei, qui tollis peccáta mundi: dona nobis pacem.

MYSTÈRE D'UNION

Oraisons préparatoires à la Communion

Le prêtre récite trois oraisons qui rappellent les effets que la Communion va produire dans nos âmes: la paix, la guérison, la grâce. On s'appuie en ce moment sur les mérites et "sur la foi de l'Église", dans un grand désir de charité chrétienne, de fidélité au Christ, et une volonté très ferme de lui rester unis, tous vitalement voués par lui à la Très Sainte Trinité. C'est pour cela que l'Eucharistie a été instituée.

Aux messes des Défunts on ne dit pas cette première oraison.

DOMINE Jesu Christe, qui dixísti Apóstolis tuis: Pacem relínquo vobis, pacem meam do vobis; ne respícias peccáta mea, sed fidem Ecclésiæ tuæ: eámque secúndum voluntátem tuam pacificáre et coadunáre dignéris: Qui vivis et regnas, Deus, per ómnia sæcula sæculórum. Amen.

SEIGNEUR Jésus-Christ, qui avez dit à vos Apôtres: "Je vous laisse ma paix, je vous donne ma paix", ne regardez pas mes péchés mais la foi de votre Église, et daignez, selon votre volonté, lui donner la paix et l'unité; vous qui, étant Dieu, vivez et régnez dans tous les siècles des siècles. Ainsi soit-il.

A la messe solennelle, le célébrant baise l'autel et donne la paix aux ministres en disant "Pax tecum: La paix soit avec vous". — Aux messes des Défunts on ne donne pas la paix.

DOMINE Jesu Christe, Fíli Dei vivi, qui ex voluntáte Patris, cooperánte Spíritu sancto, per mortem tuam mundum vivificásti: líbera me per hoc sacrosánctum Corpus et Sánguinem tuum ab ómnibus iniquitátibus meis et univérsis malis: et fac me tuis semper inhærére mandátis, et a te nunquam separári permíttas: Qui cum eódem Deo Patre, et Spíritu sancto vivis et regnas, Deus, in sæcula sæculórum. Amen.

SEIGNEUR Jésus-Christ, Fils du Dieu vivant, qui par la volonté du Père et la coopération du Saint-Esprit, avez donné par votre mort la vie au monde, délivrez-moi par ce saint Corps et par votre Sang de toutes mes fautes et de tous les maux; faites que je m'attache toujours à votre loi et ne permettez pas que je me sépare jamais de vous, qui étant Dieu, vivez et régnez avec Dieu le Père et le Saint-Esprit dans tous les siècles des siècles. Ainsi soit-il.

PERCEPTIO Córporis tui, Dómine Jesu Christe, quod ego indígnus súmere præsúmo, non mihi provéniat in judícium et condemnatiónem: sed pro tua pietáte prosit mihi ad tutaméntum mentis et córporis, et ad medélam percipiéndam: Qui vivis et

QUE la réception de votre corps, Seigneur Jésus-Christ, que j'ose recevoir malgré mon indignité, ne tourne pas à mon jugement et à ma condamnation, mais que, par votre bonté, elle me soit une protection pour l'âme et le corps et un remède à mes maux, vous qui, étant Dieu,

ORDINAIRE DE LA MESSE

vivez et régnez avec Dieu le Père en l'unité du Saint-Esprit dans tous les siècles des siècles. Ainsi soit-il.

regnas cum Deo Patre in unitáte Spíritus sancti Deus, per ómnia sǽcula sæculórum. Amen.

Communion du prêtre

Je prendrai le Pain du ciel et j'invoquerai le nom du Seigneur.

Panem cæléstem accípiam, et nomen Dómini invocábo.

Avant de se communier, le prêtre dit trois fois les humbles paroles du centurion de l'évangile. Seigneur, je ne suis pas digne. Il communie ensuite au Corps du Seigneur; puis, après une formule d'action de grâces tirée des psaumes que Jésus chanta à la dernière Cène, il prend le Précieux Sang.

Seigneur, je ne suis pas digne que vous entriez sous mon toit, mais dites seulement une parole et mon âme sera guérie.

Dómine, non sum dignus, ut intres sub tectum meum: sed tantum dic verbo et sanábitur ánima mea.

QUE le Corps de Notre-Seigneur Jésus-Christ garde mon âme pour la vie éternelle. Ainsi soit-il.

CORPUS Dómini nostri Jesu Christi custódiat ánimam meam in vitam ætérnam. Amen.

Que rendrai-je au Seigneur pour tous les biens qu'il m'a faits? Je prendrai le calice du salut et j'invoquerai le nom du Seigneur. *Ps. 115, 3.*

Quid retríbuam Dómino pro ómnibus quæ retríbuit mihi? Cálicem salutáris accípiam, et nomen Dómini invocábo.

J'invoquerai le Seigneur en le louant, et je serai délivré de mes ennemis. *Ps. 17, 4.*

Laudans invocábo Dóminum, et ab inimícis meis salvus ero.

QUE le Sang de Notre-Seigneur Jésus-Christ garde mon âme pour la vie éternelle. Ainsi soit-il.

SANGUIS Dómini nostri Jesu Christi custódiat ánimam meam in vitam ætérnam. Amen.

Communion des fidèles

Quand les fidèles communient, ils récitent le Confiteor:

JE confesse à Dieu tout-puissant, | à la bienheureuse Marie toujours Vierge, | à S. Michel Archange, | à S. Jean-Baptiste, | aux saints Apôtres Pierre et Paul, | à tous les saints et à vous, mon Père, | que j'ai beaucoup péché, par pensées, par paroles et par actions. | *(On se frappe trois fois la poitrine):* C'est ma faute, c'est ma faute, c'est ma

CONFITEOR Deo omnipoténti, | Beátæ Maríæ, semper Vírgini, | Beáto Michaéli Archángelo, | Beáto Joánni Baptístæ, | Sanctis Apóstolis Petro et Paulo | ómnibus Sanctis et tibi, Pater: | quia peccávi nimis cogitatióne, verbo et ópere, | mea culpa, mea culpa, mea máxima culpa. | Ideo pre-

MYSTERE D'UNION

cor Beátam Maríam semper Vírginem, | Beátum Michaélem Archángelum, | Beátum Joánnem Baptístam, | Sanctos Apóstolos Petrum et Paulum, | omnes Sanctos et te, Pater, | oráre pro me ad Dóminum Deum nostrum.

très grande faute. | C'est pourquoi je supplie la bienheureuse Marie toujours Vierge, | S. Michel Archange, | S. Jean-Baptiste, | les saints Apôtres Pierre et Paul, | tous les Saints et vous, mon Père, | de prier pour moi le Seigneur notre Dieu.

℣. Misereátur vestri omnípotens Deus, et dimíssis peccátis vestris perdúcat vos ad vitam ætérnam.

℣. Que le Dieu tout-puissant vous fasse miséricorde, qu'il vous pardonne vos péchés et vous conduise à la vie éternelle.

℟. Amen.

℟. Ainsi soit-il.

Le prêtre prononce sur les fidèles la formule d'absolution:

℣. Indulgéntiam, ✠ absolutiónem, et remissiónem peccatórum vestrórum, tríbuat vobis omnípotens et miséricors Dóminus. ℟. Amen.

℣. Que le Dieu tout-puissant et miséricordieux vous accorde le pardon, l'absolution *(signons-nous)* ✠ et la rémission de vos péchés.

℟. Ainsi soit-il.

En présentant la Sainte Hostie, le prêtre dit, comme S. Jean Baptiste désignant le Sauveur à ses disciples:

Ecce Agnus Dei: ecce qui tollit peccáta mundi.

Voici l'Agneau de Dieu: voici celui qui efface les péchés du monde.

Puis il nous fait prononcer avec lui les paroles du Centurion:

Dómine, non sum dignus ut intres sub tectum meum: sed tantum dic verbo et sanábitur ánima mea.

Seigneur, je ne suis pas digne que vous entriez sous mon toit, mais dites seulement une parole et mon âme sera guérie.

En donnant la Sainte Communion le prêtre dit:

Corpus Dómini nostri Jesu Christi custódiat ánimam tuam in vitam ætérnam. Amen.

Que le corps de Notre-Seigneur Jésus-Christ garde ton âme pour la vie éternelle. Ainsi soit-il.

Si nous ne pouvons pas communier, exprimons-en au moins le désir à Notre-Seigneur par une communion spirituelle.

ACTION DE GRACES

L'Église nous a préparés à la communion avec le prêtre. Avec lui faisons notre action de grâces en disant les mêmes prières.

Prières pendant les ablutions

Pendant que le sous-diacre ou le servant verse du vin dans le calice, le prêtre dit:

Quod ore súmpsimus, Dómine, pura mente

Ce que nous avons reçu de bouche, puissions - nous,

ORDINAIRE DE LA MESSE

Seigneur, l'accueillir d'un cœur pur; et que le don temporel devienne pour nous remède éternel.

capiámus: et de múl. temporáli fiat nobis ⟨ médium sempitérnum.

Le prêtre se rend du côté de l'Épitre et, tandis que le sous-diacre ou le servant lui purifie les doigts dans le calice en y versant du vin et de l'eau, il dit:

QUE votre Corps, Seigneur, que j'ai reçu, et votre Sang que j'ai bu, s'attachent au plus intime de mon être, et faites qu'il ne reste plus trace de péché en mon âme renouvelée par vos purs et saints mystères. Vous qui vivez et régnez dans les siècles des siècles. Ainsi soit-il.

CORPUS tuum, Dómine, quod sumpsi, et Sanguis quem potávi, adhæreat viscéribus meis: et præsta, ut in me non remáneat scélerum mácula, quem pura et sancta refecérunt sacraménta: Qui vivis et regnas in sǽcula sæculórum. Amen.

Antienne de la Communion et Postcommunion

Le célébrant récite l'Antienne de la Communion (voir le Propre), puis, après:

℣. Le Seigneur soit avec vous.
℟. Et avec votre esprit.

℣. Dóminus vobíscum.
℟. Et cum spíritu tuo.

Il dit la Postcommunion (voir le Propre), à laquelle on répond:

℟. Ainsi soit-il.

℟. Amen.

FINALE DE LA MESSE
Ite missa est et bénédiction

Le prêtre salue et renvoie les fidèles:

℣. Le Seigneur soit avec vous.
℟. Et avec votre esprit.
℣. Vous pouvez aller, la messe est dite.
℟. Rendons grâces à Dieu.

℣. Dóminus vobíscum.
℟. Et cum spíritu tuo.
℣. Ite, Missa est.
℟. Deo grátias.

"Rien de plus court, rien de plus grand, dit S. Augustin, que ce cri d'action de grâces". Mettons-y toute notre reconnaissance pour l'incomparable bienfait que Dieu vient de nous faire en nous appliquant les mérites du sang de Jésus.

Au lieu de l'Ite Missa est, aux messes sans Gloria on dit:

℣. Bénissons le Seigneur.

℟. Rendons grâces à Dieu.

℣. Benedicámus Dómino.
℟. Deo grátias.

et aux messes des Défunts:

℣. Qu'ils reposent en paix.
℟. Ainsi soit-il.

℣. Requiéscant in pace.
℟. Amen.

Le prêtre se recueille alors un instant et résume le but pour lequel il a offert le saint Sacrifice:

AGRÉEZ, Trinité sainte, l'hommage de mon ministère, et faites que le sacri-

PLACEAT tibi, sancta Trínitas, obséquium servitútis meæ, et præsta ut sacrifícium quod óculis tuæ Majestátis indígnus óbtuli, tibi sit acceptábile, mihíque, et ómnibus pro quibus illud óbtuli, sit, te miseránte, propitiábile. Per Christum Dóminum nostrum. Amen.

fice que, bien qu'indigne, je viens d'offrir aux regards de votre Majesté, puisse vous plaire et devenir, pour moi et tous ceux pour qui je l'ai offert, source de pardon. Par le Christ Notre-Seigneur. Ainsi soit-il.

Puis il baise l'autel et donne sa bénédiction:

Benedicat vos omnípotens Deus, Pater et Fílius ☩ et Spíritus Sanctus. ℟. Amen.

Que le Dieu tout-puissant vous bénisse: Père, Fils et Saint-Esprit. ☩ ℟. Ainsi soit-il.

Dernier évangile. *Joann. 1, 1-14*

Avant de quitter l'autel, le prêtre récite le commencement de l'Évangile de S. Jean. — Ce beau début du quatrième Évangile nous rappelle que Jésus, Verbe et Fils de Dieu, donne à tous ceux qui le reçoivent avec foi et amour de devenir par Lui enfants de Dieu. La messe et la sainte Communion nous font participer toujours davantage à ces grandes et sublimes réalités.

℣. Dóminus vobíscum.

℟. Et cum spíritu tuo.
℣. Inítium sancti Evangélii secúndum Joánnem.

℟. Glória tibi, Dómine.

℣. Le Seigneur soit avec vous.

℟. Et avec votre esprit.
℣. Commencement du saint Évangile selon S. Jean.

℟. Gloire à vous, Seigneur.

In princípio erat Verbum, et Verbum erat apud Deum, et Deus erat Verbum. Hoc erat in princípio apud Deum. Omnia per ipsum facta sunt: et sine ipso factum est nihil, quod factum est: in ipso vita erat, et vita erat lux hóminum: et lux in ténebris lucet, et ténebræ eam non comprehendérunt.

Fuit homo missus a Deo, cui nomen erat Joánnes. Hic venit in testimónium, ut testimónium perhibéret de lúmine, ut omnes créderent per illum. Non erat ille lux, sed ut testimónium perhibéret de lúmine.

Erat lux vera, quæ illúminat omnem hóminem

Au commencement était le Verbe, et le Verbe était avec Dieu, et le Verbe était Dieu. Il était au commencement avec Dieu. Toutes choses ont été faites par lui, et rien de ce qui a été fait n'a été fait sans lui. En lui était la vie et la vie était la lumière des hommes, et la lumière luit dans les ténèbres et les ténèbres ne l'ont pas reçue.

Il y eut un homme envoyé de Dieu, dont le nom était Jean. Il vint pour servir de témoin, pour rendre témoignage à la lumière, afin que tous crussent par lui. Il n'était pas la lumière, mais il vint pour rendre témoignage à la lumière.

C'était la vraie lumière qui éclaire tout homme venant en

ce monde. Il était dans le monde et le monde a été fait par lui, et le monde ne l'a pas connu. Il est venu chez lui, et les siens ne l'ont pas reçu. Mais à tous ceux qui l'ont reçu, il a donné le pouvoir de devenir enfants de Dieu; à ceux qui croient en son nom, qui ne sont pas nés du sang, ni de la volonté de la chair, ni de la volonté de l'homme, mais de Dieu. *(On fléchit le genou)*. Et le Verbe s'est fait chair, et il a habité parmi nous; et nous avons vu sa gloire, gloire du Fils unique venu du Père, plein de grâce et de vérité.

℟. Rendons grâces à Dieu.

veniéntem in hunc mundum. In mundo erat et mundus per ipsum factus est, et mundus eum non cognóvit. In própria venit, et sui eum non recepérunt. Quotquot autem recepérunt eum, dedit eis potestátem fílios Dei fíeri, his qui credunt in nómine ejus: qui non ex sanguínibus, neque ex voluntáte carnis, neque ex voluntáte viri, sed ex Deo nati sunt. Et Verbum caro factum est et habitávit in nobis: et vídimus glóriam ejus, glóriam quasi Unigéniti a Patre, plenum grátiæ et veritátis.

℟. Deo grátias.

Guide de lecture

par Lucille Côté, s.s.a.
Mission patrimoine religieux du Québec

Le lexique qui suit est un rappel sommaire de certains mots et de certaines réalités cultuelles propres à la pratique religieuse des années 1880 à 1950. Remerciements à Denis Gagnon, o.p., pour sa lecture attentive.

Abbé Nom donné à tout membre du clergé séculier, à partir du XVIᵉ siècle.

Ablution Action de laver, de purifier avec de l'eau.

♦ **Ablutions à la messe.**

• Avant de revêtir les vêtements liturgiques pour célébrer la messe, le prêtre, à la sacristie, se lave les mains.

• Après l'offrande du pain et du vin (offertoire) ou après l'encensement, nouvelle ablution ou lavement des mains appelé *lavabo*; le célébrant, en l'accomplissant, récite le sixième verset latin du *psaume* 25 qui commence par les mots *Lavabo manus meas:* « Je laverai mes mains… ».

• Après la communion, autres ablutions. Le servant de messe verse un peu de vin et d'eau pour purifier le calice et les doigts du prêtre qui ont touché l'hostie consacrée.

♦ **Ablutions au baptême**. Voir **Baptême**.

Absolution sacramentelle Rite par lequel, au nom de Dieu, le prêtre relève le pénitent de ses fautes. Voir aussi **Confession**.

Absoute Rite liturgique qui termine la cérémonie des funérailles à l'église. Il comprend l'aspersion du cercueil, rappel du baptême, et l'encensement pour honorer une dernière fois ce corps qui fut le temple du Saint-Esprit. Aux funérailles des enfants morts avant l'âge de raison, il n'y pas d'absoute. Voir aussi **Aspersion**.

Abstinence Pratique de pénitence qui consiste à se priver d'aliments gras ou apprêtés avec du gras, à certains jours de l'année. La loi de l'abstinence est imposée par le sixième commandement de l'Église : « Vendredi chair ne mangeras, ni jours défendus mêmement. » Tous les chrétiens qui ont l'âge de raison, c'est-à-dire sept ans accomplis, sont soumis à cette loi. Cependant, le curé de la paroisse peut dispenser de la loi de l'abstinence les malades et les infirmes qui ne pour-raient l'observer sans danger, les pauvres qui mendient leur pain et ceux qui ne peuvent se procurer des aliments maigres en quantité suffisante, les ouvriers qui accomplissent des travaux fatigants, les soldats en campagne ou en garnison.

Adieu au monde Expression pour signifier qu'une fille ou un garçon quitte famille, parents, amis, biens, pour se consacrer définitivement à Dieu dans la vie religieuse ou la prêtrise.

Adoration Hommage rendu à Dieu, à l'humanité du Christ intimement unie à sa divinité, à Jésus-Christ réellement présent dans l'eucharistie. Adoration de la Croix le Vendredi saint, adoration du Saint-Sacrement.

Adoration nocturne Temps réservé à la prière de nuit, le plus souvent à l'église, devant le Saint-Sacrement. Voir aussi **Adoration**.

Agnus Dei ♦ Prière liturgique avant la communion, composée d'une triple invo-cation. À chaque invocation, le prêtre et les fidèles se frappent la poitrine.
♦ Médaillon de cire blanche ou de métal, de forme ronde ou ovale. Sur l'une des faces l'Agneau pascal est debout ou couché, chargé de l'étendard de la croix, symbole du Christ en tant qu'Agneau de Dieu. Cet objet de piété est porté sur soi comme on porte une médaille pieuse ou gardé dans la maison. Sacramental, il peut être l'occasion de grâces et de faveurs spéciales.

Alleluia Cri hébraïque de louange et d'allégresse qui veut dire : Louez Dieu. Il revient sans cesse dans la liturgie, surtout au temps pascal ; il est omis durant le Carême en signe de pénitence.

Âmes du purgatoire Âmes des justes retenues provisoirement au purgatoire où elles expient leurs péchés. Elles composent la partie de l'Église appelée Église souffrante. Le 2 novembre est consacré aux âmes du purgatoire. Voir aussi **Purgatoire**.

Ange Être spirituel, intermédiaire entre Dieu et l'homme, qui a pour mission de louer Dieu dans le ciel, d'être son messager sur la terre, de lui présenter les prières des humains. Le lundi est consacré au souvenir des anges.

Ange gardien Être spirituel qui veille sur chaque être humain pour le protéger, pour l'éloigner du mal et l'entraîner au bien. Depuis le xviie siècle, la fête des Saints Anges Gardiens, le 2 octobre, est étendue à l'Église universelle.

Angélus Prière en l'honneur de l'Incarnation du Christ, ainsi nommée du mot latin qui la commence : *Angelus Domini…* Rappel de la visite de l'ange de l'Annon-ciation à la Vierge Marie. Cette prière se compose de trois versets suivis chacun d'un *Ave Maria* ou *Je vous salue, Marie,* et se termine par une oraison dans laquelle on demande la grâce de Dieu et le salut éternel.

L'angélus est récité trois fois par jour au son de la cloche : à 6 heures le matin, à midi, à 6 heures le soir. Une indulgence est accordée pour sa récitation. Voir aussi **Indulgence**.

Anneau de mariage Cercle de métal ou de matière dure qui se porte au doigt *en signe d'alliance* et qui signifie la volonté des époux de durer dans la fidélité à la promesse donnée. Il est bénit à la cérémonie du mariage. On l'appelle aussi jonc, alliance.

Au Québec, dans le *Rituel de Monseigneur de Saint-Vallier*, en 1703, il est écrit : « Le Curé jettera de l'eau bénite sur l'anneau, en forme de croix. L'époux prend l'anneau des mains du prêtre, le met au quatrième doigt de la main gauche de son épouse, le Curé lui faisant dire : "Mon épouse, je vous donne cet anneau en signe de mariage". »

Année liturgique Cycle annuel des célébrations liturgiques, qui comprend le Temporal et le Sanctoral. Le Temporal célèbre les événements de l'histoire chrétienne dans une série de liturgies consacrées à leur mémoire, à leur développement, à leur extension jusqu'à nous ; le Sanctoral rappelle la fête des principaux saints. Voir aussi **Temporal**, **Sanctoral**.

Anniversaire Jour qui rappelle un événement arrivé à pareil jour une ou plusieurs années auparavant : anniversaire de mariage, anniversaire de décès, etc.

Annonciation Fête célébrée le 25 mars. Elle rappelle que l'ange Gabriel annonça à Marie qu'elle serait la mère du Sauveur.

Apostasie Abandon public de la foi chrétienne par un baptisé. Les peines prescrites par l'Église varient selon les époques et les différentes apostasies.

Apparition Manifestation extraordinaire d'un être invisible sous une forme visible. La croyance aux apparitions ne s'impose pas comme article de foi.

Ascension Fête d'obligation qui rappelle l'élévation de Jésus-Christ au ciel ; on la célèbre un jeudi, quarante jours après Pâques, dix jours avant la Pentecôte.

À la messe de l'Ascension, le **cierge pascal**, représentant le Christ sorti glorieux du tombeau, est éteint après le chant de l'évangile pour signifier que le Christ monte vers le ciel.

Asperges me Rite au début de la messe du dimanche : le prêtre asperge d'eau bénite l'autel et les membres de l'assemblée pour rappeler le baptême et inviter les fidèles à regretter leurs fautes. Durant l'aspersion, la chorale chante une antienne dont les premiers mots sont *Asperges me* : « Tu m'aspergeras » ; au temps pascal, ce chant est remplacé par le *Vidi aquam* : « J'ai vu l'eau… ».

Aspersion Rite qui consiste à jeter de l'eau bénite sur des personnes ou des objets que l'on veut bénir, exorciser ou purifier. Voir aussi **Absoute**, **Goupillon**.

Assis Position d'écoute, de recueillement, de méditation.

Association Groupement de fidèles, approuvé par l'autorité ecclésiastique et formé dans un but spirituel ou apostolique : tiers-ordre, confrérie, union pieuse.

Assomption Fête la plus ancienne du cycle marial, célébrée le 15 août. Elle rappelle l'élévation au ciel de la Sainte Vierge, en corps et en âme. Le 1er novembre 1950, Pie XII proclame le dogme de l'Assomption de la Sainte Vierge.

Aube Vêtement liturgique, habituellement de lin blanc, à manches longues, serré à la taille par un cordon, qui descend jusqu'aux pieds. Le prêtre le porte sous la chasuble ou la chape pour certaines fonctions liturgiques : messe, procession, bénédiction solennelle, office festif ou funéraire.

Au-delà Voir **Ciel**.

Autel Table longue et étroite, avec base de formes variées, sur laquelle le prêtre célèbre la messe. L'autel, lieu central de la liturgie chrétienne, représente le tombeau du Christ. L'autel principal, appelé autel majeur ou maître-autel, est placé à l'extrémité du sanctuaire, face au peuple. Il est aménagé pour recevoir le tabernacle. Des messes peuvent être aussi célébrées sur de petits autels appelés autels latéraux. Voir aussi **Pierre d'autel**.

Ave Maria Mots latins francisés qui commencent la plus populaire des prières adressées à Marie, appelée aussi **Salutation angélique** ou **Je vous salue, Marie**. La première partie reproduit la salutation de l'ange à Marie et celle de sa cousine Élisabeth ; la seconde partie est une addition de la fin du Moyen Âge. La forme définitive de l'*Ave Maria* apparaît au xvie siècle.

Avent Période de l'année liturgique, qui comprend les quatre semaines préparatoires à la fête de Noël. Elle débute le quatrième dimanche avant Noël, dimanche le plus rapproché de la fête de saint André le 30 novembre, et se termine à Noël.

Pour les offices religieux, le prêtre revêt les ornements violets. Le *Gloria in excelsis Deo* est omis, l'*Ite, missa est* est remplacé par *Benedicamus Domino*, les pièces d'orgue sont interdites ainsi que l'ornementation florale.

Baisement des pieds Geste de vénération, de communion, lors de l'envoi d'un missionnaire à l'étranger. Adaptation liturgique d'*Isaïe* 52,7 : « Qu'ils sont beaux sur les montagnes, les pieds du porteur de bonnes nouvelles… ».

Baiser de paix Signe extérieur que le célébrant et ses ministres se donnent quelquefois à la grand-messe, avant la communion, en présence de la communauté chrétienne, comme preuve d'union dans la même foi.

Baiser liturgique Marque de vénération, de respect à l'égard de personnes ou d'objets sacrés. Ce rite prévoit, par exemple, un baisement de l'autel, d'un livre sacré, d'un objet de culte (crucifix, reliques, anneau d'un dignitaire), etc.

Baldaquin Ouvrage en bois, en marbre ou en tissu, fixé de manière à former comme un toit au-dessus d'un autel, d'une chaire ou d'un trône.

Balustrade Clôture à hauteur d'appui, en métal, en pierre, en marbre ou en bois, presque toujours surmontée d'une tablette large de quelques centimètres ; elle sépare le chœur de la nef. Les fidèles viennent s'y agenouiller pour recevoir la communion.

Banc Siège à la disposition des fidèles dans l'église.
♦ **Banc de famille.** Siège où une famille a droit d'occupation pour les cérémonies religieuses. Il est loué lors d'une vente aux enchères au début de l'année civile.
♦ **Banc de constable.** Siège, près de la porte d'entrée, réservé à celui qui maintient l'ordre dans l'église.
♦ **Banc d'œuvre.** Siège affecté aux membres du conseil de Fabrique, généralement placé face à la chaire.

Bannière Étendard orné d'images saintes ou de pieux emblèmes que l'on porte en procession et qui sert à désigner une paroisse, une confrérie ou tout autre groupe attitré.

Banquette Siège d'abord réservé au célébrant, sans accoudoir, à dossier très bas ou sans dossier, il est placé du côté de l'épître, à quelque distance de la crédence.

Bans de mariage Publications officielles de mariage, pendant la messe, à l'église paroissiale. Les bans de mariage sont affichés à la porte de l'église paroissiale des lieux d'origine et du domicile des deux futurs époux.

Baptême Sacrement institué par le Christ, destiné à faire chrétien celui qui le reçoit et à marquer son entrée dans la communauté de l'Église. L'évêque et le prêtre sont les ministres ordinaires du baptême, cependant, en cas de grave nécessité, toute personne peut baptiser.

Le rite essentiel du sacrement est l'ablution qui se fait soit par affusion ou immersion, en même temps qu'est prononcée la formule : « Je te baptise, au nom du Père et du Fils et du Saint-Esprit. » Le baptême ne se donne qu'une fois.

Aux premiers siècles, le baptême se donnait par immersion ; pour des raisons pratiques, le rite de l'affusion, qui consiste à verser de l'eau sur la tête du baptisé, devient de plus en plus fréquent. Voir aussi **Marraine, Parrain, Ondoiement**.

Baptistère Lieu réservé à la célébration du baptême, soit à l'intérieur de l'église, soit dans un édifice voisin conçu pour ce rite.

Barrette Coiffure ecclésiastique, en forme de toque carrée à trois ou à quatre cornes, que porte le prêtre au cours des processions et des cérémonies liturgiques.

La barrette n'apparut qu'au début du XIVe siècle sous forme de bonnet de laine, souple et rond. La couleur varie : noire pour le prêtre, violette pour l'évêque et rouge pour le cardinal.

Battement de poitrine Geste de la main qui consiste à se frapper la poitrine pour reconnaître son état de pécheur.

Bedeau Personne chargée de voir à l'entretien de l'église et à tout ce qui relève du culte. Le bedeau est rétribué par la Fabrique.

Benedicamus Domino Formule latine traduite par « Bénissons le Seigneur », qui exprime l'adoration et la louange de Dieu ; elle termine quelques célébrations et, à certaines messes, remplace l'*Ite, missa est*. Voir aussi **Avent, Carême**.

Bénédicité Prière dite au début du repas pour demander à Dieu de bénir les aliments qu'il nous donne ; elle commence par le mot latin *Benedicite* : « Bénissez... ».

Bénédiction Action de bénir Dieu, de dire, de chanter ses louanges. L'Église multiplie les bénédictions dès les premiers temps pour appeler, sur les personnes et les choses, la faveur divine.

♦ **Bénédiction par le prêtre.** Rite composé de prières et de cérémonies : signe de croix, prononciation de certaines formules, parfois aspersion d'eau bénite.

♦ **Bénédiction paternelle.** Le premier de l'An au matin, le père de famille bénit ses enfants agenouillés à ses pieds et demande les grâces de Dieu sur les siens. En son absence, la mère de famille peut donner cette bénédiction.

Bénitier Récipient destiné à contenir de l'eau bénite.

♦ **Bénitier fixe.** Petite cuve ou vasque placée en permanence à l'entrée de l'église pour l'usage du clergé et des fidèles.

♦ **Bénitier portatif.** Vase muni d'un pied et d'une anse, destiné aux aspersions et aux bénédictions rituelles.

♦ **Bénitier domestique.** Petit vase en métal, en bois, en marbre, qu'on accroche à l'entrée des chambres.

Blanc Couleur festive des ornements et vêtements liturgiques. Le blanc, couleur parfaite, contient toutes les autres couleurs qui se trouvent dans la nature; il évoque la lumière, la pureté, la perfection. On l'utilise au temps de Noël, au temps pascal, aux jours de grandes fêtes, comme à la cérémonie du mariage.

Blasphème Parole injurieuse contre Dieu, les saints, les choses saintes. Dans la législation ecclésiastique, en force au xvie siècle, des peines sévères étaient portées contre les blasphémateurs.

Brassard Bande d'étoffe ou ruban servant d'insigne que l'on porte au bras. Brassard blanc pour la première communion et la communion solennelle des garçons, et noir pour exprimer le deuil chez les hommes.

Bréviaire Livre officiel contenant les textes de l'office divin ou liturgie des Heures. Il renferme les prières obligatoires pour les prêtres chaque jour de l'année.

Burette Vase non sacré, en forme de cruche, muni d'une anse et d'un bec, destiné à conserver les saintes huiles et à contenir le vin et l'eau de la messe.

Calendrier liturgique romain Tableau des mois, des semaines et des jours de l'année dans lequel sont inscrits les fêtes à célébrer, les saints à honorer, les vigiles, les octaves et les jeûnes à observer. Il est destiné à aider le chrétien à revivre les grands événements de l'histoire du salut.

Calice Vase sacré, de forme circulaire, de profondeur variable, largement ouvert, pourvu d'un pied, d'un nœud et d'une tige, dans lequel est consacré le vin à la messe. Il est fait de matières précieuses et solides: or, argent, bronze, verre, cuivre, bois.

Candélabre Support à plusieurs branches pour soutenir des cierges, ayant généralement la forme d'un chandelier. En argent, en bronze, en fer forgé ou même en bois sculpté, il est utilisé pour décorer et illuminer les églises.

Cantique populaire Chant religieux, parfois adapté à une mélodie profane, qui sert à exprimer sa foi en Dieu, sa confiance aux saints, ainsi que le sentiment d'une véritable piété.

Carême Temps liturgique préparatoire à la fête de Pâques, marqué par le jeûne, l'abstinence, l'aumône, la prière, les mortifications. Cette période de quarante jours, instituée en mémoire des quarante jours que Jésus passa dans le désert, commence le mercredi des Cendres et finit le Samedi saint à midi.

Le caractère pénitentiel du Carême apparaît dans la couleur violette des ornements liturgiques, dans l'omission du ***Gloria in excelsis Deo*** et de l'**Alleluia**, dans le remplacement de l'***Ite, missa est*** par ***Benedicamus Domino***, dans la suppression des pièces d'orgue et de la décoration florale sur l'autel et dans l'église.

Carnaval Période de trois jours de réjouissances, de mascarades, qui précède le mercredi des Cendres.

Carte mortuaire Image-souvenir bordée de noir. Au recto se trouve une photo du défunt avec les informations d'usage et, au verso, des suggestions de prières souvent indulgenciées.

Catafalque Estrade décorée, placée dans l'allée centrale pour une cérémonie funèbre. On y dépose le cercueil du défunt. Si le corps est absent, le drap mortuaire remplace le cercueil.

Catéchisme ♦ Instruction religieuse sur les vérités essentielles de la religion. ♦ Livre qui contient l'objet de cet enseignement rédigé sous forme de questions et de réponses. Au xvie siècle, à la Réforme, les catéchismes chrétiens connurent une diffusion généralisée.

Cendres Résidu de la combustion des rameaux bénits l'année précédente avec lequel le prêtre fait une croix sur le front ou la tête des fidèles le mercredi des Cendres, pour rappeler la condition mortelle de l'humanité : « Souviens toi, ô homme, que tu es poussière et que tu retourneras en poussière. » Voir aussi **Mercredi des Cendres**.

Cercueil Coffre de bois ou de métal dans lequel on dépose le corps d'un mort pour l'ensevelir.

Chaire Tribune élevée, ordinairement surmontée d'un baldaquin ou abat-voix, placée généralement à gauche, face au peuple, au point d'intersection de la nef et du chœur. Fabriquée en bois, elle peut être aussi en marbre, en pierre, en fer forgé, en ciment. Elle est le lieu où le prêtre présente ses instructions et ses enseignements.

Chandeleur Nom populaire de la fête de la Purification de la Vierge Marie et de la Présentation de Jésus au Temple, le 2 février. Le nom « chandeleur » vient du rite de bénédiction des chandelles qu'on porte en procession dans l'église pour rappeler la venue du Christ comme Lumière des nations. Les cierges bénits sont apportés à la maison ; ils seront allumés pour la communion des malades et à l'occasion d'un danger.

Chandelier Support en étain, en argent, en cuivre ou en bois, destiné à recevoir des chandelles, des cierges ou des bougies.

Le chandelier pascal, habituellement élevé et orné, est destiné à soutenir le cierge pascal. Voir aussi **Cierge**.

Chantre Personne qui a charge d'entonner ou d'exécuter les chants de la liturgie.

Chape Manteau long d'apparat, demi-circulaire, drapant tout le corps, sans manches, attaché à l'avant, orné d'un chaperon. Il est en drap d'or, en satin ou en damas. Portée sur le surplis ou l'aube, la chape est utilisée aux processions, aux vêpres, aux saluts du Saint-Sacrement, aux absoutes des défunts, aux occasions solennelles autres que la messe. Sa couleur varie selon les convenances.

Chapelet Objet de dévotion formé de cinq dizaines de grains enfilés, que l'on fait glisser entre les doigts en récitant des *Ave*. Entre chaque dizaine, il y a un plus gros grain sur lequel on récite le **Gloria Patri** et le **Pater.** Durant la récitation de chaque dizaine on médite sur un événement de la vie de Jésus ou de Marie, appelé mystère. La coutume a consacré les *mystères joyeux* les lundi et jeudi : l'Annonciation, la Visitation, la Naissance de Jésus, la Présentation de Jésus au Temple, le Recouvrement de Jésus au Temple ; les *mystères douloureux* les mardi et vendredi : l'Agonie de Jésus, la Flagellation, le Couronnement d'épines, le Portement de la croix, le Crucifiement ; les *mystères glorieux* les dimanche, mercredi et samedi : la Résurrection, l'Ascension, la Descente du Saint-Esprit sur les Apôtres, l'Assomption, le Couronnement de Marie. Des indulgences sont accordées à la récitation du chapelet.

Chapelle Lieu consacré au culte, soit à l'intérieur, soit à l'extérieur d'une église. Il comprend généralement un autel.

Charnier Lieu couvert où l'on dépose les morts durant la période froide de l'année.

Chasuble Vêtement liturgique en forme de manteau ample à deux pans, sans manches, avec ouverture pour passer la tête. Le prêtre revêt la chasuble par-dessus l'aube et l'étole pour célébrer la messe. En soie ou en damas, sa couleur dépend du temps liturgique ou des circonstances de la célébration.

Chemin de la croix ♦ Suite de quatorze tableaux, de bas-reliefs ou de simples croix, représentant les diverses étapes de la Passion du Christ appelées « stations ».
♦ Exercice de dévotion qui consiste à aller d'une station à une autre en méditant la Passion du Sauveur et en récitant certaines prières. La concession d'indulgences spéciales contribua à la pratique de cet exercice de piété.

Chœur Lieu le plus sacré d'une église où se déroule l'action liturgique. Légèrement surélevé par rapport aux autres parties de l'église, ce lieu se situe à l'extrémité orientale et occupe l'espace situé de l'autel à la nef. Là se tiennent le clergé, les servants de messe et les enfants de chœur.

Chœur de chant Voir **Chorale**.

Chorale Groupe de chanteurs qui exécute les chants de la liturgie à la grand-messe, aux funérailles, aux grandes fêtes et autres services religieux.

Ciboire Vase sacré en forme de calice, muni d'un couvercle, destiné à contenir les hosties consacrées.

Ciel État de béatitude accordé aux élus après la mort. Le peuple y voit un « lieu de délices ».

Cierge Chandelle de cire, en général de cire d'abeille, utilisée dans les actes liturgiques.
♦ **Cierges de l'autel.** Ils honorent le crucifix placé en leur milieu et font partie des accessoires pour la messe.
♦ **Cierge pascal.** Long cierge de cire blanche sur lequel le prêtre grave, à la vigile pascale, une croix, la première et la dernière lettre de l'alphabet grec, *Alpha* et *Omega*, et les quatre chiffres de l'année en cours. Il y fixe aussi cinq grains d'encens, symbole des cinq plaies du Christ. Il est allumé avec le feu nouveau du

Samedi saint. Ce cierge, symbole du Christ ressuscité, est placé dans le chœur de l'église, du côté de l'évangile; il y demeure jusqu'à l'Ascension.

♦ **Cierge baptismal.** Cierge allumé à la fin de la célébration du baptême et remis au parrain ou à la marraine. Il symbolise la lumière de la foi vivante, grandissante; l'enfant est maintenant « fils de lumière ».

♦ **Cierge de la Chandeleur.** Voir **Chandeleur.**

Cimetière Lieu sacré où reposent les corps des défunts.

Cloche Instrument creux, évasé, en métal sonore, ordinairement de fonte, dont on tire des vibrations retentissantes et prolongées au moyen d'un battant suspendu à l'intérieur. Elle est bénite et consacrée par l'évêque. On sonne la cloche pour annoncer les offices liturgiques, le temps de l'élévation à la messe, pour marquer les événements heureux et malheureux de la vie paroissiale: baptême, mariage, décès, enterrement, incendie, guerre, etc.

Clocher Tour massive ou élancée, élevée ordinairement au-dessus de l'église, surmontée d'une croix et quelquefois d'un coq, dans laquelle sont logées les cloches.

Commémoration des défunts Voir **Jour des Morts.**

Communion Acte par lequel le croyant s'unit réellement au corps et au sang du Christ en recevant l'hostie consacrée.

♦ **Première communion:** Un enfant peut faire sa première communion lorsqu'il a atteint l'âge de raison et qu'il remplit les conditions requises: être capable de discerner entre le bien et le mal et entre le pain ordinaire et le Corps du Christ.

♦ **Communion solennelle:** Profession de foi solennelle et publique préparée par un enseignement du catéchisme pendant plusieurs jours et par une retraite. Chaque enfant reprend à son compte les engagements pris pour lui au baptême. Pour la cérémonie, le garçon porte au bras un brassard blanc et la fillette, un voile blanc. Voir aussi **Brassard.**

♦ **Communion pascale:** Tout chrétien qui a l'âge de raison doit communier au moins une fois l'an, au temps de Pâques.

Communion des saints Solidarité spirituelle entre les élus du ciel, les vivants de la terre et les âmes du purgatoire.

Confesseur Prêtre habilité à entendre la confession des fidèles.

Confession Acte par lequel le pénitent reconnaît ses fautes et les avoue dans le sacrement de pénitence en vue d'en obtenir le pardon. Le fidèle qui a atteint l'âge de raison doit se confesser au moins une fois l'an, selon le deuxième commandement de l'Église: « Tous tes péchés confesseras, à tout le moins une fois l'an. »

Confessionnal Cellule de bois, en forme de guérite, placée dans une église ou une chapelle. Le confesseur s'y assied, le pénitent s'y tient à genoux; ils sont séparés par une grille fixe à mailles serrées, percée de trous étroits.

Confirmation Sacrement qui appelle l'Esprit saint à rendre le chrétien adulte dans la foi. L'évêque en est le ministre; il n'est conféré qu'une seule fois dans la vie. Les rites sont: l'imposition des mains, l'onction du saint chrême sur le front et le soufflet sur la joue. Ordinairement, chaque confirmand est accompagné d'un parrain ou d'une marraine.

Confiteor Prière latine commençant par le mot *Confiteor* : « Je confesse ». Cette prière est récitée au début de la messe et à l'occasion d'autres cérémonies à titre de confession générale et publique.

Confrérie Groupement de croyants qui se rassemblent dans un but de piété, de dévotion, de charité. Chaque confrérie a ses engagements, ses règlements, ses marques distinctives : insigne, bannière, etc.

Consécration ♦ Rite pour dédier à Dieu une personne, un lieu, un objet : consécration d'un évêque, d'un prêtre, d'une église, d'un autel.
♦ Rite eucharistique par lequel le prêtre consacre, par des paroles sacrées, le pain et le vin.

Constable Personne qui s'occupe de placer les gens et veille au bon ordre dans l'église.

Contrition Disposition nécessaire au pécheur qui veut recevoir l'absolution. Il y a deux sortes de contrition.
♦ **Contrition parfaite** : regret sincère du pécheur d'avoir offensé Dieu parce qu'il est infiniment bon.
♦ **Contrition imparfaite** : honte d'avoir cédé à la tentation ou regret par crainte des peines de l'enfer.

Corbillard Voiture servant à transporter le corps d'un défunt à l'église et au lieu de sa sépulture.

Corporal Linge bénit, de forme carrée, que le prêtre étend sur l'autel pour y déposer le calice, la patène, et aussi le ciboire, l'ostensoir.

Cortège funèbre Défilé de personnes et de voitures qui accompagnent un défunt à l'église et au lieu de sa sépulture.

Couleur liturgique Symbole conventionnel pour caractériser la célébration d'une fête ou d'un mystère de la foi, selon les temps de l'année liturgique. Le rite romain distingue cinq couleurs : blanc, rouge, vert, violet, noir. Le rose est facultatif au troisième dimanche de l'Avent et au quatrième dimanche du Carême. Le drap d'or tient lieu des autres couleurs, sauf du noir.

Couvent ♦ Maison où des religieuses, des religieux vivent en communauté.
♦ Pensionnat de jeunes filles dirigé par des religieuses.

Crèche ♦ Mangeoire pour animaux, qui servit de berceau à l'Enfant-Jésus à sa naissance.
♦ Petit édifice représentant l'étable de Bethléem avec Jésus, Marie et Joseph. Saint François d'Assise (XIIIᵉ siècle) aurait eu le premier l'idée de célébrer Noël avec une crèche. Il plaça un âne et un bœuf près d'une mangeoire emplie de paille. Il posa un autel sur la mangeoire et un prêtre y célébra la messe.

Crédence Table placée à peu de distance de l'autel, sur laquelle on dépose burettes et autres objets du culte.

Crêpe Morceau de soie ou de laine fine, noir, que l'on porte en signe de deuil au chapeau, au revers de la veste, en brassard, ou que l'on fixe au cadrage extérieur de la porte de la maison où se trouve exposé un défunt.

Criée pour les Âmes Vente publique aux enchères d'objets, d'animaux, de produits de la ferme, dont les profits en argent servent à « faire dire des messes pour les âmes du purgatoire ».

Croix Instrument du supplice de Jésus. Pour le chrétien, il est signe du rachat de l'humanité et de l'amour de Dieu pour elle. On retrouve la croix en divers lieux et circonstances : croix de procession, croix d'autel, croix pectorale, croix de chemin, croix de bénédiction, croix reliquaire, croix noire de tempérance, croix au-dessus des églises, des chapelles, dans les cimetières, etc. Voir aussi **Chemin de la croix.**

Crucifix Objet en bois, en métal, en ivoire, représentant le Christ sur la croix.

Curé Prêtre à qui l'évêque confie la responsabilité d'une paroisse avec la charge des âmes.

Custode ✦ Boîte ronde, de petite dimension, dans laquelle on dépose une ou quelques hosties consacrées pour les porter aux malades.
✦ Petite boîte ronde, appelée aussi lunule, dans laquelle on place une hostie consacrée pour l'exposer à l'adoration des fidèles dans l'ostensoir. Voir aussi **Ostensoir.**

Cycle de Noël Première partie du Temporal, qui débute par le premier dimanche de l'Avent pour se terminer le dernier dimanche après l'Épiphanie. Elle comprend trois périodes : 1) le temps de l'Avent ; 2) le temps de Noël ; 3) le temps après l'Épiphanie. Voir aussi **Temporal.**

Cycle de Pâques Deuxième partie du Temporal, déterminée par la pleine lune du printemps, qui débute entre le 18 janvier et le 22 février pour se terminer le dernier dimanche après la Pentecôte. Elle comprend cinq périodes : 1) le temps de la Septuagésime ; 2) le temps du Carême ; 3) le temps de la Passion ; 4) le temps de Pâques ; 5) le temps après la Pentecôte. Voir aussi **Temporal.**

Dais Pièce d'étoffe tendue, soutenue par de petites colonnes, que l'on place parfois au-dessus d'un catafalque ou sous laquelle le prêtre porte le Saint-Sacrement lors des processions solennelles.

Dames de Sainte-Anne Association pieuse d'épouses et de mères chrétiennes réunies sous le patronage de sainte Anne. La devise est : « Servir l'Église, Servir la Famille, Servir la Paroisse. »

Debout Position qui signifie l'action de grâce et la disponibilité de la personne devant Dieu, en rappel de la résurrection du Christ. À la messe, l'assemblée se tient debout pendant la proclamation de l'évangile, à l'entrée et à la sortie du célébrant.

De profundis Un des sept psaumes de pénitence (*Ps* 129[130]), chanté ou récité dans la liturgie des défunts. Il exprime l'espérance dans le Seigneur qui pardonne les fautes. « Des profondeurs, je crie vers toi, Seigneur ».

Deuil Signe extérieur témoignant de la mort d'un proche parent : habits, crêpe, tentures et brassards noirs.

Dévotion Culte particulier exprimé par des actes extérieurs, paroles, prières vocales, exercices pieux, souvent enrichis d'indulgences : chemin de la croix, visite au Saint-Sacrement, récitation du chapelet, communion réparatrice du premier vendredi du mois. Dévotion à Marie, au Sacré-Cœur, à saint Joseph, à sainte Anne, etc.

Dies iræ Hymne ou séquence qui se chante ou se récite aux messes des défunts ; elle évoque le jugement dernier. *Dies iræ*, premiers mots de la séquence, signifie « Jour de colère ».

Dimanche Premier jour de la semaine consacré à Dieu en souvenir de la résurrection du Christ, avec obligation d'assister à la messe et de s'abstenir de travailler. « Les dimanches tu garderas, en servant Dieu dévotement », troisième commandement de Dieu.

Dîme Don, en nature ou en espèce, fait annuellement par chaque famille et chaque célibataire de vingt et un ans et plus. Ce don représente une partie des revenus de la Fabrique et sert à subvenir aux besoins du curé et du culte.

Diocèse Territoire placé sous la juridiction d'un évêque. Le diocèse porte le nom de la ville où réside l'évêque.

Drap mortuaire Pièce de drap ou de velours noir que l'on étend sur le cercueil pour les funérailles, souvent ornée d'une croix blanche ou jaune et de symboles funèbres. On fait usage d'un drap blanc pour les enfants morts avant l'âge de raison.

Eau bénite Eau que le prêtre bénit à l'office du Samedi saint et en d'autres occasions. Cette eau sert à l'aspersion de personnes, de lieux et d'objets. Signe de purification, l'eau bénite est mise à la disposition des fidèles à l'entrée de l'église ; elle rappelle le mystère pascal et le baptême. On peut en apporter à la maison pour divers usages.

École de rang Établissement d'enseignement dans lequel les enfants éloignés du village reçoivent l'instruction élémentaire et les premières notions de la religion. Ils y apprennent le catéchisme, la lecture, l'écriture, les éléments de la grammaire, le calcul, l'histoire, la géographie.

Église ♦ Édifice sacré destiné au culte divin.
♦ Société visible rassemblant ceux qui ont la foi en Jésus-Christ et qui ont, comme chef sur la terre, le pape.

Élévation Rite de la messe par lequel le prêtre, après avoir consacré le pain et le vin en prononçant les paroles du Christ à la Cène, élève successivement l'hostie et le calice pour présenter le Corps et le Sang du Christ à l'adoration des fidèles. Il arrive aussi qu'au Salut du Saint-Sacrement et à la procession de la Fête-Dieu, le prêtre élève l'ostensoir et bénisse le peuple. Voir aussi **Ostensoir**.

Encens Substance résineuse qui, en brûlant, dégage une odeur parfumée. On fait usage de l'encens dans les cérémonies religieuses pour honorer diverses formes de présence ou de représentations du Christ. On encense : célébrants, fidèles, corps des défunts aux funérailles, reliques de saints, espèces consacrées, livre des Évangiles, croix, autel, cierge pascal, images.

Encensoir Vase d'argent ou d'un autre métal non fusible, en forme de coupe portée sur pied, suspendu à des chaînettes; il est destiné à recevoir les charbons ardents et l'encens qu'on y fait brûler.

Enfant de chœur Enfant revêtu d'une soutane noire, ou rouge lors des grandes fêtes, et d'un surplis blanc; il se tient généralement dans le chœur de l'église pendant la messe et diverses cérémonies. Voir aussi **Servant de messe**.

Enfants de Marie Association pieuse de jeunes filles, qui a pour but de développer une dévotion particulière à la Vierge Marie.

Enfer État de supplice pour « ceux qui sont morts en état de péché mortel ». L'enfer est souvent représenté comme un lieu où les diables et les damnés sont soumis à un feu inextinguible.

Une tradition orale tenace en Bellechasse veut que plusieurs quêteux, mendiants et colporteurs viennent d'un rang moins fortuné et mal famé des environs de Montmagny, appelé l'Enfer de Montmagny.

Épiphanie Fête liturgique d'obligation fixée au 6 janvier. En Occident, c'est la fête populaire des Rois Mages.

Épitaphe Inscription funéraire placée sur une pierre tombale, un tombeau, qui commence souvent par les mots : « Ci-gît…, Ici repose… ».

État de grâce Manière d'être en amitié avec Dieu. Dans la croyance populaire : ne pas être en état de péché mortel.

Étole Bande d'étoffe, avec deux longs pans égaux, décorée de trois croix, de même matière et de même couleur que les autres vêtements liturgiques. L'évêque, le prêtre, le diacre dont c'est l'insigne distinctif, la portent au cou, sur l'aube ou le surplis, dans l'exercice de certaines fonctions du culte.

Eucharistie Action de grâce, offrande, sacrifice, communion; sacrement institué par Jésus en mémoire de sa passion et de sa résurrection. Voir aussi **Messe**.

Évangile ♦ Recueil des quatre textes qui rendent compte de la doctrine et de la vie de Jésus.
♦ Bonne Nouvelle du salut opéré par Jésus-Christ.

Évêché Résidence de l'évêque.

Évêque Successeur des apôtres et chef spirituel d'un diocèse. Il est titulaire de l'église de sa circonscription. Nommé par le pape, il possède certains pouvoirs, entre autres, celui d'ordonner des prêtres, des diacres, de participer à un concile. Ses insignes sont : l'anneau pastoral, la mitre, la crosse, la croix pectorale, les gants, la ceinture et la calotte violettes.

Excommunication Sanction ecclésiastique par laquelle un chrétien est mis hors de l'Église. Les motifs d'excommunication sont l'hérésie, l'apostasie, le schisme, la profanation de l'eucharistie, la violation du secret de la confession. L'excommunié est privé des biens spirituels dispensés par l'Église, sauf du sacrement de pénitence. S'il meurt dans les dispositions de non-repentir, il est privé de la sépulture à l'église et de l'inhumation à l'intérieur du cimetière.

Exultet Chant latin; annonce de la résurrection du Christ à l'office du Samedi saint, après la bénédiction du feu nouveau : « Exultez, chœur des anges… ».

Extrême-onction Sacrement destiné aux fidèles qui se trouvent en danger de mort par maladie, vieillesse ou accident; il est destiné à soulager spirituellement et corporellement la personne. Le prêtre l'administre au moyen d'onctions de l'huile des infirmes bénite par l'évêque.

Fabrique Corporation ecclésiastique constituée du curé et des marguilliers de la paroisse, qui a pour fonction d'acquérir, d'établir, d'entretenir et de gérer les biens temporels, tels l'église, les chapelles, le presbytère, le cimetière, les caveaux funéraires, etc.

Fête-Dieu Voir **Saint-Sacrement**.

Fidèle Personne qui, incorporée à l'église par le baptême, lui demeure unie par la foi dans le Christ. En général, le fidèle professe sa religion et assiste aux exercices du culte.

Fonts baptismaux Bassin sur un socle destiné à l'eau du baptême. On bénit les fonts baptismaux la veille de Pâques et de la Pentecôte. Voir aussi **Baptistère**.

Frère Nom traditionnel donné à un homme non marié, non prêtre, qui a prononcé des vœux de religion. Voir aussi **Religieux**.

Génuflexion Geste qui consiste à fléchir le genou jusqu'à terre en signe d'adoration, de respect, de soumission.

Glas Tintement lugubre, lent, mesuré, d'une cloche d'église pour annoncer l'agonie, la mort ou l'enterrement d'une personne. Voir aussi **Cloche**.

Gloria in excelsis Deo Hymne récitée ou chantée tous les dimanches de l'année (sauf aux dimanches de l'Avent, du temps de la Septuagésime et du Carême), aux grandes solennités et dans des célébrations particulières. Les mots *Gloria in excelsis Deo* signifient : « Gloire à Dieu au plus haut des cieux. »

Goupillon Tige montée d'une boule de métal creuse et percée de trous, utilisée dans des cérémonies pour asperger d'eau bénite.

Grand-messe ou messe chantée Célébration plus solennelle et plus longue que la **messe basse**; elle comprend du chant latin et des lectures à haute voix. À la grand-messe dominicale et festive s'ajoutent encens, musique, prône. Voir aussi **Messe**.

Honoraires de messe Rétribution fixée par l'évêque pour faire célébrer une messe à une intention particulière; cette somme est destinée à subvenir aux besoins du prêtre.

Hostie Pain de froment, sans levain, en forme de rondelle, consacré durant la messe et distribué aux fidèles pour la communion. Voir aussi **Ciboire, Tabernacle**.

Huile Substance onctueuse bénite par l'évêque, utilisée dans certaines célébrations sacramentelles. Les **saintes huiles** sont le saint chrême, l'huile des catéchumènes pour le baptême et l'ordre, l'huile des infirmes pour l'extrême-onction, et l'une ou l'autre pour certaines consécrations (église, autel, cloches, calice, etc.). Voir aussi **Saint chrême**.

Huissier Voir **Constable**.

Image Représentation du Christ, des anges, de la Vierge Marie et des saints, sous forme de peinture, de dessin, de gravure. L'image fait l'objet d'une vénération particulière dans l'histoire spirituelle du peuple et est considérée comme une source de bénédiction et de salut.

Imposition des mains Geste rituel, geste sacramentel, rite de transmission d'un pouvoir, d'une consécration à Dieu, d'un appel à l'Esprit ou d'une bénédiction. Ce rite est généralement accompagné d'une formule qui en donne le sens immédiat.

Inclination Action de pencher la tête, le buste ou tout le corps en signe de respect et de politesse. Ce geste s'accomplit pour saluer des personnes comme l'évêque, le célébrant, pour recevoir une bénédiction ou pour accompagner certaines paroles dans la prière.

Indulgence Remise plénière ou partielle, par l'Église, de la peine temporelle attachée aux fautes déjà pardonnées. L'indulgence, comptée en jours, en semaines, en années, est comme un substitut des pénitences très lourdes infligées dans l'Église des premiers siècles. Des indulgences sont accordées à l'occasion d'une bonne action, d'une dévotion, d'une prière ; les plus populaires sont reliées à la récitation du rosaire, au port du scapulaire, à la bénédiction apostolique, à l'accomplissement d'un pèlerinage, etc. Des indulgences peuvent être appliquées aux âmes du purgatoire ou à des personnes de la terre, à condition qu'elles soient en état de grâce.

Innocents (saints) ♦ Enfants de Bethléem et des alentours, de moins de deux ans, victimes du massacre ordonné par le roi Hérode le Grand au moment de la naissance de Jésus.
♦ Fête célébrée le 28 décembre.

Inscription funéraire Voir **Épitaphe**.

Introït Prière, ordinairement tirée d'un psaume, que le prêtre dit au début de la messe quand il est monté à l'autel. Aux grands-messes, cette prière est chantée.

Invocation Prière brève pour implorer le secours de Dieu, des saintes et des saints. Voir aussi **Oraison jaculatoire**.

Ite missa est Formule de renvoi à la fin de la messe : « Allez, la messe est dite. »

Jeudi saint Jour anniversaire de l'institution de l'eucharistie et du sacerdoce par le Christ, soit le jeudi qui précède immédiatement Pâques. Pour ce jour, l'autel est décoré, les ornements liturgiques sont blancs. Au début de la messe, les orgues accompagnent le chœur et pendant le *Gloria* la clochette et les cloches sonnent à toute volée. Après le *Gloria*, les cloches et l'orgue tombent dans le silence et n'en sortiront qu'au moment où le prêtre entonnera le *Gloria* à la messe de la vigile pascale.

Jeûne ♦ **Jeûne ecclésiastique.** Pratique de pénitence qui consiste, à certains jours, à ne prendre qu'un repas principal. Sont soumis à l'observance du jeûne tous ceux qui ont vingt et un ans accomplis et qui n'ont pas commencé leur soixantième année. Pour de justes motifs, le curé peut dispenser du jeûne les malades, les infirmes, les convalescents, les femmes enceintes, etc. Voir aussi **Abstinence.**

♦ **Jeûne eucharistique.** Interdiction de prendre toute nourriture, même de l'eau, depuis minuit jusqu'au moment de la communion. La dispense du jeûne eucharistique, accordée aux malades, aux infirmes, aux personnes qui doivent faire un long chemin, etc., permet de prendre quelque chose sous forme de liquide, à l'exception des boissons alcooliques.

Jour de l'An Fête liturgique de la circoncision de Jésus. Jour de bénédictions et de vœux, à l'église et à la maison. Voir aussi **Bénédiction.**

Jour des Morts Jour consacré au souvenir et à la prière pour les morts, le 2 novembre. Les messes sont célébrées pour l'ensemble des défunts. Des indulgences plénières, applicables aux âmes du purgatoire, sont accordées depuis la veille et en ce jour aux personnes qui font des visites à une église et récitent chaque fois cinq *Pater*, cinq *Ave* et cinq *Gloria Patri* à l'intention du Souverain Pontife. Depuis 1915, il est permis à chaque prêtre de célébrer trois messes de *Requiem*, le jour de la Commémoration des défunts.

Jours gras Voir **Carnaval.**

Jubé Galerie avec balustrade, construite au fond de l'église et qui, en certains endroits, s'étend le long des murs latéraux ; la tribune des chantres, jubé de l'orgue, est parfois superposée au jubé du fond de l'église.

Lampe du sanctuaire Récipient suspendu à l'avant-chœur. Il contient de l'huile combustible destinée à produire de la lumière. À la fin du XIIe siècle, par respect pour l'autel et le lieu saint, s'établit la coutume de laisser brûler en permanence, jour et nuit, une lampe à l'endroit où sont conservées les hosties consacrées.

Lampion Petit vase contenant une matière combustible avec une mèche, utilisé pour les illuminations. On fait « brûler un lampion » devant une statue, une relique, une image sainte, en signe de reconnaissance pour une faveur obtenue ou pour demander une protection spéciale.

Lavabo Voir **Ablution.**

Ligue du Sacré-Cœur Association pieuse qui rallie librement les hommes et les jeunes gens en l'honneur du Sacré-Cœur. Le but est de maintenir l'esprit chrétien dans la famille et la paroisse.

Limbes État de privation de la vision de Dieu dans lequel se trouvaient les âmes des justes avant la venue du Christ et dans lequel seraient les âmes des enfants morts sans baptême. Le langage populaire parle d'un **lieu** sans souffrance. L'existence des limbes ne fait pas partie des dogmes auxquels les croyants doivent adhérer.

Litanies Prière composée de courtes invocations de forme populaire adressées à Dieu et à ses saints. Chaque invocation est suivie d'une réponse brève, toujours la même, récitée ou chantée par l'assemblée.

Livre de messe Voir **Missel**.

Lot au cimetière Lopin de terre acheté par une famille dans le cimetière paroissial pour assurer à ses membres un lieu de sépulture.

Lunule Voir **Custode**.

Maître-autel Table principale placée dans le chœur de l'église. Voir aussi **Autel**.

Maître chantre Personne chargée de la direction de la musique et du chœur de chant dans une église. Voir aussi **Chantre**.

Manipule Vêtement liturgique formé d'une bande d'étoffe étroite de même couleur et de même tissu que les autres vêtements liturgiques. Le prêtre le porte au bras gauche pour célébrer la messe.

Mardi gras Jour faste, dernier jour du Carnaval ; il précède le jour de jeûne et d'abstinence obligatoires dit le mercredi des Cendres.

Au Québec, le trait caractéristique du mardi gras est la mascarade. Les enfants, les jeunes, même les aînés se déguisent, vont de maison en maison et s'amusent à danser et à chanter. Minuit met fin aux fêtes, c'est le Carême qui commence. Voir aussi **Carnaval**.

Marguillier Personne élue par les paroissiens pour faire partie du conseil de Fabrique d'une paroisse. Le marguillier est chargé, avec le curé, de la gestion financière et administrative de la Fabrique. Voir aussi **Fabrique, Banc**.

Marraine ♦ Fille ou femme qui présente un enfant au baptême, répond aux interrogations du prêtre et prend des engagements pour le nouveau baptisé. Elle doit veiller à ce que l'enfant soit éduqué dans sa foi. Voir aussi **Parrain**.
♦ À la confirmation, la fillette est assistée d'une marraine.

Médaille Pièce de métal, généralement circulaire, frappée ou fondue en l'honneur du Christ, de la Vierge, d'une sainte ou d'un saint. La médaille, une fois bénite, est un sacramental et signifie vénération, confiance, hommage à Dieu, aux saints. Des indulgences sont accordées pour le port des médailles. Voir aussi **Sacramental**.

Ménagère Personne qui voit à l'entretien du presbytère et des personnes qui y habitent.

Mercredi des Cendres Premier jour du Carême. Il tire son nom de la cérémonie durant laquelle le prêtre impose des cendres sur le front ou la tête des fidèles, en signe de pénitence, de tristesse, de deuil, de la fragilité humaine. Voir aussi **Cendres**.

Mérite Effet spirituel découlant de toute bonne action, de toute prière, de tout ce que chacun fait de bien ou supporte de pénible. Le mérite contribuerait non seulement au salut personnel mais aussi au salut des autres.

Messe Sacrement de l'eucharistie appelé aussi messe, par lequel l'Église offre à Dieu, par les mains du prêtre, le sacrifice du corps et du sang de Jésus-Christ sous les espèces du pain et du vin. On peut faire célébrer soit une grand-messe ou une messe basse. La messe dominicale est obligatoire pour tout fidèle qui a atteint l'âge de raison. Voir aussi **Eucharistie**.
♦ **Grand-messe** ou **messe chantée**. Voir **Grand-messe**.
♦ **Messe basse** ou **messe lue**. Célébration simplifiée qui comporte, à l'occasion, des cantiques.

Mi-Carême Jeudi de la troisième semaine du Carême qui, par coutume et tradition populaires, est marqué par quelques adoucissements, des réjouissances carnavalesques et ce, malgré les lois du jeûne.

Mille Ave Pratique pieuse qui consiste à réciter mille *Ave Maria* la veille de Noël. Coutume jadis courante au Canada français. Aucune indulgence ne semble avoir été rattachée à cette tradition aux origines mal connues.

Missel ♦ Missel d'autel. Livre liturgique réservé au prêtre, il contient les textes des prières latines et les lectures nécessaires à la célébration de l'eucharistie pour tous les jours de l'année avec l'indication des rites et des cérémonies qui les accompagnent. Il se compose de trois parties : l'ordinaire de la messe, le propre du temps (Temporal) et le propre des saints (Sanctoral).
♦ **Missel des fidèles.** Livre abrégé de prières dont les « pratiquants » font usage à la messe, aux vêpres et pour des exercices de dévotion.

Monument funéraire Ouvrage d'architecture, de sculpture, élevé au cimetière pour perpétuer le souvenir d'une défunte, d'un défunt.

Mystères du rosaire Voir **Chapelet**, **Rosaire**.

Nef Partie de l'église, du portail au chœur, réservée aux fidèles qui constituent l'assemblée liturgique. Les bas-côtés sont les nefs latérales.

Neuvaine Exercice de piété et de prières repris pendant neuf jours consécutifs pour implorer le secours de Dieu, d'une sainte, d'un saint.

Noël Célébration de la Nativité de Jésus le 25 décembre. Cette fête liturgique est particulièrement privilégiée au Canada français.

Noir Couleur de deuil utilisée aux offices des défunts, au Vendredi saint, et portée par les personnes éprouvées par la mort d'un proche.

Octave Durée de huit jours pendant laquelle on commémore une grande fête, ou le huitième jour qui commémore la fête elle-même.

Offertoire Partie de la messe, après l'évangile ou le *Credo*, qui comprend des rites et des prières pour accompagner la bénédiction et l'offrande du pain et du vin destinés à devenir le corps et le sang du Christ.

Onction Rite qui consiste à appliquer de l'huile bénite sur une personne ou une chose en vue de lui conférer un caractère sacré, d'attirer sur elle la bénédiction de Dieu. L'onction est pratiquée dans divers sacrements et dans plusieurs cérémonies de l'Église.

Ondoiement Baptême donné en cas de nécessité ; seule est requise, sans les prières et les rites habituels, l'ablution baptismale en même temps que les paroles : « Je te baptise, au nom du Père et du Fils et du Saint-Esprit. » On a recours à l'ondoiement lorsqu'un nouveau-né est en danger de mort ou que l'on est dans l'impossibilité immédiate de le porter à l'église.

Oraison jaculatoire Prière brève récitée intérieurement ou de vive voix pour s'adresser à Dieu, aux saintes et aux saints, par exemple « Cœur sacré de Jésus, j'ai confiance en vous. » Voir aussi **Invocation**.

Ordination Cérémonie au cours de laquelle l'évêque confère le sacrement de l'ordre (évêque, prêtre, diacre). L'acte essentiel, dans le cas d'un prêtre, consiste dans l'imposition des mains de l'évêque sur la tête de l'ordinand et dans l'onction des mains du nouvel ordonné.

Ostensoir Pièce d'orfèvrerie destinée à recevoir l'hostie consacrée et à la mettre en vue à travers une custode ou une lunule pour la porter en procession, l'exposer à l'adoration des fidèles. La matière et la forme de l'ostensoir ne sont fixées par aucune prescription. Il est généralement en or ou en argent, il peut être de cuivre ou de tout autre métal convenable. La forme qui prévaut est celle du disque ou du soleil plus ou moins ouvragé, généralement entouré de rayons, monté sur un pied par lequel on peut le saisir. Voir aussi **Custode**.

Pain bénit Pain non consacré mais bénit à la grand-messe les dimanches et les jours de fête. On le distribue par morceaux aux enfants qui n'ont pas fait leur première communion et parfois à tous les fidèles.

Pâques Fête la plus importante de l'année liturgique qui commémore la résurrection du Christ ; elle tire son nom d'une fête juive instituée par Moïse pour rappeler la sortie d'Égypte. Au concile de Nicée, en 325, la fête fut fixée au dimanche qui suit la pleine lune de l'équinoxe du printemps, c'est-à-dire entre le 22 mars et le 25 avril. De cette date dépendra celle du mercredi des Cendres et des fêtes religieuses mobiles.

Paroisse Division territoriale d'un diocèse, déterminée par l'évêque, dont la charge pastorale est confiée à un curé. Voir aussi **Fabrique**.

Parrain ♦ Homme qui présente un enfant au baptême, répond aux interrogations du prêtre et prend des engagements pour le nouveau baptisé. Il doit veiller à ce que l'enfant soit éduqué dans sa foi. Voir aussi **Marraine**.
♦ À la confirmation, le garçon est assisté d'un parrain.

Pèlerinage Voyage, individuel ou collectif, fait à un lieu sacré pour des motifs religieux et dans un esprit de dévotion. Des indulgences sont accordées aux pèlerins.

Pénitence ♦ Sacrement par lequel le prêtre donne l'absolution à celui qui confesse ses fautes avec un regret sincère d'avoir offensé Dieu et l'intention de les réparer et de ne plus les commettre.

♦ Peine que le confesseur impose au pénitent en expiation de ses fautes.

♦ Renoncement, privation volontaire, accomplissement de bonnes œuvres que l'on s'impose en vue d'obtenir des faveurs ou pour expier ses fautes et celles des autres.

Pentecôte Fête liturgique célébrée le septième dimanche après Pâques, soit cinquante jours après la résurrection du Christ. Elle commémore la descente de l'Esprit sur les apôtres, symbolisée par des langues de feu. Cette fête clôt le temps pascal. Voir aussi **Cycle de Pâques**.

Perron de l'église Escalier extérieur se terminant par une plate-forme de plain-pied avec l'entrée principale de l'église. C'est là que se réunissent les « fidèles » avant et surtout après la messe dominicale pour entendre les avis et les annonces paroissiales.

Pierre d'autel Pierre consacrée, renfermant des reliques de saints, que l'on enchâsse au milieu de la table de l'autel et sur laquelle le prêtre célèbre l'eucharistie.

Porteur aux funérailles Personne désignée pour porter le cercueil au corbillard, à l'entrée et à la sortie de l'église, au cimetière ou au charnier.

Portioncule Indulgence plénière appliquée aux défunts, accordée habituellement le 2 août aux personnes qui, s'étant confessées et ayant communié, récitent dans une église six *Pater*, *Ave* et *Gloria* à l'intention du Souverain Pontife.

Prédicateur Ecclésiastique qui a pour fonction d'exposer en chaire quelques aspects de la foi, de commenter la Parole de Dieu ou un événement religieux à l'occasion d'une célébration ou d'un rassemblement de fidèles.

Prénom Nom individuel attribué à un enfant lors du baptême. Le **Rituel romain** et le **Code de droit canonique** demandent qu'un **nom chrétien** soit donné au nouveau baptisé. Le prénom est le plus souvent emprunté au calendrier religieux. Le saint choisi devient le protecteur attitré, sinon le modèle proposé au baptisé.

Presbytère Maison du curé dans une paroisse, généralement à proximité de l'église.

Prie-Dieu Meuble avec marchepied et accoudoir sur lequel on s'agenouille pour prier.

Prône Instruction faite chaque dimanche après la lecture de l'évangile à la messe paroissiale. Elle comprend :

♦ des annonces pour avertir les fidèles des messes de la semaine, des fêtes et des cérémonies religieuses, des jours de jeûne et d'abstinence, des publications de bans, des recommandations aux prières ou aux charités des fidèles, et d'autres avis ;

♦ des prières pour les chefs spirituels (pape, évêque) et temporels (chef d'État), pour la paroisse et pour les fidèles défunts ;

♦ l'instruction proprement dite, appelée sermon. Voir aussi **Sermon**.

Prosternation Action de s'incliner très profondément en signe de respect, de révérence, d'adoration, de supplication.

Purgatoire État de souffrance temporaire pour les âmes des justes qui ont à se purifier, avant d'entrer au ciel, de fautes vénielles et des peines temporelles dues au péché. Le langage populaire parle plutôt de « lieu » provisoire de souffrance. Voir aussi **Âmes du purgatoire**.

Quadragésime ♦ Ancien nom pour désigner le Carême.
♦ Premier dimanche du Carême.

Quarante-Heures Rites et prières expiatoires devant le Saint-Sacrement exposé durant trois jours consécutifs, en souvenir des heures durant lesquelles le corps du Christ demeura dans le tombeau. Les Quarante-Heures commencent par une messe suivie d'une procession, de l'exposition du Saint-Sacrement, et se terminent par une messe pour la paix. Pendant l'exposition, il est requis que deux personnes au moins soient présentes pour l'adoration, la nuit comme le jour.

Quasimodo Premier dimanche après Pâques désigné par les mots latins de l'*Introït*: *Quasi modo geniti infantes* « Comme des enfants nouveau-nés », aussi appelé dimanche **in Albis** ou dimanche **blanc**. Aux premiers temps de l'Église, les nouveaux baptisés portaient la tunique blanche de leur baptême pendant toute la semaine de Pâques pour la déposer en ce dimanche-octave.

Quatre-Temps Trois jours de jeûne, d'abstinence, de prière et de pénitence placés au début de chacune des quatre saisons: le mercredi, le vendredi et le samedi de la troisième semaine de l'Avent, de la première semaine du Carême, de la semaine dans l'octave de la Pentecôte, de la semaine qui suit la fête de l'Exaltation de la Sainte Croix (14 septembre).

Quête Collecte d'argent faite à la messe du dimanche et des grandes fêtes religieuses, au moment de l'offertoire, pour subvenir aux besoins du culte, du presbytère. Voir aussi **Offertoire**.

Quêteux Personne qui passe de porte en porte pour demander l'aumône, le gîte, la nourriture. Le quêteux est généralement accueilli avec respect.

Quinquagésime Nom donné au dimanche qui précède le premier dimanche du Carême, il se situe dans la cinquième dizaine de jours avant Pâques.

Rameaux Célébration marquée par la bénédiction et la procession des rameaux, le dimanche avant Pâques appelé « dimanche des Rameaux ». Cette fête commémore l'entrée triomphale de Jésus à Jérusalem. Les rameaux bénits sont rapportés à la maison et distribués dans les bâtiments pour attirer les bénédictions du ciel.

Religieuse, religieux Personne consacrée à Dieu par des vœux, temporaires ou perpétuels, reconnus par l'Église.

Reliquaire Coffret ou cadre destiné à conserver ou à exposer des reliques. Divers métaux sont employés pour sa fabrication: or, vermeil, argent, cuivre. Souvent orné de pierres précieuses. Le nombre et la variété des reliquaires sont considérables. Voir aussi **Relique.**

Relique Corps entier, fragment du corps d'un saint ou d'un bienheureux, objets ayant été à son usage ou ayant servi à son supplice. Le culte de ces reliques est autorisé par l'Église.

Reposoir Autel provisoire destiné à recevoir le Saint-Sacrement au cours d'une procession. Il est orné de fleurs, de chandeliers, à la façon d'un trône de gloire.

Retraite paroissiale Jours consacrés à la prière, à la méditation, au recueille-ment et à l'assistance aux instructions spirituelles données par un prédicateur invité à l'église paroissiale. Retraite des hommes et jeunes gens. Retraite des femmes et jeunes filles.

Revenant Âme d'un mort qui est censée revenir de l'autre monde sous une apparence physique dans le but d'annoncer quelque fâcheuse nouvelle, de réclamer l'exécution de quelque volonté dernière ou simplement d'effrayer.

Rogations Prières publiques accompagnées de processions, que l'Église fait pour les biens de la terre pendant les trois jours qui précèdent l'Ascension.

Rosaire Prière de dévotion populaire à Marie, composée de cent cinquante *Ave Maria*, ou de trois chapelets, récités en l'honneur des quinze principaux mystères de la vie de Jésus-Christ et de sa Mère. Voir aussi **Chapelet.**

Rose Couleur liturgique facultative utilisée le troisième dimanche de l'Avent et le quatrième dimanche du Carême. Au milieu de ces deux temps de pénitence, l'Église fait une pause pour anticiper la joie de Noël et celle de Pâques.

Rouge Couleur liturgique qui évoque le sang et le feu, utilisée le dimanche de la Pentecôte, aux messes en l'honneur du Saint-Esprit, des apôtres, des martyrs, à la fête de l'Exaltation de la Sainte Croix, le 14 septembre.

Sacramental Rite institué par l'Église pour obtenir des effets d'ordre spirituel. Sont considérés comme sacramentaux : la bénédiction d'une maison, la consé-cration d'une église, l'utilisation de l'eau bénite, le port d'un objet bénit, etc. À distinguer des sacrements qui sont d'institution divine. Voir aussi **Médaille, Sacrement.**

Sacrement Signe sacré institué par Jésus-Christ et confié à l'Église pour pro-duire ou augmenter la grâce dans les diverses phases de la vie des fidèles. Les sacrements sont au nombre de sept : le baptême, la confirmation, l'eucharistie, la pénitence, l'extrême-onction, l'ordre et le mariage.

Sacristain Voir **Bedeau.**

Sacristie Annexe ou dépendance d'une église destinée à conserver les vête-ments liturgiques, les vases sacrés, les objets du culte et tout le matériel d'église. Célébrant et enfants de chœur s'y habillent pour les cérémonies ; on y accomplit certaines célébrations et le peuple y est admis pour différentes affaires à traiter avec le prêtre.

Sage-femme Personne dont la profession est de faire des accouchements. Selon le *Rituel de monseigneur de Saint-Vallier* (1703), cette personne, choisie parmi les femmes les plus prudentes et les plus vertueuses, devait prêter serment.

Saint Croyant reconnu publiquement par l'Église pour son haut degré de perfection durant sa vie terrestre, qui a pu accomplir des miracles. Le saint est proposé comme modèle aux fidèles, dès lors un culte public lui est accordé.

Saint Blaise Guérisseur des maux de gorge. Le 3 février, fête de saint Blaise, est le jour rituel de la bénédiction des gorges. Le prêtre récite une prière en croisant deux cierges allumés autour de la gorge des fidèles.

Saint chrême Mélange d'huile d'olive (symbole de force et de douceur) et de baume (symbole de la bonne odeur des vertus) consacré par l'évêque le Jeudi saint, et employé pour diverses onctions dans des cérémonies, telles que le baptême, la confirmation, l'ordre, la consécration d'une cloche, d'une pierre d'autel, d'une église, la bénédiction des fonts baptismaux, etc. Voir aussi **Huile**.

Saint-Sacrement Présence « réelle du Seigneur » sous l'espèce du pain. En mémoire de l'institution du sacrement de l'eucharistie, l'Église célèbre la fête du Saint-Sacrement, appelée Fête Dieu, le premier jeudi après l'octave de la Pentecôte.

Sainte Famille ♦ Famille de Nazareth : Jésus, Marie et Joseph.
♦ Fête liturgique célébrée le premier dimanche après l'Épiphanie, établie dans le diocèse de Québec en 1684 par monseigneur François de Montmorency-Laval.

Sainte table Voir **Balustrade**.

Saintes Espèces Corps et Sang de Jésus-Christ sous les apparences du pain et du vin.

Salut du Saint-Sacrement Rite paraliturgique du culte eucharistique. Il comprend adoration, prières, chants latins, encensement, bénédiction avec l'ostensoir ou avec le ciboire.

Salutation angélique Voir **Ave Maria**.

Sanctoral ou Propre des saints Cycle liturgique secondaire constitué par les fêtes de la Vierge Marie, des anges et des saints. Voir aussi **Année liturgique**.

Scapulaire Objet de dévotion composé de deux petits morceaux d'étoffe ornés d'images pieuses, attachés l'un à l'autre par des rubans. Le port du scapulaire bénit et indulgencié apporte une protection spéciale. De par leur origine, les petits scapulaires ne sont que la réduction des scapulaires propres à divers ordres religieux. Scapulaires du Mont-Carmel (brun et noir), de l'Immaculée-Conception (bleu), de la Passion (rouge), de Notre-Dame des Douleurs (noir), de la Sainte Trinité (blanc), etc. Voir aussi **Sacramental**.

Semaine sainte Semaine la plus célèbre de l'année liturgique, qui précède le dimanche de Pâques. Elle va du dimanche des Rameaux à la cérémonie du Samedi saint. Cette ultime semaine du Carême rappelle les événements qui ont marqué les derniers jours de Jésus sur terre. Voir aussi **Pâques**.

Septuagésime Premier des trois dimanches qui précèdent le Carême, fixé soixante-dix jours avant la solennité pascale. Le nom septuagésime rappelle les soixante-dix années de la captivité du peuple juif à Babylone. Ce dimanche qui introduit le Temps de la Septuagésime, marqué par la pénitence, va jusqu'au mercredi des Cendres. La couleur liturgique est le violet. À la messe, l'**Alleluia** et le *Gloria in excelsis Deo* sont omis. Voir aussi **Cycle de Pâques**.

Sépulture ♦ Lieu bénit où est déposé le corps d'un défunt.

♦ Ensemble des rites sacrés prescrits par l'Église pour accompagner le défunt jusqu'à son dernier repos.

Serment Promesse solennelle par laquelle une personne prend Dieu comme témoin de la véracité d'un fait ou comme garant de la volonté d'être fidèle à un engagement.

Sermon Discours religieux prononcé en chaire pour donner un enseignement de nature morale ou doctrinale. Voir aussi **Prône**.

Servant de messe Enfant de chœur qui, au nom de l'assemblée, assiste le prêtre et répond à certaines parties de la messe. Il est revêtu d'une soutane noire, ou rouge lors de grandes fêtes, et d'un surplis blanc. Une indulgence est accordée à tout servant de messe. Voir aussi **Enfant de chœur**, **Surplis**.

Sexagésime Dimanche qui précède de deux semaines le Carême, il se situe dans la sixième dizaine de jours avant Pâques.

Signe de la croix Geste de la prière chrétienne qui consiste à tracer sur soi, de la main, une croix en prononçant les paroles : « Au nom du Père et du Fils et du Saint-Esprit. Ainsi soit-il. »

Sœur Nom traditionnel donné à une femme qui a prononcé des vœux de religion. Voir aussi **Religieuse**.

Surplis Vêtement léger, de toile blanche et de dentelles fines, à manches larges souvent plissées, qui descend jusqu'aux genoux. Le prêtre, l'enfant de chœur et le servant de messe le portent sur la soutane pour certains offices religieux.

Tabernacle Petite armoire placée et fixée au milieu et au fond de l'autel principal. Fermé à clé, le tabernacle sert uniquement à conserver les hosties consacrées. Il est en bois, en marbre, en pierre, en bronze ou en toute autre matière solide et durable.

Table de communion Voir **Balustrade**.

Temporal ou Propre du temps Cycle liturgique majeur qui couvre tous les jours de l'année et qui célèbre de façon éminente les principaux faits et mystères de la vie du Christ ; les fêtes de Noël et de Pâques en sont les piliers. Ce temps commence le premier dimanche de l'Avent et se termine le dernier dimanche après la Pentecôte. Voir aussi **Année liturgique**, **Cycle de Noël**, **Cycle de Pâques**.

Triduum Période de trois jours consacrés d'une façon spéciale à la prière. Voir aussi **Quarante-Heures**.

Veillée au corps Soirée de prière auprès d'une défunte ou d'un défunt.

Vert Couleur liturgique qui évoque l'espérance dans la vie des fidèles; elle est utilisée les dimanches ordinaires, dimanches après l'Épiphanie et après la Pentecôte.

Vêtement liturgique Habit que revêtent les membres du clergé et ceux qui ont un rôle particulier à jouer dans les cérémonies du culte. Selon les époques et les circonstances, le vêtement liturgique signifie l'orientation de la piété, la grandeur de Dieu et l'autorité du clergé.

Viatique Sacrement de l'eucharistie administré à un malade à l'article de la mort. La loi du jeûne eucharistique est suspendue dans la circonstance.

Vicaire Prêtre qui assiste le curé dans une paroisse, le remplace en son absence et, en certaines occasions, agit en son nom.

Vigile Journée qui précède une fête importante dans l'Église. La plupart des vigiles sont accompagnées de prière et de jeûne : «Quatre-Temps, vigiles, jeûneras... », cinquième commandement de l'Église.

Vigile de Pâques Veille de la résurrection du Christ, qui va du moment de sa mort, le Vendredi saint à trois heures, à la précélébration du dimanche de Pâques placée le Samedi saint au matin. La cérémonie se compose de la liturgie du feu, de l'eau et de la lumière.

Violet Couleur mixte, mélange de rouge et de bleu, qui évoque la pénitence, la tristesse, la contrition, utilisée durant le temps de l'Avent, du Carême, aux dimanches du temps de la Septuagésime, aux Quatre-Temps, aux vigiles, aux Rogations et pour certaines célébrations pénitentielles.

Visite paroissiale Tournée pastorale faite par le curé ou le vicaire dans la paroisse. Chaque famille accueille le prêtre pour recevoir encouragements, bénédiction et, pour les enfants, des images. À cette occasion se fait la quête de l'Enfant-Jésus : le benjamin, au nom de la famille, remet un don à Monsieur le curé.

Voile du tabernacle Étoffe qui enveloppe le tabernacle. Il est de la couleur des vêtements liturgiques du jour.

Zouaves pontificaux Régiment composé initialement de catholiques et formé à Rome, en 1860, pour la défense des domaines du Saint-Siège.

Repères bibliographiques

La Piété populaire: Le Québec, Répertoire bibliographique, Canada, Tome I, en collaboration avec Madeleine Grammond, Lucille Côté et Nelson Dawson, sous la direction de Bernard Plongeron et Paule Lerou, Paris/Montréal, Brepols/Bellarmin, 1989, 153 p.

Religion populaire au Québec. Typologie des sources, Bibliographie sélective (1900-1980), avec Madeleine Grammond, en collaboration avec Lucille Côté, Québec, Institut québécois de recherche sur la culture, coll. «Instruments de travail», n° 10, 1985, 175 p.

Album-Souvenir du Centenaire de St-Raphaël, 1852-1952, [Saint-Raphaël], 1952, 164 p., [56] p., ill.
Sur les Blais: p. 30, 71, 101, 141.
Sur les Lacroix: p. 8, 9, 10, 12, 15, 16, 22 (photo), 22-23, 24, 28, 30, 43, 51-52, 59, 60, 61, 62, 71, 72, 73, 76, 78, 80, 85, 86, 92, 96, 98, 109 (photo), 115, 128, 129, 147, 150, 151, 155, 156, 215.

AUBÉ, Suzanne, Clermont BOURGET, Yvan BRETON, Jacques GRENIER et Andrée MÉNARD, *La Plaine côtière de Bellechasse. Guide d'introduction à son patrimoine passé et présent*, Deuxième édition, Québec, Ministère des Affaires culturelles, coll. «Les retrouvailles», n° 7, 1981, 38 p., ill.

BOURGET, Clermont, et Robert CÔTÉ, *En passant par la Côte de Bellechasse... J'ai rencontré trois beaux villages!*, [Québec], [Municipalité régionale de comté de Bellechasse/Ministère de la Culture du Québec], 1993, 56 p., ill.
Sur Beaumont, Saint-Michel et Saint-Vallier

CARRIER, Joachim, Louisette G. CHABOT, Lise R. GOULET, J. Eugène CHARTIER et Alexandre LACROIX, *Des Cadiens... aux Gervaisiens. St-Gervais, 1780-1980*, [Saint-Gervais], 1979, 656 p., ill.; «Dix-neuvième curé (1966 à 1975) L'abbé Alexandre Lacroix», p. 122-126.

GINGRAS, Henri, f.i.c. [Guy Laviolette], *Saint-Michel de Bellechasse. Trois cents ans d'histoire, 1678-1978*, [Saint-Michel-de-Bellechasse], 1977, 230 p., ill.

LABERGE, Alain (dir.), *Histoire de la Côte-du-Sud*, Québec, Institut québécois de recherche sur la culture, coll. « Les régions du Québec », n° 4, 1993, 647 p., ill.

MOREL DE LA DURANTAYE, Jean-Paul, *Olivier Morel de La Durantaye, officier et seigneur en Nouvelle-France*, Sillery (Québec)/Paris, Éditions du Septentrion/ Éditions Christian, 1997, 226 p.

[ROY], Marie-Antoine, o.f.m., *St-Michel de la Durantaye. Notes et souvenirs, 1678-1929*, Québec, Imp. Charrier & Dugal, Ltée, 1929, 168 p., ill.

ROY, Raoul, *Les Patriotes indomptables de La Durantaye*, Montréal, Éditions Parti Pris, coll. « Aspects », n° 31, 1977, 62 p.

ROY, Pierre-Georges, *À travers l'histoire de Beaumont*, Lévis, 1943, 309 p.

St-Michel, 1678-1978. Passe le temps, je demeure…, [Saint-Michel-de-Bellechasse], 1978, [66] p., ill.

BIBLIOGRAPHIE SÉLECTIVE
DE BENOÎT LACROIX

Livres

Cahiers de Saint-Denys Garneau, n° 1, *Mémorial. Inédits de De Saint-Denys Garneau, de parents et d'amis*, Conçu et réalisé par Giselle Huot et Benoît Lacroix, Saint-Hippolyte/Montréal, Éditions du Noroît/Fondation de Saint-Denys-Garneau, 1996, 118 p., ill.

Échos de deux générations, en collaboration avec Sophie Giroux, Montréal, Éditions du Jour, 1996, 180 p.

Dits et Gestes de Benoît Lacroix, prophète de l'amour et de l'esprit, sous la direction de Giselle Huot, Saint-Hippolyte/Montréal, Éditions du Noroît/Fondation Albert-le-Grand, 1995, 735 p.

Amour, Montréal, Éditions du Silence, 1995, 31 p.

Célébration des âges et des saisons, Québec, Éditions Anne Sigier, 1993, 149 p.

Le Choix de Benoît Lacroix dans l'œuvre de Benoît Lacroix, Québec, Les Presses Laurentiennes, 1987, 80 p.

Marie de Saint-Michel, Montréal, Éditions Paulines, 1986, 131 p.

La Religion de mon père, Montréal, Bellarmin, 1986, 306 p.

Trilogie en Bellechasse, avec treize illustrations d'Anne-Marie Samson, Montréal, Éditions du Noroît, 1986, 222 p.

Religion populaire, religion de clercs?, sous la direction de Benoît Lacroix et Jean Simard, Québec, Institut québécois de recherche sur la culture, coll. « Culture populaire », n° 2, 1984, 444 p.

Musée des religions de Nicolet, en collaboration avec Michel Lessard, Catherine Elbaz, Anne MacLaren et Jean Simard, septembre 1983, 431 p.

Quelque part en Québec, Paris, Cerf, 1982, 81 p.

Les Pèlerinages au Québec, sous la direction de Pierre Boglioni et Benoît Lacroix, Présentation par Benoît Lacroix, Québec, Les Presses de l'Université Laval, coll. « Travaux du laboratoire d'histoire religieuse de l'Université Laval », n° 4, 1981, 160 p.

Célébration des saisons, Québec, Anne Sigier/Centre Alpec, 1981, 140 p.

Quelque part en Bellechasse, Saint-Lambert (Québec), Éditions du Noroît, 1981, 81 p.

Folklore de la mer et religion, Montréal, Leméac, coll. « Connaissance », 1980, 119 p.

Les Cloches, Saint-Lambert (Québec), Éditions du Noroît, 1974, 72 p.

Les Religions populaires : Colloque international 1970, sous la direction de Benoît Lacroix et Pietro Boglioni, Québec, Les Presses de l'Université Laval, 1972, 151 p.

Le P'tit Train, Illustrations de François Gagnon, Montréal, Beauchemin, 1964, 74 p. ; nouvelle édition en 1980, illustrations d'Anne-Marie Samson, Saint-Lambert (Québec), Éditions du Noroît, 75 p.

Articles

« Ambroise, un phare… », dans *Ambroise… tout court*, sous la direction de Pierre Valcour, Sillery (Québec), Éditions du Septentrion, 1999, 252 p. : p. 44-47.

« Le grand Muhlstock, un hymne à l'art et à la vie », en collaboration avec Giselle Huot, *Le Devoir*, vol. 90, n° 88, vendredi 23 avril 1999, p. A 8.

« Vieillesse, temps et liturgie/Instants sacrés », dans *Liturgie, Foi et Culture*, vol. 32, n° 153, printemps 1998, p. 43-44.

« L'audace de croire et de se souvenir », dans *Le Gérontophile*, vol. 19, n° 2, printemps 1997, p. 11-12.

« Communion des saints et culte des morts », dans *Liturgie, Foi et Culture*, vol. 31, n° 149, printemps 1997, p. 27-32.

« Univers sacré de nos ancêtres. Des souvenirs partagés », dans *L'Horizon de la culture. Hommage à Fernand Dumont*, sous la direction de Simon Langlois et Yves Martin, Québec, Les Presses de l'Université Laval/Institut québécois de recherche sur la culture, 1995, 556 p. : p. 399-402.

« Spiritualité sans frontières », dans *Le Gérontophile*, vol. 17, n° 2, printemps 1995, p. 39-43.

« Témoignage », dans *Dits et Gestes de Benoît Lacroix, prophète de l'amour et de l'esprit*, sous la direction de Giselle Huot, Saint-Hippolyte/Montréal, Éditions du Noroît/Fondation Albert-le-Grand, 1995, 735 p. : p. 21-32.

« Ce que l'étude des religions populaires m'a appris », dans *Status Quæstionis*, Actes du colloque tenu à l'occasion du 25e anniversaire du Centre de recherche en histoire religieuse du Canada, le 4 décembre 1994, sous la direction de Pierre Hurtubise et Jean-Marie Leblanc, Ottawa, Université Saint-Paul, 1994, 80 p. : p. 11-22.

«La place de la culture populaire dans la culture canadienne-française», dans *L'Œuvre de Germain Lemieux, s.j. Bilan de l'ethnologie en Ontario français*, sous la direction de Jean-Pierre Pichette, Sudbury, Centre franco-ontarien de folklore/Prise de parole, coll. «Ancrages», 1993, 529 p.: p. 505-516.

«La religion populaire», dans *Religion catholique et Appartenance franco-américaine/ Franco-Americans and Religion. Impact and Influence*, sous la direction de Claire Quintal, Worcester, Mass., L'Institut français, Assomption College, 1993, 202 p.: p. 6-10.

«Langue, foi et culture» et «La langue gardienne de la foi», dans *Éducation et Francophonie*, vol. 21, n° 1, avril 1993, p. 2 et p. 62-63.

«Les personnes âgées, mais comment?», dans *Frontières*, vol. 6, n° 2, 1993, p. 24-27.

«Religion populaire et inculturation de la foi», dans *Le Christ et les cultures dans le monde et l'histoire*, sous la direction de Gilles Langevin et Raphaël Pirro, Montréal, Bellarmin, 1991, p. 321-330.

«Veillées, glas et cimetière», dans *Liturgie, Foi et Culture*, «Les funérailles», vol. 25, n° 126, juin 1991, p. 43-44.

«Mariage et noce du terroir», dans *Liturgie, Foi et Culture*, «Le Mariage», vol. 25, n° 125, mars 1991, p. 53-54.

«Gens des terres d'en haut», dans *Mélanges offerts au cardinal Louis-Albert Vachon*, Québec, Université Laval, 1989, 586 p.: p. 238-246; repris dans *Dits et Gestes de Benoît Lacroix, prophète de l'amour et de l'esprit*, sous la direction de Giselle Huot, 1995, p. 292-301.

«Noël: hier pour demain», dans *Liturgie, Foi et Culture*, vol. 23, n° 120, décembre 1989, p. 10-16.

«La religion populaire au défi de la modernité», dans *Science et Esprit*, vol. 41, n° 3, octobre-décembre 1989, p. 371-377.

«La religion populaire comparée: Normandie-Québec», dans *45èmes Journées d'études normandes*, Rouen (France), 1989, p. 35-37.

«Benoît Lacroix», dans *Les Temps changent. Une génération se raconte*, Propos recueillis par Jean-Paul Lefebvre, Montréal, Fides, 1988, 309 p.: p. 165-186.

«De quelques incroyances religieuses du peuple du Québec», dans *Nouveau Dialogue*, n° 76, septembre 1988, p. 4-14.

«Aux sources de notre spiritualité populaire«, dans *Pastorale Québec*, vol. 101, n° 8, 15 mai 1989, p. 204.

«Au Québec, y a-t-il plus qu'une Marie?», dans *Prêtre et Pasteur*, vol. 91, n° 4, avril 1988, p. 214-219.

«La mémoire orale comme acte culturel», dans *Mémoire d'une époque. Un fonds d'archives orales au Québec*, sous la direction de Gabrielle Lachance, Québec, Institut québécois de recherche sur la culture, coll. «Documents de recherche», n° 12, 1987, 251 p.: p. 15-25.

«École française et religion populaire au Canada français», dans *Actes du Congrès de l'École française de spiritualité, 1987*, Montréal, 1987, p. 100-102.

«La religion populaire: notre héritage à nous», dans *RND (Revue Notre-Dame)*, n° 7, juillet-août 1987, p. 1-13.

«La mort des autres par mots et par rites», dans *Communauté chrétienne*, vol. 26, n° 152, mars-avril 1987, p. 107-113.

«L'enfance religieuse à la fin du XIXe siècle: un cas privilégié, Lionel Groulx (1878-1967)», dans *La Société canadienne d'histoire de l'Église catholique*, Sessions d'étude, n° 53, 1986, p. 93-107.

«Mort et religion traditionnelle au Québec: bibliographie», en collaboration avec Madeleine Grammond, dans *Bulletin d'histoire de la culture matérielle*, n° 63, Ottawa, Musées nationaux du Canada, 1986, p. 56-64.

«Le merveilleux dans la religion des Québécois», dans *Religion de nos pères et pastorale hospitalière*, 25e Congrès annuel de l'Association des aumôniers d'hôpitaux du Québec, 15-16-17 septembre 1986, Saint-Jérôme, Maison des Jésuites, 1986, p. 19-27.

«Rites et coutumes dans la religion populaire des Québécois», dans *Religion de nos pères et pastorale hospitalière*, Saint-Jérôme, Maison des Jésuites, 1986, p. 28-33.

«Mort et maladie: manières de dire, de faire et de penser des Québécois», dans *Religion de nos pères et pastorale hospitalière*, Saint-Jérôme, Maison des Jésuites, 1986, p. 34-37.

«Tipología en la religiosidad popular en Canadá», dans *La Antigua*, Panamá, vol. 26, primer semestre 1985, p. 87-108.

«La contribution culturelle de la chanson folklorique au Québec», en collaboration avec Conrad Laforte, dans *Mémoires de la Société royale du Canada*, 4e série, t. 22, 1984, p. 115-130.

«La mer comme espace sacré: un cas d'ethnologie religieuse», dans *Traditions maritimes au Québec*, Québec, Gouvernement du Québec, 1985, p. 585-605.

«La mythologie religieuse traditionnelle des Canadiens français», dans *Revue de l'Université d'Ottawa*, vol. 55, n° 2, avril-juin 1985, p. 63-75.

«La langue gardienne de la foi?», dans *Le statut culturel du français au Québec. Actes du congrès Langue et société au Québec, tome II*, sous la direction de Michel Amyot, Québec, Éditeur officiel du Québec, 1984, 520 p.: p. 103-106.

«Un séminaire international sur les religions du peuple à Panama», dans *Studies in Religion/Sciences religieuses*, vol. 13, n° 3, 1984, p. 363-364.

«Que racontaient les anciens?», dans *Écologie et Environnement*, sous la direction de Jacques Tremblay, Montréal, Fides, coll. «Cahiers de recherche éthique», n° 9, 1983, 194 p.: p. 141-150.

«L'impasse: religion et culture», dans *Évangélisation et Culture dans le Québec*, démarches proposées par l'Assemblée des évêques du Québec, Montréal, Fides, coll. «L'Église aux quatre vents», 1983, p. 56-63.

«Archives familiales en Bellechasse», dans *La Vie quotidienne au Québec. Histoire, métiers, techniques et traditions. Mélanges à la mémoire de Robert-Lionel*

Séguin, sous la direction de René Bouchard, Québec, Les Presses de l'Université du Québec, 1983, xii, 395 p. : p. 203-216.

« Dévotions : hier et aujourd'hui », dans *Bulletin national de liturgie*, vol. 17, n° 88, janvier-février 1983, p. 14-18 ; 22-25 ; 34-36.

« La fête religieuse au Québec », dans *Que la fête commence ! Actes du colloque national sur la fête populaire*, sous la direction de Diane Pinard, Montréal, Société des Festivals Populaires du Québec, 1982, 190 p. : p. 49-60.

« Imaginaire, merveilleux et sacré avec J.-C. Falardeau », dans *Imaginaire social et représentations collectives, I, Mélanges offerts à Jean-Charles Falardeau,* numéro spécial de *Recherches sociographiques*, vol. 23, n°s 1-2, janvier-août 1982, p. 109-124.

« À cause de notre folklore de Noël », dans *Prêtre et Pasteur*, vol. 84, n° 11, décembre 1981, p. 678-686.

« La religion populaire : opium du peuple ou facteur de civilisation ? Point de vue de Benoît Lacroix », dans *Critère*, n° 32, automne 1981, p. 123-127.

« La religion est aussi une culture », dans *Éducation Québec*, vol. 11, n° 6, avril 1981, p. 6.

« Pour l'étude de la religion populaire au Québec », dans *Critère*, n° 31, printemps 1981, p. 179-190.

« Préface », dans Jean-Pierre Pichette, *Guide raisonné des jurons*, Montréal, Quinze, 1980, 305 p. : p. 7-11.

« Histoire et religion traditionnelle des Québécois (1534-1980) », dans *Stanford French Review*, vol. 4, n°s 1-2, Spring-Fall 1980, p. 19-41.

« Religion traditionnelle et les chansons de coureurs de bois », en collaboration avec Conrad Laforte, dans *Revue de l'Université Laurentienne*, vol. 12, n° 1, novembre 1979, p. 11-42.

« L'Oratoire Saint-Joseph (1904-1979) : fait religieux populaire », dans *Cahiers de Joséphologie*, vol. 27, n° 2, juillet-décembre 1979, p. 256-265.

« Maman », dans *Esprit-Vivant*, vol. 4, n° 35, 10 mai 1979, p. 13 ; repris dans *Dits et Gestes de Benoît Lacroix, prophète de l'amour et de l'esprit*, sous la direction de Giselle Huot, 1995, p. 67.

« Lionel Groulx et ses croyances », dans *Hommage à Lionel Groulx*, sous la direction de Maurice Filion, Montréal, Leméac, 1978, 224 p. : p. 95-118.

« Initiation bibliographique à la connaissance du Canada français », en collaboration avec Jean-Pierre Chrestien, dans *Annales de Normandie*, vol. 27, n° 2, juin 1977, p. 219-228.

« La religion de mon père », dans *Communauté chrétienne*, vol. 16, n° 96, novembre-décembre 1977, p. 553-566.

« Au Canada français : typologie des sources », dans *La Religion populaire*, Actes du colloque international C.N.R.S., 576, Paris, 17-19 octobre 1977, Paris, Éditions du Centre national de la recherche scientifique, 1979, 449 p. : p. 315-323.

« Noëls d'autrefois et de demain », dans *Communauté chrétienne*, vol. 15, n° 78, novembre-décembre 1974, p. 573-590.

« Pour l'étude de la religion des Canadiens français et Québécois », dans *Travaux et Communications*, sous la direction de Maurice Lebel, vol. 1, Sherbrooke, Éditions Paulines, coll. « Académie des sciences morales et politiques », 1973, 278 p. : p. 169-178.

« Le Dieu merveilleux des Québécois », dans *Le Merveilleux. Deuxième colloque sur les religions populaires*, sous la direction de Fernand Dumont, Jean-Paul Montminy et Michel Stein, Québec, Les Presses de l'Université Laval, coll. « Histoire et sociologie de la culture », n° 4, 1973, 162 p. : p. 67-81.

« Les origines de l'observance chrétienne du dimanche », dans *Prêtre et Pasteur*, vol. 75, n° 6, juin 1972, p. 275-279.

« Un centre d'études des religions populaires », dans *Société canadienne d'histoire de l'Église catholique*, Sessions d'étude, n° 38, 1971, p. 88-94.

« Communication et religion populaire », dans *Actes du XVe Congrès des Sociétés de Philosophie de langue française*, Montréal, Éditions Montmorency, 1971, vol. I, 430 p. : p. 278-282.

« La Sagesse paysanne », dans *Réception à la Société royale du Canada*, 1971, p. 53-58 ; repris dans *Le Choix de Benoît Lacroix dans l'œuvre de Benoît Lacroix*, Québec, Les Presses Laurentiennes, 1987, 80 p. : p. 10-14 et dans *Dits et Gestes de Benoît Lacroix, prophète de l'amour et de l'esprit*, sous la direction de Giselle Huot, 1995, p. 378-381.

« Dieu dans la religion populaire franco-québécoise. Sondages et perspectives », dans *Communauté chrétienne*, vol. 10, n°s 58-59, juillet-octobre 1971, p. 236-247.

« Les origines ou la naissance des sciences humaines de la religion au Québec (1940-1969) », dans *L'Enseignement et la recherche dans le secteur des sciences humaines de la religion*, Québec, Ministère de l'Éducation, 1969, p. 17-31.

« Historiographie et tradition orale », dans *Situation de la recherche sur le Canada français*, Québec, Les Presses de l'Université Laval, 1962, 294 p. : p. 263-266.

Légendes des illustrations

1. Autographe de Rose-Anna Blais: la quinzième et dernière page d'une lettre à son fils Benoît Joachim, le 4 février 1937. (Collection Benoît Lacroix)

2. Diagramme indiquant la répartition de l'Année liturgique en Cycles et Saisons.

3. Acte du mariage de Damase Blais et de Philomène Pilote, parents de Rose-Anna, célébré en l'église Saint-Raphaël de Bellechasse, le mardi 7 septembre 1858. (Archives de la Fabrique ou Paroisse Saint-Raphaël (désormais APSR), *Registre des baptêmes, mariages et sépultures, 1855-1861*. Photo Michel Laliberté, o.p., 1995)

4. Acte du baptême de Joseph Caïus Lacroix, célébré en l'église de Saint-Raphaël, le lundi 10 décembre 1883, lendemain de sa naissance. (APSR, *Registre des baptêmes, mariages et sépultures, 1883-1898*. Photo Michel Laliberté, o.p., 1995)

5. Acte du mariage de Rose-Anna Blais et de Caïus Lacroix, célébré en l'église Saint-Raphaël de Bellechasse, le mardi 13 mai 1902. (APSR, *Registre des baptêmes, mariages et sépultures, 1899-1905*. Photo Michel Laliberté, o.p., 1995)

6. La maison natale de Rose-Anna, au Premier Rang de Saint-Raphaël, non loin de l'église, à l'est, aujourd'hui le 112, rue Principale. (Photo Giselle Huot, août 1997)

7. L'église de Saint-Raphaël, bénite le 21 décembre 1852, terminée en 1853, église de Rose-Anna et de Caïus jusqu'à leur départ pour Saint-Michel en 1902, et le cimetière où sont enterrés leurs parents. (Photo Giselle Huot, septembre 1997)

8. La maison de Rose-Anna et de Caïus du Troisième Rang Ouest de Saint-Michel-de-Bellechasse, le 15 juin 1935. (Collection Rolande Lacroix-Lamontagne)

9. Village de Saint-Michel-de-Bellechasse à la fin de l'été vu du Deuxième Rang. (Photo Giselle Huot, septembre 1996)

10. Carte de la Côte-du-Sud contemporaine. (*Histoire de la Côte-du-Sud*, p. 10-11)

11. La toponymie de la plaine côtière de Bellechasse. (*La Plaine côtière de Bellechasse*, p. 37)

12. L'église Saint-Michel, la cinquième et l'actuelle, au clocher surmonté d'une croix et d'un coq, côté ouest, érigée en 1872, selon les plans de l'architecte Joseph Ferdinand Peachy par la firme Breton et frères, à même les murs de l'église de 1858 (intérieur terminé entre 1865 et 1870), incendiée le 8 août 1872. Bénédiction de l'église le 29 mai 1873, mais l'intérieur ne sera terminé que plus tard, entre 1885 et 1889. (Photo Giselle Huot, septembre 1997)

13. L'église Saint-Michel, côté sud-est, en hiver. À remarquer, au bas, les pierres provenant de l'église construite en 1858, et en haut les pierres de la reconstruction de 1872. (Photo Giselle Huot, mars 1999)

14. Le presbytère Saint-Michel datant de l'époque du Régime français, l'un des plus anciens en Amérique. Construit en pierre en 1739 par le 9e curé, l'abbé Joseph-Marie de La Corne. À l'origine, de 50 pieds de longueur sur 35 pieds de largeur, une annexe de 25 pieds y est ajoutée en 1790, pour faire deux salles, l'une pour les femmes et l'autre pour les hommes, où l'on se retire avant, après et entre les offices religieux. (Photo Giselle Huot, mars 1999)

15. Chapelle Notre-Dame de Lourdes à l'ouest du village, à un kilomètre de l'église. Chapelle de style gothique, érigée en 1879 d'après le modèle du sanctuaire français, par le curé Jean-Baptiste Napoléon Laliberté. La statue de la Vierge a été bénite à Lourdes. (Photo Giselle Huot, septembre 1996)

16. Le banc du premier jubé, le n° 5 de la quatrième rangée (à partir du mur nord), est loué dès 1922 par Rose-Anna et Caïus pour une somme annuelle de 12 $, puis de 9 $ à partir de 1926 jusqu'en 1949. En 1949, c'est leur fils Léopold qui devient locataire du banc, jusqu'en 1965 inclusivement, toujours pour une somme annuelle de 9 $. Ce banc sera resté dans la famille de Rose-Anna – Caïus pendant 44 ans. (Photo Giselle Huot, mars 1999)

17. La nef de l'église Saint-Michel vue du banc des Lacroix au jubé. (Photo Giselle Huot, mars 1999)

18. Chapelle Sainte-Anne, érigée en 1905 par l'abbé Joseph-Aimé Bureau, dans le style des chapelles du Régime français, d'après les plans de Chevalier. À l'intérieur, ornée d'un autel en bois datant du Régime français, ainsi que des statues en plâtre de la Vierge, de saint Joseph, de sainte Anne, de la lampe du sanctuaire et du chemin de la croix qui proviennent de l'ancienne chapelle Sainte-Anne. (Photo Giselle Huot, septembre 1996)

19. Couvent des Religieuses de Jésus-Marie érigé en 1889 à l'est du cimetière, bénit par le cardinal Taschereau le 9 octobre 1890. (Photo Giselle Huot, septembre 1997)

20. Construite en 1859 pour abriter la cour de circuit ou de justice régionale sise à Saint-Michel, chef-lieu du comté de Bellechasse de 1858 à 1898 (le sous-sol servait de prison). Le Conseil municipal y tient ses assemblées dès 1891 et la Municipalité l'achète à l'hiver de 1899 pour servir de salle du Conseil municipal et de salle publique. Bibliothèque municipale, baptisée Bibliothèque Benoît-Lacroix, depuis le 3 août 1987, inaugurée le 23 août de la même année, ses nouveaux locaux sont inaugurés le 15 mai 1993. (Photo Giselle Huot, août 1992)

21. Calvaire du cimetière Saint-Michel à l'est de l'église. (Photo Giselle Huot, septembre 1997)

22. La croix de chemin du Troisième Rang Ouest, près de l'intersection du Deuxième Rang. (Photo Giselle Huot, septembre 1997)

23. Devant le presbytère Saint-Michel (1739), la statue de saint Michel Archange, patron de la paroisse (copie en fibre de verre par Jean Loubot en 1985 de la statue de saint Michel terrassant le dragon sculptée au début du siècle par Louis Jobin, « le dernier de nos grands artisans » selon Marius Barbeau, et installée maintenant à l'intérieur de l'église, face aux portes centrales). (Photo Giselle Huot, septembre 1997)

24. Acte de sépulture de Rose-Anna, décédée le mardi 16 janvier à l'âge de 68 ans et 6 mois, le samedi 20 janvier 1951. (Archives de la Fabrique ou Paroisse Saint-Michel, *Registre des baptêmes, mariages et sépultures*. Photo Michel Laliberté, o.p., 1995)

25. Acte de sépulture de Caïus, décédé le samedi 13 septembre 1969 à l'âge de 85 ans et 9 mois, le mardi 16 septembre. (APSM, *Registre des baptêmes, mariages et sépultures*. Photo Michel Laliberté, o.p., 1995)

26. Stèle funéraire de Rose-Anna et Caïus au cimetière de Saint-Michel, face au fleuve Saint-Laurent. (Photo Giselle Huot, septembre 1997)

27. L'une des trois cloches du carillon de l'église Saint-Michel pesant 7425 ¹/₂ livres, acheté au coût de 3,415.44 $, de Georges S. Francisque Paccard, fondeurs à Annecy-le-Vieux, Haute-Savoie (France), en 1900 (bénédiction le 8 juillet). Les cloches sont baptisées Jésus, Marie, Joseph, et sont toujours en exercice au clocher de Saint-Michel. Ici, il s'agit de la cloche du côté sud, donnant sur la route 132, portant les armoiries du pape Léon XIII, les saints Thomas, Barnabé, Matthieu, Simon (face ouest), les armoiries du cardinal Louis-Nazaire Bégin, les saints Jacques, Philippe, Jean, André (face est), la Vierge Marie avec l'Enfant-Jésus, les saints Paul, Jude, Marc et Barthélémy (face nord).
(*Patrimoine paroissial de Saint-Michel-de-Bellechasse*, Conception et réalisation Roger Lacasse, ptre, alors curé de Saint-Michel, juillet 1996, t. II, n° 181)

28. Orgue de l'église Saint-Michel construit par Napoléon Déry, inauguré le 3 janvier 1897 : « menuiserie exceptionnelle ; tuyauterie en métal tacheté équilibrée ; joints en bois en assemblage à queue d'aronde ; jeux limpides, riches et chantants ; touche sensible ; harmonisation mesurée ». (*Patrimoine paroissial...* Texte et Photo Roger Lacasse, ptre, 1996, t. II, n° 103)

29. « Crucifix géant, corpus en plâtre sur croix de bois, fixé sur la colonne de l'ancien banc des marguilliers. » (*Patrimoine paroissial...* Texte et Photo Roger Lacasse, ptre, 1996, t. I, n° 106)

30. « *Pieta* en plâtre, dans un présentoir cannelé ; placé à droite de l'autel de la Vierge. » (*Patrimoine paroissial...* Texte et Photo Roger Lacasse, ptre, 1996, t. I, n° 105)

31. « Confessionnal (1 des 2), dessiné par David Ouellet en 1912. D'abord placé sur le mur nord et sud de l'avant-nef et maintenant, à l'arrière de l'église. » (*Patrimoine paroissial...* Texte et Photo Roger Lacasse, ptre, 1996, t. I, n° 101)

32. « Enfant Jésus en cire, figurine très ancienne, posé sur la paille de la mangeoire de la crèche. » (*Patrimoine paroissial…* Texte et Photo Roger Lacasse, ptre, 1996, t. II, n° 204)

33. Âne et bœuf, figurines en plâtre de la crèche. (*Patrimoine paroissial…* Photo Roger Lacasse, ptre, 1996, t. II, n° 210)

34. « Petit ange de la crèche, en plâtre, statue dont la tête s'incline avec le dépôt d'une pièce d'argent. » (*Patrimoine paroissial…* Texte et Photo Roger Lacasse, ptre, 1996, t. II, n° 209)

35. « Œuvres de Laurent Amyot en argent massif » : deux ciboires, deux calices, deux burettes, une boîte à hosties.

Le calice de gauche « de style Louis XVI » (10 $^{13}/_{16}$ po hauteur ; coupe : 3 $^{1}/_{4}$ po profondeur, 3 $^{5}/_{8}$ po ouverture ; pied : 6 $^{1}/_{16}$ po. « Sous le pied, 2 fois le poinçon de Laurent Amyot »). Le calice de droite : « Grand calice au style de François Sasseville » (12 po hauteur ; coupe : 3 $^{5}/_{8}$ po profondeur, 3 $^{13}/_{16}$ po ouverture ; pied : 6 po. Sous le pied, poinçon de Laurent Amyot et tête de profil à droite. »)

Le ciboire en haut de la photo : « Ciboire en argent massif, dont le pied seul est orné de ciselures » (9 $^{3}/_{4}$ po hauteur et 4 $^{15}/_{16}$ po diamètre. « Sous le pied, 2 fois le poinçon de Laurent Amyot »).

Deux burettes sans ornement (5 $^{3}/_{8}$ po hauteur ; panse : 2 $^{3}/_{8}$ po ; pied : 1 $^{15}/_{16}$ po. « Sous le pied, poinçon de Laurent Amyot »).

Une boîte à hosties, « surmontée d'une croix et ornée de moulures. Sur le fond : L.A. / Québec / Tête de profil à droite ».

(*Patrimoine paroissial…* Description et Photo Roger Lacasse, ptre, 1996, t. II, n°s 183, 188, 189, 190, 187, 201)

36. Ancien ostensoir de Saint-Michel. (*Patrimoine paroissial…* Photo Roger Lacasse, ptre, 1996, t. II, n° 202)

37. Œuvres de Laurent Amyot en argent massif : un encensoir (9 $^{1}/_{2}$ po hauteur ; panse : 4 $^{3}/_{8}$ po ; pied : 3 $^{7}/_{16}$ po) ; une navette (3 $^{9}/_{16}$ po hauteur ; 5 $^{1}/_{16}$ po longueur ; pied : 2 $^{9}/_{16}$ x 1 $^{7}/_{8}$ po) et cuillère ; un bénitier « à panse godronnée et ouverture moulurée » (6 $^{7}/_{8}$ po hauteur ; ouverture : 5 $^{3}/_{8}$ po ; panse : 7 $^{1}/_{2}$ po ; pied : 4 $^{13}/_{16}$ po. « Sous le fond, 4 fois le poinçon de Laurent Amyot ») et un goupillon. (*Patrimoine paroissial…* Description et Photo Roger Lacasse, ptre, 1996, t. II, n°s 184 et 185)

38. Village de Saint-Michel-de-Bellechasse en septembre 1993. (Photographie aérienne par Ray-Flex Photo, Charny)

Index

(à l'exclusion des annexes)

Table des matières

ANNEXES

Québec, Canada
2000